D1485450

le meilleur du livre
les meilleurs des livres

SÉLECTION DU LIVRE

Sélection
du Reader's Digest

PARIS   BRUXELLES   MONTRÉAL   ZURICH

PREMIÈRE ÉDITION

LES CONDENSÉS FIGURANT DANS CE VOLUME
ONT ÉTÉ RÉALISÉS PAR *THE READER'S DIGEST*
ET PUBLIÉS EN LANGUE FRANÇAISE
AVEC L'ACCORD DES AUTEURS ET DES ÉDITEURS DES LIVRES RESPECTIFS.

© SÉLECTION DU READER'S DIGEST, SA, 2005.
5 À 7, AVENUE LOUIS-PASTEUR, 92220 BAGNEUX.

© N. V. READER'S DIGEST, SA, 2005.
20, BOULEVARD PAEPSEM, 1070 BRUXELLES.

© SÉLECTION DU READER'S DIGEST, SA, 2005.
RÄFFELSTRASSE 11, « GALLUSHOF », 8021 ZURICH.

© SÉLECTION DU READER'S DIGEST (CANADA) LTÉE, 2005.
1100, BOUL. RENÉ-LÉVESQUE OUEST, MONTRÉAL (QUÉBEC) H3B 5H5.

TOUS DROITS DE TRADUCTION, D'ADAPTATION ET DE REPRODUCTION
RÉSERVÉS POUR TOUS PAYS.

IMPRIMÉ EN ALLEMAGNE *(PRINTED IN GERMANY)*
ISBN 2-7098-1648-2

254 (3-05)
021-0441-53

David Hockney « *Henry & Eugene* » 1977 (détail)
Acrylique-toile 72 x 72, © David Hockney
Photo : AKG images, Paris/Cameraphoto

TABLE DES MATIÈRES

En 1897, Matt, un jeune paysan américain, embarque pour le Grand Nord, espérant faire fortune dans la foulée des premiers chercheurs d'or. Sur son chemin, un vieux trappeur, qui lui apprend à survivre dans des conditions extrêmes. Deux femmes aussi, que tout oppose : Marie, l'aventurière blanche, et Nastasia, l'Indienne mystérieuse. Après bien des souffrances et des désillusions, Matt devra choisir entre deux conceptions irréconciliables de l'existence : la richesse ou la liberté.

Elles étaient sept jeunes filles à partager leurs déjeuners, qui aimaient rire et se moquer des garçons. Vingt ans plus tard, elles ne sont plus que deux à assister à l'anniversaire de leur promotion : Jane, historienne reconnue, et Laura, actrice de second ordre. Les autres sont mortes, tragiquement… Autour du buffet, les langues se délient et le passé refait surface. Et si un assassin rôdait parmi les invités ?

Sur les rives de la Dordogne, trois enfants vivent avec leurs parents au rythme de la rivière, ivres de liberté et de nature sauvage. Une existence fruste mais riche de joies intenses. Dans la grande île au milieu du courant, Bastien, Baptiste et Paule bâtissent un sanctuaire. Même le spectre de la guerre ne réussit pas à ébranler leur univers. Mais il faut bien, un jour, devenir grand. Affronter le vaste monde, et payer le prix du rêve.

Le jour de la Saint-Sylvestre, l'inspecteur Harry Bosch, homme bon et flic désabusé, est appelé sur une colline de Los Angeles à la suite d'une macabre découverte : les ossements d'un enfant, sans doute brutalement assassiné. L'affaire remonte à une vingtaine d'années et n'intéresse plus grand monde. Sauf Bosch, bien décidé à retrouver l'auteur de ce crime méprisable. Dût-il en souffrir dans sa chair et dans son âme.

Nicolas Vanier

L'OR
SOUS
LA NEIGE

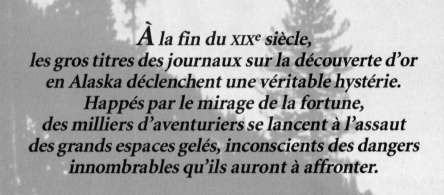

À la fin du XIXᵉ siècle,
les gros titres des journaux sur la découverte d'or
en Alaska déclenchent une véritable hystérie.
Happés par le mirage de la fortune,
des milliers d'aventuriers se lancent à l'assaut
des grands espaces gelés, inconscients des dangers
innombrables qu'ils auront à affronter.

1

CEUX qui ne savaient pas attendaient au centre du grand hall. Les autres choisissaient un des douze *ranges*, comme à la loterie.

— Allons sur le café, proposa Matt.

Matt et Silvey se frayèrent un chemin parmi les centaines de dockers occasionnels qui s'agglutinaient ici et là dans l'espoir de repérer où il y aurait de l'embauche. Il y avait plusieurs manières de procéder. On pouvait observer le chef de chaque file, ou *range*, et deviner à son air ou aux signes qu'il adressait à ses copains s'il allait ou non engager des occasionnels. On pouvait aussi tenter d'arracher des renseignements aux dockers professionnels, mais Matt s'y était brûlé les ailes. On lui avait extirpé des dollars en échange de faux renseignements.

Depuis, Matt se fiait à son instinct et se présentait au hasard, sans rien écouter des rumeurs répandues par les dockers. Silvey et lui avaient déjà travaillé deux fois sur le café et le chef d'équipe, un certain Michener, râblé mais costaud, les avait repérés, ce qui constituait un avantage. Quand la lumière passait du vert au rouge et que toutes les cartes se tendaient, les chefs d'équipe prenaient les premières venues, mais s'ils reconnaissaient quelqu'un, ils le choisissaient souvent, surtout des gars solides et sans histoires comme Matt et Silvey. Tout un monde que Matt, fils de fermier, avait découvert à l'âge de vingt ans avec un mélange de curiosité et d'effroi.

Soudain, la lumière passa au rouge devant eux et déjà des occasionnels tendaient des cartes que Michener attrapait. Il hésita un court instant et prit celles de Matt et de Silvey.

Matt claqua dans les mains de Silvey. Ils étaient embauchés et c'était la deuxième fois cette semaine. À côté d'eux, un occasionnel, sa carte en main, leur jeta un regard noir.

— Y a du piston, j'étais devant.

— Écoute, fiston, c'est chacun son tour.

L'autre l'empoigna.

— M'appelle pas fiston…

Silvey s'interposa aussitôt.

— Arrêtez, vous êtes cons ou quoi? On va nous retirer nos cartes!

Il avait raison. Ils se séparèrent.

MATT et Silvey arrivèrent devant le *Dromms* où quelques marins et ouvriers du port venaient boire un verre. Le soir, des filles y vendaient leurs charmes.

Le patron, un Écossais chauve comme un caillou de un mètre quatre-vingt-quinze, les accueillit avec un grand sourire, très commercial.

— Alors, on s'est fait embaucher ce matin?

— Ouais, encore sur le café.

— C'est pas pire qu'autre chose. C'est quel *range?* Celui de Michener?

— Comment as-tu deviné? s'étonna Silvey.

Le patron du *Dromms* le regarda d'un air condescendant.

— Hé, petit, ça fait vingt ans que je suis ici.

Ils s'assirent au bar où la « Blanquette » leur servit leur café. Personne ne savait quand ni pourquoi on avait commencé à appeler ainsi cette belle fille. Elle était toujours coiffée d'un fichu rouge maintenu par une petite barrette en ivoire sculpté qu'un marin lui avait rapportée des îles Kodiak. Jamais un mot plus haut que l'autre. Toujours l'air de s'ennuyer.

La Blanquette aimait bien ces deux-là, même si elle avait une petite préférence pour Matt, le grand brun ténébreux, alors que Silvey avec ses cheveux châtains gardait un air enfantin qui le desservait.

TROIS occasionnels entrèrent dans la salle sombre qu'éclairaient des lampes à huile posées sur les tables de poker et sur le bar.

— Trois rhums, Blanquette !

Matt reconnut l'un de ceux qui, comme lui, avaient bossé un jour sur un embarquement de rouleaux de tissu pour Dyea.

— Vous bossez ?

— Sur le café, et vous ?

Les trois occasionnels échangèrent un regard complice.

— Bien sûr qu'on bosse. Hier, aujourd'hui, demain…

— Les embauches se font au jour le jour, même pour les pros. Vous ne pouvez pas savoir si vous serez pris demain…

— Qui te dit qu'on bosse à charger des conneries pour 3 dollars de l'heure ?

Matt leur fit un geste vague du menton et se détourna, signifiant qu'il n'entendait pas prolonger la conversation. Les trois compères continuèrent plus haut.

— Combien on gagne, nous, Dick ?

— 7, 8, peut-être 10 aujourd'hui. On travaille pas pour des prunes, nous !

Ils s'esclaffèrent. Ils avaient bu et cherchaient la bagarre.

— Viens, Silvey. On s'en va !

Matt déposa quelques pièces sur le bar. Il passait la porte lorsqu'il entendit l'insulte.

— Fils de sa pute de mère !

Le sang lui monta au visage. Les lèvres serrées, les mâchoires contractées, les muscles de son cou roulant sous sa peau, il se retourna et fondit sur celui qui lui avait adressé la parole le premier. Il lui décocha un coup de poing avant même qu'il se soit mis en garde. Le deuxième reçut un coup de pied dans le ventre qui le fit se tordre de douleur, alors que Silvey s'occupait du troisième, immobilisé au sol, la tête écrasée sous son genou.

Le tout n'avait duré que quelques secondes, et le patron du *Dromms* n'avait pas eu l'occasion d'intervenir. Les trois gars pliés sur le sol geignaient en se tortillant.

— Dehors tout le monde ! hurla-t-il.

Matt et Silvey ressortirent du bar sans laisser aux trois types le temps de reprendre leurs esprits.

Ils s'éloignaient quand un type grand et mince au visage long et osseux les rejoignit. Ils s'attendaient à de nouveaux ennuis, mais celui-là ne cherchait pas la bagarre et semblait ne rien avoir à faire avec les trois autres.

— Il faut qu'on cause.

— On te connaît pas.

— Faut qu'on cause, je vous dis. Une proposition d'embauche à vous faire. Des centaines de dollars à gagner.

— Ça nous intéresse pas.

L'homme fouilla dans sa poche, compta 20 dollars et les tendit à Silvey.

— Une avance. À 20 heures ici, 20 heures!

Et il tourna les talons. Ils ne cherchèrent même pas à le retenir.

Le travail de débarquement des sacs de café était organisé en trois groupes. Un premier, constitué de quatre personnes, attachait les sacs dans la cale, un deuxième les réceptionnait sur le pont après que Matt et Silvey les eurent guidés au bon endroit en positionnant la grue et les cordes. Enfin, la dernière équipe, la plus importante, guidée par Michener lui-même, avec la moitié des hommes, effectuait des allers-retours depuis le pont jusqu'au quai où elle déchargeait les sacs dans des charrettes à cheval que des transporteurs menaient vers les hangars.

L'armateur vérifia que le travail s'organisait correctement, puis s'éloigna en direction des grands bâtiments qui surplombaient la baie de San Francisco, à l'extrémité du port.

Matt ne vit pas Michener bloquer tout à coup la corde qu'il s'apprêtait à repousser pour laisser à l'équipe de la cale le mou nécessaire à l'accrochage.

— T'as vu le gars?

— Quel gars, monsieur?

— Celui que je t'ai envoyé.

— Heu, celui qui veut nous voir ce soir?

Michener lui fit un signe de tête affirmatif.

— Et… euh… oui, mais qu'est-ce qu'il attend de nous?

Michener ne sembla pas avoir entendu la question.

— Tu viens d'où, toi?

— Du Wyoming, monsieur. Nous avions une ferme dans les Bitterroot.

— Un bon coin à grizzlys, non?

— On en tuait quelques-uns qui tuaient nos vaches.

— Tu avais des vaches?

— Pas moi, mon grand-père.

— Et tes parents?

— Mon père est mort. Ma mère vit à la ferme de mon grand-père.

— Qu'est-ce que tu es venu foutre ici alors?

— Mon grand-père ne voulait pas que ce soit moi qui reprenne la ferme. Il a fait venir quelqu'un et il n'y avait pas de place pour deux.

— Je vois.

Michener l'observa un moment, le sondant de son regard aiguisé, sans complaisance.

— Et lui?

Il montrait Silvey.

— Un copain. Je loue une chambre chez lui.

— Je vois. Tu as de la chance.

— De quoi parlez-vous, monsieur?

— Beaucoup de chance, répéta Michener comme pour lui-même.

Matt ne comprenait pas et Michener ne semblait pas vouloir lui expliquer quoi que ce soit.

— J'aimerais bien être à votre place, fut la seule chose qu'il dit encore avant de retourner sur le quai.

À la fin de la journée, quand Matt et Silvey allèrent toucher leur paie, s'apprêtant à quitter le navire, Michener leur dit simplement en passant devant eux avec un groupe de dockers :

— Je vous attends au *Miror.*

Matt et Silvey se regardèrent, stupéfaits.

À L'ENTRÉE du *Miror,* un solide gaillard barrait le passage. En s'écartant, il hocha la tête d'un air entendu.

— Michener est au fond, au bar.

Ils remercièrent et se frayèrent un chemin entre les dockers qui les dévisagèrent plus ou moins ostensiblement.

— Par ici.

Michener, qui les avait repérés, agrandit le cercle constitué autour de lui afin de leur faire une place. Il leur tendit deux verres de rhum et attendit que les conversations reprennent pour leur parler discrètement.

— Quand vous aurez vu l'autre, faudra qu'on cause.

— L'autre?

— Celui que je vous ai envoyé. Venez au 102 de la rue Frontier. C'est pas loin du magasin de la Nord-Ouest.

— On viendra.

Michener n'avait plus rien à leur dire. Il se retourna vers ses compagnons et trinqua avec eux. La fumée piquait les yeux. Matt et Silvey terminèrent leurs verres, puis, estimant qu'ils en avaient assez profité, ils sortirent après avoir remercié Michener qui avait payé leurs consommations.

— J'aime pas cette histoire, dit Silvey.

— Quelle histoire? Tu ne sais même pas de quoi il s'agit!

— Une entourloupe, c'est couru.

— On verra bien.

Silvey ne paraissait pas convaincu. Tout allait bien jusque-là pour lui. Il était étudiant en droit à l'université de San Francisco et l'une des nombreuses relations de son père avait réussi à lui procurer une carte de docker occasionnel, si difficile à obtenir. Silvey avait peu travaillé, mais, en six demi-journées, il avait gagné tout autant que bon nombre de ses copains qui avaient travaillé pendant un mois sur les jobs de vacances habituels. Comme il habitait chez ses parents, il n'avait pas, à l'inverse de Matt qui louait une chambre chez eux, de frais de nourriture ni de logement. Sa solde lui servirait à acheter un petit bateau de pêche du dimanche. Il n'avait pas d'autre prétention.

Avant que les circonstances le poussent à partir, Matt n'avait jamais imaginé quitter un jour la ferme et, lorsqu'il avait compris qu'il devait le faire, cela l'avait plongé dans une profonde tristesse. Il voulait vivre dans cette ferme qu'il s'était mis à aimer. Et il aimait Jessica, la fille du libraire de Duboy, un village à 6 kilomètres de chez lui. Du moins le croyait-il, parce qu'il n'avait jamais connu d'autre fille. Or, à peine l'avait-il quittée qu'il avait succombé aux charmes de la serveuse d'un bar où il s'était arrêté sur la route. Cette fille expérimentée lui avait fait tourner la tête et, dans ses bras, il avait complètement oublié Jessica.

Sur la route qui le conduisait à San Francisco, sans savoir pourquoi il avait choisi cet endroit plutôt qu'un autre, il avait décidé d'oublier la ferme, d'enterrer regrets et remords. Une fenêtre s'ouvrait enfin dans sa vie.

Il avait trouvé une chambre par hasard dans la maison des parents de Silvey, qui lui avait obtenu une carte. Depuis, ils ne se quittaient plus, au grand désespoir des parents de Silvey, qui considéraient ce « petit fermier » comme une mauvaise fréquentation pour leur fils.

— C'est lui.

— Il n'est pas seul, chuchota Matt.

Ils s'apprêtaient à entrer dans le *Dromms* quand ils les avaient aperçus qui s'en approchaient. L'homme élancé, presque maigre, qu'ils avaient rencontré était accompagné d'un gars plus costaud, au visage carré, au front bas et aux lèvres épaisses.

— Bonsoir, les gars. Restons dehors. On est plus tranquilles.

Silvey jetait des regards inquiets autour de lui. Matt lui donna un coup de coude.

— Je m'appelle Reid et voilà Hoxey.

Ils se serrèrent la main.

— Venons-en au fait, dit Matt, impatient.

— Tu es bien comme on me l'a décrit, admit Reid en souriant.

— Tu veux parler de Michener ?

Reid éluda la question et confessa à voix basse :

— Hoxey était sur l'*Excelsior* qui revient d'Alaska.

— Je l'ai vu au port, répondit Matt.

— Et tu as lu le journal ?

— Non.

Reid lui tendit le *Call* et le *Chronique* datés de la veille, 15 juillet 1897, en lui montrant les entrefilets qui parlaient de quelques chercheurs d'or ayant rapporté de belles quantités d'or d'Alaska et qui étaient sur l'*Excelsior*.

— Et alors ?

— Raconte-leur.

Hoxey regarda autour de lui, sa tête se coucha légèrement sur son épaule et il chuchota sur le ton de la confidence :

— Un autre bateau va arriver à Seattle : le *Portland*. J'ai vu les gars embarquer en Alaska. Il y a plus d'une tonne d'or à bord.

Hoxey avait insisté sur ces derniers mots.

— Mais il vient d'où, cet or ?

— Nous y voilà, dit Reid.

Matt n'y comprenait rien. Il attendait la suite.

— Hoxey sait d'où vient l'or. Il a discuté avec ces gars qui l'ont trouvé. Il a vu leurs titres de propriété et il y en a des tonnes d'autres à ramasser. Le tout est d'être dans les premiers là-bas.

— Là-bas, c'est où ?

Le cœur de Matt s'était accéléré.

— Au fin fond de l'Alaska. Le reste, c'est mon secret, jusqu'à nouvel ordre.

— C'est loin, ça ?

— Très loin, deux mois de voyage au mieux et pas mal d'ampoules aux mains et aux pieds.

Matt commençait à voir où ils voulaient en venir. Silvey ne pipait mot et le laissait faire.

— Mais il n'y a personne là-bas pour le prendre, cet or ?

— Quelques trappeurs, pas de quoi remplir un demi-bateau, et de l'or, il y en a pour bien plus de gens que ça.

— Mais pourquoi tout le monde ne s'y précipite pas ? La chose est connue, non ? Même le journal en a parlé.

Matt montra les journaux qu'il tenait encore à la main.

— Les journalistes n'ont rien compris, se moqua Hoxey. Ils croient qu'il s'agit d'or comme on en a déjà trouvé beaucoup ici et là. Mais il s'agit d'une découverte majeure. Quand le *Portland* va arriver, croyez-moi, ça va être la ruée.

— Il arrive quand ?

— Il ne va pas tarder. Il aurait même dû arriver avant l'*Excelsior*.

— Alors, comment voulez-vous être les premiers là-bas ?

— En embarquant demain soir sur le *Second Best* qui veut bien s'arrêter à Skagway.

— Le capitaine est un ami de Michener, confia Reid.

— Demain ?

— Demain.

Matt bouillait intérieurement et avait bien du mal à dissimuler le feu de ses émotions. Il ne voulait pas laisser échapper cette chance de vivre enfin la grande aventure.

Voilà pourquoi il était venu à San Francisco.

Poussé par le pressentiment.

2

REID et Hoxey voulaient monter une équipe. Il fallait être quatre pour franchir avec 2 000 livres de matériel le White Pass ou le col du Chilkoot, puis fabriquer un bateau pour rejoindre le fleuve Yukon.

— Pourquoi nous?

— Pas un docker ne veut prendre le risque de quitter son métier. Les places valent trop cher. Mais je ne vois pas où trouver ailleurs des gars capables de ça. Quant à Hoxey, il ne connaît personne ici, expliqua Reid.

— Mais pourquoi ne pas être resté sur place? demanda Matt.

— J'ai pas un sou de côté, avoua Hoxey. Il faut de l'argent pour monter une expédition. Il n'y a rien au fin fond de l'Alaska. Rien d'autre que de la glace, de la neige… et de l'or.

— Et moi, j'ai un peu de sous et je suis prêt à les investir. Je prendrai la moitié, Hoxey le quart et vous vous partagerez l'autre quart.

— Mais pourquoi nous? répéta Matt, perplexe.

— C'est Michener qui vous a repérés. Il dit que vous êtes costauds et que vous êtes sans histoires. C'est ce qu'on recherche.

Hoxey acquiesça. Matt fit mine d'hésiter.

— On vous donnera notre réponse demain matin. On va réfléchir.

— Pas le temps. C'est oui maintenant ou jamais.

— Moi, c'est non maintenant! intervint Silvey.

Matt se retourna vivement vers son compagnon qui paraissait aussi déterminé qu'effrayé.

— Donnez-moi une minute, demanda Matt, qui entraîna son ami à l'écart.

Il le secouait comme pour le réveiller.

— Il y a un gros coup à jouer, Silvey, je le sens !

— C'est non. Un non catégorique. Je termine mon droit et en aucun cas je ne vais me lancer dans cette histoire !

Les deux autres piaffaient et les interpellèrent.

— Faites vite. On vous attend au *Dromms*. Peut-être même qu'on va commencer à chercher des gars moins frileux.

Un brouhaha strident jaillit par la porte entrebâillée lorsque Reid et Hoxey entrèrent dans le bar enfumé. Matt et Silvey se regardèrent.

— Tu vas y aller, n'est-ce pas ? demanda Silvey.

— Bien sûr que je vais y aller. Qu'est-ce qui me retient ?

— C'est la grande différence entre nous.

Matt l'admit d'un hochement du menton.

— Je te souhaite bonne chance, lui dit vivement Silvey. Reviens-nous un jour.

Ils se serrèrent la main. Matt se dirigea vers le *Dromms*, alors que Silvey tournait les talons.

Le 102 de la rue Frontier était une assez belle maison en bordure du quartier chic de Beillesis. Michener, dans un peignoir rouge, ouvrit la porte à Matt en souriant.

— Alors, t'es seul ?

— Oui, Silvey ne veut pas partir.

— Je m'en doutais.

Matt observa l'intérieur de la maison, propre et de bon goût.

— Tu te demandes pourquoi je t'ai fait venir ici.

— Vous disiez que j'avais de la chance d'avoir cette possibilité de partir ?

— Oui, moi, je ne peux pas. J'ai une femme, à l'étage, gravement malade, et deux jeunes garçons.

L'œil gris de Michener s'alluma d'une lueur néanmoins joyeuse.

— Mais je penserai bien à vous. J'ai toujours su qu'il y aurait un gros coup à jouer là-haut. J'ai bien connu un certain Frank Dinsmore. Un Yankee qui a sillonné tout le Grand Nord. Il a passé vingt-cinq ans à écrire sa vie à la surface de ces terres du silence. Il a prospecté des centaines de rivières et de montagnes, avec ses raquettes, son canoë et son tamis à poudre d'or. Un sacré gaillard.

— Et il n'a rien trouvé?

— Si, il a fini par trouver un filon. Il l'a épuisé et il est rentré. Il est mort l'année dernière au *Commercial Hotel* de San Francisco alors qu'il préparait une nouvelle expédition.

— Il n'avait pas amassé assez d'or?

— Si. Il était riche, mais il disait que sa vraie richesse n'était pas celle qu'il avait trouvée dans les mines.

Michener se tut. Pensif, il semblait se remémorer ce que ce vieux prospecteur lui avait dit. Matt respecta ce silence qui était un recueillement. Il croyait comprendre ce que ce Frank Dinsmore avait suggéré car il vibrait intérieurement de cet appel du Nord et plus rien d'autre ne comptait que cela, voir les aurores boréales, entendre les loups hurler dans la nuit crépusculaire, sentir sous lui le poids de la glace enserrant les fleuves et les lacs.

— Voilà 300 dollars, tu en auras besoin.

— Mais je ne…

Michener lui coupa la parole.

— Ne me refuse pas cela. J'ai envie de t'aider et de participer. Quand tu reviendras, tu me rendras cette somme et la part qui me revient. Disons 10 % de tes gains. Ça me fait plaisir de savoir qu'une partie de mon argent va voyager. Ça marche?

Matt le regarda dans les yeux, l'air de le sonder, et lui sourit. Il ne fallait pas lui refuser cela.

— Ça marche!

— Une chose encore. Frank disait qu'il fallait des chiens.

— Des chiens?

— Oui, des « malamutes ». Il disait que c'était le secret du Grand Nord. Des chiens pour tirer un traîneau afin de te déplacer. Avec cette somme, achète des chiens à Dyea ou ailleurs.

— Mais j'y connais rien aux chiens, moi!

— Tu apprendras. Frank insistait là-dessus. Crois-moi, s'il le disait, c'est que c'est vrai. Tu n'y connais rien à ce foutu pays plein de loups et de neige et moi non plus, alors, fais confiance à ce bon vieux Frank.

— Des chiens?

Il était tard lorsque Matt entra pour la troisième fois de la journée au *Dromms*. Michener l'avait retenu. Il avait envie de parler de son vieil ami prospecteur, de son métier de docker qui l'ennuyait. Trente ans qu'il se levait six jours sur sept à 5 heures pour l'embauche. Trente ans qu'il voyait défiler les mêmes dockers, les mêmes bateaux…

À cette heure tardive, l'ambiance était glauque au *Dromms* où traînaient encore quelques soûlards et les filles qui cherchaient à leur prendre leur argent. La Blanquette lui fit signe, visiblement contente de le voir.

— Je pensais que tu étais parti.

— Pas sans te dire au revoir !

Elle fouilla dans sa poche et en sortit une clef qu'elle lui donna discrètement.

— La dernière porte, au fond à droite. Je t'y rejoins dans cinq minutes.

Matt grimpa l'escalier en vieilles planches mal jointes. Il trouva la chambre de la Blanquette, sobre et propre. Il se déshabilla et se coucha dans les draps qui sentaient bon la menthe. Elle ne fut pas longue et, quand elle se déshabilla en le regardant sans pudeur ni retenue, il ne put s'empêcher de rougir de plaisir.

— Dis-moi, c'est quoi ton vrai nom ? chuchota-t-il.

Elle sembla réfléchir, comme si elle l'avait oublié.

— À condition que tu l'emmènes avec toi demain.

Il l'embrassa pour lui dire qu'il garderait le secret.

— Tout simplement, Marie.

— Tu vas me manquer, Marie.

— Je vais faire semblant de te croire.

Matt n'aimait pas beaucoup l'eau, encore moins la mer, et l'idée de voguer des semaines sur les eaux dangereuses des côtes déchiquetées de l'Alaska le fit frémir, tout comme la perspective de descendre le fleuve Yukon sur un bateau qu'il devrait construire de ses mains. Mais il croisa, tôt le matin, ceux qui revenaient de l'embauche et rien au monde ne lui aurait fait réintégrer sa place.

Matt était en avance, mais ses deux associés étaient déjà là.

— Y a un problème, annonça Hoxey.

Matt fronça les sourcils. Au mot « problème », ses yeux d'un beau vert-brun s'étaient éclairés d'une lueur soupçonneuse.

— La marchandise devrait être là et elle n'est pas là!

Avec un geste d'agacement, Matt montra qu'il attendait la suite. D'une voix mal assurée, Hoxey continua :

— J'ai laissé tout le chargement hier soir au gars qui était censé le transporter ici ce matin.

— Qui ça?

— Un gars du quartier de Balls à qui j'ai demandé de faire les selles de bât pour les chevaux.

— Quels chevaux?

— Pour le White Pass, Reid voulait acheter des chevaux.

— Ce sont des chiens qu'il faut.

Les deux compères, le grand et le trapu, le regardèrent avec des yeux ronds.

Matt chassa de la main cette conversation comme s'il s'agissait d'une mouche inopportune.

— Enfin bref, il habite où ce type? Il travaille où?

— Il travaille sur la place de la gare. Il est bourrelier et il transporte des marchandises avec ses chevaux. Il s'appelle Dixon.

Matt poussa un soupir exaspéré et jeta un regard sur les quais qui se remplissaient.

— Restez là. Je vais aller voir sur cette place. S'il venait à arriver en retard… mieux vaut que vous soyez ici.

Matt se dirigea aussitôt vers un charretier et dix minutes plus tard, l'homme le déposait sur la place où des marchands installaient des stands et des comptoirs de bois. Il avisa un type qui empilait des cageots de pommes de terre.

— Je cherche un certain Dixon. Il travaille ici comme bourrelier.

— Il n'y a pas plus de bourrelier sur cette place que de Dixon.

— Sûr?

— Certain. Dix ans que je bosse ici. Jamais vu de Dixon.

— Il était ici pourtant!

— Quand ça?

— Hier encore.

Le gars marqua un temps, hocha la tête et observa Matt.

— Un problème?

Matt expliqua sans trop entrer dans les détails. Après un instant de doute, les yeux du gars se mirent à pétiller.

— Je vois qui c'est. Il doit être loin maintenant. C'est un gars de Seattle qui est venu chercher un héritage. Il aura trouvé de quoi se faire un petit extra.

— Un héritage?

— Ouais, des tas de babioles de ferme. Il les a bradées ici.

— Il a proposé à mon associé de lui apporter son chargement au port. Il lui avait acheté des selles, toute une cargaison de matériel et de nourriture.

— Il est loin maintenant. Tu peux le rejoindre sur la route de Seattle.

Matt rentra au port où les deux compères attendaient.

— Alors?

— Alors, il n'y a plus de Dixon ni de marchandises là-bas. Ton lascar a filé.

Hoxey roulait des yeux hagards.

— Il y en avait pour 600 dollars de marchandises! s'exclama Reid, horrifié, qui commença à maugréer après Hoxey.

— Je vais mettre mes 500 dollars d'économies dans notre affaire, proposa Matt, mais à la condition de partager les gains en trois parts égales. On n'a pas besoin d'un quatrième et c'est plus simple pour les décisions.

Le grand et le trapu se regardèrent, surpris par l'autorité qui émanait de ce garçon qu'ils avaient sélectionné pour sa force mais aussi pour son jeune âge, pensant qu'il se plierait plus facilement à leurs exigences.

— Qu'est-ce que tu veux dire?

— En cas de désaccord, les décisions se prendront au vote. À trois, il n'y aura pas d'égalité.

— Si tu mets de l'argent, ça change tout, admit Reid.

— Il y a une condition pourtant.

Hoxey et Reid attendaient.

— On n'achètera pas de chevaux pour le transport, mais des chiens.

— Des chiens?

— Oui, des chiens. C'est le secret de l'Alaska.

3

L E *Second Best* était l'un de ces gros vapeurs qui faisaient route depuis Seattle jusqu'en Alaska. Le capitaine, un certain Ross, naviguait depuis quarante-cinq ans sur les eaux agitées et compliquées de ces côtes léchées par le Gulf Stream.

Reid avait réservé des places en seconde classe. Comme le bateau était complet, Matt n'eut pas trop de mal à les revendre à trois types qui n'avaient pu obtenir que des classe éco. Cette transaction donna lieu à un premier accrochage sérieux avec Hoxey et Reid qui ne voulaient pas passer trois semaines dans « ces cales poisseuses avec la racaille ».

— On n'a pas d'argent de trop, Reid, finit par admettre Hoxey.

— À qui la faute, hein? Vas-y, toi! Tu me dois 600 dollars.

Penaud, Hoxey inclinait déjà la tête en signe de consentement quand Matt intervint vigoureusement :

— Je ne vais peut-être pas rester avec vous. Vous ne me semblez pas à la hauteur.

Et il débarrassa ses affaires de la cabine sous l'œil médusé de ses associés qu'il quitta au moment où les trois gars avec qui il avait fait affaire arrivaient.

Reid grogna et sortit de la cabine en lâchant :

— C'est pas le gamin qui va faire la loi!

— Peut-être, lui dit Matt, qui avait entendu. En attendant, heureusement que je suis là pour récupérer ces dollars.

Et il les lui tendit. Reid les fourra dans sa poche en maugréant, et descendit l'escalier menant vers la classe économique.

La plupart des personnes voyageant sur ce bateau étaient des ouvriers journaliers montant de Vancouver, de Seattle et de San Francisco, et engagés par la société Ross & Raglan pour la pêche des saumons. Beaucoup travailleraient dans les conserveries au découpage puis à la préparation des caisses, d'autres assisteraient les Indiens Tinglits engagés par la société pour poser les filets aux meilleurs endroits.

— Tu verras, dit Hoxey en remontant avec Matt prendre l'air sur le pont inférieur, ces types vont se ruer vers l'or et délaisser la pêche.

— Cette découverte dont tu parles est si extraordinaire que ça ? Il y a déjà eu de l'or trouvé en Alaska, non ?

— Jamais rien de comparable, tu peux me croire. Jusqu'à 2 dollars la batée !

Matt fit une moue dubitative.

— Quand a eu lieu cette découverte ?

Hoxey lui en fit le récit.

Durant trois ans, un certain Robert Henderson avait prospecté une rivière indienne, subsistant de chasse et de pêche. Un jour, il avait franchi la ligne de partage des eaux entre cette rivière et une autre dont Hoxey ne voulut pas dire le nom à Matt. Il découvrit alors un gisement de 8 *cents* à la batée. Il repassa un col et retourna en canoë jusqu'au minuscule village de Sixty Miles. Là, il alla voir un certain Joe Ladue qui tenait le comptoir d'achat et qui lui avait fourni sa première mise de fonds pour prospecter. Aussitôt, tout ce que le village comptait d'hommes se prépara à partir afin d'aller réserver un terrain au bord de la rivière. Henderson, de son côté, repartit avec quelques autres sur le fleuve Yukon, qu'il descendit jusqu'à un de ses affluents. Hoxey gardait toujours ce nom secret. À l'embouchure de l'affluent, il rencontra un pêcheur nommé Carmacks, marié à une Indienne. Henderson lui raconta sa trouvaille et Carmacks voulut qu'il les mène au bon endroit, lui et les Indiens Siswashs avec lesquels il vivait. Henderson refusa, ses amis de Sixty Miles avaient sa préférence. Vexé, Carmacks partit de son côté explorer la zone et, en tamisant ici et là, découvrit un peu plus loin une zone incroyablement riche. Il aurait dû en informer Henderson qui l'avait aiguillé, mais, vexé de ses paroles peu aimables envers les Indiens, il s'en retourna au village le plus proche et y enregistra les concessions.

— Mais pourquoi ne veux-tu pas me dire le nom de cette rivière ? demanda Matt. Avec ce que tu m'as donné comme renseignements, je peux facilement la retrouver !

— Écoute, moi, je te fais confiance, fit Hoxey. On peut faire un gros coup, mais faut tenir notre langue. (Et il ajouta sur le ton de la confession :) Il s'agit de la rivière… Klondike.

— Klondike ! Jamais entendu ce nom-là.

Hoxey lui fit signe de ne pas parler trop haut et regarda autour de lui comme si quelqu'un eût cherché à les entendre.

— Bientôt, crois-moi, ce nom sera sur toutes les lèvres.

— Mais c'était l'été dernier, cette découverte…

— L'hiver est passé là-dessus. Rien n'a filtré. Personne n'est redescendu au sud, à part un « musher » que personne n'a cru.

— Un musher ?

— Un conducteur de chiens de traîneau.

— C'est donc ça. Ils voyagent comme ça, là-bas.

— Il paraît, en convint Hoxey.

Matt pencha la tête pour tenter d'apercevoir ce qui faisait un tel vacarme sur le côté du bateau.

— Ce sont les chevaux.

Ils étaient huit, cloîtrés dans des boxes aménagés sur le pont.

— Crois-moi, continua Hoxey, quand le *Portland* va arriver, les gens vont se précipiter.

Il était si sûr de lui qu'il en devenait convaincant.

Des nuages aux contours cotonneux, étirés par le vent, coiffaient le sommet des montagnes et se fondaient dans les cimes enneigées. Des glaciers d'un bleu étincelant brillaient dans le soleil rasant du crépuscule et venaient lécher la côte déchiquetée où, de loin en loin, quelques icebergs dérivaient. Matt aperçut plusieurs fois des ours en train de se gaver de myrtilles et des mouflons paissant sur les crêtes enherbées. Accoudé au bastingage, il admirait le feuillage luxuriant des arbres penchés sur le rivage des îles qu'ils longeaient maintenant. Quel chemin il avait parcouru en quelques mois !

— Je suis un chercheur d'or, en route pour l'Alaska !

Cette constatation lui procura une profonde satisfaction et une certaine fierté.

Il réintégra la cabine tard dans la nuit alors que ses deux associés dormaient déjà et il mit longtemps à fermer les yeux. Il s'assoupissait quand il entendit des chuchotements qui l'intriguèrent. Deux personnes se levèrent et quittèrent le dortoir dans le plus grand silence. Mû par son instinct, Matt les suivit dans la coursive de tribord. Ils gravirent un escalier de pont.

La lune dispensait une lumière laiteuse que l'argent des flots rendait un peu irréelle. Tout était calme, endormi, à l'exception de la petite capitainerie où l'on voyait, dans la lumière d'une lampe à huile, l'équipe de quart veillant à la bonne marche du navire. Les deux hommes passèrent dans l'ombre, tels des animaux de proie. Matt aperçut l'éclair d'un couteau! Son cœur cogna si fort dans sa poitrine qu'il pensa avoir été entendu.

Matt se dit qu'ils voulaient gagner les cabines de première classe pour y effectuer quelques larcins, mais ils contournèrent celles-ci pour revenir en arrière de la capitainerie. Il se coula jusqu'au pied de celle-ci et attendit. Il n'y eut ni cri de surprise ni bagarre. Un angoissant silence. Rien d'autre. Matt se risqua dans l'étroit escalier et entendit les bribes d'une conversation à partir desquelles il put deviner ce qui se passait.

— On va te montrer sur la carte…
— … des hauts-fonds qui empêchent de s'approcher du bord…
— … le moins de bruit possible en faisant la manœuvre…

À n'en pas douter, il s'agissait de pirates attendus par des complices quelque part sur la côte.

Il recula et se cacha. Il fallait agir, et vite. Ils n'étaient que deux et, en profitant de l'effet de surprise, il pourrait sans doute arriver à les maîtriser seul. Il s'apprêtait à s'élancer lorsqu'il vit un type rejoindre les deux autres à la capitainerie.

Matt crut percevoir un ralentissement de la marche du navire alors que le bruit des machines s'amenuisait. Il s'élança le long de la coursive et se rendit directement sur le pont supérieur, là où logeaient le capitaine et les lieutenants. Il tambourina sur une première porte fermée à clef puis en ouvrit une autre, sur une chambre plongée dans le noir.

— Il y a quelqu'un?…
Il n'eut pas le temps de réitérer sa question.
— Bouge plus!
Une lampe s'alluma. Un jeune lieutenant le tenait en joue.
— Qui es-tu, racaille?
— Je venais chercher du secours. La capitainerie est attaquée.
— Attaquée?
— Ils sont au moins quatre. Ils ont des couteaux. Ils détournent le navire. Écoutez le bruit des moteurs.

Le type, un grand blond au visage émacié et à l'œil perçant, écouta attentivement, une moue dubitative aux lèvres.

— Je n'entends rien de spécial.

À ce moment-là, le navire gîta faiblement sur tribord et le type fronça les sourcils tout en relevant son arme.

— Nom de Dieu, on vire !

— Quand même !

Le lieutenant regarda Matt bizarrement.

— Je m'appelle Stanley, dit-il en lui tendant le pistolet, la crosse en avant.

— Moi, c'est Matt. Qu'est-ce qu'on fait ?

— On réveille le capitaine et on les coince, dit Stanley tout en prenant dans le tiroir d'une petite table un deuxième pistolet.

Ils se ruèrent hors de la cabine. Le capitaine, un sexagénaire bon pied bon œil, se leva en maugréant et se fit rendre compte de la situation tout en passant une veste.

— Vous êtes qui, vous ?

— Matt Herson, un passager.

— Pas de conneries, hein ! C'est moi qui commande l'opération.

Ils sortirent. Le capitaine s'arrêta un instant comme pour mesurer au vent la marche du vapeur. Ils tendirent l'oreille. Pas d'autre bruit que celui, lourd, des machines.

— On monte. Tu restes en bas au cas où.

— Bien, dit simplement Matt.

Ils s'engagèrent, l'arme en avant, dans le minuscule escalier menant à la capitainerie. Matt entendit quelques exclamations suivies des bruits étouffés d'une courte bagarre. Quelques secondes plus tard, un gars redescendait, l'arme au poing, mais il ne s'agissait ni de Stanley ni du capitaine !

Matt n'hésita qu'une fraction de seconde. Il se jeta sur l'homme en lui décochant un coup de poing dans l'estomac qui le fit se plier en deux. Il le releva d'un coup de genou dans le menton qui lui brisa la mâchoire et l'étendit sur le pont, inanimé. Il ramassa l'arme et, après en avoir vérifié le mécanisme, la fourra dans sa veste, puis il escalada la capitainerie en s'aidant d'un hublot. Par la fenêtre ouverte, il étudia la situation. Deux hommes étaient bâillonnés, attachés dans un coin.

L'un des truands gisait sur le sol alors que les deux autres tenaient le capitaine en otage, un couteau sous la gorge, face au lieutenant qui les avait en joue.

— Si tu ne lâches pas immédiatement ton arme, je le tue!

Le lieutenant, blême, serrait son arme sans oser le moindre geste.

Matt n'hésita qu'un instant. Il releva le chien de son pistolet, visa et tira dans le dos de celui qui menaçait le capitaine. Puis il se rua dans un fracas de verre brisé sur le deuxième bandit médusé et l'envoya se fracasser contre le plat-bord en acajou où il s'écroula. Le capitaine, les bras ballants, faisait toujours face au lieutenant qui n'avait pas baissé son arme et contemplait avec des yeux effarés la mare de sang s'élargissant sous le bandit.

— Bon Dieu!

Plusieurs membres d'équipage firent irruption sur le pont, alertés par le coup de feu. Satisfait de la tournure des événements, le capitaine donna des ordres pour qu'on redresse la marche du navire, alors que Matt aidait le lieutenant Stanley à détacher les deux hommes de quart. L'un d'eux avait reçu un sérieux coup derrière le crâne. Ils l'emmenèrent à l'infirmerie. Puis ils allèrent réveiller le médecin qui se trouvait en charmante compagnie. La fille se cacha sous les draps, mais Matt eut le temps d'apercevoir son joli petit minois encadré de boucles blondes. Le mousse vint les chercher.

— Le capitaine a fait préparer un repas. Il vous attend.

— Moi aussi? demanda Matt en se montrant du doigt.

— Le lieutenant et vous-même.

4

MAINTENANT qu'il était habillé de son costume propre et seyant de capitaine, il impressionnait et Matt s'étonna de son audace. Comment avait-il osé tirer à quelques centimètres d'un tel personnage? Il s'excusa d'emblée.

— Racontez-moi, dit le capitaine, l'air de le jauger.

Matt le fit, sans fioriture ni fausse modestie.

Le capitaine, à son habitude, marqua un temps avant de le regarder de nouveau dans les yeux.

— Ce n'est sans doute pas ce que j'aurais fait, remarqua le capitaine, mais vous avez réussi et je suis de ceux qui jugent les résultats. Il est 3 heures du matin, nous sommes vivants, le *Second Best* vogue de nouveau sur le bon cap, et ces bandits croupissent en cale, bien enchaînés. La situation est pour le moins sous contrôle. Mais le plus important reste à faire.

Ils attendaient.

— Manger ! Car j'ai faim.

Ils rirent de bon cœur et Matt apprécia la belle humeur du capitaine, qui humait avec délectation la soupe qu'apportait le cuisinier réveillé en pleine nuit.

Matt, étriqué dans ses vêtements élimés, était mal à l'aise. Le cercle des officiers, aux uniformes impeccables, ne ressemblait à rien de ce qu'il avait connu auparavant. Le luxe lui était étranger et il ne savait comment se tenir autour de cette table nappée où les autres évoluaient avec tant d'aisance.

— Vous lui dénicherez un uniforme, ordonna le capitaine au mousse qui se tenait près de la porte lambrissée. J'embauche notre héros.

— Mais je ne connais rien à la mer, protesta Matt.

— Vous apprendrez.

C'était dit comme un ordre. Matt ouvrit la bouche pour protester encore, mais il croisa le regard du capitaine et se ravisa.

Quand la chance passe à sa portée, il faut la saisir.

APRÈS le repas, on lui apporta un costume d'un joli bleu tirant sur le vert, orné d'un ruban rouge qui cachait la couture sur le côté.

— Il reste vos cheveux, Rick va s'en occuper.

— Les cheveux ?

— Pas de cheveux longs dans l'équipage.

Matt voulut s'insurger, mais se ravisa de nouveau. Après tout, quitte à changer de vie, autant changer de tête aussi. L'idée d'impressionner ses deux associés ne lui déplaisait pas non plus. Il se laissa faire. Une demi-heure plus tard, il était devenu un homme. Les cheveux courts avaient durci son visage, l'éclat et la brillance de ses mèches brunes lavées avec un shampoing de qualité lui donnaient un air soigné. Il bomba le torse d'importance et eut cette pensée qui l'étonna : « Si seulement maman pouvait voir ça ! »

— Garde-à-vous !

Matt claqua les talons comme il l'avait vu faire sur le pont. Le capitaine, visiblement satisfait de sa nouvelle prestance, le gratifia d'un sourire joyeux.

— Le déjeuner est à 7 heures, au cercle. Vous logerez avec Rick dans la 11.

— La 11 ?

— Cabine 11, et ne posez pas sans arrêt des questions idiotes.

— Bien, mon capitaine !

— Avant le déjeuner, vous viendrez dans ma cabine signer le journal de bord et le registre de police. Vous avez tué quelqu'un et la police voudra ce rapport. Vous ne serez pas inquiété à la condition que tout soit fait dans les règles. Les témoins, dont je fais partie, signeront aussi. Allez donc chercher vos affaires et rejoignez-moi.

— À vos ordres.

— Dernière chose. Votre solde sera de 40 dollars par semaine.

Matt remercia. Le capitaine tourna les talons.

L'AUBE allumait à l'est les cimes enneigées d'une lueur tirant sur le rouge. Matt, neuf dans sa tenue d'homme d'équipage, semblait briller d'un éclat qui le dépassait et, plutôt que d'emprunter le pont de tribord où quelques passagers admiraient le lever du soleil, il longea celui de bâbord, désert. Du moins le croyait-il car, alors qu'il était déjà engagé, la jeune fille dont il avait aperçu les boucles blondes dans le lit du docteur sortit d'une cabine de première classe.

En entendant des pas, elle se retourna et Matt se noya dans ses grands yeux d'un beau bleu clair qui le dévisageaient. Il la salua en bredouillant un salut inaudible et accéléra. Il sentit le regard de la jeune fille planté dans son dos et fit volte-face.

— Comment va ce bon docteur ? demanda-t-il.

Elle sursauta et ses joues s'empourprèrent. C'était bien elle.

— Je… je… comment dire…

— Excusez-moi, dit Matt d'une voix maintenant assurée.

Les yeux de la jeune femme s'étaient allumés d'une petite lueur espiègle et malicieuse qui en accentuait encore le charme.

— Superbe, votre costume tout neuf!

Matt s'inspecta avec une mine contrite.

— Trop flamboyant, je suppose… comme le soleil.

— Vous êtes très beau.

Sur ce, elle traversa le pont étroit et disparut dans sa cabine dont la porte était restée ouverte, laissant Matt en proie à un délicieux désespoir.

— Mais… Nom de nom, qu'est-ce?…

Reid ouvrait des yeux exorbités alors que Hoxey balbutiait. Ils ne l'avaient tout d'abord pas reconnu. Matt exploita son avantage.

— Plutôt que de dormir, j'ai cherché du travail. Je me suis dit qu'un peu d'argent de poche ne me ferait pas de mal. Je vous ai dit que je voulais acheter des chiens.

Ils ouvraient la bouche sans pouvoir proférer la moindre parole. Tout cela paraissait tellement extravagant!

— Il faut que j'y aille. À plus tard…

Avec une pointe de satisfaction, Matt les laissa comme la belle jeune fille l'avait laissé, pantois, sur le pont.

Le capitaine l'attendait dans sa cabine. Il avait rédigé un texte qui relatait dans le détail les événements de la nuit. Comme Matt ne savait pas lire ou tout du moins pas bien, le capitaine lui en fit la lecture. Il avait un peu exagéré sur la férocité des bandits, mais cela créditait d'autant l'intervention de Matt, qui signa.

— Après le déjeuner, tu iras avec Album en capitainerie. On va s'éloigner de la côte dans quelques milles et il s'agit de repérer les icebergs. Voilà ton boulot ce matin.

— Ça me va.

— Que ça aille ou pas, c'est du pareil au même. Signe ici.

— C'est quoi?

— Ta lettre d'engagement.

Matt signa sans essayer de lire.

Il rejoignit la capitainerie en passant par le pont qui distribuait la cabine de la jolie blonde dont il ignorait encore le nom. Les rideaux de celle-ci étaient tirés. Il éprouva une certaine colère en supposant qu'elle se reposait après ses ébats de la nuit.

« Mais je deviens complètement fou, pensa Matt. Qui suis-je? Un rien du tout comparé à ce docteur. Un vulgaire petit chercheur d'or qui ne connaît rien de la vie et va s'y brûler les ailes… »

Le grincement de la porte le tira de ses rêveries. Mais ce n'était pas elle. Il s'agissait vraisemblablement de sa mère, une élégante dame d'une cinquantaine d'années qui jeta sur le pont et les personnes qui s'y tenaient un regard condescendant. Matt se reprit. Les icebergs l'attendaient, aussi bleus et transparents que les yeux de cette jeune fille, aussi dangereux sans doute.

À LA barre, le lieutenant Album donnait des ordres dans une sorte de tuyau de cuivre aux chefs des machines qui se trouvaient dans la cale, en dessous et en arrière. Ce même tuyau que les pirates avaient utilisé pour donner leurs instructions à la place des hommes de quart qu'ils avaient ligotés.

Album se redressa, l'air anxieux, tout à son affaire.

— S'agit pas de mollir. On va pénétrer dans le chenal qui conduit à la pleine mer. Tu vas prendre la longue-vue ici et te positionner là-bas sur la dunette avant. Au moindre glaçon, tu me préviens en levant un bras, jusqu'à ce que je te fasse signe.

— D'accord.

— Un iceberg, c'est fourbe. Il a 90 % de son volume immergé. Un petit iceberg de rien du tout en a assez sous lui pour défoncer notre quille de bronze, alors observe sans fléchir.

— Je vais faire de mon mieux.

— J'en suis sûr.

Matt allait atteindre l'escalier quand il s'arrêta brusquement.

— Mais la nuit?

— On réduit encore de 4 nœuds, à moins que la nuit ne soit claire et la lune bonne, c'est-à-dire de plus d'un quartier.

— On y voit assez?

— Mieux qu'en plein jour, tu verras, on est de quart demain soir. La glace piège la lumière, et la brillance des icebergs attire le regard.

Album disait cela avec gravité, solennité et sur le ton du secret, tout à la réminiscence de souvenirs anciens.

Au terme de quatre heures d'une exténuante observation, Matt avait les yeux rougis et il n'arrivait plus à distinguer une île d'une mouette posée sur l'eau. D'iceberg, il n'en avait pas vu un seul. Pas le moindre glaçon, à croire qu'il n'en existait aucun à la surface de cette mer qu'il avait l'impression d'avoir traversée dix fois.

— À droite, cet iceberg !

Il se retourna vivement, horrifié. Elle éclata de rire.

— Ce n'est pas drôle, vraiment pas !

— Il n'y aura pas d'icebergs avant au moins deux jours.

— Qu'est-ce que vous en savez ?

— Je suis une fille de marin, nous n'en verrons pas avant d'avoir dépassé les îles Kunghit.

— Fille de marin et future femme de docteur.

Elle ne répondit pas, se contentant d'observer la mer, fixant un point imaginaire en plissant les yeux, ce qui en accentuait la beauté. Coiffée d'un chapeau à rebord, elle avait un air de petite fille qui fit fondre Matt de tendresse.

— C'est la deuxième fois que vous me parlez, et vous ne vous êtes même pas présenté.

— Je m'appelle Matt Herson.

— Nome.

Elle lui tendit la main, effleura la sienne comme si elle avait peur de se salir et s'en alla.

— Eh là, ne partez pas !

— Je vous laisse à vos icebergs !

Et elle s'éloigna en riant.

— Quelle garce ! Elle se moque de moi.

Il termina son quart en regardant distraitement la mer.

Album vint lui-même le chercher pour lui signifier qu'une autre équipe prenait le relais et qu'ils pouvaient aller déjeuner.

— Belle mer, hein ?

— Parfaite. On trouvera les icebergs plus tard, à partir des îles Kunghit, osa Matt.

— C'est ce que dit le lieutenant Kirby, mais les courants tournent tout le temps, comme les vents. Des égarés, on en a vu partout.

Matt acquiesça. Maintenant, il saurait comment répondre à cette petite garce qui s'était moquée de lui et de son travail.

5

L<small>A</small> lune diffusait sur les vagues une lumière irréelle accrochant les crêtes moutonneuses. À l'avant du vapeur qui ronronnait comme un animal de bonne humeur, Matt scrutait l'étendue de la mer, se reposant les yeux en regardant par moments le spectral tourbillon d'écume que rejetait l'étrave du *Second Best*.

Une petite lampe à pétrole, la mèche protégée du vent par une cloche de verre dépoli, gisait à ses pieds. C'est elle qu'il devrait agiter à l'intention d'Album s'il venait à apercevoir un iceberg, car on entrait maintenant dans la zone à risque.

Matt eût aimé en voir un, ne serait-ce qu'un, pour mettre enfin un visage sur cet ennemi qu'il ne connaissait pas, pour cesser d'imaginer et parce qu'il aurait une référence à laquelle s'accrocher. Est-ce que sa luminescence permettait de le repérer aussi bien la nuit qu'Album le disait? À quelle distance pouvait-il les discerner? Leur forme ne risquait-elle pas d'être aplatie par l'érosion des vagues au point de se confondre avec elles? Autant de questions auxquelles Matt eût aimé opposer une réponse. Car on lui faisait confiance et il voulait se montrer à la hauteur.

Deux mains, dont il sut tout de suite à qui elles appartenaient, se posèrent sur ses yeux. Il ne bougea pas, seul son souffle trahissait l'émotion qu'un tel contact suscitait. Nome les fit glisser doucement comme une étoffe dont on apprécie le velouté contre la peau. Il se retourna et vit les grands yeux clairs qui le regardaient en souriant, impudiques, effrontés.

— Belle nuit!

— Vous ne dormez pas?

— Bien sûr que si, je suis en train de rêver à une rencontre romantique en pleine nuit avec un prince charmant.

— Vous avez… quitté votre docteur?

Elle soupira.

— Encore ce docteur. C'est une idée fixe chez vous!

Elle se tourna vivement, face à lui, et l'embrassa avec fougue, lui maintenant fermement la tête de ses bras passés autour de son cou.

Il ne résista pas, bien au contraire. Il sentait ce corps et ses rondeurs collés à lui, accentuant le désir qu'il avait ressenti dès la première rencontre, lorsqu'il avait deviné, dans le lit d'un autre, ce corps abandonné. Et il lui en voulait. Le besoin de la posséder prévalait même sur le désir qu'il avait de la prendre dans ses bras, d'aller plus avant dans l'exploration de ces formes généreuses qui s'offraient à lui. Il était brusque, tout autant qu'elle était douce, et il la coucha sur le pont de teck contre les cordages, lui arrachant ses vêtements plus qu'il ne les lui enlevait. La violence de son étreinte ne semblait pas gêner la jeune fille, qui haletait maintenant.

SOUDAIN, une sonnerie stridente retentit, aussitôt suivie d'un terrible choc et d'un horrible grincement qui les fit basculer sur le côté. Le sang se retira immédiatement du visage de Matt, contracté par l'effroi.

— Non ! Non !

Il était debout, les yeux hagards, halluciné, tel un fou. Il se mit à courir d'un côté à l'autre du pont, tandis que le vapeur prenait de la gîte, et que partout des gens criaient, couvrant presque le hurlement de la sirène.

— Matt !

Elle s'était ruée dans ses bras. Il la repoussa.

— C'est ta faute !

Les fanaux s'allumèrent sur le pont. Plusieurs membres de l'équipage, mêlés à des passagers hagards, couraient vers l'avant. Le lieutenant Album stoppa sa course à la hauteur de Matt et le dévisagea de la tête aux pieds avec mépris. C'est alors seulement qu'il se rendit compte qu'il était sans pantalon, grotesque avec sa chemise de flanelle bleue qui lui tombait au-dessus des genoux.

L'officier ne dit rien, mais le regard dont il le gratifia, les mâchoires serrées, avant de repartir sans un mot, glaça Matt de honte. Il eût préféré mourir. Jamais il ne pourrait l'oublier.

Il trouva son pantalon et se rhabilla, se rattrapant au bastingage. Des officiers jetaient des ordres, les passagers se rassemblaient sur le pont, près de canots de sauvetage que les membres d'équipage détachaient. Le chargement commençait déjà. Un officier avait sorti son arme et tenait en joue les hommes affolés qui voulaient forcer le barrage formé par les membres d'équipage pour laisser passer les femmes et les enfants. Ce fut vite fait, elles n'étaient qu'une douzaine avec sept enfants. Le pont prenait de plus en plus de gîte et Matt aperçut dans le gaillard d'avant le capitaine qui lançait des ordres afin que l'on remette en marche les moteurs. Il comprit que c'était pour essayer de compenser l'effet de la gîte.

Plusieurs canots de sauvetage descendaient et Matt aperçut dans l'un d'eux la mère de Nome.

— Du monde, vite!

Un officier appelait et Matt se rua.

— Les canots de tribord ne peuvent plus descendre par là, trop de gîte! Il faut couper les cordes et les transborder sur l'autre pont. Répartissez-vous!

Matt entraîna quatre hommes avec lui.

— Avec moi sur celui-là!

Il s'empara d'une hache et escalada la rampe d'accès au canot, puis il commença à couper les cordages. Le canot, déséquilibré, se coinça entre la rampe et le bastingage, retenu encore par deux cordes. Matt en trancha une.

— Mettez-vous de l'autre côté. Il faut le faire basculer sur le pont.

— Trop lourd! Il nous faut des renforts.

Mais ils étaient seuls. La plupart des hommes, malgré les appels lancés par les officiers, étaient sur l'autre pont à se battre pour monter dans les derniers canots.

— Matt!

Cramponnée au bastingage, Nome progressait vers eux.

— Qu'est-ce que tu fais là? Va aux canots! tonna Matt.

Soudain, le vapeur gîta encore plus et Nome trébucha. La dernière corde cassa et le canot s'affaissa. Un hurlement strident s'éleva au-dessus du tumulte, alors que les fanaux, se brisant les uns après les autres, faisaient sombrer le pont du vapeur dans l'obscurité totale.

— Qu'est-ce qui se passe?

— Il y a un homme coincé.

Nome était près de l'homme dont la jambe était prise, écrasée sous le canot.

— Vite !

. Il ne restait plus qu'un type sur les trois qui avaient aidé Matt à manœuvrer. Ils essayèrent de soulever le canot.

— Nom de Dieu, on coule !

En jetant un regard par-dessus son épaule, Matt vit de nombreuses personnes nager dans la mer vers les canots qui tentaient de les récupérer.

— Faut le faire basculer dans l'eau !

— On va lui arracher la jambe !

Ils n'eurent pas le temps de tergiverser. Un autre mouvement du vapeur, vers l'arrière cette fois, débloqua le canot, qui piqua du nez dans la mer où il se retourna.

— Nome, fais comme moi !

Matt prit l'homme qui avait perdu connaissance dans ses bras et sauta à l'eau en se laissant glisser sur la coque.

Il était temps, le *Second Best* coulait, emportant avec lui le capitaine et le chef des machines restés jusqu'au bout à leur poste pour maintenir le vapeur à flot le plus longtemps possible.

L'EAU était glaciale. Matt nagea jusqu'au canot retourné et essaya de s'y accrocher. Dans ses bras, l'homme n'avait pas repris connaissance.

— Nome !

Gênée par le poids de ses vêtements, elle nageait vers lui en suffoquant à demi.

— Accroche-toi !

Il voulut tirer à lui l'homme, mais il semblait attaché, retenu par quelque chose. Nome parvint à s'agripper au canot.

— De l'autre côté ! Va de l'autre côté, je vais faire contrepoids. Tu pourras monter.

Elle contourna le canot et se hissa non sans mal sur la coque retournée. Elle hurla d'épouvante.

— Matt !

Elle regardait le corps que Matt tenait encore. Il se retourna et vit la gueule énorme d'une orque arracher la jambe ensanglantée, et il en vit d'autres, ici et là, qui nettoyaient la surface de la mer. Il lâcha aussitôt l'homme et se jeta sur le canot en hurlant lui aussi.

Il réussit à y grimper et resta allongé contre Nome un bon moment, immobile, le corps agité de tremblements, incapable de retrouver son souffle, alors qu'autour d'eux s'agitaient les orques avec des bruits de mâchoires effroyables.

Au lever du jour, Matt et Nome étaient à peu près secs, mais ils étaient glacés. Emportés par le courant, ils dérivaient doucement vers le sud.

Une sirène tonitruante les tira de leur torpeur, alors que, écrasés par un soleil maintenant trop chaud et desséchés par le vent, ils commençaient à terriblement souffrir de la soif.

— Un bateau, Nome! Un bateau!

C'était un vapeur qui venait droit sur eux. Matt, debout sur la quille, s'était mis à hurler en agitant les bras.

— Matt, calme-toi! Tu as bien vu qu'il nous a repérés.

Matt se sentit tout à coup idiot. Comment faisait-elle pour maîtriser ainsi ses émotions? Bien sûr que le vapeur les avait vus, mais il ressentait le besoin de clamer sa joie.

Le vapeur ralentissait. Matt lut son nom : *Hal-ki*. De nombreuses têtes se penchaient depuis le gaillard d'avant surpeuplé.

— Mais il est plein à craquer!

Le vapeur fit machine arrière pour s'arrêter à hauteur du canot renversé. On leur lança une échelle de corde, mais la houle repoussait le canot du vapeur. Ils ne pouvaient, sans rame, approcher plus. Avec le courant qui emportait le vapeur plus que le canot, du fait de son faible tirant d'eau, le sauvetage paraissait des plus compromis.

— Il faut plonger, dit Matt, vite.

— Jamais! Les orques!

— Le vapeur et ses moteurs les tiendront éloignées.

— Que tu dis, il n'y…

Elle n'eut pas le temps de terminer sa phrase. Matt avait fait basculer le canot. Le vapeur redonna un peu de moteur et ils purent l'atteindre en nageant. Matt ne pouvait s'empêcher de jeter de fréquents coups d'œil en arrière pour vérifier qu'aucune orque ne les attaquait. Les passagers du *Hal-Ki* criaient pour les encourager. Ils atteignirent l'échelle de corde, mais Nome n'avait plus assez de force pou la gravir jusqu'au pont. Alors Matt attacha la corde qui pendait du bout de l'échelle autour de sa taille puis monta. Parvenus sur le pont, de solides gaillards la hissèrent en plaisantant.

— Ho, la belle prise !

— Je veux bien continuer la pêche, moi, disait un autre.

On les conduisit devant le capitaine, un homme au regard froid.

— Naufragés du *Second Best*, je suppose ? demanda-t-il.

— Heu… oui… Vous êtes déjà au courant ?

— Y en a-t-il d'autres ?

— D'autres quoi ?

Le capitaine haussa les épaules, comme excédé.

— Les survivants ont regagné la côte, intervint Nome, les autres ont été dévorés.

Un murmure parcourut la foule de curieux qui faisait cercle autour d'eux.

— Dévorés ?

— Par les orques.

Le capitaine plongea son regard dans celui de Nome. Il ne semblait pas sensible à cette mort atroce, mais son visage se détendit quelque peu en détaillant les charmes de la jeune fille.

— Vous vous sécherez dans ma cabine, fit-il en ordonnant à l'un de ses lieutenants de leur trouver des vêtements de rechange.

— Vous allez à Skagway ? demanda Matt, après que le capitaine les eut conduits à sa cabine pour qu'ils s'y changent.

— Bien sûr que je vais à Skagway. Tout le monde va à Skagway.

— Mais pourquoi ?

— Parce que tout le monde est devenu fou. (Il ajouta :) Mademoiselle, vous êtes invitée à déjeuner au carré des officiers.

— Et Matt ?

— Qu'il se débrouille, je ne peux pas inviter tous les passagers de ce bateau !

— Dans ce cas, je ne viendrai pas.

— Comme il vous plaira. Si vous changez d'avis, le déjeuner est dans quinze minutes.

Il sortit de la cabine en s'adressant au mousse.

— Que ma cabine soit libre dans dix minutes.

Matt entraîna Nome.

— Viens, ne restons pas ici. Il te prend pour de la marchandise !
Ils se retrouvèrent sur l'entrepont où s'entassaient des pyramides
de ballots. Ils se cherchèrent une place, mais il n'y en avait pas et ils
se firent éjecter sans ménagement de plusieurs endroits que certains
gardaient pour d'autres, partis faire un tour.

— J'ai très faim, dit Nome.

— Allons voir à l'avant.

— Non ! Je vais aller à ce déjeuner voir ce que je peux soutirer.

— Tu n'obtiendras rien d'autre que des avances.

— Je mangerai en tout cas.

Il ne voyait pas comment la retenir d'autant plus qu'elle paraissait tout à coup très décidée.

— On se rejoint après. Je vais essayer de te trouver quelque chose
à manger.

Matt finit par trouver un endroit où s'asseoir. C'est à ce moment-
là seulement qu'il prit véritablement conscience de la tragédie qu'il
venait de provoquer. Il revit le bateau sombrer et le regard froid du
lieutenant sur le pont. Il revit le capitaine qui avait coulé avec son
bateau et tous ces hommes qui se jetaient à la mer.

— Mais qu'ai-je fait ? Oh, mon Dieu, qu'ai-je fait ?

Et il se mit à pleurer, caché entre deux ballots, le corps agité de
tremblements incontrôlés.

LE lendemain, vers midi, il n'avait toujours pas revu Nome
quand le vapeur ralentit et s'approcha de la côte où il se mit à l'ancre
à l'entrée d'une baie. Peu après, plusieurs canots apparurent et chargèrent des vivres et de l'eau. C'est à ce moment-là que Matt remarqua Nome dans la dunette en compagnie du capitaine. Elle riait et le
capitaine, plein de verve, semblait développer des trésors de cour-
toisie. Il la héla depuis le pont inférieur. Il avait la désagréable
impression d'être un manant quémandant sa part au roi. Elle parut
ravie de le voir. Elle dévala les marches et le rejoignit aussitôt.

— Oh, Matt, que je suis heureuse !

Elle brandissait une feuille.

— Maman est saine et sauve.

— D'où vient cette liste ?

— De Wrangell. Ils l'ont apportée.

Elle montrait les canots amarrés au vapeur.

— Combien y a-t-il de morts?

Le sourire de Nome se figea.

— Je ne sais pas exactement. Le capitaine parle d'une quinzaine.

— Mon Dieu!

Matt serrait les dents, incapable de maîtriser ses nerfs. Il en voulait à Nome. Il s'en voulait. Il en voulait à la terre entière.

— Et où as-tu dormi?

Elle releva le menton et le toisa d'un air de défi.

— Qui es-tu pour me parler sur ce ton?

— Je ne suis rien… rien du tout. Un meurtrier, rien de plus. Comme toi, qui sembles faire bien peu de cas de la catastrophe que nous avons provoquée.

Matt soupira et s'en alla. Nome ne chercha pas à le retenir et regagna la petite cabine de la dunette où l'attendait le capitaine qui les avait observés attentivement. Maintenant, il souriait. Cette nuit, il n'était pas de quart et elle ne résisterait pas.

Le *Hal-ki* reprit sa route vers le nord. Matt, le visage creux, mangé par une barbe de plusieurs jours, resta deux jours à somnoler en fond de cale, fiévreux et déprimé. Dans un demi-sommeil, il entendit un membre de l'équipage crier:

— Dyea!

Il était arrivé.

Matt monta sur le pont. C'est à ce moment qu'il aperçut Nome, sur le pont supérieur, éclatante de beauté dans sa robe impeccable. Il n'aurait pas supporté qu'elle pose son regard condescendant sur sa personne crasseuse. Il se cacha et sauta dans le premier chaland. La houle, assez forte ce jour-là, n'aidait pas au déchargement. Sur la plage, c'était un immense capharnaüm, une véritable fourmilière au sein de laquelle Matt retrouva, par l'émulation qui se créait ici entre les hommes habités d'une même fièvre, un regain d'énergie.

Debout sur la plage léchée par les vagues, il faisait face aux montagnes entre lesquelles s'engageait une file de chevaux et d'hommes. Derrière tout cela, loin dans l'immensité sauvage, on disait que de l'or brillait et que des fortunes se faisaient. Et il était là, lui, le petit Matt, parmi les premiers.

Il avait très faim. Il se dirigea vers l'une des tentes où l'on servait des repas chauds pour 2 dollars et s'assit à une table déjà encombrée d'hommes qui parlaient haut et fort des prix pratiqués par les Indiens pour le transport des marchandises.

Son repas terminé, Matt alla traîner entre les tentes. Il vit quelques chiens. On lui assura qu'il y en avait encore à Skagway, alors il s'y rendit par le chemin qui longeait la baie sur une dizaine de miles. Celui-ci était emprunté par une foule qui, à cheval, à pied ou en charrette tirée par des mules, transportait des stocks impressionnants de marchandises.

— Hé, toi! T'as l'air costaud. Je t'emmène à Skagway et tu m'aides à décharger.

Matt étudia le contenu de la charrette arrêtée à côté de lui et sauta dedans.

Le type qui l'avait interpellé, un certain Frank, un grand blond aux yeux bruns, habitait Skagway et travaillait pour une scierie. Les quelques renseignements qu'il donna à Matt ne lui parurent pas dénués d'intérêt.

Pour descendre le Yukon, à partir du lac Linderman, il fallait construire un bateau susceptible de naviguer jusqu'au Klondike où une ville était en train de naître : Dawson.

— Pour l'instant, c'est une bourgade de quelques cabanes et d'une douzaine de tentes, mais ça va devenir un sacré bled d'ici peu, à voir ce qui débarque chaque jour! lui dit Frank.

Au lac Linderman, le bois pouvant servir à construire des embarcations était rare et serait épuisé en quelques jours.

— Il faudra alors contourner le Linderman jusqu'au lac Bennett, ça prendra du temps. Je te conseille d'arriver dans les premiers.

— Il suffit de fabriquer un petit radeau, non?

— Non, il faut une embarcation maniable, sinon tu ne passeras pas les rapides. J'ai des plans, si tu veux, et les outils. Le tout pour 30 dollars.

Matt nota l'adresse de la scierie et promit de revenir après avoir acheté un chien à cet Indien qu'on lui avait indiqué. Un vague pressentiment lui conseillait de suivre les conseils de ce fameux Dinsmore dont Michener lui avait parlé. Et il avait besoin d'une compagnie. Un chien ferait l'affaire, en attendant mieux.

6

AUCUN des chercheurs d'or qui étaient rentrés du Yukon n'avait prévu la tempête de publicité suscitée par leur retour. Ils pensaient tous que la nouvelle avait filtré depuis longtemps. Il n'en était rien. Parce qu'ils étaient coupés du monde par l'hiver et la distance, leur secret avait été préservé.

Le miracle doré n'avait donc été révélé au monde qu'à l'arrivée à Seattle du *Portland,* grâce aux preuves concrètes que ces hommes avaient rapportées dans leurs sacs, chargés d'or. Dès le lendemain, ces mots barraient la une de la plupart des journaux du continent américain : « Des tonnes d'or en Alaska ».

Ces mots « tonnes d'or » agirent comme un véritable détonateur et provoquèrent la plus incroyable ruée vers l'or que les États-Unis connurent. Et cette folie, par émulation, générait la folie. Dans toutes les villes du Canada et des États-Unis, des hommes quittaient femme, enfant, travail, sur un coup de tête. Des villes se retrouvèrent sans un docteur ou sans maire, comme Seattle… Ils étaient tous loin, très loin, de se douter de ce qui les attendait dans le pays d'en haut.

Car on ne savait rien de ce pays racheté pour une bouchée de pain par les États-Unis aux Russes en 1867. À cette époque, bien entendu, personne n'imaginait les trésors que recelait son sous-sol. On savait seulement qu'il y faisait froid et que les loups et les grizzlys l'habitaient.

Le premier homme blanc à franchir le col du Chilkoot fut un certain Holt. À 45 kilomètres seulement de l'océan, il atteignit les sources du Yukon, ce fleuve qui traverse tout l'Alaska puis revient se jeter dans le même océan, après avoir couvert plus de 4 000 kilomètres ! Il est l'un des rares pionniers de l'Alaska dont le nom nous soit parvenu. La plupart, mangés par des loups qui retrouvaient leurs corps roidis par le gel, ou rejetés par les courants tumultueux d'une rivière dans laquelle ils s'étaient noyés, disparaissaient dans l'indifférence. Possédés par le Nord, ces hommes, envoûtés par le romanesque de ce pays et de leur quête, s'acharnaient souvent jusqu'au bout. Ils savaient que l'or était là, quelque part. Ils le sentaient. Alors, ils cherchaient avec une opiniâtreté incroyable. Et ils avaient raison, car à force de retourner la boue, de creuser, de fouiller, l'un d'entre eux tomba sur le plus fabuleux filon qu'on puisse imaginer, celui du Klondike qui allait transformer le pays et le sortir de son anonymat.

On avait découvert des tonnes d'or en Alaska !

SARDAQ était l'un de ces Indiens Chilcats qui regardaient avec un certain amusement tous ces hommes blancs devenus fous et qui allaient se lancer à l'assaut d'un pays dont il savait, lui, qu'il en retiendrait beaucoup dans ses griffes.

Il ne comprenait pas qu'on puisse se jeter avec une telle frénésie dans un pays impitoyable pour creuser la terre, fouiller la boue à la recherche de cailloux jaunes, sans intérêt aucun. Plus rien ne l'étonnait depuis que son peuple avait rencontré l'homme blanc, un être à part, si bizarre, capable du pire et du meilleur. Un homme dont il faut se méfier, fourbe, vicieux mais parfois tellement impressionnant dans sa capacité à créer, inventer, produire des armes qui tuent à distance ou des bateaux de fer propulsés par des hélices.

Alors, Sardaq se rendit compte avec beaucoup d'autres que cette ruée allait être l'occasion pour lui d'accéder aux richesses qu'il convoitait depuis longtemps. Dès qu'il vit Matt, il comprit qu'il avait affaire à l'un de ces ignares capables de mettre la main à la poche pour se procurer ce dont ils avaient besoin. Et Matt avait besoin de chiens. L'Indien en possédait douze. De solides malamutes avec lesquels il effectuait en hiver, pour le compte des magasins *Ross & Raglan*, du transport de marchandises.

— C'est cher. Très cher !

— Pourquoi ? demanda Matt.

— Tout le monde en veut.

— Les gens cherchent des chevaux, pas des chiens. Qu'en feraient-ils en plein été ?

— Et toi ?

L'Indien riait. Matt, piégé, ne répondit pas.

— C'est une femelle qu'il me faudrait.

— J'en ai une qui est pleine.

Il la lui montra. Une chienne à la fourrure de la couleur de l'or, ce qui parut à Matt un signe de bon augure.

— Je peux te la vendre pour le prix de trois chiens.

— Trois?

— Les chiennes, c'est plus cher et elle va avoir des petits.

— Combien?

— 200 dollars.

— 200!

— C'est le prix.

— On m'a parlé de 40 dollars pour un chien.

— 60 pour un bon.

— Qui me dit que c'est un bon chien?

— Moi.

— Si elle était si bonne que ça, tu ne me la vendrais pas.

— Tous mes chiens sont bons, les mauvais sont morts. Je ne garde pas de mauvais chiens.

Matt apprécia cette argumentation.

— De toute façon, trois fois 60, ça fait 180.

— Si tu veux.

— Je t'en propose 120, c'est déjà un sacré prix.

Largement ce que Sardaq espérait, mais il sentit que Matt pouvait en lâcher plus, alors, il fit la moue.

— À ce prix, je préfère garder la chienne, élever les chiots et les revendre 60 pièce, cet hiver.

— Coupons la poire en deux, suggéra Matt.

— Qu'est-ce que tu proposes?

— 150 dollars avec ces deux sacs de portage.

— Je ne m'en suis jamais servi avec elle, mais je suis sûr qu'elle apprendra vite, assura l'Indien, qui se dirigea vers la cabane où il stockait les saumons séchés pour ses chiens.

Il décrocha deux de ces sacs de cuir avec lesquels on bâtait les chiens. Matt en déduisit qu'il avait accepté l'arrangement.

Il lui tendit des billets. L'Indien les prit et les fourra dans sa poche sans les recompter. Il rentra dans l'enclos, passa une laisse au cou de la chienne. Elle le suivit docilement hors de l'enclos. Matt s'apprêtait à la caresser quand l'Indien l'arrêta.

— Pourquoi veux-tu la récompenser? Elle n'a rien fait!

— Je voulais juste me présenter.

— Alors, ce n'est pas comme ça qu'il faut procéder.

Matt recula d'un pas. La chienne le fixait curieusement.

— Laisse-la sentir ta main et, quand elle aura enregistré ton odeur, accroupis-toi et parle-lui en présentant ta main plutôt qu'en la lui imposant.

Matt obéit. La chienne flaira sa main, puis, quand Matt s'accroupit, elle la lécha, le laissant ensuite lui masser le cou. Elle le regardait et Matt aima ce regard.

— Ça se passe bien, lui dit Sardaq en lui donnant la laisse.

Il était content. Il avait vendu au prix fort une chienne dont il se serait séparé de toute façon. Elle semait la pagaille dans son attelage car elle était en concurrence avec la chienne dominante de la meute.

Matt s'apprêtait à prendre congé quand il s'aperçut qu'il n'avait pas demandé le nom de la chienne.

— Comme tu voudras, lui répondit Sardaq en haussant les épaules.

— Elle s'appellera Or, décida Matt.

L'Indien secoua la tête plusieurs fois. Il ne regarda même pas s'éloigner Matt et sa chienne. Les Indiens ne s'attachent pas aux chiens. Ils leur sont utiles, rien de plus.

Le soir venu, Or et Matt avaient largement fait connaissance. Il l'avait nourrie avec de la viande, ce qu'elle apprécia particulièrement, tout comme ces marques de tendresse auxquelles elle n'était pas habituée.

MATT errait, Or dans ses jambes, entre les tentes dressées par douzaines sur la plage de Dyea, mais ne trouva pas de trace de ses associés. Pourtant, plusieurs bateaux étaient arrivés de Wrangell. De toute façon, il était décidé à ne plus travailler avec eux.

Il acheta une partie de ce qu'il jugea nécessaire au grand magasin *Ross & Raglan* de Skagway : des allumettes, des bougies, des clous, un marteau, une hache, une scie, une moustiquaire, de l'huile contre les moustiques, une boussole, deux gamelles, une chaudière, un pic et une pelle, un poêle en tôle et une petite tente, et enfin une batée, qui était offerte pour toute dépense de plus de 200 dollars, ce qui était largement son cas.

Matt hésitait sur la nourriture à acheter. On lui disait que le pays regorgeait de poisson et de gibier, mais il n'en perdait pas pour autant son bon sens paysan. Il savait mieux que quiconque que le gibier est une denrée rare et qu'il serait vraisemblablement sur-chassé sur les zones où il allait se rendre. Alors, il s'acheta 400 livres de nourriture : de la farine, du lard, des fèves et du bacon salé, vendu 1 dollar la livre, sur le port. Après tous ses achats, il ne lui restait plus que 150 dollars en poche.

« Et presque 800 livres de matériel et de nourriture à emporter jusqu'au lac Linderman », pensa Matt en regardant Or qui le dévi-sageait avec affection.

Il entreposa tout son chargement, soigneusement marqué de son nom et enveloppé dans des sacs de jute, près de la tente d'un Cana-dien chargé d'organiser le convoyage des marchandises à cheval avec les Indiens, en prenant son pourcentage, bien sûr.

Matt effectua à pied et en une seule journée le voyage jusqu'à Sheep Camp où il déposa ce qu'il avait transporté sur son dos. De là, avec sa scie, sa tente et quelques victuailles, il entreprit l'ascension du Chilkoot dont la toute dernière partie, juste après un petit replat, marquait 35° de pente. Le tout dans un inextricable chaos de rochers glissants où les hommes ahanaient sous le poids de leur chargement.

Du haut du col, il était facile de rejoindre le lac Crater. Matt y dormit à même le sol, Or lovée contre lui, puis repartit à l'aube et atteignit enfin le lendemain après-midi les rives du lac Linderman. Il n'y avait là qu'un campement d'Indiens Athapascans et quelques tentes. La plupart des chercheurs d'or demeuraient en arrière, occu-pés à convoyer des tonnes de matériel.

Matt avisa le petit bois dont on lui avait parlé. Effectivement, il n'y avait pas assez de pins pour construire plus d'une trentaine de bateaux. Il monta sa tente et se mit aussitôt au travail. Or le suivait partout, attentive à ce qu'il disait tout haut et à ce qu'il faisait comme si elle cherchait à mieux cerner celui qui s'occupait maintenant d'elle avec autant de sollicitude.

Matt avait déjà abattu et ébranché onze pins quand il se coucha vers 10 heures du soir. Au petit matin, il loua les services d'un Indien et de son cheval afin de transporter les fûts jusqu'à sa tente. Matt en abattit dix de plus et, le soir venu, décida de rester une journée de plus que prévu afin de couper encore une trentaine de pins.

Non loin de lui, un groupe de trois Américains en provenance de Wrangell installait deux portiques, placés à 2 mètres l'un de l'autre, sur lesquels ils posaient les grumes. Un homme se plaçait en dessous et actionnait la scie, la faisant aller et venir de concert avec son camarade placé au-dessus. C'était la meilleure technique pour scier des planches avec ces grandes scies de près de 2 mètres de long. Il les observa un moment et profita d'une pause qu'ils s'accordèrent pour se présenter. La discussion s'engagea aussitôt. Les gars voulaient savoir le nombre de prospecteurs qui étaient arrivés après eux.

— Nous, on était dans le premier bateau en provenance de Seattle. Il s'est arrêté à Wrangell pour faire le plein de charbon et on a pu monter en graissant la patte au mécanicien.

— Le bateau devait être plein?

— À craquer. Tu es seul?

— Pour l'instant.

— Tu ne pourras pas construire ton bateau et encore moins le conduire tout seul.

— Je sais.

Les trois gars se regardèrent d'un air entendu.

— Si tu veux, on peut te prendre avec nous. Toi et ton chien.

— Contre quoi?

— 40 la place, 1 dollar les 20 livres de bagage.

— Trop cher!

Ils contemplaient le bois empilé près de sa tente.

— T'es costaud et t'es malin. Bientôt, il n'y aura plus de bois.

— Je sais.

— Pendant que tu vas rechercher ton matériel, on va surveiller ton bois. Quand tu seras ici avec tout ton bagage, on aura presque fini le bateau. Plutôt que d'en construire un, vends ton bois et viens avec nous. Tu gagneras du temps, et le temps, il va valoir très cher à ce qu'on dit car des concessions, il n'y en aura pas pour tout le monde. Mieux vaut être parmi les premiers...

— C'est vrai.

La proposition paraissait honnête. Matt repartit aussitôt avec un Indien, Or et quatre chevaux, et négocia pour près de 80 dollars le transport de l'intégralité de ses ballots depuis Dyea jusqu'au lac Linderman. Il ne lui restait plus que 50 dollars.

« Vivement que je trouve de l'or », se dit-il, un peu effrayé, en constatant l'état de ses finances.

Ils firent en une seule journée le voyage jusqu'au col où ils laissèrent les chevaux, incapables de descendre et de monter le Chilkoot, véritable chaos de rochers anguleux et pointus, à plus de 30° de pente. C'était à dos d'homme qu'il fallait charrier les ballots et, déjà, toute une file d'Indiens payés pour cela et quelques Blancs effectuaient l'ascension, courbés sous la charge.

La progression sur les roches glissantes devint infernale même pour Or qui, malgré la rugosité de ses coussinets, dérapait souvent. Matt croisa trois blessés que l'on redescendait à dos d'homme. Pour eux, l'aventure s'achevait ici. Il y avait aussi de nombreux illuminés en costume de ville, qui, devant le spectacle effrayant de ce col à franchir, repartaient en sens inverse. La sélection commençait ici.

Une deuxième sélection était faite en haut par les « montés », comme on appelait les policiers, qui refusaient maintenant le passage à ceux qu'ils jugeaient incapables de surmonter les épreuves du Klondike.

Matt croisa même une famille qui redescendait avec deux enfants à moitié gelés. L'un était tombé à la renverse dans les cailloux et saignait abondamment. La femme pleurait en silence. L'homme, hagard, titubait, les yeux dans le vide, comme étranger à ce qui lui arrivait. Ils se mirent à plusieurs pour descendre les deux enfants qui furent chargés sur des mules.

Si la solidarité fonctionnait encore, on voyait bien que cela n'allait pas durer. Il fallait choisir. Monter ou aider, car partout des hommes gelés, blessés, éreintés avaient besoin d'aide

Matt mit quatre jours à hisser l'ensemble de ses ballots de nourriture et de matériel jusqu'en haut du Chilkoot.

Durant l'ascension, alors qu'il aidait un pauvre bougre à fixer une attelle sur sa jambe brisée, il fit la connaissance d'un notable de Seattle qui avait vendu une grande partie de ses affaires pour se lancer dans l'aventure du Klondike avec son fils. Matt le retrouva en haut qui négociait avec un Indien le transport de ses marchandises jusqu'au lac Linderman. Il alla le voir.

— À l'heure qu'il est, il n'y a plus de bois au bord du Linderman, il vous faudra aller jusqu'au lac Bennett.

— C'est vrai, confirma l'Indien. Tous les pins bons pour de la planche ont été abattus, mais un bateau pourra vous transporter jusqu'à une bonne place.

— Il n'y a que deux bateaux qui effectuent le voyage, vous allez attendre plusieurs jours votre tour.

— C'est vrai, admit encore l'Indien, mais il existe un sentier le long du lac et, moyennant 50 dollars de plus, je peux amener votre stock jusqu'à cette place.

— J'ai mieux à vous proposer, dit Matt, jugeant le moment propice. J'ai coupé du bois au lac Linderman, de quoi construire deux beaux bateaux. Je vous en laisse la moitié si vous transportez mon stock. Il y a un peu moins de 800 livres.

Méfiant, le dénommé Georges Murdock observait tour à tour le porteur et Matt.

— Et pourquoi avez-vous coupé assez d'arbres pour construire deux bateaux et non un?

— Parce que j'étais dans les premiers là-bas et que je me doutais que ça intéresserait quelqu'un. Quand on n'a pas de dollars, il faut bien trouver des idées de ce genre.

Georges, qui s'y entendait en affaires, apprécia.

— Qu'est-ce que tu en penses, Bill? demanda-t-il à son fils.

— Tu devrais accepter, en espérant que le bois soit bon.

— À cet endroit, il est compact. C'est du vieux bois, dense, parfait pour la construction.

— Alors c'est d'accord!

Mais au campement, il n'y avait plus personne, pas de bateau, pas même ses fûts, rien que de la sciure et, dans la boue, la trace d'un bateau qu'on avait poussé jusqu'à l'eau.

Fatiguée par la longue journée qu'elle avait passée à courir dans les jambes des chevaux, Or se coucha aux pieds de son nouveau maître, assis sur une souche de pin peut-être l'un de ceux qu'il avait lui-même coupés.

— Les salopards, ils me le paieront!

Il se mit à pleuvoir et Matt alla s'abriter sous la tente qu'il avait dressée. Il se coucha dans son sac, éreinté, après avoir mangé une tranche de lard avec un reste de pain. Il s'endormit aussitôt, contre Or… C'est elle qui, en aboyant, le réveilla à l'aube.

— Or, calme-toi!

Elle obéit à contrecœur, et vit Georges et son fils approcher.

— Alors ce bois? demanda Georges en écarquillant les yeux.

Matt fit un geste vague de désespoir.

— Plus de bois. Plus de bateau. Plus de dollars. Plus rien.

— Vous vous êtes fait rouler, c'est ça?

— Ça m'en a tout l'air.

— Je reviens.

Matt le vit discuter avec son fils. Pendant ce temps, il se prépara à quitter l'endroit pour retourner au col.

— Pas la peine. J'ai envoyé les Indiens chercher votre stock, comme convenu.

— Comme convenu? Je n'ai plus rien à donner en échange!

— Si, votre travail.

— Comment ça?

— Je suis seul avec mon fils et, comme vous pouvez le voir, je suis un peu âgé. On a besoin d'un gars costaud comme vous.

— Vous êtes un chic type!

— J'y trouve mon compte.

Sans hésiter, Matt lui serra la main.

— Il n'y a pas de bateau pour nous emmener et le vent va se lever, paraît-il. On va donc marcher jusqu'au lac Bennett, où les Indiens transporteront la marchandise. Je me suis mis d'accord avec eux.

Sur un signe de son père, Bill s'approcha.

— Je suggère que vous partiez tous les deux en avant réserver une bonne place et peut-être commencer à couper quelques fûts. Je vais attendre ici la marchandise et arriverai avec elle.

— Parfait.

IL fallait contourner le lac en suivant un étroit sentier boueux où les fers des chevaux s'arrachaient et où les hommes glissaient. Matt et Bill doublèrent de nombreux convois.

Quand ils arrivèrent enfin au bord du lac Bennett, la nuit était bien avancée et la pluie redoublait d'intensité. À la hâte, ils montèrent la tente de Matt dans le prolongement de celles qui étaient déjà là et se partagèrent quelques tranches de lard froid avec des biscuits. Matt appréciait le jeune Bill, seize ans, volontaire et toujours de bonne humeur.

— Je suis content que mon père vous ait choisi pour nous accompagner, lui confia le jeune homme alors qu'ils s'enfouissaient dans leurs sacs de couchage.

— Et moi, je suis très heureux d'avoir enfin trouvé des gens de valeur avec qui faire ce périlleux voyage. Mais je t'en prie, Bill, tutoyons-nous.

— Je veux bien. Bonne nuit, Matt.

— Repose-toi bien, Bill. Demain, il faut abattre et scier.

MATT vit le feu allumé lorsqu'il s'éveilla à l'aube. Bill revenait, Or derrière lui, avec une brassée de bois dans les bras.

— J'ai trouvé un peu de bois sec sous les branches, dans cette forêt épaisse de pins.

— Je vois qu'Or t'a adopté.

— Cette chienne est adorable.

Elle s'approcha de Matt, qui la gratifia d'une caresse tout en observant les alentours. Seules une vingtaine de tentes étaient dressées. Finalement, malgré tous ses déboires, il ne s'en tirait pas si mal. Il était ici dans les premiers.

Ils se mirent immédiatement au travail, abattirent des pins et utilisèrent pour les scier le système de ceux qui avaient escroqué Matt. Bill était adroit et costaud. Au début, ils manquèrent quelques planches, mais les suivantes étaient régulières. La position la plus inconfortable était pour celui qui se plaçait en dessous de la grume ; alors, ils se relayaient souvent.

— Ne jouons pas aux durs, dit Bill. Toi comme moi, on est capables de scier en dessous pendant longtemps, mais il faut nous économiser.

Matt apprécia le bon sens du jeune homme. Ils n'avaient rien à se prouver. Il fallait œuvrer ensemble, le mieux possible.

GEORGES n'arriva que le lendemain. Un éboulis avait rendu le sentier impraticable. Il avait fallu le dégager pendant toute une journée. Bill l'entraîna jusqu'à la clairière où ils avaient fini de débiter la quantité de planches nécessaire et où ils commençaient à équarrir les madriers.

Georges paraissait stupéfait.

— Bon Dieu! Vous n'êtes pas des feignants!

Et il les gratifia tous les deux d'une grande claque dans le dos.

— Tu aimes le bois, n'est-ce pas? dit Georges à Matt, le soir, alors qu'ils étaient réunis autour d'un feu.

— C'est une belle matière à travailler.

— C'est ce que mon père disait aussi. Il était charpentier.

7

PRESQUE immobile, l'eau du lac avait la couleur de la brume. L'automne achevait de dépouiller les aulnes et les bouleaux, alors que maringouins et moustiques se faisaient plus rares.

En quatre jours, les bords du lac Bennett étaient devenus un immense chantier où plus d'une centaine de personnes travaillaient, abattaient, sciaient, écorçaient, assemblaient, chevillaient, calfeutraient… Et des hommes continuaient d'arriver.

Depuis 5 heures du matin, Matt dégrossissait les planches et les assemblait. Vers 10 heures, il se dirigea vers la tente-restaurant pour s'offrir un café. Une trentaine de personnes s'y trouvaient déjà. On n'y parlait que de bateaux, d'or, de franchissement de rapides et de chevaux.

Matt entrait quand il stoppa net, comme frappé de surprise.

— Oh non! Dites-moi que je rêve.

Elle était de dos, occupée à charger le poêle. Mais il l'avait reconnue.

— La Blanquette!

— Matt!

Ils tombèrent dans les bras l'un de l'autre. Incapable de se remettre de sa surprise, Matt bégayait à moitié.

— Mais… que… qu'est-ce?…

Elle riait.

Autour d'eux, quelques prospecteurs regardaient avec un certain amusement ces retrouvailles incongrues.

— Moi aussi, j'avais envie d'aventure, besoin de changer d'air.

— Mais qu'est-ce que tu vas faire ? Tu vas aller chercher de l'or ?

Elle lui chuchota à l'oreille :

— Je ne vais pas aller le chercher dans la terre mais dans les poches de ceux qui en trouveront.

Il ouvrait de grands yeux et elle lui adressa un clin d'œil entendu.

— Regarde tous ces hommes qui se ruent vers ce Klondike où il n'y a rien ! Ni magasin, ni restaurant, ni hôtel, rien… Regarde ce café. À 1 dollar le café et le beignet, le patron ramasse plus de 100 dollars par jour, et des milliers d'hommes arrivent qui en dépenseront chacun 10 ici.

Matt commençait à comprendre.

— Ces milliers d'hommes qui seront bientôt au Klondike dans une ville de tentes… (Et elle ajouta, plus bas :) Sans femmes…

— La Blanquette…

— S'il te plaît, Matt, appelle-moi Marie. Blanquette est restée là-bas.

Elle montrait le sud.

— Bon, d'accord… Marie !

— À moins que je ne me trouve un nom de scène ?

Et elle tourna sur elle-même, à la façon d'une danseuse.

Un petit trapu, à la trogne rouge mais néanmoins sympathique, appela Marie pour servir. Elle se dégagea avec douceur des bras de Matt.

— Je viendrai te voir ce soir, après le service.

Il la regarda s'éloigner vers le coin de la tente où, sur des tréteaux de bois, étaient servis les déjeuners. Bill arrivait. Ils burent rapidement un café ensemble et retournèrent au travail. Quand il rentra sur son chantier, il trouva Marie en grande conversation avec Georges.

— Votre Marie est un vrai conte de fées, lui dit Georges, conquis.

— Ma Marie, c'est un bien grand mot. Marie s'appartient. Elle n'est à personne.

— Celui qui saura se l'attacher sera chanceux, admit Georges.

— Je vois que le charme a opéré !

— Marie veut se rendre au Klondike et je pensais… enfin, je me disais que nous pourrions facilement être un de plus…

Matt partit dans un grand éclat de rire dont Georges ne sut tout de suite s'il était de dépit ou de satisfaction.

— Sacrée Marie! Qui aurait pu prévoir que j'allais un jour me retrouver en route pour l'Alaska en train de descendre des rapides en ta compagnie?

— Ça n'a pas l'air de te réjouir!

— Détrompe-toi, j'en suis ravi. Et de toute façon, Georges est notre chef.

— Il n'y a pas de chef, rien qu'une équipe, précisa Georges en levant son verre de rhum, et je porte un toast à notre nouvelle recrue.

— À notre équipe qui a le plus beau bateau et la plus jolie femme du lac Bennett! dit Bill, qui ne voulait pas être en reste.

— Quand partons-nous? demanda Marie. Je dois prévenir le patron. Il faut qu'il me remplace.

— Demain après-midi. Nous irons camper en haut des rapides afin de pouvoir les étudier.

Matt se rendit compte qu'il venait de décider cela tout seul. Il se reprit, gêné :

— Enfin, je veux dire… c'est ce que l'on m'a conseillé de faire et ce que je voulais proposer.

Georges le regardait avec une indulgence amusée.

— Il faut un capitaine à ce bateau et tu es le plus expérimenté d'entre nous puisque tu as descendu quelques rivières en canoë. C'est toi qui le dirigeras.

— Il faut baptiser ce bateau, dit Bill.

— Alors là, je revendique le droit de choisir, dit fermement le père.

Ils étaient tous d'accord.

— Il s'appellera la *Belle-Marie*… ou plutôt : *Marie-Belle*, ça sonne mieux, oui c'est ça, le *Marie-Belle*.

— Au *Marie-Belle*! dit Matt en levant son verre.

DEUX autres équipes avaient terminé leur bateau dans la nuit et se mirent en route en même temps que le *Marie-Belle*. Matt, à la gouverne, maniait la pale en essayant de garder le cap, malgré le vent de côté qui repoussait le bateau vers les berges. La voile carrée en toile goudronnée se gonflait fièrement. Debout à la proue, hiératique, Or avait l'air sculptée dans le bois. Le *Marie-Belle* avait fière allure.

Bill, son père et même Marie s'étaient mis aux rames et souquaient ferme, autant pour se réchauffer que pour compenser la dérive et maintenir le cap. Ils avaient le sourire. La grande aventure commençait vraiment.

Matt scrutait l'horizon et pensait à ce qu'il serait quand il repasserait ici, dans un an ou plus. Il repensa à ses deux associés, Reid et Hoxey. Les reverrait-il au Klondike ? Il en doutait et ne l'espérait pas vraiment. En revanche, il comptait bien retrouver les salopards qui lui avaient volé son bois.

— Tu as l'air bien pensif, Matt, remarqua Marie.

Il se contenta de sourire. Elle était belle malgré son visage rougi par le froid et il ressentit un petit pincement au cœur à l'idée que ce corps allait servir à d'autres. Serait-il assez riche pour la couvrir d'or et la garder pour lui seul ? Oui, c'est ce qu'il ferait, et cette idée lui arracha un sourire.

Miles Canyon ! Un passage qui ressemblait à un examen, à une porte d'accès au fleuve Yukon qui déroulait ensuite le tapis de ses eaux tranquilles jusqu'à ce village en train de naître au confluent du Klondike. À l'exception du rapide de Whitehorse que l'on portageait, les passages de Squaw Rapids et de Five Fingers n'étaient que des formalités, de beaux endroits, pas dangereux si on prenait la bonne option. Mais Miles Canyon, situé au bout de l'entonnoir dans lequel se blottissait le lac Bennett, étroit et profond, c'était autre chose. Les Indiens disaient que ce rapide retiendrait dans ses doigts des centaines de *cheechackos*, ces Blancs ignares qui s'élançaient dans le pays du silence avec outrecuidance. C'était là que le Grand Nord commencerait à faire payer l'irrespect avec lequel certains prétentieux appréhendaient ces terres de l'esprit.

En fait, cela avait débuté plus tôt, mais Matt et ses amis ne le savaient pas. Alors que l'hiver approchait, que cette main d'acier se refermait doucement mais implacablement sur le pays, tout le monde se hâtait et le Grand Nord prélevait déjà son tribut. Une avalanche terrible avait eu lieu dans le défilé du White Pass, un blizzard avait balayé le Chilkoot au changement de lune. On comptait déjà des dizaines de morts. Épuisées et découragées par les obstacles, des centaines de personnes faisaient demi-tour ramenant vers le sud des souvenirs qui noircissaient les colonnes des journaux.

Sur la berge étaient échoués une douzaine de bateaux, ce qui surprit Matt et ses amis.

— On n'est pas les premiers, dit Bill, un peu dépité.

— On n'est pas les derniers non plus et il vaut mieux laisser les autres essuyer les plâtres, répondit Georges.

Or fut la première à sauter du bateau que des hommes halèrent sur la berge avant même que l'équipage ankylosé ne se lève. Matt nota tout de suite le changement d'état d'esprit des hommes rassemblés là, dans un certain recueillement dû à la proximité du danger. Ils étaient solidaires, prenant tout à coup conscience de la futilité de la concurrence qui primait jusqu'ici. Devant la mort, l'homme gagne en humilité, chasse le superflu. Le Nord les marquait peu à peu de son empreinte.

Plusieurs bateaux, cinq ou six, avaient tenté le passage que les averses de ces derniers jours avaient rendu plus dangereux encore. Deux avaient été retournés par les vagues, un troisième s'était fracassé contre un rocher. Tous les naufragés n'étaient pas morts, quelques-uns avaient été repêchés plus loin, mais les chances d'en réchapper restaient faibles.

— Un bateau sur deux, dit Georges avec une moue résignée.

— Il vaudrait peut-être mieux portager, comme s'apprête à le faire le groupe de Donald Ross, proposa Bill.

Ce n'était pas l'avis de Matt. Le portage, qui s'effectuait dans la forêt sur un sentier de plus de 4 kilomètres, prendrait au moins trois jours. Puis il faudrait cordeler le bateau, c'est-à-dire lui faire descendre le canyon en le retenant au moyen d'une corde depuis le haut, sans le fracasser contre la paroi vers laquelle le courant, les vagues et les remous l'entraîneraient inéluctablement.

— À vide, le bateau serait plus maniable et deux d'entre nous pourraient le conduire plus facilement, insista Bill.

— Au cas où je ne serais pas sélectionné, je viendrai de toute façon prêter main-forte à ces deux-là, répliqua Georges, qui n'approuvait pas cette idée.

— Et moi, je vous accompagnerai, dit Marie en guise de conclusion.

— La décision est donc prise, nous tenterons tous le passage.

Ils acquiescèrent, conscients de l'engagement qu'ils prenaient, au risque de leur vie.

Dès lors, Matt se renseigna sur les circonstances des accidents, les options choisies par ceux qui avaient échoué et ceux qui avaient réussi, la taille, la forme et le chargement des bateaux, et il acquit peu à peu la conviction qu'ils avaient toutes les chances de passer. Le poids était bien réparti dans leur bateau tout en longueur et donc plus maniable, et ils bénéficiaient de l'expérience des autres.

MATT amarra solidement les deux avirons de manière qu'ils ne puissent pas sauter de leurs attaches et attribua une place à chacun de ses amis, Bill à l'avant et lui à l'arrière, alors que Georges et Marie, qui ne savaient pas manier l'aviron, prendraient chacun une rame.

Toute la marchandise avait été soigneusement arrimée avec des cordes et coincée avec des cales, les sacs de farine bâchés dans la voile goudronnée et mis sur le dessus de la cargaison.

— On y va!

Un autre bateau s'apprêtait à partir mais attendait que le *Marie-Belle* s'engage dans le goulet pour le suivre. Des spectateurs, une bonne centaine, car de nombreux bateaux étaient encore arrivés la veille, les observaient depuis les falaises.

Poussé par une dizaine d'hommes, le *Marie-Belle* quitta le campement sous les « Olé! À bientôt, à Dawson. Bonne chance! » et glissa un court moment, emporté dans sa lancée sur les eaux lisses et un peu huileuses. Un photographe posté à l'entrée de la passe prit un cliché.

Ils souquèrent dur pour rejoindre le centre de l'eau afin d'entrer dans la gueule du goulet en bonne position. Aussitôt, ils furent comme aspirés par les flots. Matt poussa sur les avirons en criant à Bill de faire de même pour se positionner sur la « crinière » du courant. Les parois rocheuses défilaient déjà à une vitesse vertigineuse. Le courant était coupé de vagues de plus en plus hautes, et le bateau, paralysé par son poids, piquait du nez et embarquait de l'eau par l'avant, alors que Bill maintenait fermement sa position malgré les paquets d'eau qu'il recevait. Georges et Marie concentraient toute leur énergie dans l'effort nécessaire pour ramer, ce que Matt leur avait ordonné de faire sans se poser de questions d'un bout à l'autre du canyon. En effet, Bill et lui ne pourraient diriger le bateau qu'avec un minimum de vitesse par rapport au courant.

— Bill, appuie!

La voix de Matt se perdait dans le vacarme. Il appuya de toutes ses forces sur l'aviron, mais au même moment une lame souleva l'arrière du bateau qui s'écarta du haut de la crinière, pris dans un courant transversal. Emporté dans un chaos, le *Marie-Belle* menaçait maintenant de se fracasser contre la falaise dont il se rapprochait dangereusement. Il fit quelques cabrioles dans les courants contradictoires et embarqua encore de l'eau, tout en continuant de dévaler le torrent à pleine vitesse. Matt ne perdit pas son sang-froid, mais soudain le bateau tapa une vague plus haute que les autres et fit un demi-tour complet si bien que l'arrière se retrouva à l'avant, puis il continua de tourner, pris dans une sorte de tourbillon qui menaçait à tout instant de le faire chavirer. Bill cria quelque chose que Matt n'entendit pas. De toute façon, ils ne contrôlaient plus l'embarcation. Ils devaient à présent s'en remettre au destin. Au moment où ils se croyaient perdus, une longue déferlante prit le bateau de côté et l'éloigna de la falaise vers un passage plus calme. Matt recouvra ses esprits en entendant hurler au-dessus de lui. L'un des spectateurs postés en haut de la falaise criait pour l'avertir de quelque chose qu'il ne comprit pas tout de suite.

— À gauche!

Devant eux, les courants se divisaient et, s'ils ne s'engageaient pas dans celui de gauche avant d'aborder la seconde partie du goulet, ils iraient se fracasser contre les rochers. Matt prit une profonde inspiration et ordonna à ses compagnons de reprendre aussitôt leur place. Il appuya lui-même de toutes ses forces sur son aviron et parvint juste à temps à rejoindre une sorte de gros remous qui l'amena naturellement sur le bon courant. Ce parcours ne fut qu'une répétition de celui effectué sur la première moitié, et en moins d'une minute, à la vitesse d'un cheval au galop, alternativement ballottés de droite et de gauche, ils se retrouvèrent dans le lac. Les parois rocheuses et le vacarme des eaux déchaînées s'éloignèrent, aussitôt remplacés par les acclamations de ceux qui leur faisaient des signes de victoire depuis la rive. Marie se jeta dans les bras de Matt, bientôt rejointe par Georges et Bill. La peur qu'ils avaient éprouvée s'extériorisait dans de grands éclats de rire et des hurlements de joie que Matt lançait dans l'air clair de ce bel après-midi d'automne. Ils avaient joué leur vie et gagné. Matt éprouva un sentiment de triomphe qui le bouleversait de bonheur, l'exaltait. Jamais il n'avait ressenti une telle extase. Il ne pouvait se détacher du corps de Marie, serré contre le sien.

Ils accostèrent et furent pris dans un autre tourbillon. On leur tapait dans le dos, on les congratulait, d'autres plaisantaient, mais ils furent bien vite confrontés à la dure réalité. Une barque ramenait un cadavre et deux naufragés qu'on avait repêchés sur les cinq personnes que comptait le bateau ayant tenté de suivre le *Marie-Belle*.

— Je les avais oubliés, ceux-là, fit tristement Matt. Où sont les autres?

Le gars qui était à côté de lui fit un geste vague. On ne les retrouverait pas.

Matt s'avança pour apercevoir le cadavre. Il était salement amoché. Le pauvre type avait vraisemblablement heurté plusieurs rochers. C'était le risque. Quand le bateau chavirait, même si les naufragés résistaient au froid, échappaient à la noyade, ils avaient peu de chances de ne pas percuter un rocher ou la falaise. En regardant mieux, Matt reconnut l'un de ceux qui, hier encore, riaient autour du grand feu de camp dressé au milieu des tentes.

8

L A police montée interdisait maintenant le Chilkoot à ceux qui ne franchissaient pas le col avec la quantité de nourriture nécessaire pour un an, estimée à 1 145 livres de vivres, et on ignorait comment ils en étaient arrivés à ce chiffre! Les « montés » percevaient aussi un droit de douane de 15 dollars par 1 000 livres de nourriture et de 3 dollars pour le reste des marchandises, qui finançait les installations. Une corde fut ajustée pour rendre plus facile l'ascension du col enneigé dont les pierres angulaires éclatées et glissantes blessaient les hommes chargés, épuisés et empressés de parvenir les premiers au Klondike.

À Dyea et à Skagway, sur la route qui menait au Chilkoot, bon nombre de voyageurs, découragés par les risques et les privations, par l'inconfort de cette existence aventureuse dans les pluies et les neiges, s'en retournaient déjà, estimant que leur vie ne valait pas le coup d'être risquée pour un Klondike dont ils ne savaient même plus eux-mêmes s'il existait vraiment.

Le lendemain de leur passage des rapides, Matt retourna à l'entrée du goulet par le sentier de portage pour récupérer les munitions de la carabine de Georges qu'il n'avait pas voulu mettre dans le bateau. Il fut frappé de constater combien ces centaines d'hommes manquaient pour la plupart d'opiniâtreté.

Comme il avait franchi le goulet victorieusement, il était célébré en héros par ceux qui l'avaient vu partir. Ils lui demandaient toutes sortes de conseils, qu'il prodigua avec patience. Un homme marqué par les épreuves vint le trouver. Trois de ses équipiers sur huit abandonnaient ici. L'un d'eux souffrait du dos, l'autre s'était démis une épaule, le troisième était épuisé. Ils marcheraient le long du lac et retourneraient à Skagway en reprenant à l'envers cette route qui les avait découragés. Matt accepta de conduire leur bateau dans le canyon.

— 100 livres de lard, un sac de riz et deux de farine pour vous conduire là-dedans.

— Ça marche !

Ils estimaient que ce n'était pas trop cher payé pour retourner dans ce tunnel infernal. Matt vérifia le bateau, qui était bien construit, et modifia la longueur des avirons, trop longs et mal fixés, puis il fit rajouter des rames et rééquilibra le chargement. Des douzaines de curieux le regardaient faire.

Les cinq hommes étaient costauds et adroits et firent exactement ce que Matt leur avait demandé. Ils donnèrent au bateau de la vitesse, ce qui permit à Matt de le maintenir à peu près où il voulait dans les flots déchaînés. Quatre minutes plus tard, il sortait du goulet, avec à peine 100 litres d'eau dans le bateau.

Matt s'en voulut presque de la peur éprouvée lors du premier passage. Il n'imaginait pas que cela pouvait être si facile. Au camp, on l'accueillit avec des vivats, à l'exception de Marie qui lui reprocha d'avoir risqué inutilement sa vie.

— Notre peau, on la jouera bientôt pour un sac de nourriture, répliqua-t-il.

— Qu'est-ce qui te fait dire cela?

— Regarde.

Il lui montrait l'étendue de la forêt autour d'eux et le fleuve noyé dans la brume.

— Et le sac?

— Il est resté là-bas. Je retourne le chercher.

Marie le regarda en plissant les yeux de colère.

— Tu ne vas pas en descendre un autre?

— Je ferai ce que je voudrai.

— Très bien!

Et elle s'en alla, furieuse.

— Je viens avec toi, asséna Bill.

— Pas question.

— Comment cela?

C'était au tour de Bill de rougir de colère. Matt marmonna de vagues excuses, regrettant que Georges fût parti pêcher et ne pût donner son avis.

— Après tout, tu es assez grand pour décider toi-même de ce que tu dois faire.

En haut des rapides, la rumeur avait circulé. Les nouveaux arrivants savaient que Matt avait franchi le défilé très facilement, et le nombre de ceux qui décidaient de tenter le passage augmentait. Matt fit savoir qu'il guiderait un dernier bateau. Il refusa de prendre les deux premiers qu'on lui proposa, les jugeant trop lourds et peu maniables.

Moyennant une rémunération de 100 dollars, il accepta de conduire celui d'un groupe de pêcheurs de Seattle, une barque parfaitement équilibrée. Bill choisit un bateau plus large, à fond plat, mais qui semblait bien construit et surtout très solide. Il était payé le même prix.

— Tu n'as qu'à me suivre, proposa Matt.

— Tu as réussi deux fois sans suivre personne, je peux faire de même, non ?

Bill le défiait du regard.

— J'en suis sûr, mais autant limiter les risques, tu ne crois pas ?

— Non, je préfère passer seul. Suivre me déconcentrera. On ne peut pas surveiller à la fois un bateau devant soi et les pièges de ce rapide.

— En passant où je passe, tu éviteras les pièges.

— Rien ne prouve que tu arriveras à repasser par où tu es passé.

Cet argument désarma Matt.

— Comme tu voudras !

Dès lors, chacun se prépara de son côté. Un équipage demanda à suivre Matt, dont chacun savait qu'il avait déjà réussi. Il accepta à condition qu'il conserve un écart de 200 mètres pour éviter tout risque de télescopage au cas où l'un d'entre eux serait freiné par un remous ou un contre-courant.

— Tu es sûr de toi ? Tu ne veux pas suivre ? essaya Matt une dernière fois.

— À tout à l'heure, de l'autre côté, fut la réponse de Bill.

« Il a besoin de s'affirmer, pensa Matt, et cette occasion est trop belle pour lui. »

Il était tard et une lueur un peu mauve coulait sur le lac, prémices d'un crépuscule coloré qui plongeait déjà dans l'ombre certaines parties du canyon.

— Allons-y !

L'un des équipiers de Matt se signa, puis ils se mirent en position. Les hommes ramaient vigoureusement, et la peur faisait sécréter aux corps de l'adrénaline qui multipliait leur puissance. Ils passèrent le premier défilé en embarquant beaucoup d'eau, emportés deux fois par des lames de travers si bien que Matt eut toutes les peines du monde à replacer le bateau dans le bon courant. Tout se joua à quelques mètres près, mais les vivats les accueillirent de nouveau.

Derrière eux, le premier bateau, plus léger, passa encore mieux. En revanche, le bateau de Bill ne se montrait pas. Ils attendaient en ramant doucement pour se maintenir dans le contre-courant, à quelques centaines de mètres du campement, lorsqu'ils entendirent des cris. Matt leva la tête. Un homme leur faisait de grands signes depuis le haut d'un rocher d'où on avait vue sur la seconde partie du canyon. Quelques secondes plus tard, ils virent les débris d'un bateau disloqué qui roulaient dans la queue du courant puis, aussitôt, le corps d'un homme dont la chemise de toile gonflée faisait comme une grosse bulle.

— Vite !

Ils ramèrent de toutes leurs forces vers le corps, mais ils remontaient difficilement. Les débris et le corps tournaient dans un tourbillon.

— Un autre !

Celui-là vivait. Matt reconnut un des gars de l'équipage mené par Bill. Il s'accrochait par un bras aux restes du bateau. Ils halèrent le type qui perdit connaissance. Ils l'allongèrent dans le fond de la barque. Sur l'autre bateau qui avait suivi Matt, on avait aussi récupéré deux types. Mais pas de traces de Bill. Ils repêchèrent un dernier survivant, puis plus rien. Deux bateaux arrivaient à la rescousse, leurs occupants ramant vigoureusement vers la gueule du rapide.

— Il en manque combien ?

— Au moins quatre.

Happés par des lames de fond, les corps qui ne se maintenaient pas à la surface de l'eau étaient souvent rejetés bien plus loin par le fleuve. Matt écarquillait les yeux, mais le canyon, telle la gueule d'un animal monstrueux dévorant ses victimes, ne rejetait plus rien, plus une miette. Le rapide avait terminé son repas.

Ils tournèrent un peu, puis les bateaux, un à un, rejoignirent le camp où se rassemblaient ceux qui, victorieux ou prudents, avaient franchi le passage par voie d'eau ou de terre. Deux sortes d'hommes qui, au-delà de leurs différences de tempérament, se respectaient.

Le crépuscule, funèbre, s'étendait sur la taïga, recouvrant le fleuve d'un voile sombre, étirant une couverture grise sur les morts qu'il avait engendrées. La mort était de ce pays, persévérante, pugnace, punissant ceux qui jouaient trop avec elle. Sur ces terres sans pardon, impitoyables, elle choisissait ses victimes. Elle était le garde du corps de la nature et l'aidait à défendre ses trésors.

9

Prostré, Georges s'était enfin endormi à l'aube, épuisé.
— Pauvre homme, dit Marie.
— Je me sens un peu responsable, je n'aurais pas dû le laisser partir, répondit Matt.
— Tu as essayé de le dissuader, tu ne pouvais pas faire plus.

Matt ressassait la tragédie depuis des heures et ne savait même plus quoi en penser. Tous ces morts et d'autres, aujourd'hui, demain, encore, toujours. Tous ces hommes qui souhaitaient vivre de ce qu'ils arracheraient à la terre et qui mouraient, souvent dans l'indifférence, sans sépulture.

Georges voulait continuer pour cela, pour retrouver le cadavre de son fils avant que les bêtes ne le dévorent, espérant secrètement un miracle. Peut-être était-il blessé un peu plus loin? Espoir dérisoire auquel il se raccrochait pourtant.

Matt n'avait plus envie que d'une seule chose. Quitter cet endroit. Avancer toujours comme si la distance atténuait le mal. Mais c'était surtout l'action qui permettait d'oublier. Marie, Or dans ses bras, se blottit sous des couvertures, à l'arrière du bateau, pour échapper au froid et aux rafales de vent. Georges, à la proue, cherchait son fils. Matt suivait la rive contre laquelle le vent aurait pu repousser le corps. Mais il devait souvent s'en éloigner car des hauts-fonds risquaient d'échouer leur barque. Le père faisait peine à voir. Toute la tristesse du monde hantait son regard terni et Matt ne savait plus s'il voulait retrouver le corps ou non. De toute façon, les chances étaient infimes.

Le vent d'ouest tourna au nord et effeuilla les arbres. Ils dépassèrent une barque surchargée qui peinait contre les risées et ils se mirent aux rames pour négocier un rapide facile. Georges dormait toujours, Or contre lui qui, de temps à autre, relevait la tête pour humer les odeurs que le vent lui apportait.
— Elle va bientôt mettre bas, jugea Marie en lui massant le ventre.

En effet, dans l'après-midi, Or se mit à geindre tout en allant et venant d'un bout à l'autre du bateau, comme si elle cherchait en vain quelque chose. Ils campèrent sur une sorte de presqu'île où, à la pointe, s'étaient échouées des quantités de bois mort. Dès qu'ils débarquèrent, Or s'en alla et se trouva une place à l'abri d'un rocher où elle creusa une sorte de terrier dont elle tapissa le fond de bourre de laine qu'elle arracha de son poil.

— Laissons-la tranquille, proposa Matt en entraînant Marie par le bras.

Ils rejoignirent Georges, assis au bord du feu qu'ils avaient dressé avant de partir à la recherche de l'endroit choisi par Or pour mettre bas. Celui-ci leva vers eux des yeux vides. Pleine de compassion, Marie s'installa auprès de lui, essayant de le faire manger, mais il ne pouvait avaler une seule bouchée.

— Ce pays est impitoyable, Georges, et il te faut prendre des forces pour pouvoir le combattre, lui dit Matt.

— Je n'ai plus envie de me battre contre quoi que ce soit.

— Je comprends ce que tu ressens, mais tu ne dois pas te laisser aller.

Georges ne répondit pas. Il fixait indéfiniment les flammes, absent, plongé dans ses pensées.

Un deuxième bateau puis un troisième accostèrent l'île avant la nuit, attirés par le grand feu qui éclairait la tente de toile montée entre deux trembles près de la rivière. Dans le premier bateau, c'étaient Bertaud et Fazeau, deux gars de San Francisco, et dans l'autre, un groupe de pêcheurs. Ils s'étaient arrêtés dans l'après-midi à la jonction avec un petit affluent du Yukon pour pêcher le saumon. Ils en avaient attrapé trois qu'ils firent griller aussitôt sur leur feu et qu'ils partagèrent avec eux.

— Demain, on arrivera aux rapides de Whitehorse, c'est pas de la tarte, à ce qu'on dit, déclara l'un d'eux. Est-ce que tu feras passer plusieurs bateaux ? continua-t-il en s'adressant à Matt.

— Non, il fera passer le sien, c'est tout, déclara Marie.

Un des hommes s'apprêtait à répondre quand ils entendirent un grognement, un feulement de colère terrible. Matt fut le premier à réagir car il comprit avant les autres ce qui se passait. Il arracha un morceau de bois au feu et se rua vers la tanière d'Or, d'où venaient ces rauquements.

Éclairée fugacement par la lune, la clairière était baignée d'une lueur diffuse. Matt stoppa net. Face à lui, un lynx, les crocs à nu, crachant et grognant, sur le point de bondir.

Matt serra fermement le morceau de bois qu'il avait arraché au feu et agita le tison. Les crocs de la bête étincelèrent et la brillance de ses yeux furieux creva la nuit. Le voleur voulait attaquer la chienne et lui prendre ses chiots. C'étaient les gémissements des petits, que Matt entendait maintenant, qui l'avaient attiré. Face à lui, Or, malgré tout son courage, n'aurait rien pu.

— Sale bête !

Le lynx fixait d'un œil craintif le morceau de bois incandescent que Matt brandissait devant lui. Il se préparait à lui décocher un coup avec le tison, mais celui-ci se brisa et la braise retomba sur le sol humide avec un sifflement. Elle rougeoya un instant, puis s'éteignit. Alors, le lynx recouvra toute sa haine et s'avança, les pattes raides, aplati, prêt à bondir, et Matt se rendit compte à cet instant de son effroyable puissance. Il allait se faire déchiqueter.

Un coup de feu claqua dans la nuit et l'animal s'affaissa en se tordant sous l'effet d'une balle qui lui avait transpercé le cou, juste sous la gueule qui s'apprêtait à mordre.

Matt se retourna vivement pour voir qui avait tiré.

— Marie ?

— Mon père s'entraînait au pistolet et il m'a appris, dit-elle comme pour s'excuser.

Matt bouscula le lynx du pied. Mort sur le coup. Un vrai tir de professionnel. Tout près, on entendait distinctement le gémissement des chiots. Matt s'avança et, à la lumière de la lune, compta les chiots en s'aidant de la main pour les décoller du ventre de leur mère qui s'était recouchée en tremblant.

— Tu n'as plus rien à craindre, ma belle. Plus rien ne fera de mal à tes petits.

Il y en avait sept. Six mâles et une seule petite femelle toute blanche, alors que les autres étaient noirs ou tachetés.

— C'est bien, ma belle. C'est très bien.

Marie s'était penchée elle aussi et souriait. Matt la prit dans ses bras. Les hommes repartirent discrètement vers le campement en portant le lynx. Il lui fallait sentir contre lui la chaleur de son corps.

Il caressa son visage où se dessinait un sourire et dont le regard trahissait l'orgueil.

— Merci, Marie, tu m'as tiré d'une fâcheuse situation.

— Récompense-moi !

Elle le renversa sur elle en ouvrant les jambes pour l'accueillir.

CERTAINS disaient que les rapides de Whitehorse étaient les plus dangereux de tous, mais ce n'était qu'une apparence. Si la quantité d'eau brassée dans l'étroit boyau qui étranglait le fleuve à cet endroit produisait un bruit terrible, un bateau bien conçu les passait sans trop de difficulté. C'était du vent qu'il fallait se méfier car il redressait comme la crête d'un coq les vagues déferlantes et écumantes. Les bateaux qui choisissaient mal leur heure ou qui, trop pressés, s'élançaient sans apprécier la difficulté étaient retournés, et allaient s'écraser contre les rochers.

— On va attendre demain matin, décida Matt. Le vent devrait tomber au lever du jour.

MATT avait ménagé à l'arrière du bateau une sorte de niche où Or et ses petits avaient pris place, confortablement installés dans une couverture repliée. Marie veillait sur eux, câlinait la chienne, lui proposant sans arrêt à boire et à manger. Au contact des chiots, Georges avait esquissé un sourire.

Chacun regagnait sa tente lorsque l'un des pêcheurs, un certain Albin, s'approcha de Matt et le prit à part.

— C'est à propos de Marie, commença-t-il. C'est avec toi qu'il faut voir ça ?

— De quoi veux-tu parler ?

Le ton s'était fait menaçant et Albin hésita, puis il se décida.

— Ben… on dit qu'elle est là pour faire le tapin et moi, je…

Il n'eut pas le temps de terminer sa phrase. Matt lui décocha un coup de poing qui le fit chanceler. Mais Albin était costaud et rétablit son équilibre pour se ruer sur son agresseur. S'ensuivit un terrible corps-à-corps. Les hommes alertés par le brouhaha eurent toutes les peines du monde à les séparer, alors que le pêcheur prenait le dessus. Marie était là, elle-aussi.

— Qu'est-ce qui se passe ?

— Ce salopard t'a traitée de putain!

Marie les considéra froidement tous les deux.

— Et alors, il a raison. Je suis une putain. Tu en as honte?

— Marie!

— Quoi, Marie?

— Je t'interdis de…

Elle était devenue rouge de colère et l'empoigna. Son regard était de braise et s'était rivé au sien.

— Écoute-moi bien, Matt. Tu n'as aucun droit sur moi. Aucun! Et si le fait de m'avoir baisée gratis te donne des idées, ravale-les parce que, maintenant, tu feras comme tout le monde. Tu paieras.

Puis elle le lâcha. Matt se retourna vivement et, d'un furieux coup de pied, envoya rouler au loin une bouilloire, qui éclata sur les rochers.

Hors de lui, Matt ne trouva le sommeil que bien plus tard. Marie ne rentra pas de la nuit et il ne la vit pas le lendemain matin dans le bateau où il croyait qu'elle avait dormi. Elle réapparut alors qu'il rangeait sa tente et elle ne détourna pas le regard quand il la fixa. Fazeau et deux pêcheurs assistaient à la scène.

— Quoi encore? Tu veux savoir ce que je faisais? Ou peut-être quel prix j'ai demandé? 15 dollars. Et ferme-la!

Les hommes présents ne firent pas de commentaires. Les joues de Matt virèrent au rouge. Il se demanda comment une femme pouvait faire preuve d'autant de dignité en claironnant qu'elle était une putain. Matt n'en éprouva que plus de frustration. Marie lui échappait parce qu'il n'avait pas su préserver le fil fragile qui le liait à elle. Elle serait à tous ou plutôt à personne. Elle était là, comme eux, pour faire fortune.

Georges et lui chargèrent le bateau. À son habitude, Marie empaqueta les ustensiles de cuisine et plia la tente. Ils ne se parlaient pas et Matt évitait son regard tout comme celui d'Albin qui restait prudemment à l'écart, près de son bateau.

Matt jugea le vent, vérifia les rames une dernière fois et donna l'ordre de larguer les bouts. Tous les bateaux passèrent sans encombre, à l'exception de celui de Fazeau qui, ayant pris une vague de travers, embarqua beaucoup d'eau. Il se retourna à la sortie du rapide. Les pêcheurs récupérèrent les deux malheureux, mais une grande partie de leur équipement et de la nourriture était perdue.

Ils avisèrent un éperon rocheux en amont duquel se lovait une petite plage et accostèrent. Fazeau était furieux et accusait son compagnon de ne pas avoir obéi à son ordre.

— Je savais bien qu'il fallait redresser ! Encore fallait-il pouvoir !

— Écoutez ! les arrêta Matt. Vous nous cassez les oreilles avec vos chicaneries. Votre bateau a sombré, un point c'est tout, et si vous continuez à vous chamailler, on vous laisse là !

— Ça veut dire que… que vous proposez de nous emmener ?

Matt chercha le regard de Georges, qui lui fit un signe de tête affirmatif.

— Maintenant, la rivière est facile et on a de la place, dit Matt.

— On vous rendra ça !

— Et moi, je n'ai pas mon mot à dire ?

Ils se tournèrent vers Marie.

— Tu n'es pas d'accord ? demanda Georges.

— Si, mais j'aimerais qu'on me consulte ou qu'on me dise clairement si je ne fais pas partie de l'équipe.

— Tu fais partie de la mienne en tout cas, promit Georges.

— Et si tu en as marre de ce bateau, on a une place pour toi, continua l'un des pêcheurs, qui lui fit un clin d'œil entendu.

— Merci. Et toi, Matt, qu'est-ce que tu en dis ?

— Je ne dis rien.

Bourru, il s'en alla vers le bateau.

— Qu'est-ce que tu fais ? s'enquit Fazeau.

— On va le décharger entièrement et le retourner sur ces pierres pour le faire sécher.

— Maintenant ?

Il était à peine midi. Matt montra le ciel.

— Il faut profiter du vent et du soleil. Il va vite sécher et ce que nous perdons en temps maintenant, on le regagnera plus tard, en étant plus légers.

— On va faire pareil, décida Albin.

Les pêcheurs acquiescèrent.

Pendant ce temps-là, Georges et Marie allumèrent un feu et préparèrent un repas. Ils virent deux bateaux passer qui ne s'arrêtèrent même pas.

Les pêcheurs devinrent nerveux.

— On va se faire doubler comme ça tout l'après-midi?

Lorsque deux nouveaux bateaux apparurent en amont, le malaise augmenta dans l'équipe de pêcheurs. Ils retournèrent le bateau, le rechargèrent et le mirent à l'eau.

— On n'est pas arrivés ici les premiers pour se faire doubler par tout le monde, dit le frère d'Albin en serrant la main de Georges.

Mais l'explication de leur départ précipité était surtout destinée à Matt.

— Vous faites ce que vous voulez…, fit-il.

Matt serra distraitement les mains tendues et se détourna quand Albin vint le saluer. Le visage de Marie s'éclaira d'un sourire ironique. Elle s'avança et se planta juste en face de lui.

— Soit tu me demandes de rester et tu arrêtes, soit je pars.

Elle montra les pêcheurs d'un signe de tête.

— Tu fais comme tu veux!

Elle pinça les lèvres, refrénant sa colère.

— Très bien.

Elle ramassa ses affaires, alla caresser Or et ses chiots que Matt avait déposés dans leur couverture, au pied du bateau, et embarqua après avoir embrassé Georges, Fazeau et Bertaud. À peine deux minutes plus tard, leur bateau disparaissait en aval, emporté par le courant, noyé par le bandeau sombre que faisait, près de la rive droite du fleuve, le reflet des épicéas.

10

AVANT, il n'y avait rien d'autre qu'une sorte de marécage au confluent des rivières Yukon et Klondike. Maintenant, il y avait une ville : Dawson. Matt et ses compagnons l'aperçurent, juste après l'île qui, dans un coude du fleuve, masquait la ville. Ils virent monter dans le ciel d'un beau bleu délavé de nombreuses colonnes de fumée au-dessus des douzaines de cabanes et de tentes. L'importance de la bourgade qu'on leur avait décrite comme un vulgaire campement les impressionna.

Matt et Fazeau se regardèrent avec une moue dubitative.

— Ben, mon vieux, c'est un sacré bourg!

— Incroyable!

Ils accostèrent en arrière du quai, là où il restait de la place et remontèrent le talus, un remblai de terre et de cailloux recouvert de copeaux et d'écorces de pin.

Une grande tente surmontée d'une enseigne blanche où était inscrit LE MONTE-CARLO donnait sur l'embarcadère.

— « Un dollar le verre de whisky », lut Georges. Je vous offre une tournée pour fêter notre réussite.

Ils entrèrent dans la tente où se pressait une vingtaine de mineurs.

— Qu'est-ce qu'ils veulent, les *cheechackos*?

— C'est comme ça qu'on appelle les nouveaux arrivants, leur expliqua l'un des mineurs.

Ils commandèrent un whisky.

— Si tu nous en offrais un aussi, tu te ferais bien voir, lança un autre alors qu'il payait.

Georges esquissa un sourire.

— Et passer pour un pigeon, non, merci!

— T'en es déjà un!

— Comment ça?

— T'es venu chercher de l'or, non?

— J'étais venu pour cela.

Le mineur ne sembla pas saisir la nuance de sa réponse.

— Eh bien, tu sais sans doute que tout est pris?

— Tout? ne put s'empêcher de demander Fazeau en s'étranglant à moitié avec son verre de whisky.

— Non, pas tout, répliqua un des mineurs en adressant un clin d'œil aux autres. Il reste des concessions à prendre… Là où il n'y a pas d'or.

Ils éclatèrent de rire.

— Sérieux! Mais il y a du travail. Ils embauchent sur les meilleures concessions, les *claims*, qu'on dit. Ils cherchent une douzaine de types sur le placer de Tim.

Matt, accoudé à l'extrémité du bar, n'avait toujours rien dit. Il écoutait, sceptique, méfiant. Il vida son verre d'un coup.

— Je vous retrouve dans une heure près du bateau. Je vais faire un tour, dit-il aux trois autres.

Il sortit de la grande tente aux murs en planches et fit le tour de la ville, observant l'activité qui régnait dans ces rues noires de monde et où chacun transportait des marchandises, qui à dos d'homme, qui aidé d'une charrette tirée par des chevaux ou même des chiens. Il surprit quelques conversations, interrogea plusieurs personnes et se rendit dans la tente où le capitaine Constantine enregistrait les claims. C'était un grand moustachu envoyé là par le gouvernement et qui tentait de faire régner l'ordre dans cette petite ville qui ne l'était plus. Il s'occupait aussi de l'enregistrement des claims et faisait cela dans l'une des toutes premières tentes, secondé par un jeune caporal de la police montée qui semblait moins à l'aise que lui. C'est lui néanmoins qui répondit assez cordialement aux quelques questions que Matt posa, alors que trois types tentaient de convaincre le capitaine Constantine de les suivre pour régler une affaire de limites de claim.

Matt acquit la conviction qu'il ne fallait pas traîner. Un bruit courait que des affluents du Klondike demeuraient libres. Il devait se hâter. En quelques jours, tout serait pris.

Il retourna à l'embarcadère et trouva Georges en grande conversation avec de nouveaux arrivants qui paraissaient complètement sonnés par ce qu'ils apprenaient.

— Ben, ça alors ! Ça alors ! répétait l'un des types.

Matt entraîna Georges à l'écart.

— Écoute, je crois qu'il reste des concessions à prendre là-haut.

Il montrait le Klondike.

— Ça se passe comment ?

— Il faut y aller, poser des jalons aux quatre coins d'un terrain de 162 mètres de long et large de 216, et revenir l'enregistrer auprès du commissaire du gouvernement.

— Il y en a un ici ?

— Oui, et il ne chôme pas. Il a déjà enregistré plus de huit cents concessions !

— Écoute, Matt, fais ce que tu veux, moi, ça ne m'intéresse plus. C'était une aventure que je voulais vivre avec Bill. Sans lui, ce n'est plus pareil. Je repartirai par le premier bateau.

— Je comprends, Georges, mais ne te décide pas trop vite. Tu pourrais regretter, après être venu jusqu'ici pour…

— Te fatigue pas. Va enregistrer une concession, je t'attends ici. Je surveille Or et le bateau.

— Merci, Georges.

Matt fit son paquetage, emportant le strict minimum, et se dirigea vers l'embouchure du Klondike. Sur le sentier boueux remontant le long de la rivière, des conducteurs de chevaux et des dizaines de mineurs se croisaient.

Matt marcha plus de trois heures sur les berges du Klondike, explora deux affluents et put constater à quel point tout était déjà réservé. On lui indiqua pourtant un secteur au-delà de la ligne de partage des eaux entre le Klondike et un affluent parallèle où les concessions n'étaient pas marquées jusqu'à la ligne de ciel, ce qui était le cas de tous les ruisseaux qu'il avait vus. Il s'y rendit le lendemain et trouva un ruisseau où la dernière concession : « 78 au-dessus », avait été marquée par un Suédois du nom de Gefferson. Il marqua la sienne : « 79 au-dessus », signa sur un piquet et redescendit à la recherche d'autre chose. Son terrain ne valait rien, il en était convaincu. Mais il n'y avait rien d'autre, à moins de s'écarter des lieux de la découverte où on avait à peu près autant de chances de dénicher de l'or qu'en allant piqueter n'importe où entre l'Alaska et la Californie !

DEUX jours plus tard, il était de retour à Dawson, qui avait grossi d'une bonne vingtaine de tentes, et il y enregistrait sa concession en s'acquittant de la taxe.

Il retrouva Georges au *Monte-Carlo* en conversation avec un bûcheron prénommé Tom qui travaillait pour un certain Ladue à qui appartenait la moitié de la ville.

— C'est lui qui a eu l'idée de combler le marais et qui vend les terrains, lui expliquait Tom.

Matt leur raconta ce qu'il avait fait. Tom fit la moue.

— Tous les bons ruisseaux ont été reconnus et piquetés par les anciens : le Bonanza, l'Eldorado et les autres sont pris d'un bout à l'autre. Ce qui reste, crois-moi, ça vaut rien.

— C'est qui, ces anciens ?

— Ceux qui sont arrivés les premiers. Ceux des petits villages de Forty Miles, de Sixty Miles, de Circle, et tous ceux qui à travers l'Alaska cherchent le filon depuis des années.

— On était là les premiers et on est déjà les derniers, soupira Matt.

On trouve de l'or de deux façons. La première consiste à creuser une mine, étayée par des poutres, qui s'enfonce en suivant les veines d'or généralement véhiculées par du quartz. Ce sont rarement des pépites que l'on voit à l'œil nu, plutôt d'infimes particules qu'un non-initié ne remarquera même pas. On pratique des trous et on remonte les roches à la surface pour les broyer avant de les tamiser à l'eau.

On se sert habituellement pour réaliser cette opération d'un courant en détournant l'eau d'un ruisseau, que l'on canalise dans une sorte de grande gouttière en bois. C'est là que le poids de l'or, l'une de ses caractéristiques essentielles, intervient. Comme il est plus lourd que la plupart des roches et que le quartz en particulier, l'or tombe au fond de cette grande gouttière alors que les particules de quartz sont emportées. Il ne reste plus qu'à récolter la poudre d'or ou les petites pépites amassées tout au long de la gouttière et retenues au fond de celle-ci par des languettes de bois clouées de loin en loin.

La seconde façon de trouver de l'or est plus connue, plus simple aussi. Il s'agit de l'image classique du chercheur d'or, un homme barbu avec une chemise à carreaux et un chapeau de cuir, penché au-dessus d'un ruisseau et qui, avec une espèce de grande assiette, secoue le gravier pour voir s'il contient de l'or.

La roche, exposée au gel, aux intempéries, érodée par les pluies, se fragmente, s'use et libère au cours des siècles les éléments qui la composent, dont l'or qui, ne s'oxydant pas, va peu à peu descendre, glisser, selon le bon vieux principe de la gravité, jusqu'à un ruisseau où il sera ballotté pendant quelque temps. Puis les particules se déposeront au fond du lit, en des endroits précis, calmes de préférence, et elles y demeureront, même quand la rivière, semant au cours de sa vie des bras morts et des courbes inachevées, changera de lit.

Le mineur, pour trouver cet or, ne doit donc pas appréhender le torrent dans sa constitution actuelle, mais tenter de lire ce qu'il était il y a quelques milliers d'années, voire quelques millions d'années. Le lit d'une rivière se modifie même durant la vie d'un homme. Que dire des changements opérés en plusieurs siècles?

Mais la nature joue des tours et se donne parfois à un sot ou à un fainéant, comme le font certaines princesses après avoir refusé les plus grands de ce monde. C'est ce qu'a fait l'Alaska en laissant Carmacks, un prospecteur américain à la réputation incertaine, menteur et paresseux, découvrir le plus fabuleux filon de tous les temps. Et c'est pourquoi les durs à cuire de l'Alaska attendirent de voir l'or avant de se ruer là où ce bon à rien de Carmacks disait avoir dégoté un filon.

L'été suivant, quand Matt arriva et derrière lui des dizaines de milliers de chercheurs d'or, il ne restait plus que des miettes à se partager. Dès lors, les hommes qui s'étaient rendus jusqu'ici hésitaient entre trois solutions. Soit rentrer chez eux en continuant de descendre le Yukon jusqu'au détroit de Béring d'où ils pouvaient regagner le monde par une ligne régulière, mais cela avant l'emprise des glaces. Soit enregistrer une concession là où c'était encore possible et tenter d'en extraire un peu d'or. Soit se faire embaucher par ceux qui étaient tombés bien avant eux sur de riches concessions et cherchaient de la main-d'œuvre pour exploiter. Car, contrairement à ce que la plupart des nouveaux arrivants croyaient, il ne suffisait pas de se baisser pour ramasser l'or. Il fallait travailler dur, même sur les concessions les plus florissantes.

Voilà quelle était la réalité du mirage doré. En la découvrant, beaucoup n'aspiraient plus qu'à quitter cet enfer au plus vite. Mais l'hiver approchait. Bientôt, ils seraient tous bloqués là.

— Je suis sûr qu'il existe un moyen de tirer son épingle du jeu, dit Matt à Georges.

— Tout est pris. La concession que tu as marquée ne vaut rien. Ils nous l'ont dit, répondit Georges avec lassitude.

— Je le sais, mais je sais aussi qu'il y a des choses à faire ici. Je le sens.

— Alors tu ne rentres pas avec moi? Le *Flora* part demain.

— Non, je reste. Pour rien au monde je ne voudrais rater ça.

— T'es un drôle de type, Matt, mais je t'aime bien et je souhaite que tu réussisses. Je te laisse ce qu'il y a dans ce bateau à la condition que tu viennes tout me raconter à ton retour.

Il griffonna sur un papier son adresse à Juneau.

Matt, ému, aida Georges à charger ses bagages sur le *Flora*, puis ils allèrent dîner dans l'une des cabanes qui tenaient lieu de restaurants. Au cours de leur repas, Georges raconta que Marie s'était fait facilement embaucher dans le restaurant de Ladue, la plus grande bâtisse de la ville, au dos duquel le magasin général proposait outils, équipements et nourriture à des prix déjà exorbitants. Matt feignit l'indifférence.

APRÈS avoir installé Or et ses chiots dans la tente, sur un emplacement loué à la semaine, Matt retourna à l'embarcadère. Il déchargea son bateau, et le tira sur la grève.

La brise du nord amenait un temps froid et sec, et la livarde des bateaux était toute frangée de glace. Les lacs gèleraient bientôt. Il faudrait attendre les premiers grands froids pour que le fleuve remué par un courant constant prenne aussi. Durant ce laps de temps, des centaines d'embarcations continueraient de descendre le Yukon vers Dawson et la désillusion.

MATT trouva enfin la bâtisse où Marie travaillait. Il hésitait. Qu'allait-il lui dire? Il pourrait prétexter une raison quelconque, mais elle était tout sauf naïve. Pourtant, il fallait qu'il la voie. Pourquoi? Il n'en savait rien. Mais il ne pouvait rien décider, rien entreprendre avant de l'avoir vue, et cette réalité l'énervait. Marie n'était qu'une putain. Elle avait couché avec lui parce qu'il s'était trouvé là au moment où elle en avait eu envie. Rien de plus. Dès qu'elle en avait eu l'occasion, elle était partie avec un autre. Oui, mais elle avait fait payer l'autre. Matt ressassait tout cela en allant et venant devant la maison. Il était 6 heures du soir et une lumière douce coulait dans la rue boueuse.

Enfin, il se décida à entrer dans le bar. L'intérieur était bien arrangé, les murs lambrissés de bois peint et l'escalier menant à l'étage orné d'une belle rampe sculptée. Matt commanda un whisky tout en engageant la conversation avec un gars auquel il avait fait passer le rapide de Miles Canyon et qui lui offrit un second whisky.

Au bout de quelques minutes, Matt osa une question :

— Tu sais où est Marie ?

L'autre lui adressa un clin d'œil entendu.

— Ben tiens, si je sais. Elle est avec mon patron.

— Ton patron ?

— Ouais, Émile Jensen, qui a la 18 au-dessus du Bonanza. Une sacrée concession. Il en a déjà sorti pour 13 000 dollars.

— Alors, il a de quoi se payer Marie…

— Ça a pas l'air de te rendre joyeux de la savoir en train de donner du plaisir au patron !

Matt détourna la conversation.

— Tu t'es fait embaucher quand ?

— Le lendemain du jour où je suis arrivé ici. Aussitôt que j'ai compris.

— Compris quoi ?

— Ben, que toutes les mines étaient prises et que bientôt toutes les places d'embauche le seraient aussi…

— T'as eu raison.

— Et toi, qu'est-ce que tu vas faire ?

— Je sais pas encore. J'ai quelques idées…

— Tiens, voilà le patron.

Matt se retourna.

Un homme robuste descendait lourdement les marches. Il aperçut son ouvrier et s'approcha du bar. Jensen était ce genre d'homme qui imposait le respect du premier coup d'œil. On sentait que le pays l'avait imprégné et que sa chance n'était que la conséquence d'une longue quête. Il serra la main de Matt que son ouvrier lui présenta.

— C'est lui qui a amené la Marie jusqu'ici.

— Voilà qui mérite récompense !

Il commanda une bouteille. Il n'était pas homme à consommer modérément. Tout chez lui était excessif. Matt se sentit écrasé par son charisme, sa prestance, son aisance. Il se rappela Marie lui disant qu'elle « choisirait » ses clients.

— Alors, comme ça, c'est toi la tête brûlée qui passe plusieurs fois les rapides ?

— Vous… on vous en a parlé ?

— Tout le monde parle de tout ici. Ta concession sur la Rabeez Creek ne vaut rien.

Matt n'en revenait pas. Il savait déjà où était sa concession.

— Je sais.

— Alors, pourquoi l'as-tu enregistrée ? T'as perdu 15 dollars.

— Le coin me plaît. Je vais sans doute aller me construire une cabane par là-bas.

— Drôle d'idée ! En tout cas, si tu veux bosser, viens me voir sur la 18 au-dessus du Bonanza. J'ai besoin de gars comme toi.

Sur ce, il entraîna son ouvrier après lui avoir serré la main.

— Vous oubliez la bouteille !

Jensen ne se retourna même pas.

Matt but encore deux verres avant de se décider. Il commençait à être un peu éméché et manqua de tomber en gravissant les marches. C'est le barman qui le rattrapa en haut de l'escalier.

— C'est pour Marie ?

— Je suis un ami.

— Un ami… tu veux dire que tu ne vas pas la voir pour ?…

— Un ami, je te dis.

— Alors, je vais aller la prévenir.

Huit chambres numérotées donnaient sur le couloir au sol recouvert de grosses planches de pin grinçantes.

— Marie ?

Quelques secondes s'écoulèrent, puis une porte, celle du fond, s'ouvrit. Elle apparut, vêtue d'une belle robe de soie blanche.

— Il dit qu'il est un ami et…

— C'est bon, Michael, laisse-le.

Elle fit signe à Matt d'entrer.

La pièce était joliment décorée, confortable et assez vaste.

Matt s'approcha de la fenêtre qui donnait, au-delà d'une première rangée de cabanes, sur le fleuve. Marie s'était assise sur le lit, les jambes croisées, et attendait, un sourire malicieux, un peu railleur, aux lèvres. Matt restait silencieux, observant les tentes qui formaient un véritable village de toile. Il était incapable de reconnaître la sienne, une aiguille dans une botte de foin.

— Comment tu t'en sors ?

— Bien.

— Qu'est-ce que tu veux ? Faire l'amour ?

— Je suppose qu'il faut payer.

— Bien supposé.

— Alors, je m'en vais.

Il n'avait pas prémédité cette réaction, mais elle s'imposa à lui. Il ne pouvait pas rester une minute de plus dans cette pièce où défilaient ceux qui se vautraient sur elle. Il traversa la pièce en serrant les dents et ouvrit violemment la porte qu'il claqua derrière lui. Il descendit les escaliers tandis que Marie interpellait Michael depuis la balustrade.

— La prochaine fois que cet « ami » se présente, surtout, fais-le payer avant de monter !

Matt claqua aussi la porte de la bâtisse. L'air frais lui fit du bien. Il marcha d'un bon pas jusqu'au lot 6 où il retrouva sa tente bien gardée par Or qui en interdisait l'entrée à toute personne qu'elle ne reconnaissait pas. Son voisin le lui confirma.

— J'ai voulu m'approcher des chiots. Elle m'aurait bouffé !

— T'as raison, faut faire gaffe, reconnut Matt.

Il s'allongea entre ses chiens et s'endormit, encore ivre, plein de regrets et d'amertume.

11

LE village était devenu une ruche où des milliers d'abeilles allaient et venaient en un incessant mouvement qui s'accélérait à l'approche de l'hiver. Matt héla une charrette, qui transporta le bois de son bateau jusqu'à la tente. Là, il le vendit le triple du prix qu'on lui en proposait à l'embarcadère. Avec cet argent, il paya le transfert de tout son stock jusqu'aux sources de la petite rivière en haut de laquelle il avait sa concession. Puis il chargea la tente de toile sur son dos et se rendit à son claim. Il y installa Or et ses chiots qui l'avaient suivi sur l'étroit sentier entretenu par les propriétaires des concessions. Pourtant, il ne croisa presque personne, à l'exception d'un groupe de trois jeunes prospecteurs qui redescendaient.

— Il n'y a rien à faire sur ce ruisseau, lui dirent-ils en chœur.

— Je m'en doutais.

— Alors, pourquoi montes-tu tout ce stock?

— Pour m'installer. J'aime pas la promiscuité.

— Là-haut, tu seras tranquille. Très tranquille même. Il n'y a plus personne. Tous les claims sont à toi.

Ils se séparèrent. L'un des gars, le dernier, se retourna.

— Ah si, tu verras peut-être un ours.

— Un ours?

— Il s'appelle Mersh. Il vit de l'autre côté du col avec ses chiens.

— Avec des chiens?

— Ouais, des chiens.

— On le voit souvent?

— Jamais.

Et il s'en alla dans la pente en suivant le petit sentier que la neige rendait glissant.

Matt transborda plus de la moitié de son stock, se prépara un solide repas, et reprit le portage. Il effectua encore trois voyages, les épaules meurtries par les courroies. Puis il prit sa hache et abattit les arbres qui, sur le petit replat où il avait dressé sa tente, gênaient la vue. Il monta son poêle à bois et alluma un feu alors que, dans le ciel du crépuscule, une lueur mauve irisait la crête des montagnes en face. La température chuta brutalement. La surface boueuse du sentier gelait et des paillettes de glace s'accrochaient sur le sol qui rendait de l'eau.

Il alluma sa lampe à pétrole, et les chiots vinrent se blottir contre lui. La gueule d'Or reposant sur sa jambe, il resta longtemps à rêver près du poêle, soupirant d'aise. Un sentiment inconnu l'habitait. Une sérénité inhabituelle. Il écoutait le silence et ce vide le comblait, lui insufflait une énergie nouvelle.

À L'AUBE, Matt ralluma son poêle. Les sons métalliques le renseignèrent sur le froid qui tombait d'un ciel d'émail. Il sortit et constata combien le sol était dur et les toiles de ses sacs, roides. De loin en loin, quelques pins craquaient sous l'effet du gel et les claquements résonnaient dans l'air vif et pailleté de cette aube grise et silencieuse.

— L'hiver!

Il était là et Matt demeura un long moment à contempler la

masse brune des montagnes tandis qu'une lueur rose montait d'entre deux collines à l'est.

Dans la tente, le poêle ronflait. Matt baissa le tirage et se prépara un solide déjeuner. Les chiots tétaient goulûment leur mère, couchée sur le côté, confortablement installée au chaud dans une couverture.

— Tu vas rester là, je vais aller me promener par là-haut, lui dit Matt en la regardant tendrement.

Elle pencha imperceptiblement la tête, l'air de le jauger. Matt la caressa, puis soupesa les chiots qui pesaient maintenant plus de 5 livres.

— Ils sont magnifiques, lui dit-il.

Elle semblait comprendre.

Dans son sac il ajouta un morceau de pain et quelques tranches de lard, puis il se mit en route, la carabine en bandoulière. Il marchait vite, plein d'allant, alors qu'une brume de froid montait lentement de la vallée où le ruban sombre du fleuve disparaissait, noyé par les brumes de givre.

Le sentier suivait le torrent et desservait les claims abandonnés. On voyait ici et là, en partie dissimulées sous la neige, les excavations faites pour tester le sol qui, partout ici, s'était révélé stérile. Matt repéra quelques arbres, morts sur pied, qui feraient un excellent bois de chauffage, ainsi qu'une zone d'aulnes où les lièvres avaient laissé de multiples traces dans la neige.

« Je poserai là quelques collets », décida-t-il.

Ce milieu lui était étranger, mais il s'y sentait chez lui. La forêt qui l'entourait, les montagnes qui le protégeaient comme les murs d'une maison, il avait l'impression de déjà les connaître.

Il arriva bientôt au-dessus de la limite des arbres. Au-delà ne subsistaient que de rares boqueteaux de saules nains et, de loin en loin, quelques touffes de pins rabougris. Sinon, c'était comme une grande plaine glacée.

Ici, le sentier se perdait dans la neige soufflée par le vent de ces derniers jours. Heureusement, la couche de neige n'était pas très profonde et il n'enfonçait que de quelques pouces. De toute façon, rien n'aurait pu ralentir sa marche ni entamer son exaltation. Il parvenait au sommet de la montagne quand un soleil d'or se hissa au loin, au-dessus de la ligne crénelée des collines boisées, et inonda la surface blanche qu'il traversait. La neige se mit à briller, comme saupoudrée de milliers de diamants, et Matt cligna des yeux, ébloui autant que fasciné.

« C'est dommage que Marie ne soit pas là », pensa-t-il.

Et cette idée lui gâcha un peu son plaisir. Mais il arrivait en haut et le spectacle de ces cimes scintillantes et échevelées de givre, émergeant des vallées encore noyées dans une brume grise, lui fit oublier ses états d'âme. Il s'assit sur un rocher et s'imprégna du paysage, laissant à son cœur le temps de s'apaiser, car il ne s'était pas économisé dans la montée.

Devant lui, un immense alpage descendait en pente douce vers une forêt émergeant à peine du brouillard. Pas une trace dans la neige immaculée, pas un mouvement, rien, sinon le silence et la pureté d'un paysage inviolé. Matt ne put s'empêcher de comparer l'instant avec ceux qu'il avait connus dans la ruche bourdonnante de Dawson.

« Y a pas à dire, c'est ici ma place. »

Il décida de descendre le versant opposé jusqu'à la forêt. Il rentrerait à la nuit. Il n'était pas pressé et il voulait découvrir le territoire.

L'alpage était bien plus étendu qu'il n'en avait l'air, et Matt mit une bonne heure à atteindre les premiers sapins dont la masse sombre faisait comme un ruban noir entre le bleu du ciel et le blanc de la neige. Il aperçut sur la gauche une sorte de muraille rocheuse qui saillait d'une petite vallée où un ruisseau coulait encore. Il le suivit et arriva ainsi jusqu'à un grand lac dans lequel le ruisseau se déversait en une petite chute de 5 mètres de haut et créait une zone où le gel n'avait pas prise. Le reste du lac avait gelé et sa surface brillante était habillée d'une multitude de grosses étoiles de givre. Une féerie cristalline. Matt en avait le souffle coupé. Une loutre jouait dans les remous de la chute d'eau et, sur un rocher, un castor lavait son poil au soleil. Un léger nuage de givre s'élevait au-dessus de la chute, habillant de blanc les arbres alentour.

Matt rampa dans la neige puis sur le rocher en aplomb de la chute et observa longuement les deux animaux. Le castor plongea bientôt dans les eaux transparentes et ne revint pas. La loutre s'engouffra elle aussi sous la glace après toute une série de babillages sur l'eau.

Matt admirait le panorama lorsque son œil fut attiré par un mouvement le long de la forêt, non loin de l'alpage.

— Nom de nom !

C'était un élan. Un mâle doté d'un superbe panache. Le sang de Matt ne fit qu'un tour. Il se saisit immédiatement de sa carabine, se débarrassa de son sac et se faufila parmi les aulnes qui garnissaient les berges entre l'eau et la forêt de pins et de bouleaux. Son cœur cognait dans sa poitrine et il avait du mal à maîtriser son émotion. Il se força à ralentir et à contrôler sa marche, tout en continuant à observer le grand mâle qui s'écartait de l'alpage et se dirigeait vers la muraille rocheuse au bord du lac. L'élan marchait lentement, arrachant ici et là des branches d'aulne et de saule, à plus de 800 mètres de Matt.

Matt progressait sans bruit. La neige étouffait ses pas et il évitait de passer dans les broussailles. Il parvint là où la forêt s'ouvrait sur l'alpage et se mit à ramper de peur que l'élan ne l'aperçoive, mais celui-ci avait disparu. Matt accéléra.

Il atteignit l'endroit où les méandres d'un ruisseau très large mais peu profond descendaient doucement vers l'immense vallée que l'on devinait loin au sud, encore noyée dans les brumes. Matt venait d'effectuer presque tout le tour du lac et n'avait toujours pas rejoint l'élan. Il ne voyait même plus ses traces.

Il s'avança vers le ruisseau en partie gelé pour marcher plus vite sur les berges ensablées en espérant couper la route de l'élan. S'il l'avait traversé, il croiserait ses traces.

Il n'eut pas à aller loin.

Soudain, dans une anse, il tomba presque nez à nez avec lui. L'élan lui faisait face et expulsait de l'air par ses naseaux fumants. Il grattait la neige de ses antérieurs, les oreilles dressées. Il grogna et effectua un bond formidable vers le bois alors que Matt épaulait sa 222 Remington. L'élan disparaissait dans le bois lorsqu'il lâcha une balle.

— Raté !

Il s'en voulait terriblement. Maintenant, l'animal allait s'enfuir au diable ! Bien que certain de l'avoir manqué, Matt alla pourtant vérifier son tir et suivit un moment les traces. Son attention fut attirée par une touffe de poils et par une goutte de sang suivie d'une deuxième, puis d'autres.

— Il est blessé !

Matt rechargea précipitamment son arme et s'immobilisa, le cœur battant. Il n'entendait rien. Il reprit sa marche. Maintenant, ce n'étaient plus des gouttes de sang mais un filet ininterrompu. L'élan avait fui, légèrement en biais, frâchant tout sur son passage. Matt atteignit un petit ruisseau assez profond que l'élan avait suivi pour aller dans la forêt en face, épaisse, composée de sapins et d'aulnes. Matt décida de s'accorder une pause à cet endroit. Il avait suffisamment chassé le cerf dans les montagnes près de chez lui pour ne pas faire l'erreur de courir après un animal blessé. Il fallait le laisser s'arrêter et perdre son sang.

Il avait raison. L'élan, ne se sentant plus poursuivi, s'arrêta dans la forêt et Matt le retrouva mort à 500 mètres du ruisseau.

L'animal pesait dans les 800 livres et Matt poussa un cri de victoire. Un cri sauvage qui ressemblait à un raire. Il retourna vers la chute où l'attendait son sac, puis vers le ruisseau. À la jonction avec le lac, au bord de la chute, s'étendait une belle plage, et Matt avisa un petit surplomb. De là, il voyait toute l'étendue du lac. Juste devant lui, la chute donnait vie à l'endroit idyllique où le ruisseau gelé serait, plus tard, une route facile pour rejoindre la vallée et les hommes.

Il allait s'installer ici pour l'hiver. Cet élan était un signe du destin. Il avait répondu à la question qu'il s'était posée : comment vivre ici autrement qu'en allant chercher de l'or ou en travaillant pour ceux qui en avaient trouvé ?

Il existait d'autres moyens. La nature, généreuse, venait de le lui faire comprendre.

12

DE son claim jusqu'au lac, il y avait trois heures de marche. Deux et demie s'il forçait et, en moins d'une semaine, il avait pratiquement transporté tout son équipement et une partie de la nourriture. Parfois, Or l'accompagnait. Maintenant, les chiots étaient assez grands pour rester quelques heures seuls.

Matt avait découpé l'élan, abandonnant aux charognards les os et la tête. Il avait fumé et séché la viande avant de la laisser geler. Il défricha l'emplacement qu'il avait choisi, puis alla en forêt abattre et écorcer de belles grumes. Il les transporta en les faisant rouler sur des petits rondins, les halant depuis la tête au moyen d'une corde qu'il passait autour de sa taille et sur l'une de ses épaules. Ce travail était de loin le plus pénible. Il lui fallait au moins une heure pour amener un tronc et bientôt deux car il devait aller les chercher de plus en plus loin. Il lui fallut huit jours pour réunir les quarante-huit troncs qui allaient constituer les murs de sa cabane.

Trois tempêtes de neige s'étaient succédé, mais rien n'arrêtait Matt. Il travaillait sans relâche, taillant les troncs de manière à les ajuster parfaitement. Il éleva vite les murs et choisit sept perches bien droites qui formèrent la charpente du toit. Une pour le faîte et trois de chaque côté qui reposaient sur les derniers rondins de taille décroissante.

Puis il ouvrit une porte et deux fenêtres, et charria une grande quantité de perches de pin d'une dizaine de centimètres de diamètre avec lesquelles il fit la première couche du toit.

Ensuite, il fabriqua avec de la terre et de la mousse de lichen une sorte de ciment dont il recouvrit cette première couche, et il chevilla dessus une seconde couche de rondins de pin.

Le toit, à lui seul, lui avait pris dix jours de travail, mais il était satisfait car, aussitôt les vitres posées, il était certain que l'isolation serait parfaite. Alors, il se prépara à une virée en ville.

Matt n'avait pas vu un être humain depuis plus d'un mois et demi. Cela ne lui manquait pas. Au contraire, il éprouvait une certaine appréhension à l'idée de retourner à Dawson. Mais il lui fallait des vitres, et cette excursion en ville lui donnerait sans doute l'occasion de revoir Marie. Oui, il avait envie de la voir, de la prendre dans ses bras et de lui faire l'amour. La dernière fois, elle l'avait mis dehors en disant qu'il ne fallait plus le laisser entrer sans qu'il paie. Eh bien, il allait payer.

Cette résolution prise, Matt se sentit mieux. Il prépara de la nourriture pour deux jours aux chiots et il s'en fut vers la vallée.

Il ne rencontra personne, mais, en approchant de la jonction avec le Klondike, il sut tout de suite qu'il avait retrouvé les hommes. La vallée, creusée, fouillée, n'était plus qu'un vaste chantier sans ordre apparent. Des feux brûlaient un peu partout et des dizaines de chevaux allaient et venaient dans cet immense bourbier que le gel avait rendu praticable. Point de neige, ici. Tout avait été retourné avec la terre. Point d'arbres non plus. Ils avaient été coupés, arrachés, brûlés. Ce n'étaient pas des hommes qui étaient passés là mais une tornade ! Ici et là, de petites fonderies avaient été édifiées. Au bruit des hommes se mêlait celui des machines, les scies actionnées par l'eau et la vapeur, les chaudières, tout cliquetait, grinçait, ronflait. Matt ne reconnaissait rien. En l'espace de six semaines, tout avait été bouleversé.

Il n'était pas au bout de ses surprises. Quand il arriva à Dawson, il en resta bouche bée. Partout s'élevaient des maisons. On avait tracé des rues. On avait descendu et charrié des milliers de tonnes de terre pour combler une zone marécageuse maintenant habitée. Une véritable fourmilière. Il aperçut même quelques femmes, ici et là, et des enfants. Une vraie ville, immense, comparée à ce que cet endroit était, c'est-à-dire rien !

Matt se rendit au *Midnight Sun* où il appela le cuistot.

— J'ai 20 livres de bonne viande à vendre.

— Montre.

Matt avait posé le sac devant lui et l'ouvrit. Le cuistot saisit le bloc de viande gelé, le soupesa et le retourna.

— Il n'y a pas trop de mauvais morceaux dissimulés au cœur du bloc ?

— Tu me prends pour qui ? C'est que du gigot. Du haut de gigot, précisa Matt.

— Je te connais pas, moi.

Il le pesa. Vingt-trois livres.

— Ça m'intéresse, mais c'est le patron qui décide… Eh bien, le voilà justement !

Un grand rouquin entrait qui accrocha son manteau saupoudré de givre à une patère en bois de cerf.

— Il a de la viande à vendre. De l'élan. Vingt-trois livres.

— De la bonne ?

— Ouais.

— À 2 dollars la livre, ça va ?

Matt en resta sans voix. Il n'en espérait même pas la moitié.

— 2 dollars et 20 *cents* et on n'en parle plus, dit le patron qui avait pris son silence pour de l'hésitation.

Il sortit des billets de sa poche.

— Et si tu en as encore, repasse ici avant d'aller voir la concurrence, ajouta le patron en lui redonnant 5 dollars.

Matt le regarda avec des yeux étonnés.

— C'est un acompte...

55 dollars! Matt n'en revenait pas. La viande valait de l'or!

Il s'offrit un whisky qui le rendit un peu guilleret. Il n'avait plus l'habitude de boire et c'était le deuxième. Il ne put le payer. Le patron le lui offrait. Il sortit après avoir promis de revenir avec de la viande et se dirigea vers la bâtisse où travaillait Marie. Il y avait là un monde fou. Marie se tenait dans un coin de la salle, superbe dans une belle robe rouge et blanc décolletée. Autour d'elle, d'autres filles et surtout une bande de gars richement vêtus avec des chaînes en or et des pépites crânement exhibées. Sur la table, plusieurs bouteilles de champagne.

Matt se sentait sale, un peu ridicule dans ses vêtements des bois, élimés, qui sentaient la fumée. Il passa une main dans ses cheveux en bataille et décida de reprendre un whisky.

— Matt!

Il se retourna et reconnut l'un de ceux qu'il avait aidés à franchir les rapides.

— Qu'est-ce que tu deviens? lui demanda Matt.

— Je travaille sur une mine. C'est pas la pire, mais le patron ne nous accorde que peu de relâche, alors, j'en profite.

Il lui montrait des filles. Matt les observa d'un air entendu.

— Elles sont à combien?

— À 30 dollars l'heure.

— Une fortune!

— La loi de l'offre et de la demande.

— Tout pour elles?

— Non. Moitié-moitié avec Ladue.

— Encore lui!

— Lui, il gagne sur tout. Absolument tout. On dit qu'il pèse près de 600 000 dollars!

Le montant donnait le vertige. Matt siffla entre ses dents.

— C'est ta copine aussi qui a gagné le gros lot, continua le type en désignant Marie. Avec la bande de Ladue, crois-moi, elle doit ramasser gros. Presque chaque soir, ils la prennent pour la nuit. Ça va chercher dans les 200 dollars.

La mâchoire de Matt se crispa et il ne put réprimer une grimace.

— Ça n'a pas l'air de te plaire ?

Matt marmonna une réponse inaudible et commanda un autre whisky. 200 dollars ! Il n'en avait même pas la moitié en poche. En revanche, il lui restait plus de 300 livres de viande. Il irait les rechercher et il paierait. Il voulait Marie. Plus il buvait, plus il la regardait et plus il la voulait. Ces types n'avaient aucun droit sur elle. Elle était à lui. Il allait leur casser la gueule. Il titubait. Pourtant, il but encore un verre. La tête lui tournait. La salle tournait. Il s'avança vers la table qu'occupait Marie. Il se tenait aux chaises et on le bouscula violemment plusieurs fois. Elle le vit enfin. Mais il s'écroula, ivre mort.

Il ouvrit un œil et n'aperçut pas la toile de sa tente. Alors, il allongea le bras sans bouger la tête car elle pesait une tonne mais ne trouva pas Or. Il sentit la douceur des draps frais et le moelleux d'un oreiller parfumé sous sa tête. Il ouvrit les yeux et, peu à peu, le voile se déchira. Il reconnut le papier peint dont étaient recouverts les murs de la chambre de Marie. Il était seul. Mais il se souvenait maintenant. Elle l'avait déshabillé et ils avaient fait l'amour. Non, il avait rêvé. Elle l'avait déshabillé, elle l'avait couché, puis elle était partie. Le reste, il l'avait rêvé. Peut-être que non, après tout ? Il se leva, quitta la chambre après avoir soigneusement refermé le lit et tout remis en ordre, puis il descendit dans le bar, déjà plein et où il ne reconnut personne. Pas de Marie.

Il n'avait plus rien à faire en ville. Il étouffait, ici. Il sortit et fut étonné de la douceur de la température. La neige menaçait. Matt se rendit au magasin général et acheta un filet de pêche ainsi qu'un harnais et des bandes de tissu renforcé, du fil et plusieurs grosses aiguilles. Puis il demanda une fiole d'un litre de tanin avec lequel il comptait tanner le cuir de l'élan.

Matt embarqua dans l'une de ces charrettes qui emmenaient les ouvriers sur les concessions du Klondike, pour 1 dollar. Deux heures plus tard, il attaquait la montée vers le col alors que la neige tombait de plus en plus dru. Arrivé au col, il n'y voyait plus à dix pas et le vent se levait. Il hésita. La nuit approchait et il en avait encore pour deux bonnes heures à traverser l'alpage avant de retrouver la forêt, puis sa cabane. Ne devait-il pas rester ici, allumer un feu et attendre le lendemain matin? Soudain, il fut pris d'une terrible angoisse. Il fouilla dans ses poches.

— Quel con! Mais quel con!

Il avait oublié ses allumettes! Il n'avait plus le choix. Soit il redescendait vers le Klondike, il en avait pour une bonne heure et demie, soit il allait à sa cabane. Là-bas, il y avait de quoi faire un feu et il serait à l'abri. Il n'hésita plus. Il fallait faire vite et profiter du peu de lumière du crépuscule pour avancer le plus possible.

Matt s'étonna que la neige fût déjà si épaisse. Il s'enfonçait jusqu'au mollet, parfois jusqu'au-dessous du genou, et ne pouvait marcher aussi vite qu'il le voulait. Il n'avait pas froid. Au contraire. Il était un peu trop couvert et transpirait. Peu importe, il se sécherait dans sa cabane, bien au chaud.

Le vent soufflait en petits tourbillons de plus en plus rageurs, si bien qu'il dut à plusieurs reprises s'arrêter pour vérifier qu'il continuait bien à descendre tant son équilibre était contrarié. Il faisait presque noir, maintenant, et Matt commença à avoir peur. Autour de lui, la tempête hurlait et les flocons qui filaient à l'horizontale lui cinglaient le visage. Il lui fallait vite rejoindre la forêt, en bas. Il ne voyait plus à 1 mètre. Les rafales soulevaient autant de neige du sol que le ciel en apportait. Matt ne savait même plus s'il neigeait ou non. Tout était noyé, aplani, recouvert. Il était pris au piège, la tempête se refermait autour de lui dans un angoissant mélange d'obscurité et de blanc.

« Bon Dieu! Je vais crever! »

Il était condamné à l'immobilité. Bouger, c'était tourner en rond dans la tempête avec une chance infime de trouver la forêt avant de s'épuiser. Pourtant, Matt avança encore un peu. Il ne savait pas ce qu'il cherchait, mais il refusait de s'arrêter ici, de se laisser tomber n'importe où. Il voulait choisir, se sentir encore maître de son destin. Il lui sembla sentir sous ses pieds un petit dénivelé. Il le contourna. C'était une sorte d'épaulement de terrain, pas assez haut toutefois pour créer, derrière lui, un espace protégé. La neige, projetée sur Matt par paquets, l'habillait d'une lourde chape dont il ne pouvait se débarrasser. Il s'assit, dos à la tempête, mais elle tournait. Il avait beau changer de place, la neige entrait partout. Il se recroquevilla. Il avait froid. La transpiration qui avait pénétré ses vêtements gelait à présent. Il avait soif. Il faisait nuit noire. Il comprit qu'il allait mourir. Cette évidence le terrifia. Mourir alors qu'il n'avait pas encore vécu!

Matt avait perdu.

Il se recroquevilla encore plus, cherchant avec ses pieds à creuser sous lui pour donner au vent le moins de prise possible.

Creuser! Une idée lui vint soudain. Et s'il creusait une sorte de terrier sur l'ados de cet épaulement de terrain qui retenait la neige? Il pourrait s'y blottir. C'était une bonne idée. Avec ses mains gantées, il creusa. Le vent avait tassé la neige et c'était exténuant. Mais il était déterminé à aller au moins au bout de cette idée. Ensuite, il dormirait et mourrait peut-être. Pas avant.

Il creusait et projetait la neige sur les deux côtés de son corps à demi enfoui. Déjà, le vent semblait moins violent. Puis il sombra dans une sorte de coma délicieux qui ressemblait au sommeil.

13

Q<small>UAND</small> la chienne de tête de Mersh bifurqua soudain vers la droite, il laissa faire car il la connaissait assez pour savoir qu'elle avait une odeur dans le nez. Elle traversa le plateau en diagonale, entraîna l'attelage dans la descente et s'arrêta au pied d'un monticule où elle se mit à gratter la neige. Mersh planta l'ancre qui immobilisait le traîneau et s'avança au moment où la neige crevait, laissant apparaître un trou dans lequel gisait une forme sombre qu'il prit pour un ours.

Il se rua sur son traîneau et dégaina la winchester de son étui de cuir tout en se faisant la réflexion suivante à voix haute :

— Un ours qui hibernerait dans un endroit pareil serait bien le plus fou des ours que j'aie jamais rencontré.

Il observa ses chiens qui ne manifestaient pas la moindre hostilité.

— Qu'est-ce?…

Une sorte de grognement qui ressemblait à une plainte se fit entendre. Il approcha.

— Un *cheechackos!* J'aurais dû m'en douter.

Mais qu'est-ce qu'un *cheechackos* pouvait bien faire ici?

Il se pencha et chercha la tête dans l'amas de neige et de vêtements qu'il voyait. Il dégagea un bras et tira. Il sortit l'homme du trou et le hissa sur son traîneau.

Inconscient, Matt râlait par intermittence comme un enfant que l'on tente de réveiller. Mersh tâta son pouls et étudia ses extrémités. Il n'était pas gelé mais souffrait d'une sévère hypothermie qui pouvait l'emmener rapidement. Mersh soupira et fit demi-tour après l'avoir soigneusement enveloppé dans le manteau de fourrure de rechange qu'il prenait toujours avec lui, même pour une course de quelques heures.

Il lança ses chiens au galop sur la piste qu'il venait de damer et rejoignit sa tente en moins d'une heure. Il alluma un feu dans le petit poêle puis concocta un bouillon de viande qu'il fit boire à Matt en l'asseyant contre lui. Ensuite, il le déshabilla, le recouvrit d'une fourrure en peaux de lièvre qui lui servait de sac de couchage, et fit sécher ses vêtements au feu avant de le rhabiller.

Plusieurs fois, Matt émergea de son état léthargique, mais il baragouinait des mots sans suite et retombait immédiatement dans un sommeil de plomb. Mersh lui donna régulièrement du bouillon au cours de la nuit. Au petit matin, Matt ouvrit des yeux un peu vitreux.

— Où suis-je?… Qu'est-ce?…

Jugeant son état satisfaisant, Mersh prépara son traîneau, puis, les chiens harnachés, prêt à partir, revint se planter devant Matt dans la tente.

— Écoute-moi bien, *cheechackos*. Ce pays n'est pas fait pour toi. Ne t'avise pas de revenir par ici traîner tes guêtres de ville. Va te soûler à Dawson et rentre chez toi au printemps par le premier bateau. J'ai perdu une journée à cause de toi.

Matt l'écoutait bouche bée, incapable d'articuler le moindre mot. Il avait la gorge sèche et la tête lui tournait.

— Je te laisse la tente et ce bouillon. Je repasserai la prendre, ainsi que la casserole. Si tu voles quoi que ce soit, je te crèverai.

Et il partit sans que Matt ait prononcé la moindre parole. Épuisé, celui-ci se rendormit et s'éveilla au crépuscule. Il ne se souvenait pas de grand-chose. Il revoyait le blizzard, il se rappelait vaguement avoir creusé un trou, puis plus rien jusqu'à ce visage encadré d'une grosse barbe blanche et ces yeux, d'un bleu délavé, qui l'avaient si durement regardé.

Dans la tente, rien n'indiquait l'identité de son sauveur. Un vieil homme barbu et aux yeux clairs. Il s'agissait sans doute de cet ours dont on lui avait parlé. Oui, c'était sûrement lui. Mais pourquoi était-il reparti ? Pourquoi l'avait-il laissé là, comme ça ?

Matt ne l'avait même pas remercié.

Il tenta quelques pas, mais il était encore trop faible. Il raviva le feu et termina le bouillon, puis il se rendormit. Au petit matin, il allait beaucoup mieux. Des morceaux de peau un peu noire se détachaient à l'extrémité de ses doigts, mais les engelures n'étaient que superficielles. Il se leva et, à la faveur de cette belle matinée ensoleillée, regarda autour de lui. Au bout d'un moment, il lui sembla reconnaître la vallée. En la remontant, il devrait rejoindre le lac. Mais ne devait-il pas attendre le retour du vieil homme ? Il pensa à ses chiens, à la tempête qui avait dû tout obstruer autour de sa cabane. Il prit les allumettes abandonnées par le vieux, puis il chaussa les raquettes qu'il trouva fichées dans la neige. À ce moment, il aperçut le mot griffonné sur un morceau de papier d'emballage et attaché à la lanière : « À Dawson, laisse ces raquettes et ce que tu auras emporté au magasin général. Mersh. »

— Mersh !

Oui, c'était bien ça.

Ainsi, il pourrait le remercier le jour où il se rendrait à Dawson.

Il quitta la tente. Il n'était pas habitué à la marche en raquettes et il n'avançait pas vite. Il devait s'arrêter souvent car il n'avait pas encore totalement recouvré ses forces. Alors, seulement, il prit la mesure de la chance qui avait été la sienne. Il avait trop joué : au milieu des icebergs, dans les rapides et dans le blizzard. Il avait usé toutes ses chances. Maintenant, il lui faudrait plier pour survivre. Plier pour se grandir.

Il reconnut la forêt puis le ruisseau et atteignit enfin sa cabane où les chiens l'accueillirent avec effusion.

— Ça va, les chiens ?

Ils couraient autour de lui en jappant, feignant de le mordre chaque fois qu'ils sautaient. Matt les caressa tour à tour, puis dégagea l'entrée de la cabane qui avait bien résisté aux assauts du blizzard et distribua de la viande aux chiens qui mouraient de faim.

— À plus d'un dollar la livre !

Matt regardait avec un certain regret ses malamutes engloutir en quelques bouchées des dizaines de dollars.

— Bande de bâfreurs !

Il mangea lui aussi. Il manquait de force et, surtout, souffrait de toutes les brûlures aux mains dont il avait été victime.

Cela dura deux jours pendant lesquels il soigna ses mains en les enveloppant dans des bandages graissés et imprégnés d'alcool iodé car certaines engelures, plus profondes que d'autres, s'infectaient.

Durant ce temps, il fit l'inventaire de tout ce qu'il devait préparer pour hiverner ici. Il lui fallait d'abord faire provision de bois et de poissons. Les truites voyageaient beaucoup à l'embâcle, moins ensuite. Elles regagnaient les bas-fonds et n'en bougeaient que trop rarement pour qu'il espère en prendre assez au filet.

Voilà donc à quoi il consacra la semaine qui suivit la tempête de neige. Le ciel était lavé et le grand froid s'était installé. Pas un souffle de vent et une froidure extrême, bien supérieure à celles qu'il avait connues plus au sud dans ses montagnes où le thermomètre dépassait rarement - 30 °C. Matt se demanda si les hommes, en bas, travaillaient encore dans les claims. La plupart devaient avoir stoppé le travail. Par un froid pareil, on ne pouvait rien faire. L'acier collait aux mains. Même les feux ne dégelaient plus la terre et le moindre effort coûtait le double d'énergie.

De fait, tout ce que le Klondike comptait d'hommes était à Dawson où les prix de la nourriture flambaient, tout comme ceux des boissons et des filles. Pour beaucoup, la ville était devenue une prison. On ne dénombrait plus les pauvres bougres, sans un sou, mal habillés, atteints de scorbut et dévorés par les engelures, que l'on retrouvait raides sous leur tente non chauffée. Les plus démunis allaient même jusqu'à se donner la mort. La plupart se pendaient car ils n'avaient même pas de balles pour s'en tirer une dans la tête, alors qu'un bout de corde, on trouvait ça partout. Ce paradis doré était devenu un enfer.

MATT ne revit pas Mersh. Quand le filet commença à ne plus prendre, il se concentra sur la trappe des lièvres et sur l'abattage et le stockage du bois de chauffage. Il travaillait chaque jour dehors, de l'aube au crépuscule, et sa résistance au froid augmentait tout comme son endurance, soumise à rude épreuve.

La solitude ne lui pesait pas. Il avait les chiens. Il termina les harnais qu'il avait commencé à coudre sur le modèle de celui qu'il avait acheté et se mit à construire un petit traîneau. Il le fit un peu court, trop large et raide car il manquait de modèle. Puis il confectionna une ligne de trait.

Il ne lui restait plus qu'à atteler.

Les premiers essais furent catastrophiques.

Or, en tête, passait son temps à regarder derrière elle, alors que les autres s'emmêlaient, se battaient ou même se laissaient traîner en hurlant. Il n'y avait guère que Blacky et peut-être Dyea qui essayaient de courir.

Matt ne put faire plus d'une cinquantaine de mètres le premier jour et encore moins le lendemain lorsqu'il tenta de réduire le nombre de chiens à trois avec Or, Dyea et Blacky.

Découragé, il douta que ses chiens fussent capables un jour de tirer un traîneau. « Me voilà bien avec huit bouches inutiles à nourrir ! » se dit-il, dépité, en leur distribuant les poissons qu'il avait eu tant de mal à pêcher et dont il imaginait combien il aurait pu en tirer à Dawson.

Il pensa de nouveau à ce fameux Mersh qui se déplaçait en traîneau en regrettant de ne pas avoir pu, lors de leur rencontre, profiter de son expérience. Il décida de retourner à Dawson pour lui rendre ses raquettes et lui laisser un mot l'invitant à lui rendre visite. Avec un peu du cuir de l'élan qu'il avait tué, il fabriqua une paire de raquettes identique à celle de Mersh en copiant le laçage assez complexe mais efficace, puis il se mit en route avec plus de 50 livres de viande d'élan sur le dos.

À Dawson, Matt négocia sa viande pour 250 dollars. Il laissa à Mersh une bouteille de whisky et un mot en le remerciant et en le suppliant de venir le voir à l'occasion. Il lui indiqua sommairement où se situait sa cabane et remit le tout au gérant du magasin général. Celui-ci ne savait pas quand Mersh repasserait.

— Dans deux jours, dans deux mois, ou dans deux ans, dit-il à Matt d'un air bougon

— Mais où puis-je le trouver ?

— Dans le Nord. Mersh est un voyageur. Il a une cabane quelque part, peut-être même plusieurs, mais personne ne sait où elles sont. Et, à vrai dire, je crois qu'il ne tient pas à ce qu'on le sache.

C'était suffisamment clair. Matt acheta les denrées dont il avait besoin, remercia et s'en alla.

Marie aussi était introuvable. Matt apprit avec dépit que Ladue l'entretenait et qu'on ne la voyait plus dans les bars.

« En attendant, se dit-il, je vais chasser. Voilà quelque chose que je sais faire et qui rapporte gros. » Il pensait à ses chiens. Dans trois ou quatre semaines, il n'aurait plus de poisson pour eux et il faudrait bien les nourrir. Avec de la viande à 5 dollars la livre, la perte était énorme. Cependant, il ne voyait pas d'autre moyen.

Il envisagea un moment de revendre ses chiens, mais il les écarta un à un.

« Or, jamais ! Et Manouane, ma petite Manouane toute blanche, non plus ! »

Il revoyait Dyea, le joueur, toujours de bonne humeur, et ses pirouettes qui le faisaient tant rire. « Pas Dyea. »

Il élimina les deux inséparables : Yukon et Cloke, tout comme Blacky, le plus tendre des sept, cajoleur et si attentif. Il restait Chinook, le magnifique Chinook, le chef.

« Pas question ! »

Quant au gros Skagway, tout noir avec ses deux petites taches blanches qui soulignaient ses yeux intelligents, il était impensable de s'en séparer. Matt soupira. Vendre des chiens était une bonne idée en soi, mais ceux-là, non, c'était impossible.

Or, le flanc contre la porte de la cabane, flaira à petits coups, puis se dressa, les oreilles pointées vers le sentier qui montait de la vallée noyée dans l'obscurité. Au fond de sa gorge s'étouffait un grogne-ment sourd qui devint un jappement de joie. La chienne avait reconnu le pas de son maître.

Elle s'élança vers lui et Matt vit de loin ses yeux clairs qui accro-chaient des reflets de lune dans cette nuit épaisse. Il lui caressa le flanc puis la tête, alors qu'elle léchait sa main.

— C'est moi, Or, c'est bien moi.

Plus loin, le reste de la meute s'était mis à japper. Ils sautaient au bout de leur câble et Matt mit du temps à les calmer, ému par ces marques d'affection. Il s'en voulait d'avoir songé à les vendre.

Au petit matin, des hurlements le tirèrent d'un profond som-meil. Il se dressa sur sa couchette et entendit des pas en même temps qu'une voix.

Un homme !

Il ouvrit la porte au moment où le visiteur s'apprêtait à frapper. Il avait une grosse barbe pleine de glace et du givre sur tout le haut du corps. Matt pencha la tête et aperçut ses chiens garés le long du sentier qui montait de la vallée.

— Vous êtes… Mersh !

— Exact. Et toi, ne serais-tu pas cette espèce de *cheechackos* à moitié gelé qui m'a volé mes raquettes ?

— Heu… oui, c'est moi, mais les raquettes, je les ai rendues au magasin général. J'y suis allé hier.

Mersh entra dans la cabane avec une moue.

— Je ne les ai pas volées. Justement, je voulais vous remercier, je…

— C'est à qui cette cabane ? coupa Mersh en examinant la char-pente de l'intérieur.

— C'est à moi.

— Je veux dire, qui l'a construite ?

— Eh bien, moi !

— Hum…

Mersh passa ses mains sur plusieurs troncs et regarda dehors en essuyant le givre qui auréolait les fenêtres.

— Et les chiens ?

— Quoi, les chiens ?

— Ils sont à toi?

— Bien sûr!

Il contemplait maintenant les poissons ainsi que la viande, entassés sur un portique entre la cabane et le lac.

— Et ces poissons, et la viande?

— Pêchés dans le lac et chassée autour d'ici.

Mersh se retourna et l'observa dubitativement.

— Je vais… je vais préparer du café.

— Du thé, plutôt.

— D'accord. Je me lève juste, dit Matt comme pour s'excuser. Je suis rentré dans la nuit, il y a quelques heures seulement.

— Je sais.

— Comment… vous savez?

— Les traces.

— Ah…

Mersh s'assit à la petite table, face à la fenêtre par laquelle on voyait l'étendue du lac.

— Pourquoi aller en ville en raquettes, alors que tu as de bons chiens?

— J'y connais rien en chiens. Je n'arrive pas à les dresser.

— Ah bon! Alors, pourquoi t'as des chiens?

— Parce que… parce que j'aime ça.

Mersh se mit à rire.

— Je me disais que… enfin, je voulais vous demander conseil, continua Matt.

— Quelle sorte de conseil?

— Pour atteler. Pour qu'ils tirent.

— Hum…

Mersh prit la tasse de thé préparée par Matt avec l'eau qui bouillait en permanence sur le rebord du poêle. Il le but, puis sortit et alla vers ses chiens. Matt l'observait depuis la porte de la cabane. Il fit taire les siens qui aboyaient sans arrêt.

— Vous voulez les mettre quelque part?

— Sur la piste, répondit Mersh.

Il monta sur les patins de son traîneau, siffla et fit un geste à son chien de tête qui s'était retourné. Alors, celui-ci fit demi-tour, entraînant tous les chiens derrière lui. Les huit chiens de l'attelage passèrent le long du traîneau que Mersh reculait en même temps sur le côté du sentier. Lorsque le trait se tendit dans l'autre sens, le traîneau tourna sans se renverser, car Mersh avait anticipé le mouvement et s'était penché sur le côté. Aussitôt, les chiens s'élancèrent et Matt vit l'attelage disparaître dans un nuage de givre.

— Mais…

Il était parti.

LES jours suivants, comme il y avait quantité de lièvres dans le marais au sud du lac, Matt s'employa à en prendre le plus possible, posant ses collets par douzaines. Il en attrapa plus de vingt la première nuit, mais un lynx lui déroba l'essentiel de ses prises le deuxième jour. Matt hésitait sur la meilleure façon de s'en débarrasser, quand il croisa au nord du marais la piste d'un jeune élan. Il la suivit jusqu'au crépuscule et trouva le bois où l'animal s'était réfugié. Il y revint dès l'aube et le vit en train de grignoter quelques pousses d'aulne. Matt l'approcha et le tua d'une balle en plein cœur.

Deux jours lui furent nécessaires pour traîner toute la viande jusqu'à sa cabane après un nouvel essai infructueux avec les chiens.

Puis, pendant plus d'une semaine, un fort vent d'ouest amena plusieurs tempêtes de neige, confinant Matt à l'intérieur de sa cabane où il commença à déprimer sérieusement.

Quand il put sortir un peu, il ne rencontra plus une seule trace d'élan ; en revanche, il croisa celle de Mersh. La piste allait directement à la cabane de Matt ! Mais Mersh n'y était pas. Il était passé et était reparti sans rien laisser, même pas un mot.

Matt était furieux. Il n'avait pas vu un être humain depuis plus d'un mois et avait besoin de parler à quelqu'un. Il regarda où allaient les traces de Mersh. C'est à ce moment-là seulement qu'il s'aperçut qu'il lui manquait deux chiens.

— Il m'a pris Skagway et Chinook !

Matt ne comprenait pas.

Il avait pris les deux plus costauds. Pourquoi ?

À cet instant, il entendit au loin le crissement des patins sur la piste gelée et vit Mersh qui revenait à travers le bois et à vive allure vers la cabane en suivant le tracé sinueux de la piste.

— Hoooo !

Mersh planta avec le pied l'ancre qui permettait de bloquer le traîneau. Sans un regard pour Matt, il détela Skagway et Chinook qu'il avait placés dans son attelage, puis alla chercher Yukon et Cloke. Alors qu'il leur passait un harnais en les maintenant en place entre ses cuisses, Mersh dit simplement :

— Ont besoin d'exercice pour se muscler, mais on peut en espérer quelque chose.

— Vous voulez dire… qu'ils ont tiré ?

— Pas le choix, avec les autres.

— Alors, sans les autres, ils voudront pas.

— Tous les chiens aiment tirer, suffit de leur faire sentir qu'ils aiment ça.

Il avait fini de les atteler et Matt comprit qu'il allait repartir.

— Je… j'attends ici ?

SANS que Matt puisse s'immiscer dans l'exercice, Mersh fit faire à tous ses chiens deux tours. Il terminait le dernier roulement quand il attela Manouane devant, couplée avec son chien de tête.

— Vous la mettez devant ?

— Sans chien de tête, tu pourras rien.

— Vous… vous allez lui apprendre ?

— Elle apprendra toute seule.

Il tenait par son harnais le chien que Manouane avait remplacé et fit signe à Matt de le prendre.

— Il s'appelle Doony. C'est un chien qui va bien en tête.

Mersh se remit sur ses patins et s'apprêtait à décrocher l'ancre pour repartir une nouvelle fois quand il leva la tête vers Matt, qui ne comprenait pas mais n'osait le lui avouer.

— Tu connais les ordres de direction ?

Comme il ne répondait pas, Mersh reprit :

— « Djee » pour aller à droite, « Yap » pour aller à gauche et « Hooo » pour s'arrêter.

— Djee pour aller à droite, Hooo pour s'arrêter et…

Mersh donna une légère impulsion à son traîneau, siffla, et l'attelage démarra en trombe.

— … et Yap pour aller à gauche, dit Matt comme pour lui-même en regardant le traîneau disparaître.

14

MERSH ne réapparut pas durant les quinze jours qui suivirent. Mais Matt ne voyait pas le temps passer. Attelés avec Doony, ses chiens progressaient de façon spectaculaire. Il apprenait d'eux plus qu'ils n'apprenaient de lui. Jamais de toute sa vie il n'avait rien ressenti d'aussi exaltant. Il avait l'impression de faire partie de la meute. Un loup parmi les loups, sauvage et libre.

Puis, un jour, il s'aperçut que sa réserve de bougies, tout comme celle de farine, de café et de lard, s'épuisait. Il lui fallait retourner à Dawson, et cette perspective l'enchanta, car il pouvait s'y rendre avec ses chiens.

Le voyage se déroula sans incident. À l'entrée de Dawson, Matt confia la garde de son attelage à un ouvrier de la scierie qu'il connaissait.

Comme chaque fois qu'il s'y rendait, il fut frappé de voir combien la ville avait grossi. Désormais, c'était plus de 40 000 personnes qui s'y entassaient. La nourriture était rare. Le sac de farine était passé à plus de 75 dollars pièce. Le plat de haricots servi avec du pain et du café pour 35 *cents* dans n'importe quelle ville du Canada coûtait ici 5 dollars !

Il échangea un quartier de 60 livres de viande contre tout ce dont il avait besoin et encaissa 40 dollars pour la différence. Avec cet argent, il fit la tournée des bars. Il y en avait à présent plus de dix.

Le lendemain matin, il se souvenait à peine de sa soirée, sinon qu'il constata le piteux état de ses finances. Son compagnon socialiste, un certain Jack London, à qui il avait offert de nombreuses tournées, n'en avait pas payé une seule…

QUAND il arriva à la cabane, Matt trouva Manouane attachée devant sa porte. Mersh était passé la déposer et il était reparti.

Manouane lui fit fête ainsi qu'au reste de l'attelage. Elle avait un peu maigri mais s'était musclée. Comme la lune était pleine et diffusait une lueur généreuse sur le lac, Matt réattela aussitôt après avoir mangé et donné quelque repos aux chiens. Il ne pouvait se résoudre à attendre le lendemain pour voir les progrès de Manouane. Il ne fut pas déçu. Il avait laissé Doony à la cabane et la chienne entraînait seule l'attelage à droite ou à gauche en fonction des indications de Matt. Au milieu du lac, il s'arrêta, remonta tout l'attelage en félicitant un à un ses chiens, et plus particulièrement Or, puis enlaça Manouane.

— Ma petite Manouane. Ma fantastique petite Manouane.

Elle le regardait de ses yeux pétillants d'intelligence qui irradiaient la luminescence de la lune et Matt sombra dans ces yeux-là comme on coule dans un lac profond. Il resta longtemps près d'elle puis contre Or qu'il rassura en la caressant.

— Je t'aime, toi aussi, Or, encore plus que les autres.

Puis il rentra.

Dès l'aube, il construisit avec des billes de pin des niches individuelles pour les chiens et allongea leurs chaînes. Puis il se prépara à un long raid car il venait de décider de tenter de rejoindre Mersh. Après tout, il n'avait qu'à suivre ses traces. Il lui rendrait Doony et il avait envie de découvrir de nouveaux territoires. L'occasion était trop belle pour tester son attelage.

Durant deux jours, Matt longea le cours sinueux d'une rivière qui se jetait dans tout un chapelet de lacs. Il vit que Mersh avait campé sur la rive de l'un d'eux. Il s'étonna de la distance qu'il avait parcourue en une seule journée. Lui-même avait voyagé près de trois jours pour arriver là.

Il désespérait de le rattraper lorsqu'il vit qu'une trace d'élan coupait la piste et que Mersh l'avait suivie avant de revenir. Il ne pouvait dire combien de temps il avait perdu, mais Matt était sûr – puisque Mersh avait décidé de le suivre – qu'il y avait consacré un certain temps, au moins plusieurs heures, peut-être même un jour entier.

Ses chiens allaient à un bon rythme et Matt ne notait pas le moindre signe de fatigue. Alors, il voyagea jusqu'au soir sur cette piste qui, toujours, s'enfuyait vers le nord.

Vers midi, le lendemain, il rencontra les premières pistes. Une venant de l'est, puis une deuxième qui en rejoignait une autre et plusieurs encore qui croisaient la sienne. Matt fut bientôt perdu, ne sachant plus laquelle suivre. Il vit dans les bois d'épinettes et de mélèzes des traces de raquettes et en conclut qu'il approchait de la cabane de Mersh. Il suivit la piste qui lui paraissait la plus fréquentée et en aperçut une autre, encore plus large, qui l'intrigua. Un homme seul n'avait certainement pas pu faire cet écheveau de pistes. Sans tergiverser, il lança Manouane vers le nord. Il continua, traversa une forêt où l'on avait abattu beaucoup d'arbres, puis déboucha au bord d'un lac. Sur la rive opposée se dressait un village composé d'une cinquantaine de tentes.

— Des Indiens !

Les chiens prirent le galop et Matt, quoique vaguement inquiet, ne les retint pas. Quelques minutes plus tard, il stoppa avant les premières tentes. Il fit taire ses chiens qui répondaient en grognant à ceux qui les défiaient du haut de la butte, où des visages graves apparurent bientôt.

MATT planta son ancre à neige, sortit son câble et le tendit entre deux saules, puis il y accrocha ses chiens sous la surveillance d'une douzaine d'Indiens qui le regardaient faire, sans s'avancer. Bientôt, trois enfants, habillés de manteaux et de pantalons en cuir d'élan doublé de fourrure de lièvre et chaussés de mocassins décorés avec des perles de toutes les couleurs, descendirent jusqu'au lac par l'escalier taillé dans la neige. Ils s'approchèrent timidement du traîneau. Matt leur adressa un sourire encourageant et se dirigea vers l'escalier. Lorsqu'il arriva en haut, les quelques Indiens présents s'écartèrent pour laisser passer celui qui paraissait être le chef. Matt le salua respectueusement, frappé par son visage grave encadré de longs cheveux blancs.

— Je m'appelle Matt et suis honoré de trouver votre village sur ma route.

Le chef répondit d'une voix gutturale, en un dialecte que Matt ignorait. Il lui semblait que le cercle des Indiens se resserrait autour de lui et il ressentit comme une vague menace. Le chef se retourna et Matt, ne sachant que faire, le suivit jusqu'à une grande tente au centre de laquelle trônait un feu. Il s'y assit, à l'exemple des hommes qui y pénétrèrent avec lui, et but le thé qu'on lui proposa. Son inquiétude se dissipait.

— Mersh. Je cherche Mersh. Vous le connaissez ?

Les Indiens se regardaient.

— Mersh! Mersh! Un Blanc avec des chiens, huit chiens.

Avec des gestes, il essayait de leur expliquer, mais les Indiens faisaient des signes négatifs et répétaient :

— Kai Linkta! Kai Linkta!

Soudain, la tente s'ouvrit sur un jeune Indien.

— Moi, Kai Linkta. Parler blanc. Petit parler. Petit.

— Je m'appelle Matt. Je cherche un Blanc, Mersh. C'est un ami. J'ai un chien à lui.

Kai Linkta lui fit répéter et traduisit au chef.

S'ensuivit une longue discussion dont le contenu échappait à Matt. Il devinait simplement que l'un des Indiens s'opposait aux autres, sous l'arbitrage du chef qui hochait la tête aux arguments de l'un, puis de l'autre. Kai Linkta se contentait d'écouter et ne s'immisçait pas dans cette affaire.

— Toi venir tipi.

Kai Linkta lui montrait la sortie.

— Mais... Mersh?

— Toi venir tipi. Demain toi savoir. Chef parler.

Il n'insista pas.

— Merci. Je remercie le chef de son hospitalité. Merci.

Le visage de Kai Linkta s'anima d'un sourire. Il traduisit et les Indiens le saluèrent en retour, avec gravité. Matt suivit le jeune homme jusqu'à un tipi d'où s'échappait de la fumée et qui était habité par une jeune femme et son jeune enfant.

— Homme mort rivière. Liou Piout seule.

Matt bredouilla un vague remerciement. Kai Linkta s'en alla.

— Je m'appelle Matt, dit celui-ci, toujours debout, alors qu'un silence gêné s'installait.

La seule réponse qu'il obtint fut le calme sourire de ses yeux bruns dont le regard droit trahissait l'orgueil. Elle lui fit signe de s'asseoir sur des peaux de caribou, puis lui proposa du thé.

— Toi, Liou Piout. Moi, Matt, et lui? dit Matt en montrant l'enfant.

Le visage de l'Indienne s'éclaira.

— Opee.

— Opee, répéta Matt.

L'enfant leva la tête vers lui.

Matt répéta plusieurs fois son nom alors que l'Indienne souriait. Elle n'était pas vraiment jolie, mais ses traits étaient fins et un charme fier se dégageait de tout son être, à la fois fragile et fort. Ses longs cheveux tressés en une grande natte étaient d'un noir d'ébène et encadraient un visage rond et hâlé.

— Je vais voir mes chiens, fit Matt en se levant.

Elle fit oui de la tête, sans comprendre.

Matt traversa le village. Une rue principale desservait une cinquantaine de tipis. Les perches de tremble étaient recouvertes, à la base, de peaux de caribou, puis, au-dessus, d'une toile épaisse en coton huilé. Au faîte, un trou laissait échapper la fumée du feu central. À côté de chaque tipi, sur des claies en branches de saule et de bouleau, s'entassaient les provisions de viande et de poissons gelés, séchés ou fumés. Partout, des chiens en liberté allaient et venaient, maigres et efflanqués.

Pas de trace de Mersh.

Pourtant, il était forcément venu par ici. Cherchait-il à brouiller sa piste ? De quel secret était-il porteur pour que les Indiens le protègent de la sorte ? Peut-être voulait-il simplement être seul.

Matt demeura un long moment avec ses chiens, les soigna et regarda le crépuscule d'un beau bleu violacé s'étendre sur le lac. Tout était calme. Le froid le ramena vers le village et c'est avec une certaine appréhension qu'il repoussa, en se raclant la gorge pour signaler sa présence, le rabat en cuir du tipi de la jeune femme chez qui il allait passer la nuit.

AU petit matin, quand il ouvrit les yeux, elle était déjà partie, silencieuse et discrète comme une ombre. Il trouva une galette et du thé placés sur une pierre chaude près du foyer. L'enfant dormait toujours. Matt mangea, puis il alla voir ses chiens. Personne ne semblait faire attention à lui.

Comme il s'ennuyait ferme, Matt alla chercher du fil et des aiguilles dans son traîneau, et renforça ses harnais dont certaines coutures lâchaient. L'après-midi, il attela quelques chiens et alla ramasser du bois à plusieurs kilomètres du camp. Il avait besoin de faire quelque chose. Il croisa des Indiens dans le campement puis sur le lac et dans le bois, qui revenaient de la chasse. Chacun vaquait à ses occupations sans se soucier de Matt, qui ne savait plus quelle attitude adopter. Le soir, il demanda à l'un des homme où se trouvait Kai Linkta. On lui expliqua à grand renfort de gestes qu'il était parti à la chasse au caribou pour plusieurs jours. Le chef aussi.

Matt ne comprenait plus rien. Pourquoi n'était-on pas venu le lui dire? Pourquoi laissait-on ses questions sans réponse?

Peu après le crépuscule, Liou Piout revint au tipi avec des poissons qu'elle fit cuire dans de l'argile avec des bulbes de lis. Elle ne lui disait rien, elle le regardait à peine plus que la veille, avant qu'ils ne fassent l'amour.

« Si rien ne se passe, je repars demain », décida Matt.

15

LE lendemain, il sentit qu'il n'avait plus qu'à partir. Il remercia Liou Piout, qui lui donna des galettes sans rien manifester. Puis lança ses chiens sur la piste glacée que l'aube rendait lumineuse.

Une vague crainte naissait en Matt. Il chercha la forêt des yeux et se promit de s'y arrêter pour y construire un feu. Il attendrait que la température remonte un peu pour repartir. Il avisa un groupe de sapins au bord du lac qu'il traversait et piqua sur lui. Il regardait le fût sec d'un pin frappé par la foudre quand il entendit le craquement terrible de la glace cédant sous lui.

Les chiens se ruèrent en avant, toutes griffes dehors, arrachant à la surface du lac des copeaux de glace. Le traîneau s'enfonçait. Matt hurla de terreur à l'adresse des chiens pour qu'ils tirent encore plus.

Recouvrant quelque lucidité et alors que tout le bas de son corps sombrait dans l'eau glaciale, Matt vit le ruisseau qui, en se jetant dans le lac, avait créé cette zone fragile et commanda aux chiens d'aller à droite, loin de cet endroit. Mais les chiens n'entendaient plus rien et ne pensaient qu'à s'échapper de ce piège qui les suivait au fur et à mesure qu'ils avançaient. Pourtant, à droite, la glace était solide et permettait de rejoindre la berge salvatrice. Matt hurlait : « Djee, djee ! » à se rompre les cordes vocales, mais les chiens continuaient à tirer droit. Maintenant, tout l'arrière du traîneau trempait dans l'eau. Yukon et Cloke, juste devant le traîneau, pataugeaient eux aussi dans le mélange d'eau et de glace. Devant, le reste de l'attelage dérapait. Le traîneau s'immobilisa, la glace se brisa sous les chiens et Matt s'enfonça avec lui dans l'eau. Sous l'effet du froid, il crut que sa poitrine allait exploser. Il suffoqua. Il n'entendait même plus les gémissements désespérés des chiens qui, prisonniers de leurs traits, ne pouvaient rien tenter pour échapper à ce piège mortel.

Matt arracha le couteau qu'il portait à la ceinture, donnant ici et là des coups de couteau dans le trait qu'il sectionna en plusieurs endroits, libérant les chiens au hasard. Ses vêtements gorgés d'eau le gênaient terriblement pour nager. Il atteignit toutefois la glace, à une vingtaine de mètres de la berge, mais, à chaque élan qu'il prit pour monter dessus, elle se brisa sous ses avant-bras. Déjà, un voile tombait devant ses yeux et le froid comprimait ses tempes dans un étau insoutenable. Il abdiqua et se laissa glisser en étouffant un râle d'agonie. Il sentit alors quelque chose sous ses pieds. Le fond ! Il reprit espoir. Il pouvait s'appuyer dessus pour remonter sur la glace ou la briser jusqu'au bord. Vite ! Avant que le froid le paralyse.

Avec ses poings, il cassait la glace. Bientôt, il n'eut plus d'eau que jusqu'à la ceinture et atteignit une zone où la glace était assez épaisse pour tenter de remonter dessus. Il essaya. Elle tenait. Il rampa jusqu'au premier sapin.

Ses vêtements gelaient, l'enserrant comme un fourreau d'acier. Matt en fut terrifié car il espérait avoir le temps d'allumer un feu. Il avait pour cela, dans un petit sac étanche, quelques allumettes et une bougie à l'intérieur de sa veste. Il n'aurait pas le temps de se déshabiller entièrement. Vite, il enleva sa veste, déjà roide, éprouvant les pires difficultés à ôter les manches, puis il se débarrassa de son gros pull de laine et de sa chemise en l'arrachant aux coutures.

Il enleva ses mitaines avec les dents. Ses doigts ne sentaient plus rien et, avec les deux moignons morts de ses mains, il essaya d'atteindre l'intérieur de sa poche. Il n'y parvint pas. Alors, il se leva et, avec ses pieds gelés, cassa plus qu'il n'ouvrit la veste dure comme du verre. Le tremblement qui l'agitait tout entier le gênait terriblement surtout que sa vue se brouillait, mais il parvint à saisir entre ses mains inertes les allumettes et à poser le grattoir sur ses cuisses. Non sans mal, en tenant les allumettes entre ses paumes, il en gratta une première qui s'éteignit quand il se pencha vers la bougie, puis une deuxième qui chut dans la neige. Il toussait à présent frénétiquement, de plus en plus secoué de tremblements. Pourtant, il put allumer une troisième allumette et, avec celle-ci, la bougie qu'il avait plantée dans la neige à ses pieds. Il voulut se relever, mais son pantalon l'avait emprisonné dans un étau de glace qu'il ne put briser. Il rampa et banda toute sa volonté pour arracher entre ses paumes les branches basses du sapin le plus proche. Ses mains étaient comme des masses mortes au bout de ses bras. Il put néanmoins étendre quelques brindilles sèches au-dessus de la flamme sans faire tomber la bougie.

Que cette flamme vécût ou s'éteignît, cela signifiait maintenant la vie ou la mort. Le sang se retirait de ses membres et il ne pouvait plus rien tenter. Les brindilles attaquées par la toute petite flamme fumèrent d'abord, sans prendre, puis s'enflammèrent, mais la plupart se tortillaient et retombaient dans la neige qui les éteignait. Matt eut alors l'idée de transporter les quelques brindilles enflammées sur son manteau qui servirait de support. C'était sa dernière chance. Il prit le feu dans ses paumes insensibles et crut percevoir une étrange sensation ou plutôt une odeur qui lui indiqua que sa chair brûlait. Il reposa aussi délicatement qu'il le pouvait les brindilles et en ajouta d'autres.

Le feu hésita un moment, comme indécis, puis reprit et attaqua ce que Matt pouvait lui donner. Il rampa jusqu'au second sapin puis un autre et parvint à casser deux branches mortes de l'épaisseur d'un bras qui, en brûlant, lui donnèrent un peu de répit. Pourtant, le feu n'était pas assez grand pour qu'il puisse y faire sécher son pantalon et il devait continuer de l'approvisionner, en rampant dans la neige. Il ne tremblait plus maintenant. Il ne sentait plus rien, comme si son esprit s'était détaché de son corps, et il poursuivait ce qu'il avait entrepris par simple automatisme. De toute façon, il allait mourir.

Il ressentit comme une brûlure sur le côté droit du corps et, la douleur devenant intolérable, il se redressa. Sur le feu quelques grosses branches brûlaient. Il ne se rappelait cependant pas les avoir ramassées. La glace dans sa barbe avait dégelé sous l'effet de la chaleur ainsi que son pantalon sur la jambe droite. Il put se lever et, en voyant la tranchée qui allait jusqu'à un pin renversé, il se rappela être allé jusque-là avant de tomber inconscient, près du feu. Il y retourna. En se servant de ses mains comme d'un étau, il put encore casser quelques branches et les mettre sur le feu. C'est à ce moment-là qu'Or le rejoignit et qu'il vit les chiens, deux ou trois, peut-être quatre, couchés dans la neige non loin de lui et qui le regardaient en mâchouillant leur fourrure pour casser la glace prise dans leurs poils.

— Or? C'est toi, Or?

Elle geignait en le fixant et il lui tendit une de ses mains gelées qu'elle se mit à lécher. Cela lui donna une idée et il s'accroupit face à elle, allant chercher dans l'aine, dans le creux de fourrure formé sous sa poitrine, un peu de cette chaleur qu'elle semblait vouloir lui donner. Cela ramena en lui quelques sensations curieuses. Il recommença à discerner ce qui l'entourait. Il avait conscience de ce qu'il fallait faire pour continuer à vivre, mais il avait une envie irrésistible de s'allonger et de dormir. Combattre cette envie-là était bien ce qu'il avait de plus dur à accomplir.

Il savait pourtant que céder à ce désir, c'était mourir. Alors, courageusement, il s'écarta d'Or et continua à nourrir le feu. Sa seconde jambe dégela, mais il ne pouvait ôter le pantalon car il était bloqué par ses bottes qui n'étaient qu'un bloc de glace.

Il alluma un second feu sur un lit de branches de sapin et se plaça entre les deux, faisant sécher la chemise de laine qu'il avait en partie arrachée. Partout sur son corps s'étaient formées des cloques, comme des brûlures. Des brûlures de froid plus ou moins profondes qui lui faisaient souffrir le martyre maintenant que le feu redonnait à sa peau gelée quelque sensibilité. Il passa la chemise aussitôt qu'elle fut un peu dégelée et reprit ses allers-retours. regrettant sa hache restée sur le traîneau car il aurait pu rapporter des bûches plutôt que des branches qui brûlaient vite.

— Peut-être que je vais survivre, dit-il à Or, qui ne le quittait pas des yeux.

Il avait accumulé autant de bois qu'il avait pu, mais il se doutait que la provision ne serait pas suffisante pour tenir toute la nuit. Le sang était revenu dans ses mains en lui arrachant des cris de douleur, mais il pouvait maintenant s'en servir, même si elles le faisaient souffrir.

S'il avait presque recouvré l'usage de ses mains, ses pieds restaient inertes. Il s'inquiétait des conséquences exactes des engelures. Allait-il perdre ses pieds, des orteils? Ayant réussi à se débarrasser de ses bottes, il les frictionnait, les exposait à la flamme, rien n'y faisait, le sang refusait de revenir dans certains doigts et la peau noircissait par endroits.

Matt se serait bien couché comme ses chiens, dont seul le pauvre Cloke manquait à l'appel, mais dormir, c'était mourir. Combien de temps tiendrait-il sans sommeil? Un jour encore, guère plus. Il avait soif et faim. Pour boire, il faisait fondre de la neige dans de l'écorce de bouleau, mais, pour tromper sa faim, il n'avait rien.

Peu à peu, il acquit la conviction que sa survie passait par le sauvetage de son traîneau. Il reposait à un mètre sous l'eau et il fallait qu'il le récupère ou du moins qu'il sauve l'essentiel : son sac de couchage, sa hache, sa carabine et le sac de balles, un peu de nourriture. Avec ce minimum, il pourrait survivre quelques jours.

Il lui fallait donc gagner la partie cette nuit, tenir jusqu'au matin. Alors, il tenterait le tout pour le tout. S'il échouait, il pourrait s'endormir l'esprit tranquille. Il aurait tout essayé.

Peu avant l'aube, alors qu'il effectuait un ultime voyage à la recherche de bois, il remarqua que le ciel se couvrait. La température allait enfin remonter. Il le vit comme un encouragement du destin. Il rechargea les feux et alla sur le lac, jusqu'au bord du trou en partie regelé. En lançant de gros cailloux, Matt cassa la glace au-dessus de l'endroit où il situait le traîneau. Le plus dur restait à faire : se déshabiller, plonger pour arracher au traîneau ce dont il avait besoin.

— Je dois y aller, se répétait Matt. Sans réfléchir.

Il se déshabilla et constata avec effroi l'état de son torse, couvert de cloques et de plaies dues aux engelures. Ce froid était pire qu'un chien enragé. Il mordait partout, à pleines dents.

Une nouvelle fois, il pensa à Marie, à la couleur de son sourire, à la brillance de ses yeux, à la douceur de sa peau. Il s'éloigna des feux et plongea dans le froid avant de sauter dans l'eau. Il ne se rappelait pas que ce fût si douloureux. Maintenant, il fallait plonger. Sans hésiter car il n'avait qu'un laps de temps réduit avant l'hypothermie fatale. Une minute à peine.

Il ne tergiversa pas et plongea, le couteau à la main. Il atteignit le traîneau. Il coupa au hasard dans la tente de toile à l'intérieur de laquelle étaient rassemblées ses affaires, attrapa son sac de couchage et le remonta à la surface. Gorgé d'eau, il était trop lourd pour le jeter sur la glace. Alors, il le poussa sur elle. Puis il replongea. Une dernière fois, car il savait qu'il ne pourrait y retourner. Il trouva le sac de cuisine où il se rappelait avoir rangé un peu de nourriture et s'en saisit, ainsi que de la scie. Il ne pouvait rester dans l'eau une seconde de plus. Il sentait qu'il allait s'évanouir. Déjà, un voile brouillait sa vue.

IL était entre les feux, rhabillé, sans savoir comment il était arrivé jusque-là. Il avait recouvré quelque conscience grâce à l'insoutenable douleur que le sang, irriguant de nouveau ses veines, avait provoquée. Il jeta un regard vers le lac et vit sur la glace, près du trou, son sac de couchage qui fumait dans le froid, ainsi que le sac contenant ses affaires de cuisine. La scie, il l'avait ramenée avec lui. C'est la pensée du lard que contenait le sac de cuisine qui lui donna le courage nécessaire pour retourner sur le lac. Il était temps. Tout gelait et, dans quelques minutes, tout ce qu'il avait extrait de l'eau ne ferait plus qu'un avec le lac.

Quand il revint près des feux, il se rua sur le lard qui, protégé par l'eau, n'était pas gelé et il mordit dedans à pleines dents. Cela lui rendit quelques forces et il étendit le sac de couchage, après l'avoir essoré le plus possible, sur des perches de saule. Maintenant, il lui fallait tenir jusqu'à ce qu'il sèche.

Il alla scier le grand pin, ce qui, avec ses mains meurtries, en sang, fut un vrai supplice. Il dut s'y reprendre à plusieurs fois pour abattre et scier trois bûches, mais celles-ci tenaient le feu et il put enfin s'arrêter un peu et somnoler en attendant que son sac de couchage sèche. Il se forçait à rester assis. Ainsi, dès qu'il tombait sur le côté, il se réveillait et pouvait retourner le sac, replacer une bûche. Cela lui demanda quatre heures. Il n'en pouvait plus. Il n'avait pas dormi depuis plus de quarante heures.

Enfin, il put étaler son sac de couchage sur un lit de branches de sapin, puis il se faufila à l'intérieur. Or se plaça aussitôt contre lui. Le sac était chaud, quoique encore légèrement humide. Matt s'endormit aussitôt.

DES aboiements. C'est ce qui le réveilla quinze heures plus tard. Il ouvrit un œil et il ne reconnut rien. Or était tout contre lui et l'avait léché tendrement. Il la caressa longuement et elle grogna de plaisir en clignant ses yeux pleins de givre.

Alors, la mémoire lui revint et, au fur et à mesure qu'il se souvenait, il s'émerveillait de ce qu'il avait fait. Il était fier d'être vivant. Il voulut s'asseoir, mais le moindre geste réveillait les brûlures qui couvraient son corps. Il y réussit pourtant en serrant les dents et en étouffant un gémissement de douleur.

Il neigeait. Les chiens fixaient le lac et aboyaient, le poil hérissé sur le dos, les crocs dehors.

« Un lynx ou un loup », se dit Matt en tentant de se lever.

Il y réussit en se dépliant tout doucement, par étapes. Il ne faisait pas froid et c'était sa chance. Sans feu, même dans un épais sac de couchage, il n'aurait sans doute pas résisté longtemps.

Il ranima le feu, fit fondre de la neige et se prépara un thé. Ensuite, il mit le sac de farine mouillée et dure comme de la pierre à dégeler. Avec la pâte ainsi obtenue, il pétrit des galettes d'un centimètre d'épaisseur. Puis il en mangea une accompagnée de lard. Avec une certaine inquiétude, il constata que ses doigts de pied étaient noirs. Des lambeaux de peau à l'odeur rance commençaient à s'en détacher. À chaque pas, il souffrait le martyre. Il nettoya ses plaies avec de l'eau chaude, ce qui lui fit le plus grand bien, et compta ses provisions. Un peu de lard et cinq galettes. Il tiendrait trois jours, quatre en se rationnant.

Après la corvée de bois, il se recoucha alors que les chiens allaient et venaient autour de lui, quémandant de la nourriture qu'il n'avait pas. Combien de temps des chiens peuvent-ils tenir sans manger ? Il l'ignorait, tout comme il ignorait comment il ferait pour les nourrir. Jamais il ne pourrait pêcher suffisamment de poissons ni attraper assez de lièvres. Ce serait déjà difficile pour lui. Matt soupira. Certes, il avait survécu à un accident qui aurait pu lui être fatal, mais le plus dur restait à faire.

Quand Matt se réveilla à la nuit, il ne neigeait plus. Tout était silencieux, à l'exception du sifflement irrégulier du vent qui faisait courir sur la neige une petite pellicule de grésil, formant ici et là des congères. Matt se leva, non sans peine, ralluma le feu et gratta la neige pour retrouver la scie. Le vent était du nord et forcissait. Matt fit fondre de la neige car il avait soif. Il mit une galette de pain à cuire sur les braises et la mangea. Il ne lui restait que quatre galettes de pain et à peine une demi-livre de lard. Il n'avait plus envie de dormir, mais que pouvait-il faire d'autre ?

Il appela les chiens. Ils n'étaient pas là.

— Ils sont partis chercher de la nourriture, dit Matt pour se rassurer, mais sa peur montait.

Le lendemain, la tempête cessa brusquement au crépuscule. Il avait passé sa journée à réparer les harnais et à laver ses plaies avec de l'eau chaude. Les chiens ne revenaient pas. Ils l'avaient abandonné car il n'avait rien pour les nourrir. Ils avaient peut-être senti l'odeur de la mort et l'avaient fuie. Même Or était partie. Il était seul.

Un jour passa encore. Le vent qui avait tant varié s'installa enfin au nord-est, tirant une nuée blanche uniforme, signe de neige. À l'extrémité des doigts de Matt, la chair noirâtre et malodorante commençait à se détacher. Pour éviter la gangrène, Matt porta la lame de son couteau au rouge, coupa toutes les peaux mortes et cautérisa. Il fit de même sur ses pieds, bien que ce fût très douloureux. Le lendemain, il eut la joie de constater que le mal ne s'étendait plus. Alors, Matt décida de retourner dans l'eau et de tenter, une fois de plus, le tout pour le tout. Il voulait récupérer ses raquettes et surtout sa carabine. Cette opération se déroula plutôt mieux que la première fois.

Il ne savait plus très bien depuis combien de temps il était là. Plus d'une semaine assurément et toujours pas un signe de vie, ni de ses chiens ni des Indiens. Pourtant, il avait cessé de neiger et plus rien ne gênait le déplacement. Matt fit l'inventaire de ce qu'il possédait en termes de matériel et de nourriture, et en déduisit qu'il pouvait entreprendre quelque chose. N'importe quoi, mais ne pas rester ici. Depuis qu'il avait cautérisé puis désinfecté ses engelures et ses nombreuses brûlures, il allait mieux. Il ne perdrait pas ses pieds. La sensibilité était revenue peu à peu, sauf dans deux doigts noirs et craquelés. Il s'en fichait. Il pourrait marcher sans eux.

L'EXERCICE de la raquette était, dans la neige profonde, des plus pénibles. Il suait à grosses gouttes et avançait lentement. À ce rythme-là, il lui faudrait un mois pour atteindre la civilisation. Mais il ne se découragea pas. Il préférait cela à l'inactivité. Il dormait à la belle étoile sur un lit de branches de sapin, tout habillé dans son sac de couchage. Toute la journée, il marchait, s'arrêtant toutes les deux heures pour boire, se reposer et refaire les bandages autour de ses pieds. Parfois, il tirait une perdrix, qu'il faisait cuire sur un petit feu. Autour de lui, le silence et la blancheur, indéfiniment. Il continuait vers le sud, s'orientant grâce au soleil et aux congères que le vent avait taillées dans la neige, toutes dirigées dans le même axe, vers le sud-est.

AU matin du quatrième jour, il marchait, vent de face, courbé par la charge qu'il tirait, quand il entendit un souffle. Il se retourna vivement, prêt à faire face.

Gêné par le givre qui lui emprisonnait le visage et habillait ses cils, il crut d'abord que des loups l'attaquaient par-derrière, mais c'était un attelage. Un grand attelage d'au moins quinze chiens! Matt n'en avait jamais vu d'aussi long. Lorsque les premiers chiens arrivèrent sur lui, son cœur faillit exploser dans sa poitrine car il reconnut les siens : Or, Chinook, Yukon, Manouane et les autres, mélangés à ceux de Mersh.

Les chiens s'arrêtèrent à sa hauteur. Ils lui sautèrent dessus avec des jappements joyeux. Matt, ému aux larmes, les prit dans ses bras en répétant leurs noms, et des grognements interrompirent les retrouvailles car certains chiens de Mersh n'appréciaient pas le désordre ainsi créé.

Mersh cria un ordre que Matt ne comprit pas mais les chiens se remirent en marche. Matt s'écarta sur le bord de la piste, caressant Or au passage. Mersh, le visage mangé par une barbe entièrement gelée, arriva à sa hauteur.

— Je vais allumer un feu… à la forêt.

Matt n'eut même pas le temps d'ouvrir la bouche. Mersh était déjà passé.

— La forêt !

Il la vit un peu plus loin, une ligne sombre sur l'horizon. Matt restait à sa place, un peu stupidement, les bras ballants.

« Il aurait pu au moins s'arrêter ! »

Il se remit en route, vers la forêt, vaguement inquiet à l'idée que Mersh ne s'y arrête pas, mais la petite colonne de fumée qui s'élevait au-dessus des sapins le rassura. Il l'attendait.

MERSH avait basculé son traîneau sur le côté, et les chiens, en ordre, attendaient, couchés dans la neige. Matt remonta le long de l'attelage et caressa longuement chacun de ses chiens, ému aux larmes. Il n'en manquait pas un seul.

Plus loin, Mersh sciait des bûches dans un pin mort sur pied qu'il avait abattu. Matt se mit en face de lui sans rien dire et s'empara de l'autre extrémité de la scie.

Ils scièrent ainsi une dizaine de bûches, sans proférer la moindre parole, tout à leur effort. Puis Mersh leva les yeux vers le ciel et murmura, comme pour lui-même :

— Ça va tourner à l'est. Le froid devrait tenir jusqu'à la lune.

Matt devait-il interpréter cette phrase comme un signe pour engager la conversation ? Pouvait-il maintenant poser les questions qui lui brûlaient les lèvres ?

Mersh alla tailler une tige dans un boqueteau de trembles. Il tailla aussi deux fourches et, sur la broche ainsi constituée, enfila un lièvre déjà cuit qu'il tira de son sac.

— Cinq minutes pour le réchauffer.

— C'est pratique comme ça, répondit Matt.

— Les lièvres, il faut les cuire longtemps, haut sur la braise, alors, le mieux, quand tu veux en manger un, c'est d'en cuire trois ou quatre d'un coup sur un feu tout en longueur. C'est autant de travail d'en cuire un ou quatre et, après, tu gagnes un temps incroyable sur la piste.

Il avait dit cela d'un ton très solennel, comme s'il s'agissait d'un secret d'État.

Un long silence s'ensuivit. Mersh tournait le lièvre sur sa broche.

Il avait fait fondre dans une poêle un peu de gras dont il arrosait la viande dorée, qu'il sala, puis la saupoudra de poivre mélangé avec quelques herbes aromatiques.

— Ça sent bon, dit Matt.

— Le lièvre, ça se mange avec de la feuille de cornouiller.

Mersh retira le lièvre du feu et le découpa. Il tendit la moitié à Matt, qui remercia. C'était délicieux et ils dégustèrent en silence. Matt fit un signe de tête et risqua une question :

— Ils étaient où, les chiens ?

Mersh mastiqua posément sa bouchée avant de répondre.

— Sont rentrés au village.

— Au camp indien ?

— Y en a pas d'autre.

Matt digéra l'information.

— Ça ne vous intéresse pas de savoir ce qui m'est arrivé ?

— Non.

Mersh se leva et retourna vers son traîneau. Il rapporta un sachet de thé et le tendit à Matt.

— Prépare une théière et garde le reste.

— Merci.

Pendant que Matt s'exécutait, Mersh détacha un petit traîneau qu'il avait remorqué et y attela les chiens de Matt.

Apparemment, il allait repartir. Matt, qui l'observait, lui trouva tout à coup un air bougon. Qu'avait-il fait encore ? Qu'avait-il dit qui l'avait fâché ?

Matt hésitait maintenant sur la conduite à suivre.

Mersh revint vers lui avec une vieille Thermos toute cabossée dans laquelle il versa le thé bouillant, puis il rangea sa bouilloire et les quelques ustensiles qui traînaient autour du feu dans un grand sac de toile qu'il alla arrimer dans son traîneau.

Matt l'observait de loin, toujours aussi hésitant. Mersh fit avancer son chien de tête presque jusqu'au feu et effectua un demi-tour pour reprendre à l'envers la piste qu'il avait faite en pénétrant dans le bois. Quand il arriva à la hauteur de Matt, il le fixa sans complaisance.

— Je suis tombé à l'eau, moi aussi, il y a quelques années, mais j'ai eu moins de chance que toi. J'ai perdu tous les chiens et j'étais seul à un peu plus de deux mois de marche de tout.

16

M ATT resta un long moment immobile au bord du feu, fixant la piste par laquelle l'attelage avait disparu. Puis il marcha jusqu'au petit traîneau. Rudimentaire mais de belle ligne, celui-ci était constitué de pièces en bois de tremble, assemblées avec du cuir de caribou. Il était neuf. Mersh l'avait fabriqué pour lui ! À l'intérieur, Matt trouva un sac contenant une cinquantaine de livres de poissons séchés, un peu de viande, du lard et de la farine, ainsi que deux harnais de rechange.

Matt mesurait maintenant ce que le vieil homme avait fait. Il était venu jusqu'ici pour lui, avec tout ce dont il avait besoin. Et Matt ne l'avait même pas remercié ! Il aurait même voulu l'insulter quand il l'avait quitté, comme toujours, sans rien dire, aussi mystérieusement qu'il était arrivé. Matt, qui éprouvait le besoin de parler, de partager avec quelqu'un ce qu'il avait vécu, trouvait ça exaspérant. Il ressentait la nécessité d'évacuer, d'extérioriser sa peur rétrospective en se confiant à quelqu'un.

Matt pensa à Marie. Elle, elle l'écouterait et le comprendrait. Depuis que Mersh était parti, les chiens piaffaient d'impatience. Matt transféra le peu d'affaires qu'il transportait dans le traîneau et, sans attendre, il se mit en route pour retrouver sa cabane. Aussitôt sorti de la forêt, il vit que Mersh, contrairement à ce qu'il avait imaginé, était reparti en sens inverse. Un instant, il fut tenté de le suivre vers le nord, mais Marie l'attendait.

— Djee ! Djee !

AVEC une expression d'étonnement presque enfantin, Matt découvrit l'intérieur raffiné de l'arrière-salle du *Monte-Carlo* où on lui avait dit qu'il trouverait Marie. Dans cette grande salle lambrissée et au plafond peint, une multitude d'hommes et quelques femmes, bien habillés, buvaient et dansaient au son d'un petit orchestre. À l'entrée, un gaillard costaud filtrait.

Il bloqua tout de suite Matt avec une expression mauvaise.

— Où tu vas comme ça ?

Du menton et assez dédaigneusement, il le dévisageait de haut en bas. Matt prit alors conscience de son accoutrement. Il n'avait pas de chaussures mais des mocassins, pas de veste mais une espèce de manteau de fourrure au cuir élimé. Son pantalon et sa chemise, maculés de taches de graisse et de sang séché, sentaient le chien et la fumée des feux de camp. Sa chevelure était en désordre et ses mains noires étaient mangées par les engelures, les brûlures, les cicatrices et les coupures. Il avait les ongles noirs, cassés, rognés comme ceux d'un ours.

— Matt!

Elle l'avait vu et s'avançait vers lui, rayonnante et souriante. Elle était resplendissante dans sa robe de soie bleu et blanc et des bijoux ornaient son cou gracieux, offert et palpitant. Elle était joyeuse, un peu soûle peut-être, mais ça lui allait bien car toute la beauté de son visage se réfugiait dans ses yeux brillants d'un bleu intense, rieurs et gais, fixés sur lui.

Il la regardait avec une moue de stupéfaction. Elle était si belle et lui ressemblait à un mendiant. Elle sentait si bon et lui puait la bête sauvage. Il avait honte et il aurait donné tout l'or du monde pour disparaître.

— Eh bien, Matt! Ne reste pas là.

Elle l'embrassa gaiement.

— Tu as l'air si fatigué! Ça va, Matt? Où as-tu passé tout ce temps? Viens.

Elle l'entraînait et, autour d'eux, les gens riaient comme s'il s'agissait d'une farce. On manquait de divertissement et ce couple pour le moins hétéroclite amusait.

— Je vais te présenter.

Il n'eut pas le temps de protester. Ils arrivaient à une table pleine de coupes de champagne et de boissons diverses, autour de laquelle se tenaient une douzaine d'hommes superbement habillés, avec des montres et des chaînes en or qui sortaient de leurs gilets, des chemises blanches immaculées, des pantalons de flanelle gris, bleus ou noirs. À leurs côtés, trois femmes minaudaient en sirotant leur champagne, offrant leurs décolletés aux hommes qui les prenaient sur leurs genoux et les pelotaient. Ils regardèrent ce nouveau venu avec condescendance.

— C'est à lui que vous devez de m'avoir ici, dit Marie.

L'un des hommes, aux joues flasques et au ventre un peu bedon-
nant, leva machinalement son verre.

— À toi, voyageur ! Tu mérites de boire à notre table jusqu'à
plus soif car Marie est la plus belle pépite d'or de Dawson.

— Il s'appelle Matt, leur dit-elle en lui proposant une chaise.

Il s'assit et accepta le verre qu'on lui tendit. La conversation
reprit. On ne s'occupait plus de lui. Il n'était rien ici et on voulait le
lui faire comprendre.

— Alors, qu'as-tu fait pendant tout ce temps ?

Elle s'était approchée de lui car l'orchestre venait de reprendre et
couvrait les voix.

— Il faut que je te raconte, Marie. J'ai échappé de peu à une
mort terrible.

Il lui narra tout depuis le début sans s'interrompre, mais, au fur
et à mesure qu'il avançait dans son récit, Marie s'en désintéressait,
jetant vers l'orchestre des regards de plus en plus fréquents et souriant par moments aux pitreries auxquelles l'un des hommes se
livrait sur la piste de danse.

— Marie, tu m'écoutes ?

Elle le dévisagea avec complaisance mais ennui.

— Oui, je t'écoute, Matt, mais nous venons ici pour nous dis-
traire, oublier la neige, le froid et ce pays plein de glaçons, alors, tu
comprends que tes histoires de chiens…

— Mais j'ai failli y rester !

— Je suis contente que tu t'en sois sorti, Matt, mais, de grâce,
parlons d'autre chose. Amuse-toi !

Elle le dévisagea avec un air joyeux.

— Tiens, je sais ce que tu vas faire. Joe !

Un jeune type à la carrure large s'avança.

— S'il te plaît, Joe, emmène mon ami Matt là-haut et fais-lui
couler un bain chaud. Il en a bien besoin.

— Bien, madame.

MATT se déshabilla et attendit que la baignoire fût totalement
remplie pour se plonger avec délectation dans l'eau chaude. Il se
savonna tout le corps en faisant longuement glisser l'éponge sur sa

peau, lava ses cheveux et changea deux fois l'eau, qui était noire. Il ignorait combien de temps il était resté dans l'eau, suffisamment en tout cas pour laisser à Marie le temps de le rejoindre. Mais il ne se faisait pas trop d'illusions.

Il sortit du bain et regarda avec dégoût ses vêtements souillés dont il se demandait maintenant comment il avait pu les porter si sales. Mais il n'en avait pas d'autres.

Il se rhabilla en maudissant encore la saleté de ses vêtements qui empestaient. Il descendit les marches et emprunta le couloir qui conduisait directement à l'entrée. Il ne voulait pas revoir Marie. Elle n'était pas montée et il comprenait. Quand il reviendrait, il en faisait le serment, il serait à la hauteur et il entrerait la tête haute. Elle lèverait sur lui des yeux étonnés et admiratifs, et il offrirait le champagne à ses amis. Il louerait la plus belle chambre de la ville et réserverait Marie pour un mois entier. Ensuite, elle ne le quitterait plus. Elle avait un faible pour lui. Il le savait.

Il ne lui manquait plus qu'une chose : l'or.

MAIS, dans ce qui était devenu une ville, on parlait moins du métal jaune que de nourriture. Une terrible famine sévissait. Matt n'eut aucun mal à vendre sa viande, le double du prix qu'il en espérait. « Voilà l'or que je dois ramasser », se dit-il.

Matt ne perdit pas de temps en ville. Il se racheta une paire de bottes pour remplacer celle qu'il avait tenté de réparer sans vraiment y parvenir, puis il alla consulter un médecin qui le rassura sur l'état de ses pieds.

— Les plaies sont belles et la sensibilité est revenue partout. Tu t'en tires bien !

L'après-midi même, Matt retrouva ses chiens là où il les avait laissés, chez son ami qui gardait la scierie, à l'entrée de Dawson. Il remonta le Klondike, où des milliers d'hommes continuaient de retourner la terre dégelée avec d'énormes machines à vapeur qu'on entendait de très loin cracher et souffler comme des animaux malades. Matt aurait pu se faire engager ici et là pour effectuer avec ses chiens du transport de marchandises depuis Dawson jusqu'aux mines ou pour apporter du bois de chauffage, mais il avait encore mieux à faire.

C'est avec jubilation que Matt revit son petit havre de paix, sa cabane, le lac et la chute d'eau qui donnait à l'ensemble une gaieté que la plupart des lieux figés par l'hiver n'avaient pas.

Il ne perdit pas de temps. Dès le lendemain, après avoir relevé ses collets qui lui permettaient de nourrir les chiens, il se mit en route sur la piste que le vent, une nouvelle fois, avait partiellement recouverte. Mais Manouane excellait dans cet exercice.

Matt arriva à la nuit dans la zone où il voulait chasser, un immense marais s'étalant depuis une rivière jusqu'aux montagnes, constellé de lacs, d'îles et de ruisseaux.

En croisant la piste de trois grands élans le lendemain, Matt ne put s'empêcher de remercier la Providence. Il ne cherchait que depuis deux jours lorsqu'il rencontra leurs traces qui traversaient un ruisseau entre deux lacs, à moins de 10 kilomètres de son camp. Les pistes étaient vieilles de plusieurs jours, mais, comme il n'avait ni neigé ni venté, il pouvait les suivre facilement. C'est ce qu'il fit jusqu'à la nuit, mais sans trouver de traces plus fraîches. Ce qui l'inquiétait, c'était que les élans filaient droit, comme s'ils migraient d'un lieu à un autre. Avec l'hiver qui tirait à sa fin, Matt se doutait que les animaux quittaient leur lieu d'hivernage et il hésitait sur la stratégie à employer. Ne devait-il pas atteler pour tenter de les rattraper ?

Le lendemain matin, le ciel d'une blancheur de neige le conforta dans son choix. Il allait sans doute neiger et il devait rattraper ces élans au plus vite.

Il lança aussitôt la meute sur leur piste. Les chiens filaient à vive allure malgré la température à peine négative, bien trop chaude pour eux qui arboraient encore leur grosse fourrure d'hiver.

Dès qu'ils atteignirent les traces, les chiens manifestèrent avec toutes sortes de frétillements de la queue leur enthousiasme et leur excitation. Instantanément, Manouane avait compris ce qu'on attendait d'elle et s'efforçait, malgré la végétation qui parfois entravait la marche, de suivre les pistes. Mais l'exercice était des plus difficiles car les élans n'avaient pas les mêmes impératifs de progression qu'un traîneau. Là où le traîneau et les traits se bloquaient et s'emmêlaient, les élans traversaient en frâchant tout sur leur passage. Heureusement, au bout de plusieurs kilomètres et de nombreuses chutes, les élans quittèrent le marais pour s'enfoncer dans une vallée large et peu boisée où il était facile de les suivre. Le ciel, qui s'était couvert dans la matinée et qui laissait présager de la neige, se déchira et un grand soleil printanier inonda toute la vallée d'une lumière chaude et généreuse. À ce moment-là, Matt prit conscience de la victoire qu'il avait remportée sur l'hiver. Mais c'est quand il entendit le criaillement des oies, haut dans le ciel, qu'il ressentit pleinement l'arrivée imminente du printemps qui allait tout bouleverser, redonner vie aux rivières et aux arbres, aux oiseaux, aux fleurs et aux odeurs.

Il eut aussi conscience de l'urgence de rejoindre les élans avant que la débâcle ouvre les lacs et les rivières. Alors, il voyagea une partie de la nuit. Il s'arrêta quand les pistes s'enfoncèrent dans un bois. L'éclairage de la lune ne suffisait plus et il avait peur de se heurter aux animaux dont les traces étaient de plus en plus fraîches.

QUELQUES heures plus tard, à l'aube, il recommença la traque dont il savait que le dernier épisode allait se jouer dans la journée. Il traversa le bois jusqu'au pied des montagnes, puis il suivit un petit ruisseau imparfaitement gelé. Les élans l'avaient franchi plusieurs fois. Enfin, au terme d'une grande boucle, il revint vers le fleuve, beaucoup plus au nord.

Là, une surprise de taille l'attendait.

Une piste rejoignait celle des élans!

Celle d'un homme en traîneau à chiens. Il pouvait s'agir de n'importe qui, d'un Indien ou de l'un de ces conducteurs de chiens que Matt avait croisés à Dawson, ou même de Mersh, mais ce dont il était sûr, c'était que l'homme en question poursuivait lui aussi les élans.

Matt était consterné. Il suivait ces élans depuis quatre jours et voilà qu'au moment où il allait les rattraper on lui prenait sa place, alors qu'il se trouvait au milieu de nulle part. Il était furieux.

Les chiens, ravis de tomber sur une voie bien battue et durcie, accélérèrent aussitôt.

« Je vais le rattraper avant qu'il soit trop tard. Alors, peut-être, imaginait Matt, pourrions-nous nous organiser. L'un se posterait et l'autre les approcherait. Et on partagera. »

Dans ses montagnes du Wyoming, c'était comme ça qu'on chassait le cerf. À plusieurs et on partageait ensuite.

« Un seul m'aurait suffi mais j'en ai tué un pour toi. »
Écrit dans la neige et signé : *Mersh*.

— Merde et merde et merde !

En proie à une colère indescriptible, Matt donnait de violents coups de pied dans la neige qu'il envoyait par paquets voler dans les airs. Les chiens, en tas, s'étaient arrêtés d'eux-mêmes là où Mersh avait dépecé le premier élan et ils se disputaient les entrailles qui fumaient encore dans la carcasse.

Mersh avait emporté toute la viande ainsi qu'une grande partie de la peau du second élan. Le premier était intact, à l'exception de la langue qu'il avait tranchée à la base.

— Suffi ! Suffi !

Matt était tellement furieux que les chiens s'écartèrent d'eux-mêmes malgré l'attrait de la panse odorante, pleine de vitamines, qu'ils venaient de crever et dont ils avaient déjà dévoré la moitié.

— Un seul m'aurait suffi ?

Matt décelait une critique dans ce message. Lui en aurait tué deux, voire trois si l'occasion lui en avait été donnée. Pas Mersh, et c'est ce qu'il avait voulu lui dire et souligner.

— Mais de quel droit ? De quel droit ?

Il maudissait cette espèce de fantôme qui se jouait de lui et se permettait de lui donner des leçons sous prétexte qu'il lui avait sauvé la vie. Un moment, Matt fut tenté de filer à sa poursuite. Mersh n'avait pas plus d'une heure d'avance et il était certain de le rattraper. Mais c'était laisser toute cette belle viande aux bêtes sauvages et il ne pouvait s'y résoudre, si grande soit son envie de rabattre le caquet de Mersh une bonne fois pour toutes.

En attendant, il avait tout de même de quoi nourrir ses chiens pour un bon bout de temps et probablement récupérer quelques centaines de dollars. L'élan était énorme et pesait au moins 800 livres, soit plus de 400 livres de bonne viande qu'il pouvait découper et sécher.

— De toute façon, je l'aurais eu. Peut-être pas deux mais un sûrement.

Mais, en son for intérieur, Matt n'en était pas persuadé et surtout, il ne pouvait s'empêcher d'admirer le sang-froid du vieil homme qui avait réussi à placer deux balles mortelles sur ces cibles mouvantes.

Pas un instant il n'imagina qu'ils pouvaient être deux, jusqu'à ce qu'il découvre, sur la butte d'où Mersh avait tiré, les traces de deux petits mocassins à côté des bottes de Mersh.

— Ça alors! ne put s'empêcher de s'exclamer Matt.

Mersh n'était pas seul! Voilà pourquoi il avait été si rapide.

Et pourquoi avaient-ils fui?

Il avait l'intime conviction que cette personne, chaussée de mocassins plutôt que de bottes de feutre, comme la plupart des Blancs, était un jeune Indien ou une Indienne. Vu la finesse du pied, il penchait pour la seconde hypothèse. Ainsi, Mersh avait une femme ou du moins une compagne épisodique?

Le lendemain, il repartit à la nuit. Les chiens démarrèrent lentement. Ils étaient lourds de leurs agapes et ils n'en finissaient pas de déféquer les uns après les autres. C'était à peine s'ils prenaient le trot, sans entrain.

Mais, au fil des kilomètres, les muscles se délièrent et ils commencèrent à retrouver toute leur vitalité. L'élan dont ils s'étaient gavés s'était transformé en énergie et ils filaient, dopés, heureux de galoper dans la nuit froide. Les patins crissaient avec un bruit de verre brisé et sifflaient sur la croûte glacée. Rarement Matt s'était senti aussi bien.

Matt n'était resté qu'une journée à Dawson. Juste le temps nécessaire pour vendre sa viande et acheter ce dont il avait besoin et deux chevaux. Il n'avait pas cherché à revoir Marie. Il s'était juste renseigné. Elle n'envisageait pas de partir tant que les mines continuaient d'être exploitées et que l'or circulait. Elle fréquentait toujours autant le riche Ladue.

Sur Mersh, il ne put recueillir aucune information. On ne l'avait pas vu à Dawson et on ne savait pas qui était cette personne qui l'accompagnait.

— Il habite quelque part dans les montagnes, au nord. C'est

un vieil ours solitaire qui ne vient presque jamais en ville et qui ne parle pas.

Toujours la même litanie. Rien de plus.

EN l'espace de quelques jours, le vert remplaça le blanc. Partout bruissait la nature. Les oiseaux chantaient du matin au soir et les fleuves encombrés de glace à la dérive reprenaient vie, comme un animal qui, après avoir longtemps dormi, s'étire en grognant et en grinçant des dents.

Matt se prépara à une longue expédition de prospection. Il avait cousu des sacs de bât pour ses chiens qui porteraient une partie de la nourriture et du matériel. Avec les deux chevaux qu'il avait achetés, il n'avait pas vraiment besoin d'eux, mais qu'en aurait-il fait durant tout l'été? Il ne se voyait plus vivre sans eux. Ils étaient ses amis, ses confidents, sa famille.

Les premiers jours, il chargea les sacs avec des cailloux pour les roder à cet exercice car ils se coinçaient partout, contre les arbres et entre les broussailles. Peu à peu, ils s'habituèrent et Matt put leur mettre un vrai chargement sur le dos.

IL se dirigea vers le nord en explorant quelques ruisseaux ici et là sans voir la moindre poussière d'or, mais il ne s'attendait pas à en trouver si près de Dawson.

Les deux chevaux avaient le pied sûr. Ils n'étaient pas tout jeunes, mais Matt n'était pas pressé. Il partait à l'aube, marchait trois heures, faisait une petite pause puis repartait pour deux heures. Ensuite, il montait sa tente de toile car il pleuvait souvent, puis il allait explorer l'endroit, en chassant et en pêchant ici et là. Il prospectait tous les torrents et les ruisseaux qu'il rencontrait avec sa batée, une sorte de grande assiette métallique à haut rebord à laquelle on imprimait un adroit mouvement tournant, faisant passer l'eau à travers la boue que l'on ramassait. En inclinant légèrement le plat, on rejetait les particules les plus légères et les plus volumineuses qui se rassemblaient à la surface. Plus la masse de boue diminuait, plus le travail devenait délicat. Un véritable art que Matt apprenait patiemment. À la fin de cet exercice, il ne restait qu'une infime couche de sable noir que l'on lavait en l'examinant avec attention à la recherche de minuscules points d'or ou de pépites.

Les chiens, une fois débâtés, partaient baguenauder dans les bois en quête de lièvres, de jeunes perdrix ou de bernaches. Il était bien rare qu'ils ne mangent pas à leur faim. Le printemps était l'époque bénie où la nature, généreuse, s'offrait aux jeunes prédateurs qui faisaient leurs premières armes sur des proies encore inexpérimentées.

Matt se nourrissait sans aucune difficulté. Il pêchait autant de truites qu'il en voulait, trouvait toujours quelques perdrix et canards. Un soir, il approcha même un élan, mais, comme il n'avait pas besoin de toute cette viande, il l'épargna. Il pensa à Mersh qui aurait fait de même, il en était certain, et cette pensée l'étonna.

Il arriva au bord du lac où se tenait le village indien, mais il ne vit pas un seul tipi, pas un feu. C'est tout juste s'il put en identifier l'emplacement. Tout avait été nettoyé par la fonte des neiges, la pluie et les animaux. Qui aurait pu deviner qu'un groupe d'Indiens avait passé l'hiver ici ? Il ne restait que quelques cendres, des copeaux de bois, un ou deux ossements rongés et dans le bois, derrière les premiers sapins, un petit cimetière.

Matt était déçu. Il aurait aimé retrouver ce village, revoir Liou Piout, surtout, car il avait envie d'une femme et se rappelait son corps offert, la douceur de sa peau et la rondeur de ses seins. Peut-être l'avait-elle aidé à s'ôter Marie de la tête.

L'ÉTÉ s'écoulait lorsqu'un soir, enfin, il vit au loin une fumée s'élever au-dessus des arbres. Il repéra l'endroit et, dès l'aube, s'y rendit en longeant la rivière au bord de laquelle il découvrit quelques tipis. Il se retint de courir. Enfin, des hommes, de la vie ! Un enfant se mit à crier en le montrant du doigt, des chiens aboyèrent et Matt eut toutes les peines du monde à retenir les siens. Il attacha Chinook et Skagway, les plus virulents, et ordonna aux autres de rester autour d'eux. Privés de leur chef, les chiens n'avaient plus envie d'aller se mesurer à ceux qui les défiaient.

Deux hommes le regardaient venir, les armes à la main. Matt leur fit des signes amicaux auxquels ils ne répondirent pas.

— Bonjour, je suis Matt, dit-il en arrivant près d'eux.

Ils le dévisageaient. Enfin, le plus âgé des deux, un Indien à la face anguleuse et aux yeux très noirs, lui dit quelque chose qu'il ne comprit pas. Matt eut une idée.

— Liou Piout ! Je cherche Liou Piout.

Les Indiens se consultèrent, puis finalement l'un d'eux lui montra du bras l'aval de la rivière.

— Liou Piout est là-haut. Près de la rivière ?

Ils firent oui avec la tête.

— Combien de jours pour y aller ?

Il mima des jours en faisant mine de dormir et en montrant le soleil traverser le ciel. Au bout d'un moment, ils parurent comprendre et écartèrent les doigts d'une main.

— Cinq, c'est ça ? Cinq ?

Il montra ses doigts.

Les Indiens hochèrent la tête. Matt mit ses deux mains sur sa tête, mimant un toit.

— Est-ce que je peux camper ici ?

Ils se consultèrent une nouvelle fois et acquiescèrent.

Le lendemain matin, Matt refit son paquetage et alla récupérer ses chevaux qui s'étaient égaillés dans les pâturages, au bord de la rivière appelée par les Indiens *Aiktou*, « Celle qui danse avec les rochers ». Il les ramena au camp où les femmes fumaient des saumons. Il les remercia. Un vague hochement de tête lui répondit. Puis il se remit en marche, suivant le vague sentier qui longeait la rivière.

MATT arriva en vue du campement indien, constitué d'une bonne centaine de tipis dispersés sur la rive à l'intersection d'une rivière d'importance. Aussitôt, il mit pied à terre et rappela Chinook et Skagway qu'il attacha au câble, à l'ombre de quelques bouleaux. Il se sentait observé mais feignit la plus totale décontraction. Quand il eut fini d'installer ses chiens, il examina longuement le campement avant de se diriger vers la place centrale d'où plusieurs groupes le regardaient avec indifférence. Il remarqua parmi les femmes une jeune fille dont la pureté des traits le frappa. Quand il approcha, elle lui fit une moue dédaigneuse et se détourna.

Il reconnut deux hommes qu'il avait rencontrés dans leur campement d'hiver et alla vers eux. Il comprenait, à voir la quantité de saumons qui séchait aux alentours, pourquoi ils déménageaient ici en été. Cet affluent de l'Aiktou regorgeait de poissons.

— Bonjour, leur dit-il en levant la main comme il les avait vus faire.

Ils lui répondirent d'un geste poli.

— Est-ce que Kai Linkta est ici? Kai Linkta.

Ils lui montrèrent la rivière. Matt s'y dirigea. À environ 500 mètres de l'intersection, une chute coupait la rivière en deux. À son pied, de grands rochers plats, très noirs, servaient de poste aux Indiens. Ils attendaient que les saumons s'élancent pour propulser leurs lances. Leurs corps cuivrés et musclés se détachaient sur le bleu et le blanc des eaux tumultueuses d'où, par moments, jaillissait le corps fuselé d'un saumon. Sur la rive, des femmes et des enfants s'affairaient autour de plusieurs feux et la chair rose des saumons, qu'ils découpaient et fumaient, brillait sur la prairie. Matt, saisi par la beauté du tableau, ne put s'empêcher de le comparer à l'atmosphère grise et boueuse de Dawson, la ville des Blancs où le seul éclat venait de l'or arraché à la terre. De l'or qui dormait caché dans des coffres, à l'abri des regards et de la convoitise des prospecteurs dont le visage n'exprimait en rien la sérénité, cette gaieté que Matt ressentait ici. Une émotion nouvelle le traversait à voir ces Indiens en si totale harmonie avec ce qui les entourait.

— Je cherche Kai Linkta, dit Matt à un homme qui s'avançait vers lui et portait un grand sac plein de baies et de racines odorantes.

L'homme lui indiqua un groupe de tentes dressées sur un épaulement de terrain, au-dessus de l'endroit où les femmes découpaient les saumons.

Kai Linkta n'eut pas l'air étonné de voir Matt. Tout le monde semblait au courant.

— Toi revenir. Gros voyage.

— Avec les chevaux, on avance vite.

— Pourquoi toi venir?

— Je ne fais que passer.

— Comment toi savoir nous ici?

— Je ne le savais pas. C'est le hasard.

— Toi, quoi faire ici?

— Je... je cherche de l'or.

L'Indien le contempla intensément, comme s'il cherchait à lire derrière la barrière fragile de ses yeux.

— Blanc trouvé or. Or pas ici.

— L'or qu'ils ont trouvé, il n'y en a plus. Il faut chercher ailleurs.

— Quand Blanc trouver, Blanc tout prendre. Blancs tué beaucoup élans. Après Blanc passé, plus élan. Blanc trouvé or, prendre tout.

Le regard de l'Indien s'était fait aussi dur et fin qu'une lame de couteau. Matt, pris au piège, désigna le camp de pêche.

— Liou Piout est là?

— Blanc prendre femme aussi.

Le ton devenait ironique. Matt se sentit mal à l'aise. Il ne s'attendait pas à toutes ces remarques.

— J'aimerais la revoir. C'est tout.

— Moi parler chef. Lui décider.

— Liou Piout ne peut pas décider seule?

— Chef décider plus. Chef décider si toi vivre ou mourir.

Le sang de Matt se figea dans ses veines. L'Indien le toisait sans complaisance aucune.

— Je voudrais le voir. Où est-il?

— Toi attendre.

Il était inutile d'insister. Il revint vers son camp. Sa première idée était de fuir aussitôt qu'il aurait retrouvé ses chevaux, mais, en réfléchissant, il comprit pourquoi il n'était pas surveillé. La nature était sa prison. Ces Indiens savaient lire la moindre empreinte d'oiseau sur le sol; où qu'il aille, ils le rejoindraient en quelques heures.

Au camp, les chiens étaient là mais pas les chevaux. On les lui avait enlevés! Matt, constatant son impuissance, demeura un long moment prostré, incapable du moindre geste. Que pouvait-il faire? On ne lui laissait même pas la possibilité de s'exprimer ni de se défendre. Il ne savait pas ce qui lui était reproché. Peut-être le prenait-on pour un autre ou l'accusait-on de quelque chose qu'il n'avait pas commis?

Il prit dans les sacs de bât de la viande qui lui restait et la distribua aux chiens qu'il ne pouvait pas laisser chasser de peur qu'ils n'aillent se frotter à ceux du campement. Puis il bâtit un feu. Il n'avait pas faim, mais préparer un thé l'occuperait.

De là où il était, juste à la bordure de la grande clairière où se dressaient les tentes, Matt voyait presque tout le flanc droit du campement et son centre. Une femme l'observait, tout en grattant une peau à l'aide d'un objet tranchant. Il reconnut celle qui l'avait dévisagé à son arrivée. Ce n'était pas tant sa beauté qui frappa Matt mais la perfection, la limpidité de ses traits et surtout la luminescence de ses yeux noirs qui le fixaient avec une dureté toute particulière. Elle ne le toisait que pour mieux le défier et une moue dédaigneuse plissait ses lèvres écarlates.

L'ATTENTE dura trois jours. Trois jours pendant lesquels personne ne vint le voir, à l'exception d'un Indien qui apporta une douzaine de saumons pour ses chiens. Matt sentit que c'était surtout pour lui montrer leur supériorité. Alors qu'il se surpassait pour en prendre un ou deux par jour, eux en attrapaient autant qu'ils en voulaient. Matt le remercia, mais l'Indien ne fit que rire avec condescendance.

Il n'était qu'un Blanc. À leur merci. Voilà ce que disait ce rire. Pourquoi cette haine? Pourquoi le retenir ici et pourquoi tant de temps avant de lui dire quel sort on lui réservait? Pourquoi le chef ne l'interrogeait-il pas?

À toutes ces questions il ne trouvait aucune réponse.

Pourtant, il y en avait une. Une seule. On était allé chercher quelqu'un et les Indiens l'attendaient.

MERSH arriva dans un grand canoë, seul avec ses chiens, précédé de deux Indiens, dans une autre embarcation. Matt, qui était assis au bord de son feu, se leva quand le vieil homme accosta à une cinquantaine de mètres de lui. Plusieurs hommes accoururent pour se saisir de ses chiens et de ses bagages. On eût dit que c'était lui le chef de ce village. On sentait dans chacun des gestes des Indiens tout le respect qu'il leur inspirait. Il regarda longuement Matt, qui ouvrit la bouche pour lui dire quelque chose de loin, mais se retint. L'expression du visage de Mersh était indicible, dure, affectueuse et compatissante à la fois. Matt ne s'approcha pas. Mersh se dirigea vers l'autre extrémité du village, escorté par de nombreux Indiens qui venaient à sa rencontre et le saluaient avec déférence. La jeune fille marchait à ses côtés. Matt crut même un moment apercevoir sa main dans celle de Mersh. Ainsi, c'était elle, sa compagne?

Matt eut envie de crier, de hurler. Pourquoi Mersh ne venait-il pas le voir et lui dire ce qui se tramait? Pourquoi le laissait-il se morfondre ici? Mais un puissant pressentiment l'empêchait de se lancer à sa poursuite. Mersh ne l'avait-il pas toujours sauvé? Pourquoi l'abandonnerait-il aujourd'hui?

La soirée passa, puis la nuit. Matt ne parvint à s'endormir que fort tard et fut réveillé à l'aube par le crépitement du feu. Il passa un œil par l'entrebâillement de la tente et vit Mersh, à croupetons devant le foyer, qui faisait chauffer de l'eau dans une bouilloire.

Matt s'habilla et s'approcha. Mersh leva les yeux vers le fleuve où un léger vent du nord balayait le brouillard.

— Les premières feuilles... L'été s'en va.

En effet, le nordet arrachait aux trembles leurs premières feuilles jaunes, mais les aulnes et les saules restaient verts. Matt se saisit de la bouilloire où Mersh avait jeté une poignée de thé et se servit en silence.

Mersh, une tasse fumante à la main, regardait la berge opposée comme s'il eût repéré un animal. Un silence épais s'installa. Finalement, c'est Mersh qui engagea la conversation.

— Alors, comme ça, tu cherches de l'or?

Matt nota que c'était l'une des toutes premières fois que Mersh lui posait une question.

— Pourquoi? ajouta-t-il abruptement avant même que Matt ait répondu à sa première question.

Matt haussa les épaules.

— Comment ça, pourquoi! Il faut une raison?

— T'en feras quoi?

— Encore faut-il que j'en trouve!

— Supposons que t'en trouves.

— Eh bien... je... enfin, j'aurais de quoi vivre. De quoi entretenir une femme. Fonder une famille. Toutes ces choses que l'on peut faire quand on a de l'argent...

Mersh observa un long silence. Il ne regardait plus la berge mais le campement indien avec un sourire entendu.

— Je ne suis pas un Indien, moi... j'ai besoin d'argent.

— Je ne t'ai pas critiqué, fit Mersh.

Matt se leva, une moue de colère sur son visage crispé.

— J'en ai marre de vos leçons de morale! Mais pour qui vous prenez-vous donc?

Flegmatique, le bonhomme se resservait de thé comme si de rien n'était.

— Et pourquoi tu le cherches par ici, l'or, en terre indienne?

— J'ignorais que ces terres étaient indiennes. C'est donc ça qu'ils me reprochent?

— Ils ne te reprochent rien.

— Non, ils veulent me tuer, c'est tout, dit Matt avec un rire nerveux en levant les bras au ciel.

— Tu n'as pas répondu à ma question. Pourquoi cherches-tu par ici?

Matt soupira, excédé par la tournure de la conversation.

— Je cherche ici comme j'aurais cherché ailleurs. Si les Indiens ne veulent pas que je cherche par ici, c'est bon, j'irai ailleurs.

— Tu iras où?

— Vers le nord.

Mersh opinait de la tête d'un air entendu.

— Tu vas donc continuer vers le nord?

— Oui, au-delà des terres que tu dis être indiennes.

— Il n'y a pas de terre indienne ou du moins, toutes le sont. Mais il n'y en a plus aujourd'hui. Les Blancs se croient chez eux partout.

— Vous êtes blanc, à ce que je sache?

— Ici, tu es ce que tu fais.

Mersh se leva pour partir. Matt lui coupa le passage.

— Vous allez leur dire de me laisser partir?

— Sûrement pas! (Il le défiait du regard.) Laisse-moi passer.

Matt hésita et s'écarta. Mersh fit quelques pas et se retourna.

— Je ne peux pas leur dire de te laisser partir. Je ne décide rien ici.

— Vous allez faire quoi, alors?

— Pêcher des saumons.

— Et moi?

— Toi? Toi, tu devrais réfléchir à ce que tu rendras à cette terre en échange de l'or qu'elle pourrait te donner.

17

C OMME chaque fois que Matt avait rencontré Mersh, il était resté sur sa faim. « Ici, tu es ce que tu fais. » « Rendre à la terre ce qu'elle donne. » Matt se répétait ces deux phrases lourdes de sens et ressassait leur conversation.

Il décida brusquement d'aller vers les chutes, là où Mersh était sans doute parti. Après tout, il était libre de ses mouvements.

Au pied des chutes, trois Indiens et Mersh guettaient les saumons. Matt s'assit à bonne distance pour les observer. Ils restaient là, à attendre, immobiles, jusqu'à ce que jaillisse des eaux le corps fuselé d'un poisson. Il y avait là trois adolescents, fougueux et athlétiques, et Mersh dont la force tranquille transpirait. Son attitude était celle d'un vieux sage et sa force résidait dans la parfaite coordination de ses gestes. Un saumon apparut. Le corps du bonhomme s'arqua. Avec une étonnante fluidité, il se détendit et la lance fusa dans le prolongement de son bras. Elle rencontra le saumon qui se tortilla dans les airs, transpercé. Au moyen de la fine cordelette à laquelle la lance était attachée, Mersh ramena le saumon à lui. Il le détacha et le jeta sur la rive. Matt reconnut aussitôt l'Indienne qui le réceptionna et lui ouvrit le ventre pour recueillir, dans un panier en roseau, les œufs rouges et gluants. Elle le vit et s'immobilisa. Son attitude n'échappa pas à Mersh qui, en suivant son regard, aperçut Matt à son tour.

— *Nastasia! Hai kai lijkaz uhuijki!* aboya-t-il.

L'Indienne tourna les talons. Mersh sauta d'un caillou à l'autre et rejoignit la rive. Avant de disparaître à son tour, il prit le temps de fixer Matt d'un regard noir. C'était la première fois que Matt voyait le bonhomme se laisser aller ainsi à la colère. « Qu'est-ce que j'ai encore fait ? » se demanda-t-il.

I L retourna lentement à son campement. À sa grande surprise, on lui avait ramené ses chevaux, et auprès d'eux se tenait une Indienne.

— Liou Piout !

Elle le vit et lui rendit son sourire, sans passion.

Il n'y comprenait vraiment plus rien. Qui l'avait envoyée ici ? Liou Piout obéissait-elle à un ordre ou était-elle venue de son plein gré ? Quel était le rôle de Mersh dans tout cela ?

S'il avait désiré revoir Liou Piout en arrivant ici, elle l'encombrait aujourd'hui et il ne savait comment le lui faire comprendre. Elle restait là, devant lui. Il refit un peu de feu et prépara un thé qu'il lui proposa. Elle le prit et se mit à lui parler.

— *Hei dikia leqsqoew zêrozek… dikia… dikia.*

Elle insista, puis haussa les épaules de dépit avant de se lever pour se rendre dans la tente. Il la suivit à contrecœur. Il n'avait plus envie de rien, excepté déguerpir. Mais elle était là et l'attendait, assise sur la peau roulée dans un coin de la tente.

Elle lui souriait maintenant et lui faisait signe d'approcher.

Il s'assit à côté d'elle et se laissa faire sans grande conviction, se surprenant à penser à cette jeune fille dont le regard l'avait si profondément troublé.

Liou Piout disparut dans la nuit aussi curieusement qu'elle était venue. À l'aube, Matt rassembla ses équipements, sella son cheval et chargea l'autre, puis distribua le reste de son matériel dans les bâts des chiens qui s'étaient mis à aboyer, manifestant leur impatience. Voilà une semaine qu'ils étaient là, attachés, et ils brûlaient d'envie de se dégourdir.

Une expédition de chasse semblait se préparer. Matt chercha dans la foule de ceux qui assistaient au départ des chasseurs la silhouette de la mystérieuse jeune Indienne, mais il ne la vit pas. Quant à Mersh, il demeurait introuvable.

Il n'avait plus rien à faire ici, sinon être tué s'il insistait trop. Il prit Chinook et Skagway en laisse d'une main et les chevaux de l'autre, et emprunta le sentier qui contournait le campement par l'extérieur. Le reste de la meute suivait à la queue leu leu. Un peu plus loin, il rejoignit un autre sentier qui accédait au gué permettant de franchir la rivière au-dessus des chutes. Là, il détacha Chinook et Skagway et s'apprêtait à monter en selle lorsque quelque chose bougea sur la rive. Les chiens étouffèrent un grognement alors qu'apparaissait la silhouette de la jeune Indienne. Elle s'avança vers lui. Elle portait un panier dans le dos, retenu par un bandeau qui lui barrait le front. Elle était seule et ne semblait pas étonnée de le voir. L'attendait-elle ? Elle le regardait avec toujours cette même animosité.

« Mon Dieu, qu'elle est belle ! » se dit Matt, subjugué.

— *Liou Piout jaik dili.*

Il n'avait reconnu que le prénom, mais que pouvait bien vouloir dire le reste ? Et pourquoi parlait-elle de Liou Piout ? Était-elle porteuse d'un message de sa part ?

— Et toi, comment t'appelles-tu ? Moi, c'est Matt. Moi Matt, et toi ?

Elle le défiait toujours. Il cherchait déjà un moyen de la retenir, mais elle passa devant lui et s'éloigna. Il la suivit du regard alors qu'elle traversait le gué. L'eau mouillait ses hautes jambières en cuir qui moulaient ses jambes fuselées. Elle avançait doucement, cherchant ses appuis sur les pierres glissantes du fond. Le courant la forçait à se pencher un peu sur le côté et la pointe de ses longs cheveux traînait dans l'eau. Elle ruisselait d'eau et le soleil l'habillait de diamant. Une apparition que Matt regardait s'éloigner, le souffle coupé.

Arrivée de l'autre côté, sur la rive, elle se retourna.

— Nastasia.

— Nastasia, répondit Matt. Nastasia.

Puis elle disparut furtivement, telle une biche se coulant dans l'épais taillis de saules qui bordait la rive.

DURANT toute une semaine de pluie et de vent, Matt marcha vers le nord. Il avait depuis longtemps quitté le dernier sentier d'homme et empruntait maintenant ceux que les animaux sauvages traçaient dans la taïga. Il allait au gré de son intuition, d'un ruisseau à l'autre. Peu à peu, la découverte de particules d'or dans la boue des ruisseaux le convainquit qu'un filon existait quelque part. Il avait même trouvé un ruisseau où on pouvait laver jusqu'à vingt *cents* de la batée, soit une trentaine de dollars par jour. Certains prospecteurs s'en seraient contentés pour 200 ou 300 dollars avant l'embâcle, mais Matt cherchait mieux.

Il savait qu'autour des gisements du Klondike les prospecteurs avaient lavé de la sorte de petites quantités d'or avant de découvrir le gros filon. Il approchait. Il en était certain.

Il avait dessiné une carte sommaire de la région où il notait toutes ses découvertes. En la consultant, il se rendit compte que les zones où il avait trouvé de l'or formaient une sorte de losange qu'il avait à présent dépassé. D'ailleurs, depuis deux jours, il ne trouvait plus rien, plus la moindre poussière d'or dans les ruisseaux. Au lieu de l'inquiéter, cela le conforta dans son idée. Il venait de dépasser ce qui devait être la « poche ».

Il revint sur ses pas alors que le ciel s'éclaircissait enfin et qu'un soleil généreux apparaissait.

À la jonction de deux ruisseaux qu'il avait prospectés, il fut intrigué par des traces dans le sable. Elles étaient lavées par la pluie, mais on voyait nettement le dessin d'une botte.

— Mersh !

C'était lui. Il en était sûr.

Il chercha un peu. Sur le haut du talus qui surplombait l'un des ruisseaux, il y avait les restes d'un feu.

— Il me suit !

Sinon, qu'est-ce qui justifiait sa présence aussi loin ? Et si près de là où il se trouvait, lui ? Mais Matt n'avait plus le temps de débusquer Mersh. L'hiver arrivait.

Au changement de lune de ce mois de septembre, Matt installa son camp dans une large vallée aux pentes enherbées, face à un lac dans lequel se déversaient trois torrents qu'il voulait prospecter. En amont, on apercevait de lointaines collines aux puissants contreforts couverts de forêts.

Dans le petit bois où il alla chercher une provision de bois mort, il fut un peu décontenancé car il vit plusieurs souches d'arbres coupés à la hache. Une hache de métal, celle d'un Blanc, car les marques étaient nettes et franches. Elles dataient de plusieurs années, mais prouvaient qu'un homme avait séjourné ici, sans doute pour fouiller les ruisseaux. Alors, il n'y avait plus qu'à changer de secteur. Pourtant, toutes les recherches de Matt corroboraient son hypothèse. Les poudres d'or qu'il ramassait ici et là formaient comme une flèche dirigée vers ce secteur et c'est au terme d'une longue investigation qu'il avait abouti ici. Mais un autre que lui avait suivi le même itinéraire.

Un peu plus loin, sur le versant opposé d'une des collines environnantes, Mersh avait fait halte. Il avait attaché son cheval à une longue corde et gardait Wild, son chien de tête, à ses pieds. Nastasia, au campement, veillait sur le reste de sa meute, car Mersh n'aurait pas pu suivre Matt avec tous ses chiens. Et Mersh devait rester discret. Il avait promis à Itlewillik, le vieux chef indien des Siswashs, de tuer Matt s'il venait à découvrir le vallon secret. Et il approchait.

Quand Mersh l'avait vu se fourvoyer vers le nord, il avait espéré qu'il ne reviendrait pas sur ses pas, mais ce diable de Matt était un malin. Il n'y connaissait pas grand-chose mais son instinct et son esprit de déduction étaient malheureusement bien affûtés et ce qu'il redoutait était arrivé. À force de trouver ici et là des poudres d'or dans les alluvions, il était remonté jusqu'à l'affluent, puis jusqu'au ruisseau qui l'avait mené dans cette vallée. À présent, le vallon était tout proche et Mersh allait devoir l'abattre. Il le ferait parce qu'il l'avait promis et que la vie de Matt était à lui. Il l'avait déjà sauvé en différentes occasions. Lorsque les Indiens étaient venus l'avertir que l'homme se présentant comme l'un de ses amis cherchait de l'or, Mersh avait parlementé avec le chef, mais il savait que Matt allait devoir mourir tôt ou tard, comme les deux autres Blancs qui, au cours de ces dernières années, avaient pénétré dans cette région.

Levé avec le soleil, Matt absorba un déjeuner hâtif et fut vite à l'ouvrage. Il prospecta le premier ruisseau et ne trouva rien, pas la moindre poudre d'or. Plutôt que de le décourager, cette absence de métal le satisfaisait. Cela prouvait qu'il arrivait là où la poche se cachait. Il franchit la ligne de crête et alla explorer une petite vallée vers le nord. Là, il découvrit une harde de caribous qu'il put approcher. Il en abattit deux et en blessa un troisième, que les chiens pistèrent jusqu'au bas de la vallée et achevèrent. Alors, Matt déménagea son camp pour s'installer près des caribous, qu'il découpa. Les chiens se régalèrent des restes. Puis il grimpa sur la plus haute colline du secteur et étudia la géographie alentour.

Il essaya de se remémorer comment il était arrivé au lac et où il avait trouvé de l'or. Il s'aperçut alors qu'il faisait fausse route. Il fallait suivre la sorte de ligne que ses découvertes, les unes après les autres, avaient tracée sur la carte. Il fallait chercher vers l'ouest.

Il déménagea de nouveau, franchit un col et prospecta à l'ouest du lac où il était arrivé le premier jour. Il réussit à laver un peu de poussière d'or dans un minuscule torrent, puis encore plus dans un second, sur le flanc de la colline. Il escalada celle-ci pour déboucher dans un vallon aux pentes recouvertes de manzanitas rampants dont certains étaient encore en fleur. Il était tard, mais il ne put s'empêcher de prélever un peu de sable et de boue dans le ruisseau qui traversait le centre de la prairie et de le laver d'un lent mouvement circulaire. Bientôt apparurent de minuscules pointes d'or. Il n'en avait encore jamais vu autant. Il approchait.

Matt était certain que la tête du filon se trouvait enfouie dans le vallon. Le lendemain, il y préleva de la boue en plusieurs endroits. Rien, pas la moindre poussière d'or. C'est ce qu'il espérait. Il brûlait.

Le lendemain, il se leva dès que le jour lui permit d'y voir quelque chose et il se mit au travail. Pour sonder le coteau, il effectua des trous au pic et à la pelle en suivant une ligne parallèle au ruisseau. Le nombre de paillettes d'or augmentait jusqu'à ce qu'il nommait le « centre », qui donnait les résultats les plus riches, puis décroissait. Au-dessus de cette première ligne, il en traça une deuxième, puis une troisième. Le centre de chaque ligne s'incurvait vers la gauche, tandis que l'or était de plus en plus profondément enfoui. Au fur et à mesure qu'il montait, la longueur des lignes se réduisait car il ne trouvait plus d'or à leurs extrémités. L'ensemble des trous dessinait peu à peu sur le coteau un V renversé.

Au soir du deuxième jour, Matt se rendit sur le coteau opposé pour se faire une idée de ce que ses sondages révélaient. Au centre de chaque ligne, là où il avait trouvé la plus grande concentration d'or, il avait planté un bâton. Six bâtons qui, sur les six lignes de trous qu'il avait creusées parallèlement à la rivière, pointaient vers le haut en s'incurvant à gauche. De ce coteau-là, en face de celui qu'il creusait, il voyait nettement la base du cône renversé que formaient tous les trous et devinait vaguement là où il allait aboutir.

— Nom de Dieu de nom de Dieu !

Ce qu'il découvrit alors le terrifia.

Sur le coteau, au-dessus des six lignes de trous qu'il avait déjà creusées, on devinait d'autres lignes que la végétation et les années avaient camouflées mais qui, de loin, apparaissaient clairement. La poche mère avait déjà été découverte! L'or n'était sans doute plus là. Il arrivait avec des années de retard.

Mais plusieurs choses le préoccupaient.

Pourquoi avait-on rebouché les trous? La neige et l'érosion ne pouvaient à elles seules expliquer qu'on n'en trouve plus aucune trace. Pour s'en convaincre, il suffisait de voir ce que Matt avait fait. Ses fouilles avaient totalement bouleversé le bas du coteau et cette dévastation serait encore visible dans cinquante ans. Or, sur le coteau même, on ne distinguait rien des précédentes recherches. Matt aurait été incapable de les discerner s'il ne s'était posté sur le coteau opposé.

Si quelqu'un avait découvert la poche avant lui, pourquoi n'avait-on pas, comme au Klondike, exploré tous les ruisseaux aurifères alentour?

Il pensa que l'homme s'en était retourné chercher de l'aide et avait tenté de dissimuler sa trouvaille pour que personne ne la lui vole. Pourtant, la loi des prospecteurs était universelle. Celui qui découvrait était prioritaire et personne n'aurait pu lui prendre cet emplacement. Il pensa ensuite que l'homme était mort, mais, de nouveau, cela n'expliquait pas le camouflage des trous.

Matt n'avait plus qu'à creuser là où la pointe du cône montrait que se trouvait la poche. Peut-être la clé du mystère apparaîtrait-elle.

Il commença à piocher, puis il dégagea le trou à la pelle. La progression vers le fond devenait pénible, mais il ne mollissait pas. Il continua jusqu'au soir, sans rien atteindre de concret. Alors, à la lueur de la lune, il refit un trou un peu plus bas. À environ 1,50 m de la surface, il trouva de l'or en grande quantité : plus de 3 dollars dans une batée de terre! Il avait creusé au bon endroit. Il suffisait d'aller plus profond. C'est ce qu'il fit le lendemain, après une nuit agitée tant son excitation était grande.

Il creusa toute la matinée, enleva des centaines de kilos de terre, puis il parvint enfin au socle, plus dur, d'un premier niveau de quartz. Il plongea alors sa pioche dans la masse et en arracha quelques morceaux qu'il remonta à la surface. Il les débarrassa de la terre dont ils étaient souillés et les lava, puis il se tourna un peu vers le soleil et pencha la tête pour mieux voir le jeu de la lumière sur la roche.

— Nom de Dieu! C'est à peine croyable!

Dans sa main, le morceau de quartz criblé d'or brillait comme une pierre précieuse.

Matt n'en revenait pas. Il y avait là des centaines de milliers de dollars, peut-être même des millions de dollars en or !

— Je suis riche. Immensément riche !

Et il se mit à danser.

MERSH observait Matt de loin, depuis les crêtes. Lorsqu'il le vit planter des piquets et se préparer à rentrer vers Dawson, il en conclut que Matt allait enregistrer sa concession avant de l'exploiter et décida de le rejoindre. Il éprouvait le besoin de lui parler avant de le tuer.

De son côté, bien qu'il fût bouleversé par la richesse de son filon, Matt mesurait les changements à venir dans sa vie et cela l'effrayait un peu. Alors, il ne se hâtait pas, jouissant avec volupté des derniers flamboiements de l'été indien.

Il avait délimité le claim avec quatre jalons sur lesquels il avait inscrit son nom et son numéro de prospecteur. Il se réservait aussi les deux claims, « un au-dessus » et « un au-dessous » de la découverte. Il n'avait droit qu'à ces trois-là. C'était la loi. Les autres, « deux au-dessus », « trois au-dessous » et ainsi de suite, seraient pour les premiers qui arriveraient ici lorsqu'il aurait annoncé sa trouvaille. L'enregistrement de la première concession était automatiquement annulé et sans valeur si le prospecteur n'avertissait pas d'autres prospecteurs de sa découverte en un lieu public.

TOUT à coup, les chiens se mirent à aboyer furieusement. Matt se rua sur sa carabine. « Un ours », dit-il à haute voix.

Mais les ours ne sifflent pas.

La main de Matt se crispa sur sa carabine, tandis que le rideau de verdure s'écartait, livrant passage à Mersh et à son chien. Après un vaste coup d'œil circulaire au petit vallon dévasté par les recherches de Matt, Mersh scruta posément chaque détail.

Alors, seulement, il fit face à Matt qui s'était dressé et tenait encore la carabine. C'est sur elle que le regard bleu de Mersh s'arrêta. Il était ironique.

— Il n'y a pas d'ours par ici. Pas assez de myrtilles pour eux ! Tu peux lâcher ta carabine.

Matt ne répondit pas et fit taire Chinook.

Mersh attacha son chien à un arbre et revint vers le feu, auprès duquel Matt se tenait, la carabine toujours à la main.

— T'as peur que je te vole quelque chose?

— Qu'est-ce que tu fais ici?

— Qu'est-ce que je fais ici? Parce que tu te crois chez toi?

— J'ai marqué ce claim. Il est à moi!

Matt montra le vallon. Mersh le considéra avec une moue de dédain.

— Viens voir!

Il avait dit cela en lui tournant le dos et s'éloignait vers le coteau. Matt hésita un instant et prit la carabine au moment où Mersh se retournait pour vérifier qu'il le suivait. Le visage du vieil homme se barra du même sourire ironique.

Après avoir enjambé le ruisseau, Mersh le longea jusqu'à l'endroit où Matt avait commencé à creuser. Il dépassa cette zone et stoppa devant le piquet que Matt avait fiché en terre et où son nom était inscrit au-dessus de son numéro de mineur. Matt l'observait avec attention.

Mersh gravit alors le coteau en biais et s'arrêta devant une petite roche dissimulée sous les broussailles. Il écarta la végétation et, d'un air satisfait, fit signe à Matt de s'avancer. Celui-ci aperçut, coincée entre deux cailloux, une planchette sur laquelle on lisait, gravé dans le bois vermoulu : MERSH. N° 607. VAL D'OR. CLAIM 1.

Matt, la respiration coupée, resta assis sur ses talons. Il affecta de s'intéresser à l'inscription, mais il cherchait à comprendre.

Ainsi, c'était lui. Encore lui.

— Arrache la planche et passe-la-moi.

Matt obéit. Elle était à peine enfoncée, coincée entre les cailloux. Il la tendit à Mersh, qui la regarda d'un air attendri. Puis il alla jusqu'à la seconde marque, à une centaine de mètres de là, et l'arracha elle aussi de la broussaille qui la dissimulait.

Matt suivait. Le sang bouillonnait dans son cerveau. Mersh lui offrait son dos. Il lui suffisait d'appuyer sur la détente pour en finir avec lui et s'emparer du trésor. C'était tellement tentant! Mersh, qui marchait devant lui, retraversa le petit ruisseau. Il tenait les deux planches dans la main. Il s'arrêta devant le feu.

— Je n'en ai pas mis en haut du coteau. À l'époque, on ne pique-tait que le bas. En quinze ans, la législation a changé…

Et il lança les deux marques au feu.

— Pourquoi? fit Matt.

Mersh le dévisagea avec gravité.

— Il y a beaucoup de questions dans ce pourquoi, n'est-ce pas? Comment j'ai trouvé ce filon? Pourquoi je ne l'ai pas enregistré? Pourquoi je n'ai pas extrait l'or? Pourquoi je te le donne? Tant de questions avec tant de réponses, mais tu ne comprendrais pas le quart des réponses que je te donnerais.

— Je suis si stupide que ça?

— Les réponses à toutes ces questions sont dans un monde dont tu ignores même l'existence.

Mersh détachait son chien et prenait sa carabine.

— Attends!

— Adieu, Matt.

— Attends!

Il avait crié. Mersh s'immobilisa.

— Attends. Je veux savoir quelque chose qui n'a rien à voir avec tout ça.

— Quoi?

— Nastasia. Cette Indienne…

Le visage de Mersh s'était soudain transformé. Ses yeux étaient devenus deux fentes glaciales et toutes les veines de son cou appa-rurent. Un rictus de haine arrondit sa bouche quand il dit, en déta-chant chacun de ses mots :

— Écoute-moi bien, morveux. Ne parle plus jamais de Nastasia. Ne prononce plus jamais son nom. Ne…

Mais il ne continua pas. Emporté par la colère, il avait oublié que Matt ne serait bientôt plus une menace, ni pour les Indiens, ni pour la grande vallée de Varigai, ni pour Nastasia, car il était condamné à mort.

Il s'en alla en maugréant, sans se retourner.

Il lui avait dit « Adieu ». Pourquoi? Mersh allait-il quitter la région? Ou était-ce parce qu'il se doutait que Matt allait retourner vers le sud, fortune faite?

Tout se mélangeait dans sa tête. Matt caressait d'une main distraite les chiens qui ressentaient son trouble intérieur. Le feu faisait briller leurs yeux, aussi dorés que des paillettes d'or. La nuit était magnifique et des myriades d'étoiles allumaient le ciel, alors que scintillaient à l'ouest les prémices d'une aurore boréale. Le froid tombait. On percevait ses vibrations dans le silence total de cette nuit sans un souffle de vent, le craquement des arbres et de la terre humide que le gel zébrait, le glissement de l'eau qui ralentissait en se figeant dans le ruisseau, la cristallisation du moindre atome d'humidité dans l'air.

L'hiver était là.

Dans la froidure de cette première nuit d'hiver, Matt prit soudainement conscience des changements qui s'étaient opérés en lui. Le Grand Nord était entré en lui et un autre sang coulait dans ses veines, celui des animaux sauvages qu'il avait mangés et derrière lesquels il avait couru, développant de nouveaux sens et d'autres muscles. Il était devenu un prédateur, un de ces loups incapables de respirer un autre air que celui, épuré, des immensités blanches, incapables de rester confinés dans un espace limité. Il avait besoin de courir un pays que seul l'horizon sauvage délimitait.

Au petit matin, Matt se leva dans un silence de cristal. Il regarda le coteau dont il avait partout crevé la surface, et cette vision le gêna car elle troublait la beauté du panorama qui s'offrait à lui. De là où il était, il pouvait admirer toute la perspective de la grande vallée de Varigai dont le fond était noyé dans une sorte de brouillard doré évanescent que la lumière de l'aube faisait briller. Plus bas, le serpent bleu métallique du fleuve apparaissait dans son étau de verdure.

Matt marcha jusqu'en haut du coteau, là où il avait creusé le dernier trou, et, armé d'un pic, arracha à la terre de grandes plaques de quartz pleines d'or qu'il écrasa entre les cailloux. Trois heures plus tard, il avait rassemblé plus de 3 kg d'or. Cette petite fortune allait le mettre à l'abri du besoin. Cet hiver, il n'aurait pas à chasser pour gagner de l'argent et, quand il se rendrait à Dawson, il pourrait tout acheter, offrir du champagne et se payer la plus belle chambre de la ville.

Mais il n'était pas pressé. La plus belle chambre était celle-là. Un plafond de ciel bleu, des murs de montagne, un plancher d'alpage et, pour porte, l'ouverture vers la vallée de Varigai. Pas besoin de champagne pour s'enivrer ; ici, tout l'enivrait, les grandes courses avec les chiens, la luminescence des aurores boréales, le parfum de la viande grillée sur le feu, mais surtout le souvenir d'un regard. Celui qui portait en lui toute la majesté du Grand Nord, sa pureté, sa profondeur, son passé, sa richesse.

Nastasia.

Tout l'or du monde pour que ces yeux se posent de nouveau sur lui.

Il n'exploiterait pas la mine cet hiver.

Il allait retourner à Dawson, puis il partirait, avec ses chiens, à la recherche de Nastasia. Il la trouverait même s'il devait parcourir des milliers de kilomètres, fouiller de fond en comble toutes les vallées du Yukon jusqu'à l'Arctique.

Il s'occuperait de la concession l'été prochain. De toute façon, il lui fallait l'enregistrer avant de commencer les travaux. Il reviendrait au printemps construire une cabane, au bord de la rivière. Le soir, il pourrait s'asseoir devant la vallée et admirer le coucher du soleil, écouter le chant des oies et des pluviers, suivre dans le ciel le lent mouvement des nuages. Il avait le temps. Maintenant, il avait toute la vie devant lui.

Mais une pensée chassa ses rêves.

Lorsqu'il reviendrait ici, une armée de prospecteurs suivrait et saccagerait le site. Il ne pourrait plus jamais admirer cette vallée édénique parce qu'elle serait envahie par les hommes, fouillée, retournée, transformée. La forêt serait coupée. Il ne pourrait plus pêcher de truites dans le ruisseau, qui serait détourné et souillé par la boue. Il ne pourrait plus chasser, car les animaux fuiraient pour des lieux plus tranquilles. Il n'écouterait plus le silence de la taïga, couvert par le bruit des machines.

Cette pensée le terrifia. Il soupira, en proie au plus terrible des dilemmes.

Cette vallée était la plus belle qu'il ait jamais vue. C'était ici, loin des affres de Dawson, dans la pureté originelle de cette zone reculée, qu'il voulait vivre, avec ses chiens et… Nastasia.

Oui, pourquoi se le cacher? Il était tombé éperdument amoureux d'elle dès le premier regard. Pourquoi tenter de minimiser le bouleversement que cette rencontre avait engendré dans sa vie? Comment pouvait-il envisager un retour au sud?

« Ici, tu es ce que tu fais. »

« Rendre à la terre ce qu'elle donne. »

Ces phrases prenaient enfin un sens.

Ce qu'il ne comprenait pas hier, il commençait à le comprendre aujourd'hui.

Parce qu'il n'était rien, les Indiens ne le voyaient pas. Il n'existait pas. Il était comme une plume dans le vent. Un homme de passage. Pourtant, la terre s'était donnée à lui. C'était une chance unique que de le lui rendre et d'exister ici.

Matt comprenait maintenant pourquoi Mersh n'avait pas ramassé cet or ni répondu à ses questions.

Dès le lendemain, il commença à reboucher les trous.

Il allait retrouver Mersh et il lui expliquerait. Ou plutôt non! Il lui dirait simplement qu'il avait rebouché les trous et que l'or pouvait dormir tranquille dans cette vallée qui échapperait à la folie des hommes. Il n'aurait rien d'autre à ajouter car ici les actions valent plus que les mots. Maintenant, il pourrait soutenir le regard de Nastasia et de Mersh.

Il sourit. Il devenait l'un des leurs.

18

LE pays était dur et façonnait des hommes durs ayant l'habitude de côtoyer la mort. Elle était comme une compagne qui vous suivait et vous rattrapait toujours. Les Indiens, en se levant, disaient souvent : « C'est un beau jour pour mourir. »

Mersh avait déjà tué, sans remords. Il avait même éprouvé un plaisir certain lorsqu'il avait enfoncé un couteau dans la poitrine de celui qui avait violé et assassiné sa compagne. C'était il y a longtemps, mais le temps n'efface pas une telle blessure. Au contraire, son

souvenir était comme une lame qui s'enfonçait en lui tout doucement mais de plus en plus profondément.

Il allait tuer Matt, puis il irait reboucher les trous qu'il avait lui-
même faits et comblés, quinze ans plus tôt. Ironie du destin.

Mersh s'était posté à une trentaine de kilomètres en aval, sur la
partie droite de la rivière que Matt devait obligatoirement longer
pour regagner Dawson. Il avait établi son campement à l'orée de
l'immense clairière marécageuse que Matt traverserait car c'était le
seul passage. Il était à bon vent et les chiens ne pourraient pas le sentir. La rivière, imparfaitement gelée, ne pouvait être empruntée et, à
l'ouest du marais, une forêt impénétrable s'accrochait au versant
rocailleux d'une montagne que les Indiens vénéraient parce que,
depuis la nuit des temps, ils enterraient leurs morts à son sommet.
Là, les morts touchaient le ciel et leurs âmes pouvaient s'envoler vers
le grand royaume en s'aidant des courants ascendants que les aigles
empruntaient comme pour leur montrer la route vers l'au-delà.

Un bel endroit au pied duquel Matt allait mourir.

MATT chargea sur l'un des chevaux les 3 kg d'or qu'il avait extraits
avant de reboucher les trous, son sac de couchage et les quelques
ustensiles de cuisine dont il avait besoin, puis il ensevelit sous une
roche le reste de ses affaires dont il ne s'encombrerait pas. Il ne voulait pas surcharger les chevaux qui peineraient bien assez comme ça
dans la neige et il ne voulait pas non plus bâter les chiens. Il était trop
heureux de les voir évoluer autour de lui en liberté, tels des animaux
sauvages. Il rachèterait en temps utile ce dont il aurait besoin.

Le premier jour, Matt alla jusqu'à un grand marais, à une trentaine de kilomètres au sud du vallon. Comme il y avait là un beau
pâturage pour les chevaux, il s'arrêta pour camper. À l'autre bout de
cette immense clairière, au-dessus des premiers arbres, il crut apercevoir la fumée d'un feu. « Mersh ? »

Qui d'autre que lui pouvait camper ici ?

Ce qui l'intrigua était la disparition subite de la fumée. Il crut
tout d'abord que c'était un léger mouvement du vent qui l'avait couchée sur les arbres, mais elle avait bel et bien disparu. Un feu ne
s'éteignait pas aussi subitement, à moins de jeter dessus de la neige.
Qu'est-ce qui pouvait justifier une telle précipitation ? En hiver, on

laissait toujours un feu s'éteindre de sa belle mort, même quand on quittait un lieu.

Mersh continuait de l'espionner. Dans quel but?

Il se remémora leur dernière conversation et la fureur de Mersh quand il avait prononcé le nom de Nastasia.

— Parce qu'il ne veut pas que je la revoie!

C'était une évidence. Restait à comprendre comment il allait procéder. Pendant un court instant, l'idée de meurtre traversa l'esprit de Matt, mais il la chassa vite.

— Mersh ne m'a pas sauvé la vie pour me tuer maintenant à cause d'une Indienne que je veux revoir.

Il s'exprimait tout haut et Or le regardait avec bienveillance, le soleil du soir se réfléchissant dans ses yeux brillants comme dans un prisme. Les chiens, fatigués par les poursuites de lièvres, s'étaient couchés ici et là, à même la neige qui les rafraîchissait. Ils haletaient, étendus, les yeux mi-clos, qui sur le ventre, qui sur le côté, surveillant Matt en train d'allumer un feu.

— De toute façon, il sait que je suis là.

Mais le malaise persistait. Il se sentait épié, vulnérable.

Au fur et à mesure que la lumière du jour déclinait et que le froid tombait sur la grande étendue blanche les séparant, Matt ne se sentait plus sûr de rien et la peur le gagnait. Il épiait le marais à la recherche de signes de vie, mais Mersh n'avait pas laissé une seule trace. Étrange.

Il siffla Or et se décida à contourner l'immense clairière par le bois pour tenter d'approcher Mersh.

Par le bois, il lui faudrait bien une heure pour contourner la clairière, d'autant plus que la neige n'était pas compactée par le vent. Or marchait derrière lui, sans entrain. Elle le suivait parce qu'il le lui avait demandé, mais elle était un peu fatiguée par toutes ces chasses. Matt avait pris sa carabine et, plus il avançait, plus son malaise s'accentuait.

SOUDAIN, Or, qui était passée devant, se figea. Son poil se hérissa sur son dos et ses babines se retroussèrent sur des crocs qui étincelèrent dans la nuit, faiblement éclairés par une lune blafarde.

— Sage! Sage!

Matt s'était accroupi derrière elle et lui flattait le dos en lui parlant à voix basse. Or étouffait un grognement agressif tout au fond de sa gorge, alors que Matt écoutait la nuit.

— Tais-toi, Or. Tais-toi !

Elle se calma. Matt continuait à la caresser et tendait l'oreille. Tout à coup, un aboiement creva le silence de la nuit, auquel Or répondit immédiatement. Le cœur de Matt bondit dans sa poitrine. Il avait raison. C'était Wild.

Mersh était là, à l'attendre.

Restant à couvert derrière un écran de sapins, Matt se redressa brusquement, en proie à une véritable colère. Il hurla :

— Mersh ! Mersh !

Il entendit distinctement le bruit étouffé d'un grognement réprimé.

— Mersh, réponds !

Silence. Matt s'attendait d'un moment à l'autre à entendre siffler une balle. Il eût presque préféré cela plutôt que cette indifférence, lourde de menace.

— Mersh, nom de Dieu, réponds ou je vais te tuer.

Il avait dit cela sans réfléchir et la violence de son propos le surprit.

— Réponds, nom de Dieu !

D'un geste rageur, il engagea une balle dans le chargeur de son arme et tira un coup en l'air.

— Réponds !

Rien.

Alors, il pointa sa carabine dans la direction de l'aboiement et tira. Toujours rien.

— Nom de Dieu !

Matt regrettait déjà ce qu'il venait de faire. Il n'aurait pas dû tirer, surtout dans la direction de Mersh. Peut-être l'avait-il touché ? Il avait cédé à la panique et il s'en voulait.

Il demeura un long moment à épier les bruits de la nuit, mais Mersh restait silencieux, sans réaction, caché, comme un fauve en chasse, près de sa proie.

— Tu ne m'auras pas, Mersh. Tu m'entends ? Tu ne m'auras pas. Alors, tu ferais mieux de te montrer pour qu'on cause.

Quand il revint à son campement, la neige commençait à tomber très faiblement. Les chiens n'aboyèrent même pas. Ils avaient reconnu de loin le rythme de la marche de Matt. Seuls Manouane et Chinook relevèrent la tête, soulevant un petit chapeau de neige qui les recouvrait, comme pour rassurer Matt et lui dire qu'ils veillaient.

Comme il n'avait pas emporté de tente, il construisit une petite claie avec de grandes branches de sapin, puis il se coucha tout habillé dans son sac, son arme chargée contre lui. Or vint le rejoindre et il demeura longtemps éveillé, à la caresser alors qu'elle ronronnait de bonheur, comme un gros chat.

QUAND il avait vu Matt arriver de l'autre côté du marais, Mersh avait immédiatement jeté de la neige pour éteindre le feu sur lequel il était en train de faire rôtir un cul de castor.

Enfin, il allait pouvoir en finir avec cette histoire.

Quand Matt lui avait demandé de répondre, il s'était tu. Il n'avait rien à lui dire, rien à expliquer. Il n'avait pas le choix. Il devait le tuer non seulement parce qu'il allait déclencher une ruée vers l'or dans un territoire qu'il avait juré de protéger, mais aussi parce qu'il représentait une menace pour sa fille.

Certes, il l'avait dépeint à Nastasia comme l'un de ces Blancs présomptueux que les Indiens détestaient. Il lui avait raconté qu'il tuait des animaux pour vendre leur viande, en contradiction avec le principe de l'échange qui prévalait dans la culture indienne. L'acte de tuer s'entourait d'une atmosphère d'obligation spirituelle qui excluait la chasse pour toute autre raison que celle de se nourrir ou de se défendre.

Il avait dit tout cela parce que Nastasia l'avait interrogé sur cet étranger et qu'il avait décelé dans ses propos un intérêt camouflé, que son sang expliquait peut-être. Elle n'était qu'à moitié indienne, par sa mère, et bien que toute son enfance et son éducation fussent indiennes, elle était différente des autres, à même de comprendre Matt.

Mersh voulait pour sa fille un avenir dans la forêt, avec les Indiens. Les Blancs, leurs villes, il les connaissait. Les Blancs fuyaient en avant, semaient la honte et le malheur partout où ils passaient.

Sur l'autel du progrès, tous les principes d'harmonie et de respect de l'homme et de ce qui l'entoure étaient bafoués, écrasés, oubliés. Pour l'homme blanc, plus rien n'était sacré. Son appétit de progrès, jamais rassasié, dévorait la terre et ne laissait derrière lui qu'un désert.

Les Indiens savent écouter le vent miauler dans les arbres et peuvent patienter simplement pour entendre le bruissement d'une feuille qui se déroule au printemps. Les enfants respirent l'air pur de l'immensité, cet air que les animaux, les arbres et les Indiens partagent avec tout ce qui les fait vivre. Les Indiens étanchent leur soif dans l'eau scintillante des ruisseaux qui portent en eux le souvenir de l'histoire d'un peuple. Tout est sacré, respecté, car la terre n'appartient pas à l'Indien mais c'est l'Indien qui appartient à la terre. Cette harmonie est le bonheur. Le bonheur que l'homme blanc a oublié dans sa fuite en avant.

Et Mersh ne voulait pas de cela pour sa fille. Tant qu'il vivrait, il la protégerait de l'homme blanc, de ceux qui avaient violé puis tué sa mère alors que Nastasia n'avait que douze ans. Il défendrait son peuple contre ceux qui seraient tentés de prendre son territoire. Il vengerait tous les Indiens qu'on avait massacrés et spoliés et il tuerait Matt.

Non, il n'aurait aucun remords.

QUAND l'aube habilla la clairière de reflets grisâtres, Matt se leva et alluma un grand feu, car il avait besoin de se réchauffer et de se prouver qu'il n'avait pas peur.

La neige avait cessé de tomber au milieu de la nuit. Maintenant, le ciel était clair et la froidure revenait avec le jour.

Ce matin, il s'était réveillé avec l'impression d'avoir fait un mauvais rêve. Pourtant, c'était la réalité. Il avait beau chercher, il ne trouvait aucune explication à cette situation. Puis il se remémora sa dernière visite au campement indien. Là aussi, les Indiens avaient hésité à le tuer. Pour quel motif? Il ne l'avait pas su, mais se pouvait-il que ce fût le même que pour Mersh?

Non, car celui-ci était intervenu pour le sauver. L'aurait-il fait s'il avait eu l'intention de se débarrasser de lui aussitôt après?

Qu'est-ce qui justifiait un tel revirement?

L'or et Nastasia, ou l'or ou Nastasia, ou peut-être autre chose qu'il ne soupçonnait pas.

Matt haussa les épaules. Ce Mersh était fou. Fou et dangereux. Il l'était peut-être devenu à la suite d'un événement particulier ?

Il irait droit à son campement. Peut-être l'avait-il touché, hier soir. Sinon, il le retrouverait. Autant poursuivre qu'être poursuivi. Être chasseur plutôt que gibier.

MATT sella son cheval, bâta le second, puis reprit la piste qu'il avait tracée la veille au soir dans le bois. En traversant la clairière, il offrait une cible trop facile.

Il attacha ses chevaux à un pin et avança prudemment, les chiens autour de lui, la carabine chargée, prêt à tirer. Il n'entendait rien et les chiens ne montraient aucun signe d'inquiétude. Il trouva l'emplacement du campement de Mersh. Il était parti. Matt étudia les traces. Celles-ci se dirigeaient vers l'ouest et il décida de les suivre. Il alla récupérer les chevaux.

LA forêt s'ouvrit brusquement à l'endroit où la pente s'accentuait. La piste de Mersh se perdait dans un dédale de rochers. De hauts cailloux granitiques qui ressemblaient à des colonnes s'élevaient vers les cimes. Les chiens s'étaient arrêtés d'eux-mêmes au pied des rochers qu'ils ne pouvaient escalader. Pourtant, tout laissait croire que c'était ce que Mersh et son chien avaient fait. Matt restait à l'orée de la forêt, incrédule, lorsqu'un pressentiment soudain le tira de sa réflexion.

— Merde !

Il tira vivement sur le mors de son cheval pour faire volte-face et se remettre à l'abri de la forêt. Au même moment, il entendit une déflagration. Un choc violent le frappa à l'omoplate et un trait de feu parcourut sa chair. Il tomba avec son cheval en hurlant de douleur. Tandis qu'il était au sol, encore étourdi, haletant, une seconde déflagration le fit bondir vers la forêt alors qu'un nuage de neige et de terre se soulevait juste entre ses jambes.

— Le salaud ! Le salaud !

Il rampa jusqu'à être bien à l'abri derrière les sapins. Le second cheval l'attendait non loin de là. Du sang rougissait la neige sous lui.

Il voulut porter sa main à l'épaule, mais il s'écroula lourdement sur le sol, la poitrine sur sa carabine qu'il tenait toujours, le visage dans la neige, à demi évanoui.

IL ne savait pas combien de temps il était resté ainsi. Manouane et Chinook l'entouraient, lui léchaient le visage. Il eut un mal infini à s'asseoir.

— Il faut s'écarter.

Mersh pouvait tirer sur les chiens. Matt se leva et, en titubant, mit encore quelques arbres entre lui et le meurtrier. Ainsi, il ne s'était pas trompé. Mersh voulait bel et bien le tuer ! La balle n'avait fait que traverser l'épaule. Ouvrant sa chemise, il tâta du côté gauche son dos et sa poitrine. À quelques centimètres près, il était mort, atteint en plein cœur.

— Quel salaud !

Les mouvements de son bras étaient lents et maladroits, mais il pouvait tout de même s'en servir. Il avait perdu pas mal de sang et il avait peur de tomber d'épuisement. Sa première réaction était de s'éloigner, mais il se ravisa. Il y avait mieux à faire. Il pouvait piéger Mersh. Coincé là-haut dans ces rochers sans arbre pour faire du feu, Mersh ne pourrait pas tenir longtemps. Quand il descendrait, les chiens préviendraient Matt qui l'abattrait.

Le piégeur piégé !

Matt attacha le cheval à un pin. Il ignorait où se trouvait le second et il se rappela qu'il était tombé avec lui.

— La balle l'a peut-être touché après m'avoir traversé ?

Il alluma un feu et se constitua un abri de branchages, puis il s'entoura l'épaule de bandes de tissu qu'il avait heureusement conservées avec une fiole à moitié remplie d'antiseptique. Les chiens demeuraient près de lui. Manouane et Or geignaient, inquiètes. Les mâles grondaient en direction des rochers.

— Rien de grave n'a été atteint, leur dit-il, se rassurant lui-même. Ouais, il est coincé là-haut. On va le pincer à sa descente. On a juste à attendre que le fruit soit mûr pour le cueillir.

Dans l'après-midi, lorsqu'il eut recouvré quelques forces, il rampa jusqu'au bord du dégagement où Mersh l'avait blessé pour constater que son cheval était bien mort, atteint en pleine tête par la balle qui lui avait tout d'abord traversé l'épaule. Il décida d'aller à la nuit récupérer la viande avant qu'elle gèle car il avait finalement décidé d'attacher ses chiens. Le risque était trop grand qu'ils aillent se mettre à découvert, sous le rocher, pour se faire tirer comme des lapins.

MATT ne ferma pas l'œil de la nuit et dut renoncer à aller dépecer le cheval tant son épaule le faisait souffrir. Au petit matin, il était fiévreux et inquiet car il lui semblait que la plaie s'infectait. Il resta toute la journée allongé, buvant beaucoup et refaisant son pansement chaque fois que celui-ci se salissait.

En fin de journée, alors qu'il ranimait son feu grâce à son seul bras valide, un coup de carabine le fit sursauter. Il sut aussitôt de quoi il s'agissait en entendant le hennissement de douleur de son second cheval. Il avait dû sortir de la forêt pour aller chercher dans la clairière un peu d'herbe en fouillant sous la neige. Mersh en avait profité pour lui tirer dessus.

— Quel enfant de salaud!

Un rictus de haine barra le visage de Matt congestionné par la colère. Le cheval mortellement blessé se traîna jusqu'à la forêt où il s'affaissa dans un râle affreux. Les chiens s'étaient mis à aboyer et Matt dut intervenir pour les faire taire.

— Tu vas mourir, Mersh! hurla Matt. Tu vas mourir!

Il n'attendait pas de réponse, mais deux coups de carabine claquèrent dans les sapins qui le protégeaient, coupant des branches juste au-dessus de lui. Il n'y eut pas de nouvelle salve : Mersh économisait ses balles.

Ce soir-là, il fit son feu plus loin dans la forêt. La nuit était claire et très froide. On entendait des pins claquer et le grincement des glaces comprimant tout dans un étau gelé. Matt se réfugia dans son sac de couchage, blotti contre Or et Chinook qu'il avait détachés. Il riait intérieurement, imaginant son ennemi coincé dans la froideur de ces rochers, sans feu, mal installé. Mersh était idiot. Il était monté là-haut sans même imaginer qu'il puisse rater son coup et maintenant, c'était lui qui dirigeait la musique. Une mélodie qui allait jouer un air funèbre très bientôt.

Au petit matin, le cheval était roide comme une pierre. Matt alla vérifier qu'il se trouvait hors du champ de vision de Mersh. Les pins étaient ici assez serrés. Alors, il lâcha ses chiens, un à un, qui allèrent attaquer la carcasse gelée avec des grognements de plaisir. Au moins, ils allaient reprendre quelques kilos.

Matt lava sa plaie qui commençait à sécher. La balle en pénétrant n'avait fait qu'un petit trou étroit qui se refermait déjà. Par contre, à l'arrière, sous l'omoplate, la balle avait expansé en éclatant les chairs. Ce serait beaucoup plus long à cicatriser.

DEUX jours s'écoulèrent sans que rien vînt troubler la quiétude de l'endroit, bien abrité des vents qui annonçaient un changement de temps. Matt pouvait maintenant bouger un peu l'épaule sans trop souffrir, signe que la balle n'avait pas fait de dégâts.

Comment Mersh tenait-il sur ces rochers avec son chien ? Là-haut, il n'y avait pas de quoi allumer un feu, or il avait besoin d'un feu pour faire de l'eau. On peut survivre longtemps sans feu et sans manger, mais sans eau ?

Matt commençait à douter.

Il existait peut-être un moyen de descendre par un tout autre chemin ? Matt se mit à longer la barre rocheuse par l'intérieur du bois, à droite puis à gauche de l'espèce de haute fissure par laquelle Mersh avait escaladé, pour constater qu'il n'y avait pas d'autre voie d'accès. Mersh était bel et bien coincé.

LES jours suivants, pourtant, Matt acquit la conviction que Mersh n'était plus là-haut. Il s'aventura même en lisière de la forêt pour scruter les rochers. Il ne vit rien, n'entendit rien.

Il était là depuis neuf jours maintenant et Mersh ne pouvait être resté tout ce temps à l'affût. Impossible.

La neige était tombée pendant toute la semaine, suffisamment pour que la progression devînt difficile. Matt n'avait ni chevaux, ni raquettes, ni traîneau. Comment allait-il se déplacer ? À présent que l'hiver était là, l'épaisseur de la neige ne cesserait d'augmenter. Il lui fallait construire un traîneau, forcément rudimentaire, vu les moyens dont il disposait. Depuis quelques jours, les plaies de son bras cicatrisaient en profondeur. Il avait recommencé à l'utiliser, avec parcimonie.

Matt s'attela à la tâche avec une certaine fièvre tant il lui tardait de reprendre les pistes blanches derrière ses chiens.

Il coupa des bouleaux d'un diamètre gros comme la jambe et tailla dedans les patins qu'il chevilla à trois montants. Cela lui prit deux jours car il allait lentement, s'efforçant de ne pas trop solliciter les muscles de son bras malade. Mais les forces revenaient rapidement. Il mangeait beaucoup de viande de castor et il était sûr que ce régime, très riche, l'aidait à guérir. Le plus difficile consistait à tordre le guidon et la pièce qui, à l'avant, servait de pare-chocs. Il le fit dans l'eau chaude en se servant d'une roche creuse où il versait de l'eau bouillante. Ensuite, il ne lui resta plus qu'à ligaturer le reste des pièces et à tendre des lanières de cuir pour constituer le fond.

Les chiens chassaient maintenant jusque dans la clairière où Mersh avait tiré, prouvant définitivement qu'il n'était plus posté en haut. « Il est peut-être mort », se répétait Matt sans y croire.

Mais il était certain, absolument certain, qu'il n'était plus là.

Où était-il ?

À LA nouvelle lune, le ciel se déchira et le froid tomba. Les chiens piaffaient d'impatience alors que Matt terminait d'ajuster les harnais qu'il avait fabriqués avec ce qu'il avait pu récupérer des harnachements de ses chevaux.

Enfin, il attela. Il longea pendant plus d'une heure la muraille rocheuse en effectuant plusieurs détours, gêné par des éboulis, puis il arriva là où l'éperon rocheux émergeait du sol et il le contourna.

Il comprit alors ce que Mersh avait fait. Le terrain s'élevait jusqu'à rejoindre en une sorte de plateau triangulaire le sommet de la muraille, ce que Matt ignorait et n'avait même pas imaginé. C'est par là que Mersh s'était échappé. Comme il fallait monter une pente à près de 40°, Matt laissa ses chiens et, armé de sa carabine, il grimpa à la recherche d'indices. Il ne décela aucune empreinte, rien qui pût lui donner la moindre indication.

Ce n'est qu'en repartant avec ses chiens qu'il aperçut, sur la surface gelée d'un cours d'eau, les copeaux de glace qu'une hache avait enlevés pour puiser de l'eau dans le ruisseau. Le trou avait regelé, mais aucun doute n'était possible. Seul un être humain avait pu faire cela. Matt en eut la confirmation aussitôt en repérant une perche de jeune pin ébranchée dont Mersh avait dû se servir pour faire cuire quelque chose. En grattant la neige, il trouva les cendres d'un feu.

Cette découverte, la preuve matérielle que Mersh était bien vivant, provoqua en lui un mélange de sentiments assez paradoxal. Il était déçu qu'il se soit échappé mais en même temps rassuré de le savoir vivant. D'évidence, Mersh avait suivi le ruisseau qui se dirigeait vers le sud. Matt fit de même, s'étonnant que la couche de glace fût aussi épaisse et uniforme. La neige qui la recouvrait était compactée par le vent et ils filaient vite.

Matt ne savait plus très bien après quoi il courait, ni pourquoi. Certes, Mersh avait tenté de le tuer et il était animé par l'esprit de vengeance, mais il voulait surtout comprendre pourquoi, après lui avoir sauvé la vie, Mersh voulait la lui reprendre.

Si les circonstances de leur prochaine rencontre le permettaient, il s'efforcerait de faire parler Mersh avant de le tuer.

19

MATT s'apprêtait à s'arrêter pour la nuit, après une longue journée de progression, lorsqu'il vit au loin le petit point noir grandissant d'un attelage qui venait dans sa direction. Les chiens se mirent à japper puis à hurler, la gueule levée vers le ciel rosissant.

C'était un attelage de huit chiens qui ressemblait à celui de Mersh, mais le conducteur était de plus petite taille et arborait une silhouette plus fine. Celui-ci stoppa à environ 800 mètres du campement de Matt, l'étudiant avec une attention particulièrement soutenue.

Matt fouilla dans son traîneau et en sortit la carabine et une paire de jumelles. Il les porta à ses yeux. Le choc lui fit l'impression d'un énorme coup de poing dans la poitrine.

Nastasia.

Elle restait à distance, debout sur le frein pour bloquer ses chiens qui manifestaient une furieuse envie de rejoindre la meute de Matt. Les yeux toujours rivés à ses jumelles, ce dernier étudiait l'attelage. C'était celui de Mersh !

Mais que faisait-elle ici, seule, avec les chiens de Mersh ? Était-elle avec lui lorsqu'il l'avait attaqué ? Matt n'y comprenait plus rien. Il aurait dû s'inquiéter de cette présence, mais il n'y parvenait pas. Il était trop heureux de la voir et il lui fit de loin un signe de bienvenue auquel elle ne répondit pas.

Bien au contraire, elle mit l'ancre et reconduisit ses chiens dans sa trace, pour faire demi-tour. Excités par la présence d'autres chiens, ils n'obéissaient pas et il l'entendit se mettre en colère après eux. Le son de sa voix traversait l'air immobile sans rien perdre de sa netteté première. C'était aux oreilles de Matt comme une musique aux notes cristallines et harmonieuses. Mais, tout à coup, il se figea alors qu'un jet d'adrénaline parcourait ses veines. Il avait nettement perçu des mots qui n'étaient pas indiens et qu'il avait compris.

Elle parlait la même langue que lui !

Décidément, Matt n'était pas au bout de ses surprises.

À moins qu'il ne s'agît que de quelques mots appris pour conduire l'attelage de Mersh qui ignorait les ordres indiens ?

Mais elle avait dit : « Tu restes à ta place, tu comprends, oui ou non ? » C'était plus qu'un ordre.

Elle donna le signal du départ et les chiens partirent comme à regret, au ralenti. Matt n'aurait aucun mal à la rejoindre, d'autant plus qu'il filerait sur une piste tassée par deux passages.

Dès lors, pourquoi fuir ? Lui tendait-elle un piège ? Servait-elle d'appât ? Assurément. Mersh était là quelque part à l'attendre. Elle servait d'appât…

Il s'en fichait. Il allait la rejoindre et il improviserait. Il ficela son chargement, vérifia ses lignes et donna l'ordre du départ. L'attelage arracha le traîneau avec des jappements de plaisir et Matt, surpris par tant de puissance, faillit lâcher prise. Les chiens n'avaient vu personne depuis des semaines et étaient surexcités. Ils galopaient à toute vitesse malgré la couche épaisse de neige dans laquelle ils avaient à brasser pour atteindre la piste de Nastasia. Dès qu'ils s'y engagèrent, ils accélérèrent encore, si bien qu'en quelques minutes, ils eurent Nastasia dans leur ligne de mire. Elle se retournait sans cesse et Matt ne comprit pas qu'elle ne s'arrête pas. Elle serait rejointe de toute façon en quelques centaines de mètres. Il s'apprêtait à le lui crier lorsqu'un coup de feu déchira l'air. Matt entendit siffler la balle juste au-dessus de sa tête, et les chiens, surpris, freinèrent d'un coup.

Matt mit aussitôt l'ancre et se cacha derrière son traîneau tout en armant sa carabine. Il scrutait les environs à la recherche de Mersh quand un deuxième coup de feu retentit. Il entendit le hurlement de douleur de l'un des chiens.

— Nom de Dieu, les enfants de salauds !

Matt s'était levé subitement et cherchait où pouvait bien être le tireur. Alors, il vit Nastasia lever la main et tirer une troisième fois dans sa direction. La balle se ficha dans la neige, à sa droite.

— Un pistolet !

Il leva sa carabine et mit Nastasia dans sa ligne de mire. Elle était maintenant à plus de 200 mètres, mais lui, contrairement à elle, n'était pas en mouvement et pouvait s'appuyer sur l'un des montants du traîneau. Il visa son dos et commença d'appuyer sur la détente lorsqu'il donna un coup d'épaule pour dévier le coup. Bien qu'il fût hors de lui, il ne pouvait pas faire cela.

Elle s'éloignait. Il ne risquait plus rien pour l'instant. Il lâcha sa carabine et se rua vers Chinook qui agonisait dans la neige.

— Mon Chinook ! Mon petit Chinook !

La balle l'avait percuté en pleine poitrine et Matt sut qu'il ne pouvait rien faire. Il se blottit contre lui et l'accompagna dans son dernier souffle. Il resta longtemps ainsi, prostré au-dessus de son compagnon sans vie, l'entourant de ses bras et mouillant de larmes la fourrure de sa tête. Quand il se releva, il avait le visage congestionné par la colère. Entre ses dents, serrées à se casser, il dit :

— Espèce de petite pute d'Indienne ! Tu vas me le payer cher !

Il s'en voulait. Il aurait dû la tuer. Elle n'avait pas hésité, elle, à lui tirer dessus.

Il plaça le corps inerte de Chinook dans son traîneau et alla d'un chien à l'autre pour les rassurer. Or gémissait et il dut longuement la réconforter en lui parlant beaucoup. Il ne savait que faire. Suivre Nastasia, c'était s'exposer à un risque bien trop grand, car il était forcé de suivre ses traces. Il ne pouvait la contourner et la surprendre en l'attendant quelque part, à l'orée d'une forêt ou dans le coude d'une rivière.

Il décida d'attendre la nuit. Elle s'arrêterait bien quelque part. Tant qu'elle serait en route, il ne pouvait rien tenter. Il commença à défaire son chargement.

L'AUBE n'était pas encore là que Matt avait déjà attelé. Au cours de la nuit, une bruine de neige avait étendu un voile de givre sur le paysage. Nastasia avait prévu cette précipitation qui avait camouflé ses traces, Matt en était certain. Les Indiens savent lire dans le ciel les signes du temps.

Un soleil blanc s'était levé. Matt étudiait chaque mètre carré de piste, tous les sapins et autres buissons d'aulnes et de bouleaux nains qui auraient pu dissimuler la piste par laquelle Nastasia avait fui.

Sans les traces d'une martre qui attirèrent son regard, il n'aurait sans doute pas trouvé celle-ci, qui partait derrière un épaulement de terrain formé par les rives d'un ruisseau longeant un grand marais. La piste avait été comblée avec de la neige qu'elle avait ensuite très soigneusement balayée. La petite bruine avait achevé le travail, que Matt contempla avec une pointe d'estime admirative. « Mais où estelle allée ? »

Il eut vite la réponse.

En suivant ce ruisseau, on débouchait sur une rivière qui avait gelé tardivement et dont la couche de glace n'était recouverte que de peu de neige, si bien que Nastasia n'avait pas eu à battre la piste. Elle avait filé sur cette belle surface dure. Matt y lança ses chiens avec cinq heures de retard sur elle, peut-être encore plus si elle était partie aux premières lueurs. Une dizaine de kilomètres plus loin, la piste passait par le bois pour éviter une succession de rapides où la glace était inégale. Elle empruntait plus loin un fleuve trois fois plus large que la rivière et où la neige avait été soufflée par le vent qui ne rencontrait ici pas d'obstacle. Les chiens adoptèrent le grand trot sur cette surface de rêve et Matt reprit confiance. En deux ou trois heures, il l'aurait rejointe.

C'EST un petit éclat de soleil, une brillance inhabituelle, qui attira son œil et l'avertit d'un danger alors qu'il arrivait en vue d'une chaîne de montagnes que le fleuve longeait.

Elle était là, il en était sûr, sur cette butte, à l'attendre pour le tirer comme un lapin au cas où il aurait réussi à retrouver sa trace. Elle s'était mise à l'affût, en profitant pour reposer ses chiens. C'est aussi ce qu'il aurait fait. Décidément, ce petit bout d'Indienne en avait dans le ventre.

Il quitta la trace et arrêta ses chiens dans la frange de sapins qui garnissait les rives. Il les y attacha.

— Je compte sur toi, Or. Tu te tais et tu restes bien sagement ici avec les autres, OK ?

Elle le regardait de ses yeux intelligents avec l'air de comprendre. Il alla ainsi auprès de chaque chien en répétant l'ordre qu'ils connaissaient bien.

— Tais-toi.

Puis il chaussa ses raquettes, traversa la petite forêt de sapins en grimpant la pente et, une fois qu'il eut atteint la limite des arbres, il remonta parallèlement au fleuve vers le point où il avait la conviction d'avoir repéré Nastasia.

Grâce à la hauteur qu'il avait prise en s'élevant au-dessus des arbres, il atteignit vite un endroit d'où il put observer aux jumelles la petite butte au sommet de laquelle, à l'abri d'un gros rocher oblong, Nastasia était à l'affût, une carabine posée devant elle, prête à tirer.

Il en éprouva un curieux mélange de haine et d'amertume coupable. Mais qu'avait-il fait pour qu'elle le haïsse au point de venir jusqu'ici, à sa recherche, pour le simple plaisir de lui trouer la peau et de lui ôter la vie ?

Avant de venger Chinook, il voulait savoir. Mais pourrait-il l'approcher sans qu'elle décèle sa présence ? Il en doutait. Alors, il devrait l'abattre. À cette idée, une boule se logea dans son ventre. Pourtant, il arma sa carabine, vérifia le mécanisme et fit jouer deux fois la culasse pour s'assurer qu'il était prêt. Puis, en se cachant derrière les sapins épars, il s'approcha. Par chance, la couche de neige fraîche absorbait le bruit de ses raquettes qui l'écrasaient mollement, comme du coton. Dans la dernière pente, il les ôta car il pouvait se laisser glisser silencieusement. Il ne quittait pas Nastasia des yeux. Allongée au soleil sur une peau de caribou, bien à l'abri de la brise, elle était immobile. Cependant, de là, elle aurait dû voir l'attelage déboucher dans la première boucle et bifurquer vers la forêt. Elle aurait dû être sur ses gardes. Or elle restait parfaitement calme et immobile. Trop calme. « C'est un piège ! »

Le sang lui monta aux tempes alors qu'il s'écrasait dans la neige, scrutant autour de lui. Elle avait disposé là une forme et elle était ailleurs, à le guetter ! À chaque instant, il s'attendait à entendre un coup de feu déchirer l'air et la balle lui traverser la poitrine. Mais rien ne se produisait. Il était pourtant à 50 mètres à peine du rocher. Il reprit ses jumelles et l'observa minutieusement. Il aperçut des cheveux. « Elle est morte ! »

Cette pensée le troubla au plus haut point car il en éprouva un indicible chagrin, d'autant plus absurde qu'il était ici pour la tuer. Si c'était un piège, elle aurait déjà tiré.

Il s'approcha encore, tous les sens aux aguets, en la contournant quelque peu pour essayer d'apercevoir son visage.

Mais elle était bien là.

Elle dormait, la main posée sur la crosse de la carabine.

Matt ne faisait pas un bruit dans la neige cotonneuse. Il approcha encore et resta un instant à 2 mètres d'elle, bouleversé par cette jeune fille magnifique. Elle était là, à sa merci, et son cœur s'abîmait dans sa poitrine à cette seule contemplation. Il n'avait jamais ressenti une telle avalanche de sentiments contradictoires.

Elle eut soudain un sursaut, ouvrit les yeux. Un cri strident s'échappa de sa bouche quand elle croisa son regard. Il se jeta sur elle et la désarma en envoyant son arme dans la pente. Après une courte bagarre, il réussit à l'immobiliser sous lui, alors qu'elle essayait de le mordre et se débattait comme une furie.

— Arrête ! Arrête ! J'aurais pu te tuer cent fois !

— Tu aurais mieux fait de le faire !

Il fut tellement surpris de l'entendre parler aussi bien que lui qu'il faillit la lâcher. Sous eux, au pied de la butte, les chiens de Mersh aboyaient à tout rompre. Plus loin, ceux de Matt répondaient.

Elle secouait la tête en tous sens, le visage congestionné par la colère et par la peur.

— Comment parles-tu ma langue ?

Elle cracha, plus qu'elle ne répondit :

— Mieux vaut connaître votre langue pour vous combattre !

— Nous combattre ?

— Tous les Blancs sont mes ennemis, toi le premier !

— Mais pourquoi ?

Elle se mura dans le silence, puis, glaciale, elle dit :

— Je suppose que si tu ne m'as pas tuée tout de suite, c'est parce que tu veux me violer avant. Alors, fais vite ! Qu'on en finisse !

À la fois étonné et perplexe, Matt ouvrait la bouche pour lui répondre quand il se ravisa, pensant tout à coup à ses chiens.

— Que tu veuilles me tuer parce que je suis un Blanc, soit, mais Chinook, hein ! Tu as tué Chinook !

Il la secouait, ivre de colère. Elle le regarda, contrariée.

— C'est toi que je voulais tuer, pas le chien.

— Oui, mais c'est lui que tu as tué, espèce de…

Il avait envie de la frapper, mais il arrêta son geste au dernier moment. Soudainement, il la lâcha.

— Ne bouge pas ou je te tue !

Il avait l'air tellement sûr de lui qu'elle obéit. Elle s'assit, ses bras autour de ses jambes repliées, ses yeux comme ceux d'un animal pris au piège.

— Il va falloir qu'on cause, tous les deux. Que tu m'expliques pourquoi Mersh a voulu me tuer et toi aussi…

— Mersh ! Tu l'as tué ?

Elle avait sursauté quand il avait prononcé son nom.

— Non, je ne l'ai pas tué.

Elle retrouva quelques couleurs en même temps qu'elle souffla de soulagement.

— C'est ton… compagnon, c'est ça ? demanda Matt.

Elle garda le silence un instant, puis une lueur amusée dansa dans ses yeux, aussi brillants que ceux d'un loup.

— Mon compagnon, jamais ! Jamais un Blanc ne sera quoi que ce soit d'autre pour moi qu'un ennemi de la pire espèce.

— Mais… Mersh ?

— Mersh !… Il n'est plus un Blanc. Il fait partie de notre peuple et il est mon père.

Elle avait redressé la tête, fière. C'était au tour de Matt d'être interloqué.

— Ton père !

Il répéta comme pour lui-même, horrifié autant que surpris :

— Ton père ! Mais pourquoi a-t-il voulu me tuer ? Tu le sais, toi qui veux aussi m'abattre ?

Elle semblait hésiter.

— Nastasia, dis-le-moi !

Pour la première fois, sa voix s'était faite douce et Nastasia recula instinctivement, ses yeux retrouvant des flammes de haine.

— Ne m'appelle pas Nastasia !

— Je t'appelle comment, alors ?

— Tu ne m'appelles pas. Tu me violes, tu me tues, mais tu ne m'appelles pas.

— Je n'ai pas l'intention de te violer, pas plus que...

— Tu mens !

Ils s'affrontèrent du regard. Matt chavira dans celui de Nastasia. Il retourna son arme et la lui donna.

— Pour te prouver que je ne mens pas et pour que tu me fasses confiance, voilà ! Explique-moi ce que j'ai bien pu faire qui me vaut d'être traqué à mort.

Elle prit l'arme, qu'il retint un moment jusqu'à ce qu'elle le regarde dans les yeux, alors, il la lâcha. Nastasia la dirigea contre lui. Une moue de victoire lui égayait maintenant le visage.

— Tu es courageux pour un Blanc, et tu mérites de savoir avant de mourir, car tu vas mourir. Il ne fallait pas me donner ton arme...

Elle se leva et recula tout en continuant à le tenir en joue.

— Tu m'as dit que tu allais m'expliquer.

— Le conseil t'a condamné. Il t'a condamné pour avoir pénétré notre territoire et avoir trouvé son secret.

— Lequel ?

— Tu le sais bien : l'or. L'or que tu t'apprêtes à exploiter avec des centaines d'autres, des milliers d'autres qui vont venir nous spolier de notre dernier sanctuaire...

Sa voix s'était durcie.

— C'est donc ça...

Il réfléchissait à toute vitesse.

— Et Mersh a laissé tomber l'or à cause de ça ?

— Mersh n'a pas besoin d'or. Ici, l'or ne sert à rien !

— Je l'ai compris, moi aussi.

— Menteur !

Il chercha son regard.

— Je te jure, Nastasia, que c'est…

— Ne m'appelle pas Nastasia !

Il crut qu'elle allait tirer. Il leva les bras en signe d'apaisement.

— Je te jure que c'est la vérité, la stricte vérité. Je ne veux plus de cet or. Je ne veux rien prendre à ces terres…

— Menteur ! Les Blancs sont tous des menteurs. De sales menteurs qui volent les terres et violent les femmes.

— Je n'ai jamais violé une femme… Quant à cette terre, c'est vrai que j'ai voulu lui voler ce qu'elle avait dans le ventre en arrivant ici. Je ne pensais qu'aux richesses qu'elle allait me procurer et la terre m'a expliqué que la plus belle richesse est ailleurs, dans la brillance d'un coucher de soleil ou dans celle… d'un regard…

Elle baissa les yeux un quart de seconde. Ils restèrent un long moment silencieux.

— Qui t'a violée ?

Elle sursauta et ses yeux lancèrent des flèches.

— Un Blanc comme toi, un sale Blanc, a violé ma mère devant moi quand j'avais douze ans, puis il l'a tuée…

Tout son visage était maintenant rouge de haine et de chagrin. Elle tremblait à cette évocation et des larmes perlèrent au coin de ses paupières.

— … et puis il a voulu recommencer avec moi et m'a pénétrée de son affreux sexe de Blanc.

Matt la regardait avec effroi, s'imaginant l'ignoble scène.

— Mais il n'a pas pu continuer…

Elle refoula un sanglot.

— Mersh ?

— Non, un autre.

— Il l'a tué ?

— Blessé, et puis Mersh l'a achevé un peu plus tard en prenant son temps…

Un long silence s'ensuivit, seulement troublé par les aboiements des deux meutes qui se répondaient de loin.

— Comment as-tu deviné que j'avais été violée par l'un des tiens ?

Elle avait bien insisté sur ces trois derniers mots.

— Tout le dit chez toi. Cette cicatrice est aussi visible qu'une trace dans la neige.

Elle avait redressé l'arme et sa main se crispait sur elle. Elle avait l'air totalement décidée à le tuer. Matt leva la main.

— Attends! Ne tire pas tout de suite. Laisse-moi te dire une dernière chose.

— Quoi!

Elle paraissait impatiente. Cette conversation avait rouvert des plaies. Elle imaginait qu'elle les refermerait en en finissant avec lui.

— Quitte à mourir, autant que tu le saches.

Avec un haussement d'épaules dédaigneux, elle lui fit signe de continuer. Tout son être exprimait le dégoût.

Il baissa les yeux, cette fois, incapable d'affronter son regard.

— Je... je t'aime, Nastasia, depuis le premier jour où je t'ai vue. J'ignorais qu'une chose pareille soit possible. Mais je ne cesse de penser à toi. Je voudrais... je voudrais arriver à atténuer ta souffrance. Je voudrais que tu me comprennes, que tu me regardes sans haine... que...

Il releva les yeux qu'il avait embués de larmes.

— Nastasia...

— Ne m'appelle pas comme ça. Sale Blanc! Aucun homme et surtout pas un Blanc ne me touchera jamais, ni ne pourra me parler comme tu as osé le faire...

Il ouvrit la bouche pour répondre, mais elle avait porté l'arme à son épaule. Il ferma les yeux.

Elle visa la poitrine de Matt, puis son ventre et enfin son genou. Elle appuya sur la détente.

La déflagration parut énorme. Une gerbe de sang éclaboussa la neige alors que la balle, après avoir traversé la jambe de Matt, un peu en dessous du genou, ricochait sur le rocher et s'en allait en sifflant, comme pour se moquer de ce qu'elle avait fait.

À la brûlure succéda la douleur, terrible et tellement aiguë que Matt perdit connaissance pendant quelques minutes.

Quand il rouvrit les yeux, Nastasia disparaissait dans la pente. Elle avait laissé l'arme à mi-chemin, crosse plantée dans la neige.

— Nastasia, réussit-il à articuler.

Mais elle était partie.

Matt resta un long moment immobile, pris de vertige, la mâchoire serrée pour tenter de maîtriser la douleur. Il perdait beaucoup de sang et c'est ce qui le força à agir. Avec son couteau, il tailla une lanière dans le bas de sa grosse chemise de laine et noua un garrot au-dessus du genou. Il vit que la balle avait fracassé l'os et arraché pas mal de chair. Il s'évanouit.

Lorsqu'il se réveilla, il ne savait plus depuis combien de temps il gisait là, ni ce qui s'était réellement passé. Il avait froid et il rampa jusqu'à la peau de caribou abandonnée par Nastasia. Il s'enroula du mieux qu'il put et ferma les yeux sur sa douleur.

20

Lorsqu'il s'éveilla, Or le léchait et grattait son épaule. Elle avait entraîné l'attelage sur ses traces après avoir réussi à casser la lanière de cuir qui retenait le traîneau à un sapin.

— Or! Ma petite Or, dit-il faiblement.

Skagway et Dyea s'approchèrent en gémissant, la queue basse. Matt leur prit l'encolure et les félicita, encourageant le reste de l'attelage qui n'osait pas avancer à faire de même. Il se retrouva bientôt sous une masse de poils, submergé par ses chiens et par l'émotion.

— Mes chiens! Mes petits chiens…

Il les caressait et ils le léchaient en retour.

— Sans vous, je ne suis rien, rien…

Épuisé, vidé d'une partie de son sang, ému, il se mit à pleurer. Cela lui faisait du bien, le réconfortait d'une certaine manière. Il resta un long moment ainsi au milieu de ses chiens, puis il se dégagea en grimaçant de douleur.

Il défit les nœuds qui s'étaient formés quand les chiens s'étaient rassemblés autour de lui et il se traîna jusqu'au traîneau, sur lequel il se hissa.

— Or, devant!

La secousse lui arracha un gémissement de douleur.

— Doucement… doucement! arriva-t-il à prononcer.

Or suivit la trace que Nastasia avait faite jusqu'à la forêt et stoppa aussitôt que Matt, incapable d'articuler un ordre, pesa de sa jambe valide sur le frein à la hauteur d'un gros pin mort sur pied. Les chiens, surpris, se retournèrent et virent Matt ramper jusqu'à un sapin, non loin de là, pour en casser les branches les plus basses.

Il lui fallut un long moment pour construire son feu et scier quelques bûches, mais il put bientôt se reposer auprès des flammes et surtout se faire chauffer un peu d'eau et cuire du lard. Cela lui fit du bien.

À la nuit tombante, il détela les chiens auxquels il distribua quelques morceaux de viande de cheval congelée, puis il s'attaqua à sa blessure. Grâce au froid qu'il laissa insensibiliser la zone abîmée, Matt put nettoyer la plaie et la désinfecter. L'os, bien qu'entamé, n'était pas brisé.

À la lueur de sa lampe frontale, il se fabriqua une attelle en travaillant au couteau une demi-bûche prise dans la partie basse, non noueuse, du pin. Dès qu'il eut fini, il s'écroula littéralement dans son sac de couchage et s'endormit aussitôt.

Il se réveilla quinze heures plus tard, mangea, nourrit ses chiens et se rendormit. Il émergeait par moments mais se sentait incapable de se lever. La tête lui tournait et il avait des nausées. Il s'inquiétait. N'avait-il pas perdu trop de sang ?

Il demeura dans cet état semi-léthargique pendant trois jours, puis la neige le contraignit à bouger pour monter sa tente. Il eut le plus grand mal à rester debout et encore plus à couper les perches dont il avait besoin. Mais l'exercice lui fit du bien. Dès lors, il se força à se lever plusieurs heures par jour. Les vivres commençaient à manquer, mais il eut une chance incroyable. Un fabuleux coup de pouce du destin qui lui redonna courage.

Un soir, alors qu'il sciait des bûches devant sa tente, Matt aperçut deux élans à un peu moins de 200 mètres de lui. Il se rua sur sa carabine et tira les cinq balles du chargeur sans prendre le temps de voir si elles atteignaient leur but.

Il toucha l'élan qu'il ne visait pas, n'ayant pas effectué la correction nécessaire. Atteint en pleine colonne vertébrale, l'animal n'alla pas loin. Matt attela et se rendit auprès de lui, l'achevant d'une balle dans le cou. Il se mit aussitôt à la tâche et le découpa jusqu'à ce qu'il ne reste plus d'autre viande que celle attachée sur les os. Alors, il libéra les chiens qui se gavèrent de tous les abats qu'il leur laissa, à l'exception du foie qu'il cuisina le soir même. Il marchait de mieux en mieux avec sa jambe malade. La plaie, après avoir longuement suppuré, cicatrisait enfin.

Il neigea et venta pendant cinq jours, puis le vent tourna et cessa quand le froid s'abattit. Toute la nuit, Matt entendit les arbres claquer sous l'effet du gel et de la glace qui, en s'épaississant, craquait sur le fleuve endormi.

MATT demeura presque cinq semaines à cet endroit, vivant avec ses chiens sur le grand élan que la Providence avait guidé à portée de sa carabine, alors qu'il eût été incapable de se lancer sur les traces d'un animal.

Sa blessure avait bien cicatrisé, l'os s'était reformé et il pouvait maintenant marcher sans s'appuyer sur une perche, mais une douleur persistait.

Il hésitait sur la conduite à tenir. Devait-il prolonger sa convalescence ou forcer sa rééducation ?

De toute façon, il n'avait pas vraiment le choix. Ses provisions de viande s'épuisaient. Dans quelques jours, il lui faudrait repartir sur une piste fraîche.

Il s'étonnait de ne pas avoir reçu la moindre visite. Il s'attendait à celle de Mersh ou d'un Indien envoyé par Nastasia. En revanche, il doutait qu'elle eût envie de le revoir après ce qu'il lui avait avoué. Mais il se remémorait leur conversation et y cherchait des raisons d'espérer. Ne lui avait-elle pas dévoilé son plus grand secret ? Et n'avait-elle pas épargné sa vie ?

Jamais il n'aurait imaginé qu'une rencontre puisse le marquer à ce point. Il ne pouvait songer à autre chose, ni envisager un avenir, un projet sans Nastasia. Elle occupait tout son espace.

Cela faisait des mois qu'il n'avait parlé à qui que ce fût, à l'exception de cette brève conversation avec Nastasia, et il commençait à en ressentir les effets pervers. Il avait de plus en plus de mal à raisonner et se méfiait de lui-même.

« Il faut que je retourne auprès des hommes », se dit-il.

Et il se mit à penser à Marie, pour la première fois depuis des semaines. Elle l'aiderait sûrement, le conseillerait. Il allait chasser, puis quand il se serait procuré de la viande, il se rendrait à Dawson. Voilà ce qu'il allait faire.

Dès le lendemain, il attela ses chiens. C'était une journée magnifique, sans vent. Les chiens semblaient heureux de repartir, et cette allégresse, cette jubilation, gagna Matt. Ils filèrent ainsi, sur le cours de la rivière gelée, pendant deux jours, jusqu'à ce qu'ils croisent les traces fraîches d'une petite harde de caribous alors qu'ils traversaient une zone de grands marécages. Matt en abattit trois, ce qui lui constituait une provision de viande pour une bonne dizaine de jours, exactement ce qu'il lui fallait pour aller jusqu'à Dawson, surtout si ce temps tenait. Il resta un jour près des caribous, puis il repartit vers le sud.

Durant quatre jours, il alla ainsi, sans se presser. Il alternait la raquette devant les chiens, pour les aider dans la neige profonde, et la conduite du traîneau dès que la neige était un peu plus tassée. Il passa plusieurs cols. Dans ce massif, il vit des hardes de caribous, quelques mouflons et même des ours noirs qui se gavaient de myrtilles gelées sur le flanc dégarni de certains sommets. Leurs derniers repas avant un long hivernage.

Il s'arrêta une journée entière aux confluents de deux torrents de montagne pleins de truites dont il se gava ainsi que les chiens. Le soir, il alluma un grand feu sous le tronc calciné d'un pin foudroyé et admira le coucher du soleil sur les étendues neigeuses le disputant aux plaines de lichen. Dans le ciel qui se chargeait à l'est de larges nuages blancs, Matt lut la venue prochaine de fortes chutes de neige. Bientôt, elle recouvrirait tout.

C'est alors qu'il vit à l'horizon deux cavaliers sur sa piste.

Il se rua sur sa carabine qu'il chargea et se posta derrière un des nombreux rochers essaimés sur l'alpage où il campait.

Ce n'étaient pas deux cavaliers, mais deux chevaux, l'un monté par un cavalier et l'autre tenu à la longe. Ce n'était pas un cavalier mais une cavalière, qu'il eût reconnue entre mille.

Son cœur ne fit qu'un bond dans sa poitrine et Matt fut soudain pris de vertige, incapable de mettre de l'ordre dans ce qui se bousculait dans sa tête. Qu'allait-il faire? Qu'allait-il lui dire? Il aurait voulu se préparer à cette rencontre. Or, elle arrivait. Elle venait droit sur lui.

Nastasia arrêta ses chevaux à une dizaine de mètres de lui, les attachant à une touffe de jeunes pins. Elle se redressa avec une sorte de ricanement en le voyant debout, la carabine à la main.

— Alors, comme ça, tu as survécu?

— Comme tu peux le voir.

— Je pensais que tu étais mort.

— Tu n'as pas cherché à me tuer.

— La mort est une délivrance. Mourir d'une blessure est autre chose.

— Toutes les blessures peuvent se guérir, même la tienne... Comment as-tu su que j'étais vivant?

— Les Indiens savent tout ce qui se passe chez eux.

— Mais encore?

— Un groupe de chasseurs a relevé tes traces près de la rivière Siwatchii.

— J'ignore quelle rivière s'appelle ainsi.

Elle rit avec une certaine condescendance.

— Vous lui avez donné un nouveau nom, mais elle n'en veut pas.

— C'est la Kluane?

Elle ne répondit pas. Un silence s'installa. Il la contemplait, subjugué par sa beauté. Elle regardait autour d'elle...

— Que cherches-tu?

— Je ne veux pas que tu tues mon père.

— Mersh?

— Quand il a appris que tu étais encore vivant malgré ce que... ce que je t'avais fait, il est parti aussitôt, comme un fou. Il se doutait que tu allais te rendre à Dawson pour l'or et il t'attend quelque part.

Du menton, elle montra les montagnes vers le sud. Matt n'y comprenait plus rien.

— Mais... mais, pourquoi es-tu ici? Pour me prévenir?

Une lueur d'espoir avait teinté ses yeux clairs et elle y répondit par un haussement d'épaules.

— Ainsi, Mersh ne s'est pas trompé, tu vas à Dawson pour l'or?

— Non.

— Pourquoi, alors?

— Pour récupérer ce que j'ai à récupérer dans ma cabane, pour dire au revoir à la ville et pour envoyer une lettre à ceux que j'aime, chez moi, à ma mère, pour lui expliquer…

— Lui expliquer quoi? Que tu as trouvé de l'or?

— Oui, que j'ai découvert ici des trésors, mais je ne parlerai pas de l'or.

— Tu parleras de quoi, alors?

— De ça…

Il fit un demi-tour sur lui-même, embrassant le paysage.

— Tu veux du thé? demanda-t-il.

Elle ne répondit pas. Il lui servit une tasse, qu'elle prit puis qu'elle jeta brusquement. Matt sursauta.

— Je suis ici pour Mersh, pour rien d'autre, explosa la jeune fille. Je te hais avec tes belles paroles et ton thé de sale Blanc!

— Je te comprends. Si j'avais vécu la moitié de ce que tu as vécu, je serais sans doute moi-même aussi haineux envers ceux qui représentent…

Elle lui coupa sèchement la parole.

— Je ne veux pas de ta sollicitude, tu m'entends?

Il fit signe que oui.

— Je n'ai toujours pas compris pourquoi tu es ici.

Elle attendit un moment avant de répondre.

— Parce que Mersh est devenu bizarre ces derniers temps et qu'il existe une chance que ce soit toi qui le tues.

— Ah, c'est donc ça. Tu es là pour le protéger.

— Ou pour le soigner…

— Comment ça?

— Il a changé. Il passe son temps à parler tout seul. Il est devenu incohérent. Il est même parti sans ses balles! Avec une carabine mais sans munitions. Jamais il n'aurait oublié ses munitions avant. Jamais, lui avoua-t-elle comme à regret.

Elle semblait maintenant démunie, triste, et son visage n'exprimait plus qu'inquiétude et fatigue. Il se retint pour ne pas aller la prendre dans ses bras. Mersh était tout ce qu'elle avait et elle avait peur pour lui. Elle avait peur qu'il ne lui arrive malheur. Mais alors, pourquoi ne l'avait-elle pas suivi pour le tuer, lui? N'était-ce pas la meilleure façon de protéger Mersh?

Elle le lui dit sans qu'il ait à poser la question.

— Je voulais te tuer, mais avec tes chiens j'aurais eu du mal à t'approcher suffisamment.

— C'est donc ça…

— Et puis je voulais te dire que ton mensonge avait été dévoilé.

— Quel mensonge?

— Celui que tu m'as dit en m'assurant que tu n'exploiterais pas l'or.

— C'est la vérité. Je ne vais pas à Dawson pour enregistrer un claim là-bas.

Elle demeura un instant silencieuse.

— Je te crois, dit-elle finalement après avoir réfléchi.

Il se redressa vivement, surpris, mais elle contemplait le ciel. Il admira sa fine silhouette qui se découpait dans l'azur du crépuscule.

— Ne me regarde pas comme ça.

— Comment?

— Comme un loup qui tourne autour de sa proie.

Elle s'était rapprochée de lui, à le toucher.

— Jamais, tu m'entends, jamais, et je le jure sur tout ce que j'ai de plus précieux, tu ne poseras la main sur moi. Et la parole d'un Indien est aussi droite que la trajectoire d'une flèche.

Matt fit un mouvement pour la prendre par les épaules, mais il retint son geste juste à temps. Son visage s'était durci.

— À mon tour de te faire une promesse que tu peux croire ou non. Peu importe. Jamais, Nastasia, jamais je ne te toucherai ni n'autoriserai quiconque à te toucher sans que tu sois consentante…

— Peut-être qu'un jour, lointain, un Indien aura ce droit.

Matt ne put réprimer une sorte de soupir.

— Bon! Et Mersh, alors? Qu'est-ce que je fais? Je me laisse tuer?

— Si tu veux.

Il sourit.

— Par toi, je veux bien, mais par Mersh… je suis un peu réticent.

Elle n'appréciait pas son humour et le lui fit comprendre sans prononcer un mot.

— Tu penses qu'il est où ?

— Sur ta route ou à t'attendre à ta cabane.

— Sans arme.

— C'est le problème. S'il avait une arme, je ne serais pas ici. Il t'aurait tué facilement et puis voilà.

— Il a déjà échoué et pourtant, il avait une arme…

Elle haussa les épaules dédaigneusement.

— Autrefois, il t'aurait tué d'une seule balle à 200 mètres et tu n'aurais même pas eu le temps de t'en apercevoir…

Matt esquissa un sourire.

— Comme l'élan ?

— Encore une leçon que tu n'as pas comprise. Nous aurions dû nous en douter. Un Blanc ne mérite pas qu'on lui donne une leçon. Il est aveugle.

Matt, piégé, restait silencieux. Nastasia, sur ce point, avait raison. Il n'avait pas compris la leçon de l'élan.

— Bon, voilà ce que je te propose. Tu me suis jusqu'à la cabane. Puisqu'il me cherche, le meilleur moyen de le trouver est de rester avec moi, non ?

Elle approuva d'un signe.

— Et lorsqu'on l'aura trouvé, tu lui expliqueras.

— Quoi ?

— Que ça sert à rien de me tuer, que je ne veux pas de l'or et que…

Il hésitait.

— Et que quoi ?

— Que je ne suis pas une menace pour toi.

— Je ne le crois pas moi-même. Un Blanc est capable du pire pour avoir ce qu'il veut. Ça, il ne le croira pas.

— Sauf si tu le lui dis toi-même.

— Je veux bien le lui dire si tu me donnes ta parole de disparaître aussitôt après.

— Si tu le souhaites…

Elle soupira.

— Je le souhaite déjà. Dans quelques jours, ce souhait se transformera en une question de vie ou de mort pour toi. Ne te fais aucune illusion.

21

I L neigea toute la nuit. Matt se leva deux fois pour chasser la neige qui s'accumulait sur les pans de sa tente. Il remarqua que le feu de Nastasia brûlait toujours. Elle l'entretenait. À l'aube, sa théière était sur le feu avant lui et elle pliait bagage avant même qu'il eût commencé à ranger sa tente. Il aurait juré qu'elle le faisait exprès et une sorte de rage muette le prit qui dura jusqu'au soir. Il avait mal à la jambe, cette satanée jambe qu'elle lui avait transpercée à bout portant. Et il se mit à la détester. Elle était là à se moquer de lui, à le considérer comme un moins que rien. Il voyait bien que ce qu'il pourrait faire n'y changerait rien. Et même s'il y parvenait, elle n'admettrait jamais s'être trompée. Elle était trop fière pour cela. Il décida de cesser de lui parler, de l'ignorer, comme elle l'ignorait, lui.

Le surlendemain, le froid revint avec le soleil. Ils approchaient du lac où se trouvait la cabane de Matt quand ils aperçurent au loin deux traîneaux qui venaient droit sur eux.

— Ce n'est pas l'attelage de Mersh, dit Nastasia.

— Ils sont trois.

Elle ne répondit pas, arborant une moue sévère. Les hommes arrêtèrent leurs chiens de tête à une dizaine de mètres. Ils avaient tous les trois une carabine dans le dos, mais ils s'en séparèrent avant de venir vers eux. Matt s'avança dans leur direction.

— Eh bien, on s'attendait pas à voir quelqu'un dans ce trou !

Celui qui parlait avait des yeux clairs enfoncés dans leurs orbites. Une méchante cicatrice lui déformait un peu la bouche. Quand il s'approcha, Matt sentit son haleine chargée d'alcool.

Matt le salua, puis dévisagea les autres. Deux gars d'une trentaine d'années aux joues mangées par une barbe sale.

— Ce sont mes gars. Ils bossent pour moi.

— Quel genre de boulot ?

— On chasse.

— Ça manque toujours de viande à Dawson ?

— Ça vaut de l'or. Et toi, qu'est-ce que tu fais par là ?

Le type se pencha un peu pour apercevoir celle qui l'accompagnait. Il siffla d'admiration.

— Eh bien, je vois. On est venus chercher de la viande fraîche aussi. Une de ces belles petites Indiennes. C'est ta fiancée?

Matt le fixait maintenant avec agressivité, sans répondre.

— Eh, regardez, les gars, c'est un peu mieux que ces putes de Dawson, non? On pourrait peut-être aller s'en chercher une, nous aussi? Ça ne doit pas être cher, dit-il avec un air salace.

— Je ne permettrai pas que vous parliez d'elle comme ça.

Le type se mit à rire et par émulation les deux autres aussi. Il cessa brusquement et, passant devant Matt, il avança vers Nastasia. Elle eut une sorte de mouvement de recul alors que sa mâchoire se crispait.

— C'est qu'on dirait un animal sauvage. Ça doit être ferme là-dessous, les gars!

Ils s'esclaffèrent de nouveau. Matt se rua sur lui et le fit se retourner en attrapant sa veste. Le type, surpris, manqua tomber à la renverse, mais il se reprit et lança un furieux coup de poing au menton de Matt qui ne s'attendait pas à une réaction aussi fulgurante.

— Fils de pute!

L'homme se rua sur lui, profitant de son étourdissement et l'immobilisa sous lui dans la neige.

— Attrapez-moi cette biche, qu'on en profite un peu et qu'on lui montre de quel bois on se chauffe, à ce pourri!

Les deux hommes s'avancèrent en riant vers Nastasia qui n'avait pas bougé et regardait la scène avec horreur, statufiée.

— Faites-lui voir ce que font de vrais hommes, et je vous la terminerai en beauté, moi, pendant que vous me tiendrez celui-là.

Il riait grassement, les yeux déjà brillants d'excitation. C'était plus que n'en pouvait supporter Matt qui hurla, un vrai cri de bête. Bandant tous ses muscles dans un incroyable sursaut, il réussit à désarçonner le type qui le bloquait dans la neige et à lui décocher un violent coup de poing dans l'estomac puis sur la tempe. L'homme tomba en râlant. Les deux autres qui avaient déjà immobilisé Nastasia la lâchèrent et se ruèrent sur Matt, mais ils n'eurent pas le temps d'arriver jusqu'à lui. Or et Skagway leur avaient sauté dessus alors qu'ils passaient le long de l'attelage. L'un d'entre eux parvint à se dégager, mais Or tenait le bras de l'autre dans sa gueule et le lui broyait en grognant sauvagement. Elle reçut un coup de pied qui lui fit lâcher prise. Le gars se dégagea en criant de douleur et en se tenant le bras. Matt se relevait pour faire front au second qui venait sur lui quand un coup de feu claqua. L'homme s'écroula.

Matt se retourna et vit Nastasia, le visage trempé de larmes, qui les mettait tous en joue et qui tirait de nouveau sur le second type, qui s'écroula lui aussi, touché en plein dos.

Dans la neige, le chef de la bande décimée regardait la scène avec de grands yeux effarés. Il se leva et courut vers son traîneau. Une balle le manqua.

— Arrête, Nastasia. Arrête ! C'est bon. C'est fini.

Il s'avançait vers elle, face à l'arme dirigée sur lui.

— Arrête !

Elle tremblait, pleurait. Ses yeux fous lançaient des flammes et Matt eut peur. Elle n'était plus elle-même.

C'était sa tête qu'elle visait maintenant.

— Ne tire pas, Nastasia. Ne tire pas, c'est fini. Regarde, il s'en va.

Il lui montra l'attelage qui s'en allait et le second, sans conducteur, qui le suivait. Elle ne semblait pas le voir.

— Ne tire pas !

Elle éclata en sanglots, tremblant de tout son corps, sans baisser l'arme. Elle hoquetait et Matt crut vraiment que le coup allait partir.

Pourtant, il s'avança. Elle le visait toujours. Il lui prit doucement la carabine et la déposa sur le traîneau contre lequel les deux autres l'avaient poussée. Elle se laissa tomber sur le sol où elle se recroquevilla en gémissant de douleur. Matt hésita un instant, puis se baissa pour la prendre dans ses bras. Elle se mit à hurler quand il la toucha. Il eut un vif mouvement de recul. Elle leva la tête et le considéra comme si c'était la première fois qu'elle l'apercevait, puis elle éclata de nouveau en sanglots.

— Ne pleure pas, Nastasia. Ne pleure pas…

Elle tremblait terriblement. Il s'approcha, et cette fois, elle ne recula pas. Il lui caressa l'épaule et elle se laissa aller dans ses bras ouverts en sanglotant encore et encore, le corps agité de soubresauts qui semblaient ne jamais devoir cesser. Matt retenait son souffle alors que son cœur s'emballait en respirant le parfum de Nastasia, en éprouvant avec sa joue la douceur de ses cheveux. Il la sentait tout contre lui, tout abandonnée, si fragile. Son cœur explosait d'amour.

— C'est fini, Nastasia, c'est fini, répétait-il, rassurant.

Elle se calma tout à coup et se libéra de son étreinte d'un mouvement souple. Elle le regarda alors fixement, sans que son visage exprime le moindre sentiment, puis elle se tourna vers le corps des hommes qu'elle avait tués et une sorte de rictus de haine lui déforma le visage.

Matt se releva et alla vérifier qu'ils étaient bien morts. Puis il alla féliciter ses chiens, un à un. Sans un mot, ils se remirent en route.

Ils allèrent vite sur la piste faite par les trois hommes. Deux heures plus tard, ils la quittèrent pour emprunter une petite vallée. Elle remontait vers le col qu'il leur faudrait franchir avant d'atteindre le lac au bord duquel se trouvait la cabane de Matt.

22

L E soir, ils mangèrent autour du même feu, dans le plus total silence. Comme le ciel se découvrait, ils se couchèrent de part et d'autre du feu, sur des peaux recouvrant un lit de branches de sapin. Les flammes éclairaient un grand cercle jusqu'aux chiens qui dormaient en boule, la truffe soigneusement protégée du froid sous leur queue enroulée.

Matt chercha Nastasia du regard et vit briller ses yeux bruns reflétant les flammes. Il soutint ce regard qui était grave. Des secondes qui paraissaient des heures s'écoulèrent.

— Tu sais, Nastasia, j'ai honte de ce qui est arrivé. Honte d'être blanc. Ils ne sont pas tous comme ça… Enfin, je ne sais pas quoi te dire, mais sache que je… enfin, que je suis profondément désolé…

Elle se retourna, enfouissant son visage dans sa couverture.

LE lendemain, ils se levèrent à l'aube et elle insista pour aller en avant, en raquettes, jusqu'au col. Parvenue aux deux tiers de la montée, elle s'arrêta tout à coup et revint sur ses pas à la hauteur d'Or, dont elle prit la tête dans ses mains et qu'elle caressa.

— Je veux te remercier, dit-elle en se redressant, ils auraient pu te tuer… alors que tu aurais pu t'associer à eux et profiter de moi.

Matt accusa le coup.

— Tu plaisantes, j'espère!

— Tu en as envie, je le sais.

— Pas pour la même raison qu'eux.

— Peu importe la raison…

Elle lui tourna le dos. Matt planta l'ancre à neige, remonta le long de l'attelage en courant et la rejoignit tandis qu'elle reprenait sa piste. Il l'empoigna par sa veste, assez violemment, et la força à se retourner. Elle eut l'air surprise par l'ampleur de sa colère.

— Tu n'as pas le droit de dire ça! cria-t-il, les yeux rouges de fureur.

Il la maintenait fermement devant lui par les revers de sa veste et elle n'essayait même pas de se dégager. C'était peine perdue.

— Jamais je n'aurais laissé ces bâtards porter la main sur toi. Jamais! Tu n'as pas le droit de me comparer à ces fils de pute. Tu ne peux pas…

Sa colère retomba aussi vite qu'elle était venue et les derniers mots furent prononcés dans un souffle. Nastasia baissait les yeux, un peu honteuse.

Matt s'éloigna, les épaules basses. Elle le rattrapa. Elle vit alors qu'il pleurait. Ils se fixèrent. Il ne cherchait même pas à retenir ses larmes.

Elle ne disait rien.

Il souffla, comme pour se donner du courage :

— Je t'aime, Nastasia. Si tu savais comme je t'aime…

Elle ne l'avait pas quitté des yeux et des larmes coulèrent à son tour sur ses joues hâlées. Ils restèrent ainsi de longues secondes, immobiles, dans le plus parfait silence. Puis, au loin, un renard jappa et elle sourit.

C'était le plus beau sourire que Matt ait vu de sa vie. Il sourit à son tour et elle reprit la piste. Matt retourna au traîneau et la suivit.

Bientôt, ils franchirent le col et aperçurent au loin le lac. On distinguait presque la cabane à travers les arbres.

— Il y a de la fumée. Il est là, dit-elle simplement.

Elle continua de tracer une piste en raquettes jusqu'au lac où la neige était tassée par le vent. Alors, elle se déchaussa et rejoignit Matt derrière le traîneau. Les chiens s'élancèrent au grand galop sur la belle surface bien dure.

— Ils reconnaissent, dit Matt, joyeux.

Ils arrivaient au milieu du lac.

— Tu es sûre que c'est lui ?

— J'en suis sûre.

— Que comptes-tu faire ?

— Je vais lui parler.

Il n'osa pas lui demander ce qu'elle allait lui dire. Sa tête explosait de sentiments depuis ce sourire. Il ne savait plus du tout où il en était.

Lorsqu'ils arrivèrent à moins de 500 mètres de la cabane, des chiens se mirent à aboyer furieusement.

— Je reconnais Wild, souffla Nastasia, maintenant tendue.

Les chiens de Mersh se turent quand Matt donna l'ordre aux siens de stopper, à une cinquantaine de mètres de la cabane. Un silence palpable s'installa.

Ils demeurèrent ainsi, tous les sens aux aguets. Rien ne bougeait.

Soudain, Nastasia fit un bond de côté pour se placer devant Matt.

— Qu'est-ce ?…

— Ne bouge pas !

Alors, il vit ce qu'elle avait vu. Le canon de la carabine de Mersh qu'il avait passé par l'entrebâillement de la porte.

Matt regarda autour de lui. Il avait fait une erreur en s'arrêtant là. Au moins 20 mètres le séparaient du couvert des arbres. Il n'aurait pas le temps de les atteindre avant que Mersh réagisse. Il se ferait tirer comme un lapin. Sa seule chance de survie, pour l'instant, était effectivement de rester derrière Nastasia qui le protégeait. Nastasia qui le protégeait ! Elle arma sa carabine.

Au même moment, Mersh ouvrit complètement la porte et apparut. Matt fut frappé par l'aspect de cet homme qu'il ne reconnaissait plus. Tout son visage était congestionné par la colère et marqué par quelque chose de plus profond et de plus inquiétant.

— Qu'est-ce que tu fais là ? hurla-t-il en les visant tous les deux.

— Baisse cette arme, répliqua Nastasia avec douceur mais fermement.

Mersh ne répondit pas ni n'obéit. Il les visait toujours et Nastasia se déplaça pour mieux cacher Matt, dépassé par les événements.

— Il n'exploitera pas l'or. Il l'a décidé, comme toi, pour laisser le territoire en paix.

Un mauvais sourire barra le visage de Mersh.

— Qu'est-ce que ça peut me foutre?

— C'est pour ça que tu voulais le tuer, non?

Il ne dit rien. Il tournait autour d'eux, cherchant une partie découverte du corps de Matt pour tirer. Mais Nastasia, qui avait compris ses intentions, se déplaçait au fur et à mesure.

Mersh se mit à rire. Un rire mauvais.

— Je vais vous avoir de toute façon.

— *Nous* avoir? Tu veux me tirer dessus? Moi?

Il sursauta, surpris, puis soudainement hurla :

— Si tu continues à le protéger, oui.

— Mais je t'ai dit qu'il allait laisser la vallée tranquille.

— Je me fous de cette vallée!

Il avait dit cela sur un drôle de ton.

— Je ne comprends pas. Je ne te comprends pas.

— Moi, je te comprends et je me comprends très bien. Ça me suffit.

— Mais tu comprends quoi?

Elle avait hurlé. Il haussa les sourcils, étonné.

— Ça sert à rien de t'énerver. Je vais l'avoir et il paiera.

— Il paiera pour quoi?

Il continuait d'essayer de trouver un angle, mais elle anticipait chacun de ses mouvements.

— Il paiera pour tout le mal qu'ils nous ont fait.

— Mais tu dis n'importe quoi! Tu es malade. Je te demande d'arrêter. Tu m'entends, je te supplie de baisser cette arme.

La voix de Nastasia tremblait, maintenant.

— Il fait quoi, ce sale *cheechackos* avec toi, hein, il fait quoi?

— C'est moi qui l'ai rejoint. Je savais qu'en restant avec lui, je te trouverais.

— Et pourquoi tu voulais me trouver?

— Parce que tu es parti en oubliant tes balles.

Mersh se mit à rire. Un rire forcé.

— Des balles, j'en ai trouvé une boîte ici. Cet abruti utilise le même calibre que moi. Alors, tu vois, tu peux t'écarter, tout va bien. J'ai récupéré des balles et je vais le tuer.

— Non.

— Et pourquoi?

— Parce que… parce que tu n'as aucune raison de le tuer.

— Si, j'en ai une.

— Laquelle?

— Ton envie de le protéger.

Elle ne répondit pas et le visage de Mersh se crispa. Il devint rouge de colère et elle crut qu'il allait tirer. Il tournait autour d'eux et bientôt, il se plaça de sorte que Matt se retrouvât derrière Nastasia bloquée par le traîneau. Elle s'en rendit compte et elle leva lentement l'arme vers Mersh. Matt, horrifié par la tournure que prenaient les événements, intervint :

— Non, Nastasia, non! Je vais courir jusqu'aux arbres! Il n'aura pas le temps d'ajuster.

— Non! Ne bouge pas! Ne bouge pas! lui ordonna-t-elle.

Mersh s'était immobilisé quand Nastasia l'avait mis en joue.

— Tu me tirerais dessus? demanda Mersh, furieux.

— Si tu n'arrêtes pas, oui.

Il sembla réfléchir. Elle pleurait, maintenant, et ses larmes l'empêchaient de bien voir. Elle portait l'arme d'une seule main à bout de bras et, de l'autre, elle maintenait Matt derrière elle, qui répétait :

— Ne tire pas! Ne tire pas!

Soudain, Mersh baissa son arme. Matt crut qu'il abdiquait, mais il la retourna contre lui.

— Je vais compter jusqu'à dix. Tu as dix secondes pour choisir entre lui et moi. Soit tu me le laisses, soit je me dégomme la gueule!

Matt fit un brusque écart pour s'enfuir. Mais Nastasia, qui avait anticipé sa réaction, lâcha l'arme et le retint, coincé contre elle et le traîneau.

— Ne bouge pas!

Elle le tenait de toutes ses forces, et Matt, mal positionné, ne pouvait se dégager de son étreinte. Elle pleurait toujours. Mersh avait commencé à compter.

— … trois, quatre, cinq…

Elle tremblait dans ses bras et Matt ne pouvait que la serrer lui aussi contre lui, incapable de remuer tant les muscles de la jeune fille étaient tendus, comme les cordes d'un arc, formant un véritable étau dont il ne pouvait s'extraire.

— … huit, neuf…

Elle enfouit son visage contre la poitrine de Matt, qui releva la tête, une belle cible. Mersh le vit. Il hésita un court instant et bredouilla :

— … dix !

Il pouvait maintenant tirer sur Matt. À cette distance, il n'aurait aucun mal à viser sa tête sans blesser Nastasia, qui ne bougeait plus, pétrifiée contre lui.

Une ou deux secondes qui semblaient s'éterniser passèrent avant que retentisse le coup de feu.

Matt avait fermé les yeux. Il les rouvrit juste à temps pour voir le corps de Mersh s'écrouler sur le sol.

Nastasia ne bougea pas d'abord, puis elle se pencha légèrement pour apercevoir le corps de Mersh allongé et l'auréole de sang qui s'agrandissait dans la neige autour de sa tête. Elle tremblait et Matt la pressait tout contre lui.

Ils restèrent ainsi longtemps, comme un seul être. Silencieux, recueillis. Plusieurs minutes s'écoulèrent. Les chiens s'étaient couchés et dormaient, bien enroulés dans leurs poils. Sans bouger, le visage noyé dans l'épaisse chevelure brune de Nastasia, Matt murmura :

— Nastasia, je t'aime. Je t'aime du plus profond de mon être…

Alors, elle leva enfin la tête et, pour la première fois, elle offrit ses lèvres au goût de sel, pleines de larmes, qu'il lécha avant de l'embrasser le plus tendrement du monde. Lorsqu'ils cessèrent, elle pleurait toujours, mais ses yeux mouillés brillaient d'une lueur nouvelle.

NICOLAS VANIER

À dix ans, Nicolas Vanier rêvait de traverser la Sibérie en traîneau. Il l'a fait. Comme il a sillonné tant d'espaces enneigés. De l'*Or sous la neige*, il dit : « En radeau, en canoë et avec mes chiens, j'ai parcouru tous les kilomètres dont je parle dans le roman, vécu nombre des situations qui y sont racontées. Et si je réalisais un jour un grand film issu de ce roman, la boucle serait joliment bouclée, non ? » Nul doute qu'il le fera, car, à quarante-trois ans, cet homme prolifique a déjà à son actif plus de vingt livres, récits et romans, ainsi qu'une quinzaine de films, dans lesquels il entraîne son

public à la rencontre d'une nature sauvage qu'il aime et qu'il défend âprement. Son film le plus récent, *le Dernier des trappeurs,* reflète bien ses préoccupations. Car si Nicolas Vanier est un homme heureux de pouvoir vivre de ses passions, c'est aussi un homme inquiet. « Aujourd'hui, dans un monde totalement artificialisé [...] l'homme perd les pédales et détruit ce sur quoi et avec quoi il doit vivre : la Terre. Il sera très vite trop tard. »

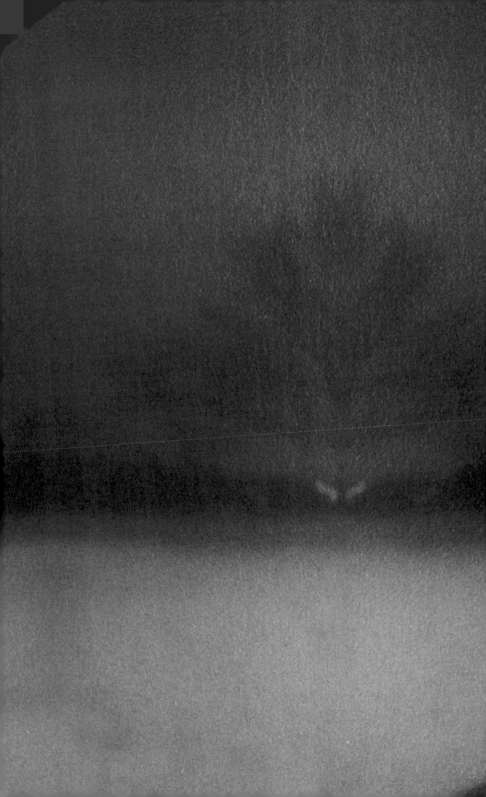

Mary Higgins Clark

LA NUIT
EST
MON ROYAUME

Traduit de l'anglais par Anne Damour

« *Je suis le Hibou, prononçait-il tout bas après avoir choisi sa proie. Et la nuit est mon royaume.* »

1

C'ÉTAIT la troisième fois en un mois qu'il venait à Los Angeles dans l'intention d'observer ses faits et gestes. « Je sais tout sur tes allées et venues », murmura-t-il tandis qu'il attendait dans la cabine de bain. Il était 6 h 59. Les rayons du soleil matinal perçaient à travers les arbres, faisant miroiter l'eau qui se déversait en cascade dans la piscine.

Alison sentirait-elle qu'elle n'avait plus qu'une minute à vivre? Avait-elle éprouvé un obscur pressentiment ce matin, une envie inexpliquée de renoncer à son bain quotidien? Quand bien même, cela ne servirait à rien. Il était trop tard.

La porte vitrée coulissante s'ouvrit et elle apparut dans le patio. À trente-huit ans, Alison était infiniment plus séduisante qu'elle ne l'avait été vingt ans plus tôt. Dans son minuscule Bikini, son corps mince et bronzé était exquis. Ses cheveux couleur de miel enca-draient son visage, adoucissant son menton aigu.

La colère aveugle qui avait longtemps couvé en lui se mua en une rage que vint aussitôt adoucir un sentiment de paix, à la pensée du geste qu'il allait accomplir. « C'est à l'instant de me dévoiler devant elles que j'éprouve cette excitation. Je sais qu'elles vont mou-rir et qu'en m'apercevant elles le savent aussi. »

Alison s'avança sur le plongeoir et s'étira. Il la regarda sautiller doucement, éprouvant la souplesse du tremplin, puis placer ses bras en position devant elle.

Il ouvrit la porte de la cabine à l'instant où ses pieds quittaient le plongeoir. Il désirait qu'elle le vît au moment où elle se trouverait en l'air. Juste avant de toucher l'eau. Il voulait qu'elle prît conscience de sa vulnérabilité.

Leurs regards se croisèrent. Il surprit son expression épouvantée au moment où elle pénétrait la surface de l'eau.

Il sauta dans l'eau avant qu'elle ne remontât à la surface. Il l'étreignit contre sa poitrine, riant de la voir battre l'air des bras, donner des coups de pied.

— Tu vas mourir, chuchota-t-il d'une voix calme, posée.

La fin était proche. Dans un effort désespéré pour respirer, elle avait ouvert la bouche et avalait de l'eau. Elle fit une dernière tentative éperdue pour lui échapper, puis son corps fut parcouru de faibles tremblements et s'amollit. Il l'étreignit plus fort, il aurait voulu pouvoir lire dans ses pensées. Priait-elle? Suppliait-elle Dieu de la sauver?

Il attendit trois longues minutes avant de la relâcher. Avec un sourire satisfait, il regarda son corps couler au fond de la piscine.

Il était 7 h 5 quand il se hissa hors de l'eau, enfila un pull, un short, mit des tennis, une casquette, chaussa des lunettes noires. Il avait déjà choisi l'endroit où il déposerait la marque discrète de son passage, la carte de visite que personne ne remarquait jamais.

À 7 h 6, il commença son jogging dans la rue déserte, mordu de l'exercice physique matinal dans la ville des mordus de la forme.

Sam Deegan n'avait pas prévu d'ouvrir le dossier concernant Karen Sommers. Il avait fouillé dans le dernier tiroir de son bureau à la recherche de ses pilules contre la toux. Lorsque ses doigts effleurèrent la chemise usagée, il hésita, puis la sortit et l'ouvrit. Il regarda la date inscrite sur la première page : il ne l'avait pas prise par hasard. Karen avait été assassinée vingt ans auparavant. L'anniversaire de sa mort tombait le Columbus Day, la semaine suivante.

Le dossier aurait dû être classé avec les autres affaires non élucidées, mais les trois procureurs successifs l'avaient poussé à le garder sous le coude. Vingt ans auparavant, Sam avait été le premier inspecteur à répondre à l'appel téléphonique affolé d'une femme qui hurlait que sa fille venait d'être poignardée.

En arrivant sur les lieux cette nuit-là, une maison située dans

Mountain Road, à Cornwall-on-Hudson, il avait trouvé la chambre de la victime envahie par une foule horrifiée. Un voisin tentait en vain de pratiquer le bouche-à-bouche. D'autres s'efforçaient d'éloigner les parents désespérés par la vue du corps affreusement meurtri.

Les longs cheveux de Karen étaient répandus sur l'oreiller. Lorsqu'il avait écarté le secouriste improvisé, Sam avait vu les traces des violents coups de couteau à la poitrine et au cou. Les cris de la mère avaient attiré non seulement les voisins, mais un jardinier et un livreur qui se trouvaient à proximité. Résultat, la scène du crime était complètement brouillée et l'enquête compromise.

Il n'y avait aucun signe d'effraction. Rien n'avait été dérobé. Vingt-deux ans, étudiante en médecine, Karen Sommers était venue à l'improviste passer la soirée et la nuit chez ses parents.

« Pourquoi en vingt ans ai-je été incapable de découvrir le fumier qui a assassiné Karen Sommers ? » songea Sam.

Il haussa les épaules. C'était une journée pourrie, pluvieuse et inhabituellement froide pour la mi-octobre. « J'aimais mon boulot jadis, pensa-t-il, mais plus maintenant. J'approche de la retraite. J'ai cinquante-huit ans, j'ai passé la plus grande partie de ma vie dans la police. Je devrais prendre ma retraite et tirer ma révérence. Perdre du poids. Passer plus de temps avec mes petits-enfants. »

Conscient d'un vague mal de tête, il passa la main dans ses cheveux clairsemés. « Kate me reprenait chaque fois que je faisais ce geste. Elle disait que j'affaiblissais les racines. »

Avec un demi-sourire au souvenir de l'analyse peu scientifique de sa femme aujourd'hui décédée, il contempla à nouveau le dossier étiqueté KAREN SOMMERS.

Encore aujourd'hui, il rendait visite régulièrement à la mère de Karen, Alice, qui avait déménagé dans une résidence en ville. Elle se sentait réconfortée à la pensée qu'ils n'avaient pas renoncé à retrouver le responsable de la mort de sa fille, mais il y avait davantage. Sam avait l'intuition qu'un jour Alice mentionnerait un détail auquel elle n'avait jamais attaché d'importance, quelque chose leur permettant d'identifier l'individu qui s'était introduit dans la chambre de Karen cette nuit-là.

Durant les douze premières années, il était allé au cimetière le jour anniversaire du meurtre, restant posté toute la journée, caché derrière un mausolée, à surveiller la tombe de Karen. Il avait même installé un micro afin d'enregistrer ce que disaient les visiteurs. Il est arrivé qu'on surprenne un meurtrier venu contempler la sépulture de sa victime le jour anniversaire de sa mort.

Les seules personnes qui venaient se recueillir sur la tombe de Karen à cette occasion étaient ses parents, et il avait eu le sentiment douloureux de violer leur intimité en les entendant évoquer leur fille unique. Il avait fini par renoncer à aller au cimetière voilà huit ans, après le décès de Richard Sommers, quand Alice s'était retrouvée seule devant la tombe où son mari et sa fille reposaient désormais ensemble. Il ne voulait pas être témoin de son chagrin. Il n'était jamais revenu.

Sam se redressa. « La semaine prochaine, je ferai une dernière halte au cimetière. Pour lui dire combien je regrette de n'avoir pu faire mieux. »

Elle avait roulé pendant presque sept heures depuis Washington pour atteindre enfin Cornwall-on-Hudson. Jane Sheridan n'avait éprouvé aucun plaisir à faire ce voyage – non à cause de la distance, mais parce que Cornwall, la ville où elle avait grandi, lui rappelait trop de souvenirs douloureux.

Quels que fussent les arguments persuasifs avancés par Jack Emerson qui présidait la vingtième réunion des anciens élèves du lycée, elle n'avait aucune envie de fêter l'anniversaire de son diplôme de la Stonecroft Academy, bien qu'elle reconnût les bienfaits de l'éducation qu'elle y avait acquise. Elle ne se souciait pas davantage de la distinction honorifique qu'elle devait y recevoir, même si sa bourse pour Stonecroft l'avait aidée à obtenir celle qui lui avait permis de continuer ses études à Bryn Mawr, suivies d'un doctorat à Princeton.

Mais, en apprenant qu'une cérémonie commémorative en l'honneur d'Alison faisait partie du programme, elle s'était trouvée dans l'impossibilité de refuser.

La mort d'Alison paraissait encore tellement irréelle que Jane s'attendait presque à entendre le téléphone sonner et au bout du fil sa voix familière, saccadée, les mots se bousculant comme si tout devait être dit en l'espace de dix secondes : « Jeannie, tu n'as pas appelé récemment. Tu as oublié que j'étais en vie ou quoi ? Je te déteste. Non, ce n'est pas vrai. Je t'aime. Tu m'épateras toujours. Tu es tellement intelligente. Il y a une première à New York la semaine prochaine. Curt Ballard est un de mes clients. Es-tu libre mardi prochain, cocktail à 6 heures, suivi du film, puis dîner privé pour vingt ou trente personnes ? »

Oui, Alison se débrouillait toujours pour vous communiquer ce genre de message en dix secondes, se souvint Jane, et elle était furieuse les quatre-vingt-dix fois sur cent où elle ne pouvait pas tout laisser tomber et courir la rejoindre à New York.

Alison était morte un mois auparavant. Penser qu'elle avait peut-être été assassinée était insupportable. Bien sûr, elle s'était fait beaucoup d'ennemis au cours de sa carrière. Personne ne devient le numéro un de la plus grande agence de casting du pays sans s'attirer envie et haine. En outre, Alison était réputée pour son esprit acéré et cruellement sarcastique. « Quelqu'un qu'elle avait ridiculisé, ou renvoyé, lui en aurait-il voulu au point de la tuer ? se demanda Jane. Je préfère penser qu'elle a eu un étourdissement dans la piscine. Je ne veux pas croire qu'on l'ait maintenue de force sous l'eau. »

La vue de son sac posé sur le siège du passager lui rappela l'enveloppe qu'il contenait. « Que faire ? Qui me l'a envoyée et pourquoi ? Comment quelqu'un a-t-il découvert l'existence de Lily ? Est-elle en danger ? Oh ! mon Dieu, que puis-je faire ? »

Ces questions l'avaient gardée éveillée des nuits entières durant plusieurs semaines depuis qu'elle avait reçu les résultats du laboratoire.

Elle se trouvait à la bretelle d'accès qui menait de la Route 9W à Cornwall. Et, au-delà de Cornwall, vers West Point. La gorge serrée, elle essaya de se concentrer sur le charme de cette après-midi d'octobre. Les arbres étaient magnifiques dans leur parure automnale où se mêlaient l'or, l'orange et le rouge feu. Au loin s'élevaient les montagnes, dans leur immuable sérénité. Les Highlands de l'Hudson River. « J'avais oublié la beauté de ces paysages », se dit-elle.

Cette réflexion raviva inévitablement le souvenir de dimanches à West Point, où elle demeurait assise sur les marches du monument aux morts. C'est là qu'elle avait commencé à écrire son premier livre, une histoire de West Point.

« J'ai mis dix ans à le terminer. Parce que je suis restée longtemps sans pouvoir écrire une ligne sur ce sujet. » Le cadet Carroll Reed Thornton Jr., du Maryland. « Ce n'est pas le moment de penser à Reed », se reprit-elle.

Elle prit l'embranchement de la Route 9 vers Walnut Street. Le *Glen-Ridge House* à Cornwall, ainsi nommé d'après l'une des pensions de famille les plus connues de la ville au XIXe siècle, était l'hôtel choisi pour la réunion. La promotion de Jane comptait quatre-vingt-dix élèves. Selon le programme qui lui avait été envoyé, quarante-deux d'entre eux avaient l'intention d'être présents, plus les épouses, maris ou équivalents et leur progéniture.

Elle avait reçu dans un même courrier son badge d'identification avec en haut sa photo prise en classe de terminale et son nom inscrit au-dessous. Le tout accompagné du programme du week-end : vendredi soir, cocktail d'ouverture et buffet. Samedi, excursion à West Point, déjeuner-buffet, match de football Army-Princeton, cocktail et dîner de gala. Le dimanche, les réjouissances auraient dû s'achever par un brunch à Stonecroft, mais, après la mort d'Alison, il avait été décidé d'inclure une brève cérémonie en son honneur. Elle était enterrée dans le cimetière voisin de l'école et le service aurait lieu devant sa tombe. Alison avait souhaité faire une importante donation au fonds qui attribuait les bourses de Stonecroft. C'était la raison principale de cette cérémonie planifiée à la hâte.

Jane était partie bien des années auparavant. L'année où elle avait reçu son diplôme, son père et sa mère s'étaient enfin séparés, ils avaient vendu la maison et suivi leurs chemins respectifs. Aujourd'hui, son père dirigeait un hôtel à Maui. Sa mère était allée vivre à Cleveland et s'était remariée. La rupture avait eu au moins pour conséquence heureuse de mettre fin à la vie de Jane à Cornwall.

Trois minutes plus tard, elle pénétrait dans l'allée qui menait au *Glen-Ridge*, et le portier ouvrait la porte de la voiture.

— Bienvenue chez nous. Allez directement à la réception, nous allons nous occuper de vos bagages.

Le hall de l'hôtel était élégant et accueillant. Le bureau de la réception se trouvait sur la gauche. À l'opposé, les invités se pressaient déjà au bar, en attendant le cocktail.

— Ravi de vous avoir parmi nous, mademoiselle Sheridan, dit le réceptionniste, un homme d'une soixantaine d'années.

Ses rares cheveux teints s'accordaient à la perfection avec l'acajou verni du bureau. Jane se demanda de façon incongrue s'il avait découpé un copeau du bureau pour le montrer à son coiffeur.

Elle ne désirait pas rencontrer tout de suite ses anciens camarades, préférant rester seule une demi-heure, le temps de prendre une douche et de se changer, avant d'épingler à son revers le badge avec la photo de la jeune fille triste et craintive qu'elle était alors, puis de rejoindre les autres. Alors qu'elle prenait la clé de sa chambre et s'apprêtait à s'éloigner, le concierge l'arrêta :

— Oh! mademoiselle Sheridan, nous avons reçu un fax pour vous. (Il jeta un coup d'œil au nom inscrit sur l'enveloppe.) Excusez-moi, j'aurais dû dire professeur Sheridan.

Sans répondre, Jane ouvrit l'enveloppe d'un geste vif. Le fax provenait de sa secrétaire à l'université. « Professeur Sheridan, désolée de vous importuner. Il s'agit probablement d'une plaisanterie ou d'une erreur, mais j'ai pensé que vous aimeriez jeter un coup d'œil là-dessus. » Était jointe une simple feuille de papier qui avait été faxée à son bureau : *Jane, à l'heure qu'il est, vous avez certainement compris que je connais Lily. Je suis devant un dilemme. Dois-je l'embrasser ou la tuer? Je plaisante. Je vous tiendrai au courant.*

Sur le moment, Jane resta pétrifiée, incapable de bouger ni de penser. La tuer? La tuer? Mais pourquoi? Pourquoi?

Il était au bar, aux aguets, impatient de la voir arriver. Pendant des années, il avait regardé sa photo sur la jaquette de ses livres et, chaque fois, il avait éprouvé un choc à la vue de la femme élégante qu'était devenue Jeannie Sheridan.

Intelligente et réservée. C'était l'image qu'elle avait toujours donnée d'elle à Stonecroft. Il l'aimait bien, jusqu'au jour où Alison lui avait raconté qu'elles s'étaient toutes bien moquées de lui. Il savait qui « elles » étaient : Laura, Catherine, Debra, Cindy, Gloria, Alison et Jane. Toutes déjeunaient à la même table.

Aujourd'hui, Catherine, Debra, Cindy, Gloria et Alison n'étaient plus. Il avait gardé Laura pour la fin. Il n'avait pas encore pris de décision concernant Jane. Pour une raison quelconque, il n'avait pas vraiment envie de la tuer. Il se souvenait de l'époque où il avait voulu intégrer l'équipe de base-ball. Il avait été éliminé tout de suite et avait fondu en larmes, des larmes de bébé qu'il n'avait pu retenir.

Il avait quitté le terrain en courant et, un peu plus tard, Jeannie était venue le trouver. Elle lui avait dit :

— On n'a pas voulu de moi comme majorette. Et alors ?

Il savait qu'elle l'avait suivi par compassion. Aussi était-il enclin à croire qu'elle ne faisait pas partie de celles qui s'étaient moquées de lui quand il avait demandé à Laura de l'accompagner au bal de fin d'année. Mais elle l'avait blessé d'une autre manière.

Laura était la plus jolie fille de la classe – des cheveux d'un blond doré, des yeux bleu clair, un corps superbe que ne parvenaient pas à dissimuler le chemisier strict et la jupe d'uniforme. Convaincue de son pouvoir sur les garçons.

Alison avait toujours été cruelle. Dans sa chronique dans le journal du lycée, elle trouvait toujours le moyen de lancer une pique à quelqu'un. Dans une critique de la représentation théâtrale de l'école, elle avait écrit : « À la surprise générale, Roméo, alias Joel Nieman, est parvenu à retenir la plus grande partie de son texte. » Les élèves les plus populaires trouvaient Alison tordante. Les nuls la fuyaient.

« Les minables comme moi », pensa-t-il, savourant le souvenir de la terreur qui avait envahi le visage d'Alison au moment où elle l'avait vu s'avancer vers elle depuis la cabine de bain.

Jane faisait partie des élèves populaires, mais elle était différente des autres. Elle était déjà férue d'histoire à cette époque. Le plus surprenant aujourd'hui, c'était qu'elle fût devenue aussi jolie. Ses cheveux jadis plats et châtains avaient foncé et s'étaient épaissis, encadrant son visage d'un casque brun. Elle était mince et non plus maigre comme un coucou. Et avec le temps elle avait appris à s'habiller. Sa veste et son pantalon étaient d'une coupe parfaite. Il la regarda ranger à la hâte un fax au fond de son sac. Il aurait aimé voir l'expression de son visage.

Je suis le hibou et je vis dans un arbre.

Il croyait entendre Laura l'imiter. « Elle te connaît par cœur, lui avait lancé Alison de sa voix stridente ce soir-là. Et elle nous a dit que tu avais pissé dans ton froc. »

Il les imaginait toutes se moquant de lui, les éclats aigus de leurs rires moqueurs lui parvenaient encore maintenant.

Il était en neuvième, il avait sept ans. Il avait joué dans la pièce de l'école. Son texte se résumait à cette seule phrase. Mais il n'avait pu articuler un mot. Il avait bafouillé, bégayant tellement que tous les gosses sur scène s'étaient mis à pouffer.

Je suuuuis le le hiiiiboubou et et je viviiiiis dans un un un...

Il n'avait jamais pu prononcer le mot « arbre ». Il avait éclaté en sanglots et s'était enfui de la scène. Son père l'avait giflé et traité de mauviette. Sa mère avait dit : « Laisse-le. C'est un abruti. Un bon à rien. Regarde-le. Il a encore mouillé son pantalon. »

Le souvenir de l'humiliation et les rires des filles tournoyaient dans sa tête tandis qu'il regardait Jane Sheridan pénétrer dans l'ascenseur. « Pourquoi t'épargner ? pensa-t-il. Laura d'abord, toi après. Ensuite, vous pourrez toutes vous moquer de moi en enfer. »

LAURA venait d'introduire sa clé dans la serrure quand le chasseur apparut avec ses bagages : une housse à vêtements, deux grosses valises et un sac de voyage. Elle devina qu'il se disait : « Ma petite dame, la réunion dure quarante-huit heures, pas deux semaines. »

Mais elle l'entendit déclarer :

— Mademoiselle Wilcox, ma femme et moi n'avons jamais raté un épisode de *Henderson County* le mardi soir. Vous y étiez formidable. Y a-t-il une chance qu'ils le redonnent un jour ?

« Pas plus de chance que de voir la neige en juillet », pensa Laura, mais l'évidente sincérité de l'homme venait à point nommé pour lui remonter le moral.

— Sans doute pas *Henderson County*, mais j'ai fait une émission pilote pour Maximum Channel, dit-elle. Elle sera peut-être diffusée après le 1er janvier.

Ni tout à fait vrai ni tout à fait faux. Maximum avait approuvé l'émission pilote et pris une option sur la série. Mais deux jours avant sa mort, Alison avait téléphoné.

— Laura, mon chou, il y a un hic. Maximum veut quelqu'un de plus jeune pour le rôle d'Emmie.

— Plus jeune ! avait-elle hurlé. Alison, j'ai trente-huit ans ! La mère dans la série a une fille de douze ans. Et je suis plutôt pas mal conservée. Non ?

— Arrête ! avait crié Alison à son tour. Je fais de mon mieux pour les convaincre de te garder. Et quant à être séduisante, entre le Botox et les liftings, tout le monde est beau dans ce business.

« Nous étions convenues de venir ensemble ici, se rappela Laura. Alison m'avait dit que Gordon serait présent et qu'il venait d'acquérir des parts de Maximum. Elle avait ajouté qu'il possédait assez d'influence pour m'aider à garder le rôle, à condition de le convaincre d'utiliser son pouvoir. »

Laura avait alors pressé Alison de téléphoner à Gordie sur-le-champ, pour qu'il pousse Maximum à lui attribuer le rôle. Excédée, Alison lui avait répondu : « D'abord, ne l'appelle pas Gordie. Il déteste ça. Ensuite, autant te parler franchement. Tu es encore belle, certes, cependant tu n'es pas une actrice de premier plan. Les gens de Maximum pensent que cette série a des chances de faire un tabac, mais pas avec toi. Gordon pourra peut-être les faire changer d'avis. À toi de le charmer. Il avait un faible pour toi, non ? »

Gordie Amory était un des garçons qui avaient eu un vrai béguin pour elle à Stonecroft. « Qui eût deviné qu'il deviendrait aussi important ? » songea Laura en sortant ses tenues de cocktail et de soirée. Elle savait déjà qu'elle porterait le tailleur Chanel ce soir. Va pour les paillettes. Avoir l'air prospère, même avec le fisc aux trousses.

Alison lui avait dit que Gordie Amory était divorcé. « Écoute, mon chou, si tu n'arrives pas à le persuader de te faire engager dans ce feuilleton, peut-être pourrais-tu le convaincre de t'épouser. Il paraît qu'il en impose maintenant. Oublie le minable qu'il était à Stonecroft. »

2

—DÉSIREZ-VOUS autre chose, mademoiselle Sheridan ? demanda le chasseur. Vous êtes toute pâle.

— Tout va bien. Merci.

La porte se referma enfin derrière lui et Jane put se laisser tomber sur le bord du lit. Elle avait fourré le fax dans son sac. Elle s'en empara et relut la phrase énigmatique.

Vingt ans auparavant, elle était allée trouver le Dr Connors à

Cornwall pour lui confier qu'elle était enceinte. Il avait reconnu à regret avec elle qu'il valait mieux ne rien en dire à ses parents.

— Je ferai adopter mon bébé, quoi qu'ils en disent. J'ai dix-huit ans et c'est ma décision. Mais ils seront furieux et me rendront la vie encore plus difficile qu'elle ne l'est, avait-elle expliqué en pleurant.

Le Dr Connors lui avait parlé d'un couple qui avait renoncé à l'espoir de concevoir un enfant et projetait d'en adopter un.

— Je vous assure que votre bébé aura le meilleur des foyers.

Il lui avait procuré un travail dans une maison de repos à Chicago jusqu'à la naissance du bébé. Puis il était venu en personne l'accoucher et prendre l'enfant. Au mois de septembre suivant, Jane était entrée à l'université et, dix ans plus tard, elle avait appris que le Dr Connors avait succombé à une crise cardiaque après qu'un incendie eut entièrement détruit son cabinet médical. Elle avait entendu dire que tous ses dossiers avaient brûlé.

Mais peut-être n'avaient-ils pas tous disparu. Et dans ce cas, qui les avait trouvés ? Et pourquoi la contacter après tant d'années ?

Lily – c'était le nom qu'elle avait donné au bébé qu'elle avait connu pendant quatre heures à peine. Trois semaines avant la cérémonie de remise des diplômes qui avait lieu le même jour à West Point et à Stonecroft, elle s'était aperçue qu'elle était enceinte. Reed et elle avaient été pris de panique, mais ils avaient résolu de se marier tout de suite après.

« Mes parents t'aimeront, Jeannie », avait affirmé Reed. Elle savait pourtant qu'il était inquiet de leur réaction. Son père lui avait recommandé de ne pas s'engager sérieusement avant l'âge de vingt-cinq ans. Reed ne leur avait jamais parlé d'elle. Une semaine avant la cérémonie, il avait été tué par un chauffard. Au lieu de pouvoir féliciter leur fils reçu cinquième de sa promotion, le général à la retraite et Mme Carroll Reed Thornton avaient accepté le diplôme et l'épée de leur fils qui leur avaient été remis lors d'une cérémonie spéciale.

Ils n'avaient jamais su qu'ils avaient une petite-fille.

« Même si quelqu'un avait récupéré le dossier de son adoption, comment a-t-il pu s'approcher assez près de Lily pour s'emparer de sa brosse, avec de longs cheveux blonds encore accrochés à ses soies ? »

Le premier envoi, terrifiant, contenait la brosse et une note qui disait : « Vérifiez l'ADN – c'est celui de votre enfant. » Stupéfaite, Jane avait fait analyser par un laboratoire privé une mèche des cheveux de son bébé qu'elle avait conservée et ceux qu'elle venait de recevoir. Les résultats étaient sans équivoque. Les cheveux sur la brosse appartenaient à sa fille, âgée aujourd'hui de dix-neuf ans.

À moins que… Se pouvait-il que ce couple exemplaire qui l'avait adoptée sache qui elle était et tente de lui extorquer de l'argent ?

Il y avait eu beaucoup de publicité autour d'elle lorsque son livre sur Abigail Adams était devenu un best-seller puis un film, qui à son tour avait fait un tabac.

« Faites que ce soit seulement une histoire d'argent », pria Jane en se relevant pour défaire sa valise.

CARTER STEWART jeta son sac sur le lit. Outre des sous-vêtements, il contenait deux vestes Armani et des pantalons. Cédant à une impulsion, il résolut d'assister à la première soirée en jean et pull.

À l'école, il avait été un gamin maigrelet et débraillé, fils d'une mère maigrelette et débraillée. Lorsqu'elle se souvenait de mettre ses vêtements dans le lave-linge, elle manquait le plus souvent de détergent. Elle versait alors de l'eau de Javel, détériorant définitivement tout ce qui se trouvait dans la machine. Jusqu'à ce qu'il décide de faire sa propre lessive, il était allé en classe ficelé comme l'as de pique.

Se mettre sur son trente et un pour rencontrer ses anciens camarades de classe risquait de lui attirer des remarques sur la façon dont il était jadis accoutré. Que verraient-ils aujourd'hui ? Non plus l'écolier gringalet, mais un homme de taille moyenne au corps athlétique. Bon, puisqu'il était là, autant descendre au rez-de-chaussée et se plier au rituel de la feinte cordialité.

La salle Hudson Valley où avait lieu le cocktail d'ouverture se trouvait à l'entresol. En sortant de l'ascenseur, Carter vit qu'une quarantaine de personnes étaient déjà rassemblées. Deux serveurs avec des plateaux chargés de verres de vin se tenaient à l'entrée. Il prit un verre de vin rouge et but. Un mauvais merlot. Il l'aurait parié.

Au moment où il pénétrait dans la salle, quelqu'un lui donna une tape discrète sur l'épaule.

— Monsieur Stewart, je suis Jake Perkins et je couvre cette

réunion pour la *Stonecroft Gazette*. Puis-je vous poser quelques questions ?

Irrité, Stewart se retourna et dévisagea le petit rouquin qui se tenait à quelques centimètres de lui, plein d'impatience. Après une seconde d'hésitation, il haussa les épaules et suivit l'étudiant dans le couloir.

— Avant de commencer, monsieur Stewart, puis-je vous dire que je suis un fan de vos pièces ? J'aimerais écrire, moi aussi.

« Nous y voilà », pensa Stewart.

— Tous ceux qui m'interviewent expriment le même souhait, dit-il. La plupart, si ce n'est tous, n'y parviendront jamais.

Il attendit la manifestation d'irritation ou d'embarras qui suivait en général cette déclaration. Déçu, il vit au contraire le visage poupin de Jake Perkins s'éclairer d'un sourire.

— Mais moi, j'y arriverai, j'en suis convaincu. Monsieur Stewart, j'ai fait pas mal de recherches sur vous et les autres invités auxquels on rend honneur aujourd'hui. Les trois femmes connaissaient déjà la réussite en classe, alors qu'aucun de vous, les quatre hommes, n'a jamais brillé à Stonecroft. En réalité, dans votre cas particulier, vos notes étaient au mieux médiocres. Vous ne teniez aucune rubrique dans le journal de l'école ni…

« Quel culot a ce gosse ! » pensa Stewart.

— Je n'ai jamais été un athlète, dit-il sèchement, et mes talents d'écrivain étaient réservés à mon journal intime.

— Vous inspirez-vous de ce journal pour écrire vos pièces ?

— C'est possible.

— Elles sont plutôt noires.

— Je crois n'avoir aucune illusion sur la vie, pas plus que je n'en avais lorsque je faisais mes études ici.

— Vous diriez donc que vos années à Stonecroft n'ont pas été heureuses ?

— Elles n'ont pas été heureuses, en effet.

— Dans ce cas, qu'est-ce qui vous a poussé à venir ?

Stewart eut un sourire froid.

— L'occasion d'être interviewé par vous. Maintenant, si vous voulez bien m'excuser, j'aperçois Laura Wilcox, la reine de notre classe, qui sort de l'ascenseur. Voyons si elle me reconnaît.

— Accordez-moi juste une minute de plus, monsieur Stewart. J'ai ici une liste qui pourrait vous intéresser.

Il ignora la feuille de papier que Perkins cherchait à lui tendre.

Perkins en fut réduit à observer la svelte silhouette de Carter Stewart se dirigeant à grandes enjambées vers la superbe blonde qui entrait dans la salle. « Ça en dit long, pensa Perkins, d'arriver en jean, sweater et baskets au mépris de tous ceux qui se sont mis sur leur trente et un pour la soirée. Il n'est pas venu pour le seul plaisir de ramasser une malheureuse médaille. Alors, qu'est-ce qui l'amène ici ? »

Jake avait déjà fait quantité de recherches sur Carter Stewart. Le futur dramaturge avait commencé à écrire, lorsqu'il était étudiant, des pièces en un acte qui avaient été jouées par la troupe théâtrale de l'université et lui avaient permis de passer un doctorat de troisième cycle à Yale. C'est alors qu'il avait abandonné son prénom de Howard, ou le diminutif Howie dont on l'avait gratifié à Stonecroft. Il n'avait pas trente ans lorsqu'il avait connu son premier triomphe à Broadway. Il avait la réputation d'un solitaire qui se réfugiait dans l'une de ses quatre maisons pour écrire. Renfermé, odieux, perfectionniste, génial, tels étaient les qualificatifs qui revenaient le plus souvent à son sujet dans la presse. « Je pourrais en rajouter quelques autres, pensa Jake Perkins. Et je ne vais pas m'en priver. »

MARK FLEISCHMAN mit plus longtemps qu'il n'avait prévu pour faire le trajet de Boston à Cornwall. Il avait espéré profiter d'une ou deux heures pour se promener à pied dans la ville avant d'affronter ses anciens copains de classe. Il voulait à cette occasion mesurer la différence entre le souvenir qu'il avait de lui-même pendant ses années de jeunesse et son personnage actuel.

Tout en progressant à une lenteur exaspérante sur l'autoroute surchargée du Connecticut, il ne cessait de penser aux propos que lui avait tenus le père d'un de ses patients le matin même : « Docteur, vous savez aussi bien que moi que les enfants sont cruels. Ce sont des lions qui s'acharnent sur une proie blessée. Ils s'acharnent sur mon enfant aujourd'hui. Ils se sont acharnés sur moi lorsque j'avais son âge. Je suis un type qui a plutôt bien réussi dans la vie, mais lorsqu'il m'arrive d'assister à une réunion d'anciens élèves, en dix secondes je ne suis plus le président-directeur général d'une des cinq cents plus grandes compagnies américaines. Je ne suis plus que le pauvre imbécile à qui tout le monde s'en prenait. C'est insensé, non ? »

Psychologue spécialiste des troubles de l'adolescence, Mark animait une émission télévisée de conseil psychologique avec appels en direct. « Grand, mince, réconfortant, plein d'humour et de sagesse, le Dr Mark Fleischman apporte des réponses de bon sens aux problèmes de ce douloureux passage appelé l'adolescence », avait écrit un critique à propos de l'émission.

Il était 16 h 45 quand Mark gagna sa chambre. Il se tint quelques instants à la fenêtre. Ce qu'il avait à faire lui pesait. « Mais ensuite, je pourrai tirer un trait, pensa-t-il. La page sera blanche. Et je serai véritablement réconfortant et plein d'humour, et peut-être même sage. »

Il sentit ses yeux se mouiller et se détourna brusquement.

GORDON AMORY pénétra dans l'ascenseur avec son badge dans sa poche. Il le sortirait pour aller au cocktail. Pour l'instant, il lui plaisait de passer inaperçu auprès de ses anciens camarades.

Les coûteuses opérations de chirurgie plastique avaient complètement transformé le gamin au visage de fouine de la photo. Le nez était désormais droit, les yeux aux lourdes paupières avaient été agrandis. Il avait aujourd'hui un menton volontaire. Des implants et l'art du meilleur spécialiste de la coloration avaient transformé ses maigres et tristes cheveux bruns en une épaisse chevelure châtaine. Il savait qu'il était devenu un homme séduisant. La seule manifestation rappelant le gosse complexé d'autrefois se produisait quand il ne pouvait s'empêcher de se ronger les ongles.

L'ascenseur s'arrêta à l'entresol. Au moment de le quitter, Gordon sortit à regret son badge et l'épingla.

« Le Gordie qu'ils ont connu n'existe plus », se dit-il en se dirigeant vers la salle Hudson Valley.

Il sentit une tape sur son épaule et se retourna. Un jeune rouquin au visage étroit se tenait près de lui, un calepin à la main.

— Monsieur Amory, je me présente, Jake Perkins, reporter pour la *Stonecroft Gazette*. Puis-je vous demander une minute de votre temps ?

Gordon se força à lui adresser un sourire chaleureux.

— Bien sûr.

— Permettez-moi de vous dire que vous avez beaucoup changé en vingt ans, depuis votre photo d'écolier.

— J'espère bien.

— Vous possédez déjà la majorité des actions de quatre chaînes câblées. Pourquoi entrez-vous dans le capital de Maximum?

— Maximum a une forte audience familiale. J'ai pensé que cela nous permettrait d'atteindre un segment du marché qui complétera l'éventail de nos programmes.

— On parle d'une nouvelle série et la rumeur court qu'une ancienne élève de votre classe, Laura Wilcox, pourrait en être la vedette. Est-ce exact?

— Aucun casting n'a encore eu lieu. À présent, si vous voulez bien m'excuser.

— Juste une autre question, je vous prie. Voudriez-vous jeter un coup d'œil sur cette liste? Reconnaissez-vous ces noms?

— Des élèves de ma promotion, semble-t-il.

— Ce sont cinq femmes, anciennes élèves de cette classe, qui sont mortes ou ont disparu au cours des vingt dernières années.

— Je n'en ai rien su.

Perkins insista.

— Le rapprochement m'a surpris quand j'ai commencé mes recherches. Tout a commencé avec Catherine Kane, il y a dix-neuf ans. Sa voiture a dérapé et sombré dans le Potomac quand elle était en première année à l'université George-Washington. Cindy Lang a disparu alors qu'elle skiait à Snow Bird. Gloria Martin se serait suicidée. Debra Parker pilotait son propre avion; voilà six ans, l'appareil s'est écrasé, et elle est morte dans l'accident. Le mois dernier, Alison Kendall s'est noyée dans sa piscine. Diriez-vous qu'il s'agit d'une classe maudite?

— Je parlerais plutôt d'une classe frappée par le malheur. Maintenant, si vous voulez bien m'excuser…

ROBBY BRENT avait réservé sa chambre d'hôtel à partir du jeudi. Il venait de terminer un engagement de six jours au *Trump Casino* d'Atlantic City où son célèbre numéro avait connu son habituel succès et il n'avait donc aucun intérêt à rentrer à Las Vegas pour en repartir immédiatement.

« J'ai pris la bonne décision », pensa-t-il en s'habillant pour le cocktail. Il choisit dans la penderie une veste bleu marine, l'enfila et se regarda dans le miroir. On l'avait comparé à Don Rickles, non seulement parce qu'il avait la même vivacité de jeu, mais aussi à cause de son apparence. Visage rond, crâne luisant, silhouette massive. Pourtant, cette apparence n'avait pas empêché les femmes d'être attirées par lui. « Mais seulement après Stonecroft », ajouta-t-il in petto.

Il alla à la fenêtre et regarda au-dehors, se souvenant que la veille il s'était promené en ville, avait repéré les maisons de ceux qui, comme lui, étaient les lauréats de cette réunion.

Il était passé devant la maison de Jane Sheridan, se rappelant que les voisins avertissaient parfois les flics, car ses parents se bagarraient dans l'allée. Il avait entendu dire qu'ils avaient divorcé depuis longtemps.

La première maison de Laura Wilcox était voisine de celle de Jane. Ensuite, son père avait hérité un paquet de fric et la famille avait déménagé dans une superbaraque sur Concord Avenue. Il se rappela qu'il passait souvent devant la première maison de Laura quand il était môme, espérant la voir sortir et engager la conversation avec lui.

Des gens du nom de Sommers avaient acheté la maison de Laura. Leur fille y avait été assassinée. Ils avaient fini par la vendre. Vous avez plutôt tendance à fuir un endroit où votre enfant a été poignardé.

L'invitation à la réunion était posée sur le lit. Il y jeta un coup d'œil. Les noms des lauréats et leurs biographies étaient inclus dans l'enveloppe. Carter Stewart. « Quand a-t-on cessé de l'appeler Howie ? » se demanda Robby. Le père de Howie était une brute, toujours en train de lui filer une trempe. Pas étonnant que ses pièces fussent si noires. Peut-être avait-il du succès aujourd'hui mais, au fond de lui-même, il devait être resté le fouineur qui espionnait les gens à travers leur fenêtre. Il pensait qu'on ne le voyait pas, mais je l'ai surpris à une ou deux occasions. Son amour pour Laura crevait les yeux.

« Moi aussi, j'étais dingue d'elle », reconnut Robby avec un regard ironique vers la photo de Gordie Amory, réussite accomplie de la chirurgie plastique. En se promenant la veille, il avait constaté que la maison de Gordie avait été rénovée. Bizarrement peinte en bleu à l'origine, elle était aujourd'hui deux fois plus grande et d'un blanc étincelant. Comme les dents neuves de Gordie.

Sa première maison avait brûlé lorsqu'ils étaient gosses. On avait dit en ville que c'était la seule façon de la nettoyer de fond en comble. La mère de Gordie la laissait toujours sale comme une porcherie. Beaucoup pensaient qu'il y avait mis le feu exprès. « Je crois qu'il en était capable, pensa Robby. Il était franchement bizarre. À propos, je ne dois pas l'appeler Gordie, mais "Gordon" lorsque nous nous reverrons au cocktail. Encore un qui était fou de Laura. »

De même que Mark Fleischman, lauréat lui aussi. En classe, Mark était plutôt timide mais on sentait bien que ça bouillonnait ferme à l'intérieur. Il avait toujours vécu dans l'ombre de son frère aîné Dennis, le surdoué de Stonecroft, le premier de la classe, un athlète exceptionnel. Il avait été tué dans un accident de voiture quelques semaines après la rentrée universitaire. Aussi différents que le jour et la nuit, les deux frères. Il était bien connu que, si Dieu avait dû prendre l'un de leurs fils, les parents de Mark auraient préféré que ce fût lui et non Dennis qui parte. « Il y avait une telle rancœur accumulée en lui que c'est miracle que sa tête n'ait pas explosé », conclut Robby avec un sourire amer.

« Je méprisais ou détestais à peu près tous mes camarades, pensa-t-il. Alors pourquoi ai-je accepté cette invitation ? » Il y avait une raison, naturellement, mais il l'écarta de son esprit. « Non, je n'irai pas. En tout cas, pas maintenant. »

3

À LEUR arrivée au cocktail, Jack Emerson, le président du comité, invita les lauréats à pénétrer dans l'alcôve à l'extrémité de la salle Hudson Valley. Rubicond, le visage couperosé caractéristique du gros buveur, il était le seul membre de cette promotion à avoir choisi de demeurer à Cornwall et, par conséquent, à s'être occupé des aspects pratiques de la réunion.

— Lorsque nous présenterons les anciens élèves individuellement, je veux réserver votre groupe pour la fin, expliqua-t-il.

Jane arriva dans l'alcôve au moment où Gordon Amory faisait remarquer :

— Jack, je suppose que c'est à vous que nous devons le privilège d'avoir été distingués.

— C'est mon idée, en effet, répondit Emerson avec fierté. Et vous le méritez, tous autant que vous êtes. Gordie, je veux dire Gordon, vous êtes une personnalité importante de la télévision. Mark est psychiatre, éminent spécialiste du comportement adolescent. Robby est un acteur comique et un imitateur de grand talent. Howie, ou plutôt Carter Stewart, un dramaturge de premier plan. Jane Sheridan... oh ! vous voilà, Jane, enchanté de vous voir... est responsable du département d'histoire d'une grande université, ainsi qu'auteur à succès. Laura Wilcox a longtemps été la vedette d'une série télévisée. Et Alison Kendall était directrice d'une agence artistique réputée. Comme vous le savez, elle aurait été notre septième lauréate.

« La classe maudite », songea Jane avec un serrement de cœur. C'étaient les termes utilisés par ce petit reporter, Jake Perkins, lorsqu'il l'avait forcée à lui accorder une interview. Ce qu'il lui avait rapporté alors l'avait bouleversée. « Après la cérémonie des diplômes, j'ai perdu la trace de tous les élèves à l'exception d'Alison et de Laura, se souvint-elle. L'année où Catherine est morte, j'étais à Chicago. J'ai appris que l'avion de Debby Parker s'était écrasé, mais je n'ai pas su ce qui était arrivé à Cindy Lang et à Gloria Martin. Et le mois dernier, Alison. Mon Dieu, nous étions toujours toutes assises à la même table du réfectoire. Et aujourd'hui ne restent plus que Laura et moi. Quel destin tragique plane donc au-dessus de nos têtes ? »

Laura l'avait prévenue au téléphone qu'elle la retrouverait à la réception. « Jeannie, je sais que nous avions prévu de nous voir plus tôt, mais je ne suis pas prête. Je dois faire mon entrée en beauté. J'ai deux jours pour séduire Gordie Amory et le convaincre de me donner le rôle-titre dans sa nouvelle série. »

Loin d'être déçue, Jane s'était sentie soulagée. Ce moment de répit lui avait permis de téléphoner à Alice Sommers, leur ancienne voisine. Les Sommers étaient venus s'installer à Cornwall deux ans avant que leur fille Karen fût assassinée. Jane n'avait jamais oublié le jour où Mme Sommers était venue la chercher à l'école. « Jane, je vais t'emmener faire des courses avec moi. »

Ce jour-là, elle lui avait épargné la vue humiliante d'une voiture de police garée devant sa maison et de ses parents qui en sortaient les menottes aux poignets. Elle n'avait pas vraiment connu Karen Sommers. Étudiante à l'école de médecine de Columbia, à Manhattan, Karen venait rarement à Cornwall.

« Je suis toujours restée en contact avec eux, songea-t-elle. Chaque fois qu'ils venaient à Washington, ils téléphonaient pour m'inviter à dîner. » Richard Sommers était décédé quelques années auparavant, mais Alice avait été informée de la réunion et avait prié Jane de venir la retrouver à 10 heures pour le petit déjeuner avant la visite prévue à West Point.

Jane avait décidé de parler de Lily à Alice Sommers et de lui montrer le fax et le premier envoi avec la brosse et les cheveux de Lily. « Pour être au courant de l'existence du bébé, il a fallu avoir accès aux dossiers du Dr Connors. Alice pourra m'indiquer à qui m'adresser dans les services de police. Elle disait qu'ils n'avaient jamais cessé de rechercher le meurtrier de Karen. »

— Jane, quel plaisir de vous revoir ! (Mark Fleischman avait interrompu sa conversation avec Robby Brent pour se diriger vers elle.) Vous êtes ravissante, mais vous semblez troublée. Ce petit journaliste vous aurait-il coincée, vous aussi ?

Elle hocha la tête.

— Oui. Mark, j'ai été bouleversée par ce qu'il m'a dit. Je n'étais pas au courant de ces décès, à l'exception de ceux de Debby et d'Alison, bien sûr.

— Moi non plus, répondit Mark, songeur.

— Que vous a demandé Perkins ?

— Il voulait savoir si, en tant que psychiatre, un tel pourcentage de morts dans un si petit groupe ne me paraissait pas anormal. Je lui ai répondu que je n'avais pas besoin de réfléchir longtemps pour savoir qu'en effet ce n'est pas normal.

Jane hocha la tête.

— Il m'a dit qu'il existe des exemples de familles, de membres d'une même classe ou d'une même équipe sportive qui semblent marqués par le destin. Mark, je ne crois pas qu'il s'agisse d'une malédiction. Je trouve ça étrange et angoissant.

Jack Emerson avait surpris leur conversation. Son sourire fit place à une expression contrariée.

— J'ai demandé que ce petit Perkins cesse d'importuner tout le monde avec cette liste, dit-il.

Carter Stewart les rejoignit à temps pour entendre Emerson.

— Je peux vous assurer qu'il ne se gêne pas pour la montrer.

Laura entra et se précipita pour embrasser Jane. Puis, souriante, elle alla de l'un à l'autre, embrassant chacun d'eux sur la joue.

— Mark Fleischman, Gordon Amory, Robby Brent, Jack Emerson. Et, bien sûr, Carter, que je connaissais sous le nom de Howie. Vous êtes tous magnifiques.

« Laura est toujours fabuleuse, pensa Mark Fleischman. On lui donnerait à peine trente ans. »

— Mark Fleischman, souffla-t-elle. Vous étiez jaloux de me voir sortir avec Barry Diamond. Est-ce que je me trompe ?

— Vous avez raison, Laura. Mais le temps a passé.

— Je sais, mais je n'ai pas oublié.

Son sourire était radieux. Mark la vit se tourner vers un autre visage familier. Il dit doucement :

— Je n'ai pas oublié non plus, Laura. Je n'ai jamais oublié.

IL constata avec amusement que Laura était comme toujours le centre de l'attention générale. Elle était encore très belle, certes, mais déjà apparaissaient de fines rides autour des yeux et de la bouche. Si Laura vivait encore dix ans, même la chirurgie esthétique ne pourrait plus grand-chose pour elle.

Mais, bien entendu, elle ne vivrait pas dix ans de plus.

Parfois, pendant plusieurs mois de suite, le Hibou se retirait dans un endroit secret, au plus profond de lui-même. Durant ces périodes, il lui arrivait de croire que les actes commis par le Hibou n'avaient existé qu'en rêve. À d'autres moments, cependant, comme aujourd'hui, il sentait vivre le rapace en lui. Il voyait sa tête avec ses yeux noirs dans leur halo jaune. Il percevait la douceur de son plumage velouté. Il sentait le souffle de l'air sous ses ailes quand il fondait sur sa proie.

La vue de Laura l'avait poussé à s'élancer de son perchoir. « Pourquoi ai-je attendu si longtemps pour la retrouver ? » se demanda-t-il, redoutant la réponse. Était-ce parce que, le jour où elle et Jane n'existeraient plus, son pouvoir sur la vie et la mort aurait disparu avec elles ? Laura aurait dû mourir il y a vingt ans. Mais cette erreur l'avait libéré.

Cette erreur, cet accident du destin, l'avait transformé de pleurnichard qui bégayait : « Je suuuuis le le hiiiiboubou et et je vviviiii… » en prédateur, puissant et sans pitié.

Quelqu'un examinait son badge, un bigleux à lunettes et au cheveu rare, vêtu d'un complet gris foncé de bonne coupe. L'homme sourit.

— Joel Nieman, dit-il en lui tendant la main.

Joel Nieman. Il jouait Roméo dans la pièce de théâtre donnée par les élèves de terminale. C'était lui qu'Alison avait assassiné dans sa rubrique. « À la surprise générale, Roméo, alias Joel Nieman, est parvenu à se souvenir de la plus grande partie de son texte. »

— Avez-vous renoncé au théâtre ? demanda le Hibou en lui rendant son sourire.

Nieman sembla surpris.

— Vous avez une sacrée mémoire, mon vieux. J'ai décidé que la scène pouvait se passer de moi.

— Je me souviens de l'article d'Alison vous concernant.

Nieman éclata de rire.

— Et moi donc ! J'aurais aimé lui dire qu'elle m'avait rendu un sacré service. Je me suis tourné vers la comptabilité et ce fut un meilleur choix. Ce qui lui est arrivé est effroyable, n'est-ce pas ?

— Effroyable.

— J'ai lu qu'il avait été question d'ouvrir une enquête pour homicide, mais que la police, aujourd'hui, croit qu'elle a perdu connaissance en heurtant l'eau.

— Les policiers sont idiots.

L'expression de Nieman trahit l'étonnement.

— Vous croyez donc qu'Alison a été *assassinée* ?

Le Hibou se rendit compte qu'il avait pris un ton trop véhément.

— D'après ce que j'ai lu, se reprit-il avec précaution, elle s'était fait pas mal d'ennemis. Mais la police a probablement raison.

— Roméo, mon Roméo, s'écriait une voix perçante.

Marcy Rogers, qui avait été la Juliette de la pièce, tapotait le bras de Nieman. Il se retourna brusquement.

— Incroyable ! C'est Juliette ! s'exclama-t-il, radieux.

Marcy s'aperçut de la présence du Hibou.

— Oh ! bonjour. (Et revint à Nieman.) Viens faire la connaissance de mon Roméo dans la vie. Il est au bar.

L'indifférence. Telle qu'il l'avait toujours connue à Stonecroft. Marcy ne s'intéressait pas à lui, un point c'est tout.

Le Hibou regarda autour de lui. Jane Sheridan et Laura Wilcox faisaient la queue ensemble devant le buffet. Il examina le profil de Jane. Au contraire de Laura, elle était le genre de femme qui embellit en prenant de l'âge.

Le Hibou se dirigea vers le buffet et prit une assiette. Il commençait à comprendre l'ambivalence de ses sentiments envers Jane. À l'époque de Stonecroft, à deux reprises, comme le jour où il n'avait pas été admis dans l'équipe de base-ball, elle était sortie de sa réserve pour le consoler. En terminale, il avait même songé à lui demander de sortir avec lui.

De toute façon, il était trop tard pour changer le cours des événements. En la voyant arriver à l'hôtel, il avait pris la décision de la tuer, elle aussi. Il comprenait maintenant pourquoi. Jeannie s'était montrée gentille avec lui, mais, au-delà des apparences, elle ressemblait à Laura, se moquait du pauvre crétin qui avait mouillé son pantalon et pleurait et bégayait.

Il se servit de la salade. D'ailleurs, Mademoiselle Tout-sucre-tout-miel filait alors le parfait amour avec un cadet de West Point. La rage le traversa, cinglante, signal du réveil prochain du Hibou.

Il choisit le saumon poché et les haricots verts, et regarda autour de lui. Laura et Jane venaient de s'asseoir à la table des lauréats. Jane croisa son regard et lui fit un signe de la main. « Lily te ressemble, pensa-t-il. C'est tout ton portrait. » Cette pensée accrut son ardeur.

À 2 heures du matin, Jane renonça à s'endormir, alluma la lampe de chevet et ouvrit un livre. Tous les muscles de son corps étaient noués par l'effort qu'elle avait fourni pendant la soirée pour paraître aimable, en dépit de l'inquiétude qui la rongeait.

Les mêmes pensées la harcelaient. « Pendant toutes ces années, je n'ai jamais parlé de Lily à personne. L'adoption n'a pas fait l'objet d'une déclaration officielle. Le Dr Connors est mort, et ses dossiers ont été détruits. Qui a pu avoir connaissance de l'existence de Lily ? »

La fenêtre de sa chambre, à l'arrière de l'hôtel, était ouverte. Pieds nus, Jane alla en frissonnant la refermer, jetant machinalement un regard à l'extérieur. Une voiture tous phares éteints pénétrait dans le parking de l'hôtel. Sa curiosité éveillée, elle vit un homme en sortir et s'avancer d'un pas pressé vers l'entrée de service.

Le col de son manteau était relevé, mais, lorsqu'il ouvrit la porte, elle distingua son visage. Elle se détourna de la fenêtre, se demandant ce qu'un de ses distingués compagnons de table avait trouvé à faire dans cette ville jusqu'à cette heure indue.

L'APPEL parvint au bureau du procureur de Goshen à 3 heures du matin. Helen Whelan, de Surrey Meadows, avait disparu. Célibataire d'une quarantaine d'années, elle avait été vue pour la dernière fois alors qu'elle promenait son berger allemand, Brutus, vers minuit. À 3 heures du matin, un couple qui habitait quelques rues plus loin, à la limite du parc municipal, avait été réveillé par les hurlements d'un chien. Ils avaient découvert un berger allemand qui tentait de se remettre debout. Il avait été sauvagement frappé à la tête et au dos. Une chaussure de femme de pointure trente-neuf avait été trouvée non loin de là, sur la route.

Dès 4 heures du matin, Sam Deegan avait été averti qu'il devait rejoindre la brigade des inspecteurs enquêtant sur la disparition. Il commença par interroger le Dr Siegel, le vétérinaire qui avait soigné l'animal blessé.

— Je pense qu'il est resté inanimé durant deux heures à la suite des coups qu'on lui a assénés sur la tête, lui dit Siegel. Avec un instrument qui pourrait être un démonte-pneu.

Helen Whelan était professeur de gymnastique au lycée de Surrey Meadows. Elle était très populaire. Sam apprit par ses collègues qu'elle avait l'habitude de promener son chien tard dans la soirée.

— Elle n'avait jamais peur. Elle nous disait que Brutus serait mort plutôt que de laisser quiconque lui faire du mal, lui avait rapporté avec tristesse le principal du lycée.

— Elle avait raison, lui dit Sam. Le vétérinaire a dû piquer Brutus. Dès 10 heures, il avait compris que cette affaire ne serait pas facile à élucider. Selon sa sœur, Helen n'avait aucun ennemi. Elle était sortie pendant plusieurs années avec l'un de ses collègues, mais il était en congé sabbatique en Espagne jusqu'à la fin du semestre.

Disparue ou morte? Sam était convaincu que celui qui avait si sauvagement agressé un chien n'avait eu aucune pitié pour une femme. D'après sa photo, elle était très belle. Peut-être un voisin, tombé amoureux d'elle, et qu'elle aurait éconduit? Il espérait seulement ne pas être en présence d'un de ces meurtres commis au hasard par un inconnu sur la première personne venue. Ce type de crime n'est en général jamais élucidé.

LAURA avait été tentée de faire la grasse matinée et de garder toute son énergie pour le déjeuner prévu à West Point avant le match, mais à son réveil, le samedi matin, elle changea d'avis. Ses efforts pour séduire Gordie Amory lors du dîner qui avait suivi le cocktail n'avaient eu qu'un succès mitigé. Les lauréats étaient assis à la même table et Jack Emerson s'était joint à eux. Resté silencieux au début, Gordie avait fini par lui faire un compliment :

— J'imagine que tous les garçons de la classe ont eu le béguin pour vous à un moment ou à un autre, avait-il dit.

— Pourquoi utiliser un temps passé? l'avait-elle taquiné.

Sa réponse avait été encourageante.

— Pourquoi, en effet?

Et au bout du compte, la soirée s'était révélée étonnamment fructueuse. Robby Brent leur avait annoncé qu'on lui avait offert un rôle dans une sitcom pour HBO et que le script lui plaisait. Puis il s'était tourné vers elle.

— Vous savez, Laura, vous devriez postuler pour le rôle de ma femme. Vous seriez formidable.

Elle s'était demandé s'il était sérieux, car Robby était un comique professionnel. D'un autre côté, s'il ne plaisantait pas, et si elle n'arrivait à rien avec Gordie, ce pourrait être une chance à saisir. Peut-être la dernière.

« La dernière chance. » Ces mots lui procurèrent une sensation de malaise. Elle avait fait des rêves confus pendant la nuit. Elle avait rêvé de Jake Perkins, ce crampon d'apprenti journaliste avec sa liste des cinq filles assises à la même table du réfectoire qui, toutes, étaient décédées. Elle avait rêvé qu'il barrait leurs noms de la liste, l'un après l'autre, jusqu'à ce que Jeannie et elle soient les seules à être encore en vie.

« Ça suffit ! Ne pense pas à une prétendue malédiction, se reprit Laura. Tu as aujourd'hui et demain pour saisir ta chance. » Il suffisait d'un seul mot tombant de la bouche redessinée de Gordie Amory pour la faire engager dans la série de Maximum. Et voilà que Robby Brent pouvait aussi faire bouger les choses. À moins qu'il ne la fît marcher.

Elle consulta sa montre. Il était temps de s'habiller pour West Point. Le tailleur de daim bleu Armani avec une écharpe Gucci serait parfaitement adapté au froid annoncé par la météo.

« Je n'ai aucun goût pour le plein air, pensa Laura, mais puisque tout le monde a l'intention d'assister au match, j'irai aussi. »

« Gordon, pas Gordie, se rappela-t-elle en nouant son écharpe. Carter, pas Howie. » Au moins Robby était-il toujours Robby et Mark toujours Mark. Et Jack Emerson, le Donald Trump de Cornwall, n'avait pas encore décidé de se faire appeler Jacques.

Lorsqu'elle descendit à la salle à manger, elle fut déçue de ne trouver à la table d'honneur que Mark Fleischman et Jane.

— J'ai à peine le temps de prendre un café, expliqua Jane. J'ai rendez-vous avec une amie pour le petit déjeuner. Je vous rejoindrai au déjeuner.

— Tu viendras pour la parade et le match ? demanda Laura.

— Bien sûr.

— J'y ai rarement assisté, dit Laura. Contrairement à toi, Jeannie. À propos, tu connaissais un cadet qui a été tué avant la cérémonie de remise des diplômes, n'est-ce pas ? Comment s'appelait-il déjà ?

Mark Fleischman vit les yeux de Jane s'embuer. Elle hésita et il serra les lèvres. Il avait failli répondre à sa place.

— Carroll Reed Thornton Jr.

La semaine la plus pénible de l'année pour Alice Sommers était celle qui précédait l'anniversaire de la mort de sa fille. Et cette année, elle avait été particulièrement douloureuse. Vingt ans. Karen aurait quarante-deux ans, aujourd'hui. Elle serait médecin, et probablement mariée, avec deux enfants.

En se réveillant le samedi matin, Alice Sommers se sentit moins triste à la pensée qu'elle allait revoir Jeannie Sheridan.

À 10 heures, la sonnette de l'entrée résonna. Elle alla ouvrir la porte et embrassa Jane avec chaleur.

— Savez-vous que je ne vous ai pas vue depuis huit mois? demanda-t-elle. Jeannie, vous m'avez manqué.

— Vous m'avez manqué aussi.

Jane regarda la femme qui lui faisait face avec une profonde affection. Alice Sommers était encore très jolie, avec ses cheveux gris argenté et ses yeux bleus que voilait toujours une ombre de tristesse. Mais son sourire était chaleureux et vif.

Bras dessus, bras dessous, elles se dirigèrent vers la salle de séjour.

— Jeannie, je me rends compte que vous n'êtes jamais venue ici. Nous nous sommes toujours vues à New York ou à Washington. Venez, je vais vous faire visiter la maison, à commencer par le panorama extraordinaire sur l'Hudson.

Tandis qu'elles parcouraient la maison, Alice expliqua :

— J'ignore pourquoi nous sommes restés si longtemps dans l'autre maison. Je suis tellement plus heureuse ici. Je crois que Richard avait l'impression qu'en partant nous abandonnerions Karen. Il n'a jamais accepté de l'avoir perdue, vous savez.

Jane revit la belle maison de style Tudor qu'elle admirait tant quand elle était jeune. « J'y venais souvent lorsque Laura y habitait ; et ensuite, Alice et M. Sommers ont été si gentils avec moi. »

— La maison a-t-elle été achetée par quelqu'un de ma connaissance ? demanda-t-elle.

— Je ne crois pas. Les gens qui l'ont acquise l'ont vendue l'an dernier. On m'a dit que le nouveau propriétaire a fait des travaux de rénovation et qu'il a l'intention de la louer meublée. Beaucoup de gens croient que le véritable acheteur est Jack Emerson. La rumeur court qu'il possède nombre de propriétés en ville. Il a parcouru un sacré chemin depuis l'époque où il faisait le ménage dans les bureaux.

— C'est l'organisateur de notre réunion.

— L'organisateur et le moteur. Il n'y a jamais eu autant de tapage publicitaire pour un vingtième anniversaire d'anciens élèves de Stonecroft. (Elle haussa les épaules.) Au moins, cela vous a permis de venir ici. J'espère que vous avez faim. Il y a des gaufres et des fraises pour le petit déjeuner.

Jane attendit la seconde tasse de café pour sortir de son sac le fax et l'enveloppe contenant la brosse et la mèche de cheveux et les montrer à Alice. Puis elle lui parla de Lily.

— Le Dr Connors connaissait un couple désireux d'avoir un enfant. Des patients à lui, ce qui permet de supposer qu'ils vivaient dans la région. Alice, je ne sais pas si je dois m'adresser à la police ou engager un détective privé. Je me sens tellement démunie.

Alice se pencha par-dessus la table et prit la main de Jane.

— Vous voulez dire que vous avez eu un bébé à l'âge de dix-huit ans et que vous n'en avez parlé à personne ?

— Pas à âme qui vive. J'avais entendu dire que le Dr Connors aidait des couples à adopter. Il voulait que je prévienne mes parents, mais j'étais majeure et une de ses patientes venait d'apprendre qu'elle était stérile. Elle et son mari avaient formé le projet d'adopter un enfant. Il m'a trouvé un job dans une maison de repos à Chicago, et j'ai annoncé que je désirais travailler pendant un an avant d'entrer à Bryn Mawr.

— Nous avons été si fiers de vous en apprenant que vous aviez obtenu votre bourse.

— Je suis partie pour Chicago tout de suite après mon diplôme. J'avais besoin de m'éloigner. Et pas uniquement à cause du bébé. J'avais besoin de pleurer la mort de Reed. Il était si différent des autres. Je crois que c'est pour cette raison que je ne me suis jamais mariée. (Des larmes brillèrent dans les yeux de Jane.) Je n'ai jamais éprouvé pareil sentiment pour quelqu'un d'autre. (Elle secoua la tête et reprit le fax.) *Dois-je l'embrasser ou la tuer ? Je plaisante.* Il est vraisemblable que les parents adoptifs de Lily habitaient la région puisque le Dr Connors était leur médecin. Il me semble donc préférable d'avertir la police locale. Alice, qu'en pensez-vous ?

— Je crois que vous avez raison et je connais la personne adéquate, dit Alice d'un ton ferme. Sam Deegan est inspecteur au bureau d'investigation du procureur. Il était présent le matin où nous avons trouvé Karen morte. C'est devenu un très bon ami. Il saura vous aider.

4

LE départ du bus pour West Point était prévu à 10 heures. À 9h 15, Jack Emerson quitta l'hôtel et passa rapidement chez lui chercher la cravate qu'il avait oublié d'emporter. Rita, avec qui il était marié depuis quinze ans, lisait le journal tout en buvant son café. Elle leva vers lui un regard indifférent.

— Comment se déroule le grand raout, Jack?

L'ironie perçait dans chaque mot qu'elle lui adressait.

— Je dirais qu'il se déroule à la perfection, Rita, répondit-il aimablement.

— Ta chambre d'hôtel est-elle confortable, pour autant que tu puisses en juger?

— Aussi confortable que peuvent l'être les chambres du *Glen-Ridge*. Pourquoi ne pas venir vérifier par toi-même?

— Peut-être y ferai-je un tour.

Coupant court, elle se replongea dans son journal. Il s'attarda à la regarder. Elle avait trente-sept ans, et n'était pas de ces femmes qui s'améliorent avec l'âge. Ses lèvres minces avaient pris un pli boudeur. À vingt ans, avec ses cheveux tombant librement sur ses épaules, elle avait été séduisante. Aujourd'hui, elle portait un chignon serré, sa peau avait perdu de sa souplesse. Tout en elle semblait crispé et renfrogné, et Jack se rendit compte à quel point il l'avait en aversion.

Se sentir obligé d'expliquer sa présence dans sa propre maison le mit en rage.

— Je n'ai pas la cravate voulue pour le dîner de ce soir, dit-il d'un ton sec. Voilà pourquoi je suis passé.

Elle reposa son journal.

— Jack, quand j'ai insisté pour que Sandy aille en pension au lieu de continuer ses études dans ton bien-aimé Stonecroft, tu aurais dû comprendre qu'il y avait quelque chose dans l'air.

— Je crois que je l'ai compris.

« Nous y voilà », pensa-t-il.

— Je retourne vivre dans le Connecticut. J'ai loué une maison à Westport. Nous nous arrangerons pour les droits de visite à Sandy. Si tu as été un piètre mari, tu t'es montré un père raisonnablement correct, et il est préférable que nous nous séparions à l'amiable. Je sais exactement ce que tu vaux, aussi ne perdons pas trop d'argent avec les avocats. (Elle se leva.) Affable, modèle d'esprit civique, homme d'affaires avisé, tel est Jack Emerson. C'est ce que les gens disent de toi, Jack. Mais outre que tu cours les femmes, il y a quelque chose de corrompu chez toi. Par simple curiosité, j'aimerais bien savoir quoi.

Jack Emerson eut un sourire froid.

— En t'entendant insister pour inscrire Sandy à Choate, j'ai su tout de suite que tu préparais ton retour dans le Connecticut. J'ai hésité dix secondes à t'en parler. Puis je me suis réjoui.

« Et continue à croire que tu sais ce que je vaux », se dit-il.

Rita haussa les épaules.

— Tu sais, Jack, sous le vernis tu es resté le même vulgaire petit gardien d'immeuble obligé de faire le ménage après l'école. Et si tu ne te montres pas fair-play pour divorcer, je pourrais dire aux autorités que tu m'as avoué avoir été à l'origine de l'incendie de ces bâtiments médicaux voilà dix ans.

Il lui lança un regard stupéfait.

— Je ne t'ai jamais dit ça !

— Mais ils me croiront, non ? Tu avais travaillé dans l'immeuble et tu voulais ce terrain pour le centre commercial que tu avais l'intention de construire. Après l'incendie, tu l'as eu pour une bouchée de pain. (Elle haussa les sourcils.) Dépêche-toi d'aller chercher ta cravate, Jack. J'aurai quitté les lieux dans deux heures. Peut-être pourras-tu ramener ici une de tes ex-camarades de classe pour une petite soirée intime.

Jane sentit une boule lui serrer la gorge au moment où elle franchissait la grille du parc de West Point. Elle n'oublierait jamais la dernière fois où elle y était venue, le jour de la remise des diplômes de la classe de Reed, cet instant où elle avait vu la mère et le père du jeune cadet recevoir son diplôme et son épée à sa place.

La plupart des membres du groupe étaient en train de visiter West Point. Ils avaient tous rendez-vous à 12 h 30 pour déjeuner au *Thayer*. Ensuite, ils assisteraient à une parade militaire puis au match.

Avant de les rejoindre, Jane prit le chemin du cimetière pour aller se recueillir sur la tombe de Reed. Le trajet à pied était long, mais elle savoura ce moment de calme et de réflexion. Elle s'arrêta devant la tombe qui portait son nom : Lieutenant Carrol Reed Thornton Jr.

Une rose unique avait été déposée sur la pierre, à laquelle était fixée une enveloppe à son nom. Jane frémit. Elle ramassa la rose, retira la carte de l'enveloppe et sentit ses mains trembler en lisant les quelques mots qui y étaient inscrits : *Jane, cette rose vous est destinée. Je savais que vous viendriez.*

Sur le chemin qui la ramenait au *Thayer*, elle s'efforça de recouvrer son calme. Ce message était la preuve qu'un membre de leur groupe était au courant de l'existence de Lily, et jouait au chat et à la souris avec elle. « Qui d'autre aurait pu savoir que je me trouverais ici aujourd'hui et que j'irais sur la tombe de Reed ? se demanda-t-elle. Je trouverai qui c'est, et je saurai où est Lily. Elle ignore peut-être qu'elle est une enfant adoptée. Je ne troublerai pas son existence, mais je dois savoir si rien ne la menace. Je voudrais seulement la voir une fois, même de loin. »

LE Hibou s'attendait que la disparition d'une femme à Surrey Meadows, dans l'État de New York, ne fît pas la une des journaux du samedi, mais il constata avec plaisir qu'elle était mentionnée à la télévision. Il en écouta les comptes rendus pendant le petit déjeuner après avoir pansé son bras. La morsure du berger allemand était une conséquence directe de son insouciance. Il aurait dû remarquer la laisse dans la main de la femme avant de se garer le long du trottoir et de la saisir par le bras. Sortant de nulle part, le berger allemand avait bondi et s'était jeté sur lui en montrant les crocs. Heureusement, il avait pu s'emparer du démonte-pneu qu'il gardait toujours à portée de la main sur le siège du passager lors de ses expéditions nocturnes.

Maintenant, Jane était assise à côté de lui pour voir la parade avant le match de football et il était clair qu'elle avait trouvé la rose sur la tombe.

En apprenant par hasard l'existence de Lily quelques années plus tôt, il avait compris qu'il y avait de nombreux moyens d'exercer son pouvoir sur les autres. Tantôt il se plaisait à en user, tantôt il se contentait d'attendre. Trois ans plus tôt, une lettre anonyme adressée au Trésor public avait entraîné le redressement fiscal de Laura. Aujourd'hui, sa maison était hypothéquée. Savoir qu'avant de mourir elle avait craint de perdre sa maison le comblait.

L'idée d'entrer en contact avec Jane à propos de Lily lui était venue lorsqu'il avait fait par hasard la connaissance des parents adoptifs de sa fille. « Bien que n'étant pas certain de vouloir tuer Jane, je voulais la faire souffrir », pensa-t-il sans l'ombre d'un regret.

— C'est un spectacle émouvant, n'est-ce pas ? demanda-t-il à Jane.

— Oui, émouvant.

Les tambours et les clairons des Hellcats, la fanfare de West Point, défilaient devant l'estrade. « Regarde bien, Jeannie. Ta gamine est là, à l'extrémité du deuxième rang. »

DE retour au *Glen-Ridge*, Jane s'arrangea pour prendre l'ascenseur avec Laura et la suivre jusqu'à sa chambre.

— Laura, il faut que je te parle, dit-elle.

— Oh ! Jeannie, j'ai seulement envie de me plonger dans un bain chaud et de me reposer, protesta Laura. L'expédition à West Point était peut-être formidable, mais ces sorties au grand air ne sont pas ma tasse de thé. Ne peut-on se voir plus tard ?

— Non, dit Jane d'un ton ferme. Je dois te parler tout de suite.

— C'est bien parce que tu es mon amie, soupira Laura. Bienvenue au Tadj Mahall !

Elle ouvrit la porte et appuya sur l'interrupteur. Les lampes de chevet de part et d'autre du lit et sur le bureau s'allumèrent, jetant une lumière incertaine dans la chambre où s'allongeaient déjà les ombres du couchant.

Jane s'assit au bord du lit.

— Laura, c'est très important. Tu es allée au cimetière pendant la visite de West Point, n'est-ce pas ?

Laura déboutonna lentement sa veste de daim.

— Comme tous ceux qui étaient dans le bus.

Laura alla suspendre sa veste dans la penderie.

Jane se leva et posa ses mains sur les épaules de son amie.

— As-tu remarqué si quelqu'un dans le bus tenait une rose à la main, ou as-tu vu quelqu'un cueillir une rose dans le cimetière ?

— Une rose ? Non. J'ai vu des gens orner de fleurs certaines tombes, mais personne de notre groupe.

« J'aurais dû m'en douter », pensa Jane. Laura ne s'intéressait qu'aux gens qui comptaient pour elle.

— Je vais te laisser, dit-elle. À quelle heure sommes-nous attendues en bas ?

— Dix-neuf heures pour le cocktail, 20 heures pour le dîner. Nous recevrons nos médailles à 22 heures. Et demain, il y a seulement la cérémonie en souvenir d'Alison et le brunch à Stonecroft.

— Comptes-tu rentrer directement en Californie ?

Impulsivement, Laura serra Jane dans ses bras.

— Mes projets ne sont pas encore arrêtés, mais disons que j'ai peut-être une meilleure opportunité. À tout à l'heure, chérie.

Lorsque la porte se referma derrière Jane, Laura retira sa housse à vêtements de la penderie. Dès la fin du dîner, ils s'éclipseraient. Il lui avait dit :

— J'en ai assez de cet hôtel, Laura. Prépare quelques effets pour la nuit et je les mettrai dans le coffre de la voiture avant le dîner. Mais pas un mot ! L'endroit où nous passerons la nuit ne regarde personne. Tu vas regretter de ne pas avoir su m'apprécier il y a vingt ans.

Tandis qu'elle disposait une veste de cachemire dans la valise en prévision du lendemain, Laura sourit. « Je lui ai dit que je tenais absolument à assister à la cérémonie en l'honneur d'Alison, mais que je me fichais de rater le brunch. »

Puis elle fronça les sourcils. Il avait répliqué : « Je n'ai jamais envisagé de manquer la cérémonie. » « Bien sûr, il voulait dire que nous y serions ensemble », se dit-elle.

À 3 heures de l'après-midi, Sam Deegan reçut un appel téléphonique surprenant d'Alice Sommers.

— Sam, seriez-vous libre ce soir pour m'accompagner à un dîner de gala ? Je vous prends à l'improviste, n'est-ce pas ?

— Non, pas du tout. La réponse est oui, je suis libre, et je dois avoir un smoking quelque part dans ma penderie.

— Il y a une réception en l'honneur de quelques anciens élèves de Stonecroft. Des places pour le dîner ont été mises en vente. Il s'agit en réalité de réunir des fonds au profit de la nouvelle aile qu'ils veulent ajouter à l'école. J'aimerais vous présenter l'une des lauréates. Elle s'appelle Jane Sheridan. Elle habitait près de chez nous autrefois et j'ai beaucoup d'affection pour elle. Elle a un grave problème et a besoin de conseils. Je me suis dit…

— Alice, je serai ravi de vous accompagner, sincèrement.

Il ne lui dit pas qu'il avait travaillé depuis 4 h 30 du matin sur le cas d'Helen Whelan, et qu'il venait de rentrer chez lui avec l'intention de se coucher tôt. « Un somme d'une ou deux heures réparera la fatigue », se dit-il.

— Si vous venez me prendre vers 19 heures, dit Alice, je vous offrirai d'abord un verre, et ensuite nous irons ensemble à l'hôtel.

— Entendu. À tout à l'heure, Alice.

— C'EST impressionnant, n'est-ce pas, Jane ? fit Gordon Amory.

Il était assis à sa droite, sur l'estrade où trônaient les lauréats. Un rang plus bas, le député local, le maire de Cornwall, le président de Stonecroft et plusieurs membres du conseil d'administration observaient d'un œil satisfait la salle bondée.

— Oui, répondit Jane.

— Avez-vous pensé à inviter vos parents à cette grande occasion ?

S'il n'y avait pas eu une note malicieuse dans la voix de Gordon, Jane se serait rebiffée, mais elle répondit avec le même humour :

— Non. Vous est-il venu à l'esprit d'inviter les vôtres ?

— Bien sûr que non. Ma mère était une vraie souillon. Vous vous souvenez sans doute que, lorsque notre maison a pris feu, tout le monde en ville a dit en riant que c'était la seule façon de la nettoyer. J'ai à présent plusieurs maisons et j'avoue que je suis obsédé par la propreté de chacune d'entre elles. C'est sans doute l'une des raisons de l'échec de mon mariage.

— Quant à mon père et à ma mère, ils avaient des querelles épouvantables en public. N'est-ce pas le souvenir que vous avez gardé me concernant, Gordon ?

— Je me rappelle que nous étions plus ou moins tous mal dans notre peau et, à l'exception de Laura qui fut toujours la petite reine de notre classe, nous avons tous eu la vie dure. J'ai tellement voulu changer que je me suis fait faire un nouveau visage. Pourtant, dans les moments difficiles, parfois, je me réveille et je suis encore Gordie le minable, le pauvre débile que tout le monde s'amusait à harceler. Vous vous êtes fait un nom dans les cercles universitaires, et vous êtes l'auteur d'un best-seller. Mais qui êtes-vous dans votre for intérieur?

« Qui suis-je? En secret, je suis encore le petit canard en mal d'affection », pensa Jane, mais la réponse lui fut épargnée par Gordon lui-même qui disait avec un sourire puéril :

— On ne devrait jamais philosopher pendant un dîner. Peut-être me sentirai-je différent une fois qu'ils m'auront accroché cette médaille sur la poitrine. Qu'en pensez-vous, Laura?

Le voyant s'adresser à Laura, Jane se tourna vers Jack Emerson assis à sa gauche.

— Vous sembliez avoir une discussion animée avec Gordon, fit-il remarquer.

La curiosité se lisait sur son visage. Elle n'avait pas envie de poursuivre avec lui la conversation entamée avec Gordon.

— Oh! nous évoquions seulement les années où nous avons grandi ici, dit-elle d'un ton indifférent.

— Cornwall était un endroit formidable pour les jeunes, disait Emerson. Je n'ai jamais compris pourquoi aucun de vous ne s'y est installé. À propos, si jamais vous désiriez revenir au pays, Jeannie, j'ai quelques propriétés à vendre qui sont de vrais bijoux.

« Jamais, pensa Jane. Je n'ai qu'une envie, fuir ces lieux au plus vite. Mais d'abord, je dois découvrir qui cherche à me faire peur. J'ai hâte que ce dîner prenne fin pour aller rejoindre Alice et l'inspecteur qu'elle a amené ce soir. Espérons qu'il m'aidera à retrouver Lily et à mettre fin aux menaces. Et lorsque je serai assurée qu'elle est en sécurité et heureuse, je regagnerai mon univers de femme adulte. »

— Je ne cherche vraiment pas de maison à Cornwall.

— Peut-être pas maintenant, Jeannie, répondit-il avec un éclair dans le regard. Mais je parie que je trouverai bientôt un endroit où vous pourriez séjourner. À dire vrai, j'en suis convaincu.

« COMME il fallait s'y attendre, pensa le Hibou avec un sourire railleur, Laura est superbe dans sa robe du soir en lamé or. » Un petit talent, aidé par un physique exceptionnel, lui avait permis de connaître quinze minutes de gloire. Et il fallait le reconnaître, elle possédait une personnalité attachante, à condition de ne pas être l'objet de son mépris.

Le sac de voyage de Laura se trouvait dans le coffre de sa voiture. Il l'y avait lui-même apporté en passant subrepticement par l'escalier de service.

Avec un frisson d'impatience, il imagina le moment où ils seraient dans la maison, quand il refermerait la porte derrière elle et verrait la terreur dans son regard, le moment où elle comprendrait qu'elle était prise au piège…

Enfin, la cérémonie s'acheva, le dîner aussi et ils purent se lever pour partir. Il sentit que Laura se tournait vers lui, mais il ne chercha pas à croiser son regard. Ils étaient convenus de se mêler aux autres pendant quelques minutes puis de monter séparément dans leurs chambres. Ensuite, elle le rejoindrait à la voiture.

Les autres invités quitteraient l'hôtel dans la matinée et se rendraient individuellement au service commémoratif en l'honneur d'Alison, suivi du brunch d'adieu. Personne ne remarquerait alors l'absence de Laura, et ensuite on supposerait qu'elle était rentrée plus tôt chez elle.

— C'est le moment de vous féliciter, je suppose, dit Jane en posant sa main sur son bras, au-dessus du poignet.

Elle avait touché la morsure faite par le chien. Le Hibou sentit le sang jaillir de la blessure et mouiller sa veste de smoking, et s'aperçut que la manche de la robe du soir bleue de Jane frôlait la sienne.

Serrant les dents, il parvint à dissimuler la douleur cuisante qui irradiait dans son bras. Jane ne s'était rendu compte de rien. Elle se détourna pour saluer un couple d'une soixantaine d'années qui s'avançait vers elle.

Pendant un instant, le Hibou songea aux traces de sang qui s'étaient répandues sur la chaussée lorsque le chien l'avait mordu. L'ADN. C'était la première fois qu'il laissait une preuve physique derrière lui, à l'exception de son symbole naturellement, mais personne, nulle part, n'y avait jamais prêté attention. D'un côté, il s'était senti déçu par cette bêtise, mais d'un autre il s'en était réjoui. Si on reliait les morts de toutes ces femmes, il lui serait plus difficile de continuer. *À condition* qu'il choisisse de continuer après Laura et Jane.

DÈS l'instant où elle se trouva en présence de Sam Deegan, Jane comprit pourquoi Alice lui avait parlé de lui si chaleureusement. Son visage énergique qu'éclairaient des yeux d'un bleu sombre et pénétrant lui plut immédiatement. Tout comme son sourire cordial et sa ferme poignée de main.

— J'ai parlé à Sam de Lily, et du fax que vous avez reçu hier, dit Alice à voix basse.

— Il y a eu un autre message, murmura Jane. Alice, j'ai horriblement peur pour Lily.

Avant qu'Alice ait eu le temps de répondre, Sam dit :

— Allons nous installer au bar pour ne pas être entendus.

Ils trouvèrent une table d'angle et, tandis qu'ils buvaient le champagne que Sam avait commandé, Jane les mit au courant pour la rose et pour la carte qu'elle avait découvertes au cimetière.

— La rose n'a pu être déposée que par un membre de notre groupe, quelqu'un qui savait que j'irais à West Point et que je me rendrais sur la tombe de Reed. Mais pourquoi il (ou elle) s'amuse-t-il à ce jeu? Pourquoi ces vagues menaces? Pourquoi ne pas se dévoiler et dire pour quelle raison il désire entrer en contact avec moi maintenant?

— Pourrais-je entrer en contact avec vous maintenant? demanda au même moment Mark Fleischman d'un ton enjoué.

Il se tenait derrière la chaise inoccupée voisine de la sienne, un verre à la main.

— Je vous ai cherchée partout pour vous proposer de prendre un dernier verre, expliqua-t-il. J'ai fini par vous apercevoir ici.

Il vit l'expression de surprise des deux personnes qui étaient à la table de Jane et ne s'en étonna pas. Il était parfaitement conscient d'interrompre une discussion, mais il voulait savoir avec qui se trouvait Jane et de quoi ils parlaient.

— Voulez-vous vous joindre à nous? offrit Jane en s'efforçant de lui faire bon accueil.

« Qu'a-t-il surpris de notre conversation? » se demanda-t-elle en le présentant à Alice et à Sam.

— Le Dr Mark Fleischman, dit Sam. Je regarde votre émission avec beaucoup d'intérêt. Vos interventions sont toujours très pertinentes.

Jane vit le visage de Mark Fleischman s'éclairer devant la sincérité manifeste de Sam Deegan.

« Il était tellement silencieux quand il était jeune, se souvint-elle. Si timide. On n'aurait jamais imaginé qu'il deviendrait une personnalité de la télévision. » À écouter Gordon, Mark était devenu psychiatre spécialiste des troubles comportementaux chez les adolescents à cause des problèmes qu'il avait connus à la mort de son frère.

— Je sais que vous avez passé votre jeunesse ici, Mark. Avez-vous toujours de la famille en ville ? demanda Alice Sommers.

— Mon père. Il n'a jamais quitté notre ancienne maison. Il est à la retraite, mais je crois qu'il voyage beaucoup. Je n'ai pas eu de contact avec lui depuis plusieurs années. Je suis sûr qu'avec tout le battage fait autour de cette réunion et des lauréats couronnés par Stonecroft, il est au courant de ma présence ici, pourtant il ne m'a pas fait signe.

— Il est peut-être absent en ce moment, suggéra Alice.

— Dans ce cas, il brûle de l'électricité pour rien. La lumière était allumée chez lui hier soir.

Il haussa les épaules puis sourit.

— Excusez-moi. Je n'avais pas l'intention de vous faire partager mes états d'âme. Je vous ai interrompus parce que je voulais vous dire, Jane, combien vous êtes ravissante et que je suis heureux de vous avoir revue, au cas où nous n'aurions pas l'occasion de nous rencontrer demain.

Il se leva, adressa un sourire à Alice Sommers et tendit la main à Sam Deegan.

— J'ai été ravi de faire votre connaissance. J'aperçois deux personnes que je voudrais saluer maintenant, car je crains de les rater demain.

Il tourna les talons et traversa la pièce à longues enjambées.

— Ce garçon est très séduisant, Jane, déclara Alice Sommers catégoriquement. Et il est évident qu'il s'intéresse à toi.

« Mais ce n'est peut-être pas la seule raison qui l'a poussé à venir à notre table, pensa Sam Deegan. Il nous surveillait depuis le bar. Il voulait savoir de quoi nous parlions. En quoi était-ce tellement important pour lui? »

Le Hibou était presque sorti de sa cage. Il s'en dégageait. Il savait presque toujours quand intervenait la séparation. Le meilleur de lui-même – la personne qu'il eût pu devenir dans des circonstances différentes – s'éloignait peu à peu. Il s'observa en train de sourire et d'accepter les baisers sur la joue de plusieurs femmes dans le groupe.

Puis il s'échappa. Vingt minutes plus tard, sentant autour de lui la douce enveloppe soyeuse de son plumage, il était assis dans sa voiture et attendait Laura. Il la regarda sortir par la porte de service de l'hôtel. Puis elle apparut à la portière de la voiture, l'ouvrit. Elle se glissa sur le siège à côté de lui.

— Emmène-moi, chéri, dit-elle en riant. C'est amusant, non?

Jake Perkins resta debout tard pour rédiger son article sur le banquet destiné à la *Stonecroft Gazette*. À seize ans, il se considérait comme un philosophe doublé d'un écrivain et d'un observateur attentif du comportement humain.

Il savait, naturellement, que l'article qu'il voulait écrire ne serait jamais accepté par le professeur d'anglais qui était à la fois conseiller et censeur de la *Gazette*. Mais pour son plaisir personnel, Jake écrivit l'article qu'il eût souhaité voir publier avant de rédiger celui qu'il soumettrait au journal.

Laura Wilcox fut la première à recevoir la médaille honorifique des anciens élèves. Quasi hypnotisés par sa robe de lamé or, la plupart des hommes n'ont pas accordé la moindre attention à son petit discours sur le bonheur d'être née dans cette ville. Comme elle n'y était jamais revenue et que personne ne se rappelait l'élégante Mlle Wilcox se promenant dans Main Street ou s'arrêtant dans la boutique de tatouage récemment ouverte, ses remarques furent accueillies par des applaudissements polis et quelques sifflets.

Le Dr Mark Fleischman, psychiatre, vedette de la télévision, prononça une allocution mesurée et applaudie, dans laquelle il recommandait aux parents et aux enseignants de donner aux enfants la force morale nécessaire pour affronter un monde cruel. « C'est à vous qu'il revient de leur donner confiance en eux-mêmes tout en leur indiquant les limites à ne pas franchir », a-t-il déclaré.

Carter Stewart, l'auteur dramatique, a déclaré que, contrairement au Dr Fleischman, son père croyait au vieux principe : « Qui aime bien châtie bien. » Il a rendu ainsi hommage à la mémoire de son père, le remerciant de lui avoir donné une vision pessimiste de l'existence qui lui avait été très utile.

Ses propos ont suscité quelques rires nerveux et peu d'applaudissements.

L'acteur Robby Brent a déridé l'assistance avec ses imitations hilarantes des professeurs qui menaçaient sans cesse de le coller et de lui faire perdre sa bourse d'études. L'un de ces professeurs, présent dans la salle, accueillit avec un sourire courageux la parodie féroce de ses gestes et de ses manies, ainsi que l'imitation parfaite de sa voix. Mais Mlle Ella Binder, le pilier du département de mathématiques, faillit éclater en sanglots lorsque Brent déchaîna l'hilarité générale en parodiant sa voix de tête et ses petits fous rires nerveux.

« J'étais le dernier et le plus bête des Brent, conclut Robby. Vous me l'avez toujours rappelé, Mme Binder. Je me suis défendu grâce à l'humour, et je ne vous en remercierai jamais assez. »

Il cligna alors des yeux et plissa les lèvres, mimant le président Downes, et lui remit un chèque d'un dollar, sa contribution à la nouvelle aile de Stonecroft.

Comme l'assistance manifestait sa surprise, il s'écria : « Je plaisante », et brandit un chèque de 10 000 dollars qu'il tendit cérémonieusement.

Certains le trouvèrent désopilant. D'autres, comme le Pr Jane Sheridan, s'offusquèrent de ses clowneries. On l'entendit plus tard confier à quelqu'un qu'elle jugeait déplacé de manier l'humour avec autant de cruauté.

Gordon Amory, notre magnat de la télévision, était l'orateur suivant.

« J'ai eu beau faire, je ne suis jamais parvenu à entrer dans aucune équipe sportive de Stonecroft, dit-il. Vous ne pouvez imaginer les prières que j'ai adressées à Dieu pour avoir une chance d'être sélectionné. Je me suis consolé en devenant un accro de la télévision, puis je me suis mis à analyser les émissions que je regardais. Très vite, j'ai compris pourquoi certains programmes, feuilletons ou fictions historiques avaient du succès tandis que d'autres étaient des flops. Ce fut le début de ma carrière ; fondée sur le rejet, la déception et l'amertume. Ah, j'oubliais, avant que je parte, laissez-moi tordre le cou à une rumeur. Je n'ai pas mis le feu volontairement à la maison de mes parents. J'étais en train de fumer une cigarette et je n'ai pas remarqué, après avoir éteint la télévision et être monté me coucher, que le mégot encore allumé était tombé derrière le carton vide de la pizza que ma mère avait laissé traîner sur le canapé. »

Avant que l'assistance ait eu le temps de réagir, M. Amory a fait don d'un chèque de 100 000 dollars destiné au nouveau bâtiment.

La dernière lauréate, le Pr Jane Sheridan, déclara : « Grâce à une bourse, j'ai pu profiter d'un enseignement exceptionnel à Stonecroft. Mais en dehors de l'enceinte de l'école existait une autre source d'enseignement, la ville et ses environs. J'y ai acquis le goût de l'histoire qui a orienté ma vie et ma carrière. C'est un bienfait dont je serai éternellement reconnaissante. »

« Bon, tout sera fini demain », pensa Jake en contemplant la photo qu'il avait sortie de ses archives. Par une invraisemblable singularité, les cinq disparues avaient non seulement partagé la même table de réfectoire que deux des lauréates, Laura Wilcox et Jane Sheridan, mais elles y étaient assises dans l'ordre où elles étaient mortes.

« Cela signifie que Laura Wilcox devrait être la prochaine. S'agit-il d'une bizarre coïncidence ou devrait-on creuser la question ? C'est absurde. Ces femmes sont mortes sur une période de vingt ans, de manière chaque fois différente, aux quatre coins du pays. La fatalité, conclut Jake. Rien que la fatalité. »

5

—J'AI l'intention de rester quelques jours de plus, dit Jane à l'employé de la réception qui répondait au téléphone le dimanche matin. Est-ce possible?

Elle savait que la réponse serait affirmative. La plupart des participants à la réunion reprendraient sans doute la route après le brunch, et de nombreuses chambres seraient vacantes.

Il était à peine 8 h 15, mais elle était déjà debout et habillée, avait avalé son café et grignoté le muffin de son petit déjeuner. Elle avait prévu de retourner chez Alice Sommers après le brunch. Sam Deegan serait présent et ils pourraient parler sans crainte d'être interrompus. Sam lui avait dit que l'adoption, toute privée qu'elle fût, avait été nécessairement enregistrée et qu'un avocat avait dû rédiger un acte. Il avait demandé à Jane si elle avait une copie du document qu'elle avait signé en abandonnant ses droits sur l'enfant.

— Le Dr Connors ne m'a laissé aucun papier, avait-elle expliqué. À moins que je n'aie refusé de conserver la moindre trace de ce que je faisais. Je n'en ai aucun souvenir. J'ai eu l'impression qu'on m'arrachait le cœur quand il m'a pris mon bébé.

Depuis cette conversation, le pressentiment d'un malheur imminent, la certitude croissante que Lily courait un danger immédiat étaient si forts qu'elle s'était réveillée à 6 heures, les joues baignées de larmes, ses lèvres prononçant la prière devenue un leitmotiv de son subconscient :

— Faites que personne ne lui fasse du mal. Protégez-la, je vous en prie.

À 8 h 30, elle descendit dans le parking et se mit au volant de sa voiture. Obéissant à une impulsion, elle prit la direction de Mountain Road pour voir la maison où elle avait grandi.

Elle était située presque à mi-chemin de la rue sinueuse. Les actuels propriétaires avaient agrandi la maison, et repeint en blanc les bardeaux marron et en vert foncé les volets beiges. Elle était exquise dans la brume matinale.

La maison de brique et de stuc où vivaient jadis les Sommers était elle aussi dans un état parfait, bien que personne ne semblât l'habiter en ce moment. Les stores intérieurs étaient baissés, mais les encadrements des fenêtres avaient été fraîchement repeints, les haies étaient impeccablement taillées.

« J'ai toujours aimé cette maison », pensa Jane en rebroussant chemin.

Plus tôt dans la matinée, la brume avait paru sur le point de se lever, mais comme souvent en octobre, les nuages s'étaient épaissis et le brouillard s'était transformé en crachin. « Il faisait ce même temps le jour où j'ai su que j'étais enceinte, se souvint-elle.

» Je ne savais pas ce que Reed dirait. Je devinais qu'il aurait l'impression d'avoir trahi les espérances que son père avait nourries pour lui.

» Vingt ans auparavant, le père de Reed était général de corps d'armée, en poste au Pentagone. C'est sans doute pourquoi Reed me tenait éloignée de ses camarades de promotion. Il ne voulait pas que revienne aux oreilles de son père qu'il avait une histoire sérieuse avec une jeune fille.

» Et je n'avais pas envie qu'il rencontre mes parents.

» Je l'ai connu si peu de temps, se dit-elle en entrant dans le parking. Je n'avais jamais eu personne avant lui. Et un jour où je me tenais sur les marches du monument aux morts de West Point, il est venu s'asseoir à côté de moi. Mon nom était inscrit sur la couverture du cahier que j'avais apporté avec moi. Il a dit : "Jane Sheridan", puis ajouté : "J'aime la musique de Stephen Foster et savez-vous à quelle chanson vous me faites penser ? Elle commence par : *Je rêve de Jeannie, avec ses cheveux châtain clair...*"

» Trois mois plus tard, il était mort et je portais son enfant. Et lorsque j'ai vu le Dr Connors dans cette église et que je me suis souvenue qu'il s'occupait des adoptions, j'ai eu comme une illumination me montrant la voie à suivre.

» Aujourd'hui, j'aurais bien besoin d'une illumination de ce genre. »

JAKE PERKINS calcula le nombre de personnes présentes devant la tombe d'Alison Kendall. Moins de trente. Les autres avaient préféré se rendre directement au brunch. Il ne les blâmait pas. La pluie redoublait. « Il n'y a rien de pire qu'un cimetière par un jour de pluie », pensa-t-il.

Le président Alfred Downes louait la générosité et le talent d'Alison.

« Elle avait certes du talent, pensa Jake, mais c'est surtout sa générosité qui nous rassemble aujourd'hui au risque d'attraper une pneumonie. Je connais quelqu'un qui n'a pas pris ce risque. » De tous les lauréats, Laura Wilcox était la seule absente.

« Souvenons-nous aussi des amies d'Alison qui ont quitté ce monde, énonça sobrement Downes. Catherine Kane, Debra Parker, Cindy Lang et Gloria Martin. De cette promotion dont nous célébrons le vingtième anniversaire sont issus de nombreux exemples de brillante réussite, mais jamais avant elle une classe n'a souffert autant de pertes. »

« Amen », pensa Jake, et il décida d'utiliser la photo des sept filles en train de déjeuner ensemble pour illustrer son article sur la réunion.

Au début de la cérémonie, deux étudiantes avaient distribué une rose à tous les membres de l'assistance. Et à la fin du discours, chacun à son tour alla déposer sa fleur devant la tombe avant de traverser le cimetière pour regagner l'école.

Jake s'apprêtait à déposer sa rose devant la tombe, quand il remarqua quelque chose sur le sol et se pencha pour le ramasser.

C'était une petite broche métallique en forme de hibou, d'environ 3 centimètres. Jake faillit la jeter puis il changea d'avis. Il l'essuya et la mit dans sa poche. Ce serait bientôt Halloween. Il l'offrirait à son petit-cousin en lui disant qu'il l'avait trouvée dans une tombe.

JANE regretta que Laura n'ait pas pris la peine d'assister à la cérémonie, mais n'en fut pas surprise. Laura ne s'était jamais beaucoup intéressée aux autres, et il eût été étonnant qu'elle change d'attitude maintenant. Connaissant Laura, elle n'allait pas rester dehors, sans bouger, dans le froid et la pluie. Elle se rendrait directement au brunch.

Mais Laura n'apparut pas davantage à midi, et Jane se sentit étrangement inquiète. Elle en fit part à Gordon Amory.

— Gordon, vous avez longuement parlé avec Laura hier. Vous a-t-elle dit quelque chose qui expliquerait son absence?

— Non. Elle faisait du forcing pour que je lui confie le premier rôle dans notre nouvelle série. Je lui ai dit que je n'intervenais pas dans les choix des responsables du casting de mes émissions. Comme elle insistait malgré tout, je lui ai confirmé un peu brutalement que je ne faisais jamais d'exception, en particulier pour des copines de classe dont je jugeais le talent discutable. Sur ce, elle a préféré exercer ses charmes sur Jack Emerson. Comme vous le savez probablement, il se vante de posséder une fortune considérable. Et durant la soirée d'hier, il a annoncé que sa femme l'avait quitté. Il devenait donc une proie toute trouvée pour Laura, j'imagine.

« Laura semblait d'excellente humeur pendant le dîner, se rappela Jane. Quelque chose de fâcheux s'est-il produit hier soir? Ou bien a-t-elle simplement décidé de paresser au lit ce matin? C'est un point que je peux tout de suite vérifier. »

Elle était assise entre Gordon et Carter Stewart au déjeuner.

— Je reviens dans une minute, leur dit-elle, et elle quitta la salle, se faufilant entre les tables sans regarder personne.

Le brunch était servi dans la salle de conférences du lycée. Elle se glissa dans le couloir et téléphona à l'hôtel.

Personne ne répondit dans la chambre de Laura, et Jane décida de demander à la réception si Laura Wilcox avait quitté l'hôtel.

— Je suis un peu inquiète, expliqua-t-elle. Mlle Wilcox devait se joindre à notre groupe, et elle n'est toujours pas arrivée.

— Non, elle n'a pas quitté l'hôtel, répondit le réceptionniste. Je peux envoyer quelqu'un voir dans sa chambre si elle ne s'est pas réveillée, mademoiselle Sheridan. Mais vous en prenez la responsabilité si elle est furieuse.

— J'en prends la responsabilité, fit-elle.

Pendant qu'elle attendait, Jane entendit la porte de la salle de conférences s'ouvrir et se retourna. Jake Perkins en sortait.

— Mademoiselle Sheridan.

La voix du réceptionniste avait perdu son ton désinvolte.

— Oui.

Jane se rendit compte qu'elle serrait le portable.

— La femme de chambre est entrée chez Mlle Wilcox. Son lit n'a pas été défait. Ses vêtements sont toujours dans la penderie, mais la femme de chambre a remarqué qu'une partie de ses affaires de toilette sur la coiffeuse ne s'y trouve plus. A-t-elle eu un problème ?

— Oh ! si elle a emporté quelques effets personnels, je pense que non. Je vous remercie.

« Si jamais elle est partie avec quelqu'un, Laura serait la dernière à apprécier que je pose des questions à son sujet », pensa Jane. Elle coupa la communication et referma son téléphone portable. Mais avec qui avait-elle bien pu partir ? Si elle en croyait Gordon, il l'avait repoussée et elle avait cherché à séduire Jack Emerson, mais n'avait négligé ni Mark, ni Robby, ni Carter.

— Mademoiselle Sheridan, puis-je vous parler une minute ?

Surprise, Jane se retourna brusquement. Elle avait oublié la présence de Jake Perkins.

— Désolé de vous déranger, dit-il sans paraître le moins du monde gêné, mais peut-être pourriez-vous me dire si Mlle Wilcox compte venir aujourd'hui.

— J'ignore quelles sont ses intentions, dit Jane d'un ton sec. Et maintenant, si vous le voulez bien, je dois regagner ma place.

Laura s'était probablement entichée de l'un ou l'autre des hommes présents au dîner de la veille, et elle était partie passer la nuit avec lui.

JAKE PERKINS observa attentivement l'expression de Jane au moment où elle passait devant lui. « Elle est inquiète, se dit-il. Parce que Laura Wilcox n'est pas apparue au brunch ? Se pourrait-il qu'elle ait disparu ? » Il sortit son portable, appela le *Glen-Ridge* et demanda la réception.

— Je dois livrer des fleurs à Mlle Laura Wilcox, dit-il, mais on m'a demandé de m'assurer qu'elle n'avait pas quitté l'hôtel.

— Non, elle n'a pas quitté l'hôtel, lui répondit-on, mais son départ est prévu à 14 heures. Elle a commandé un taxi pour la conduire à l'aéroport. Je ne sais pas quoi vous dire pour vos fleurs, mon vieux.

— Je pense que je vais contacter mon client. Merci.

Jake éteignit son téléphone et le glissa dans sa poche. « Je sais exactement où me trouver à 14 heures, pensa-t-il. Dans le hall du

Glen-Ridge, pour voir si Laura Wilcox se présente pour régler sa note. »

Au moment où il ouvrait la porte de la salle de conférences, les premières mesures de l'hymne de l'école retentissaient, entonnées par l'assemblée. « Nous te saluons, Stonecroft, gardienne de nos rêves… »

La réunion des lauréats du vingtième anniversaire s'achevait.

— IL faut donc nous quitter, Jane. J'ai été heureux de vous revoir. (Mark Fleischman lui tendait sa carte de visite.) Je vous la donne contre la vôtre, dit-il en souriant.

— Bien sûr.

Jane fouilla dans son sac et sortit une carte de son portefeuille.

— Quand partez-vous ?

— Je reste à l'hôtel encore quelques jours. Des recherches à faire.

Jane s'efforçait de prendre l'air naturel.

— J'enregistre plusieurs émissions à Boston demain. Sinon, je serais resté et vous aurais proposé de dîner tranquillement avec moi ce soir. (Il hésita, puis se pencha et l'embrassa sur la joue.) Encore une fois, j'ai été vraiment heureux de vous revoir.

— Au revoir, Mark.

Leur poignée de main se prolongea un instant, puis Mark s'éloigna.

À côté l'un de l'autre, Carter Stewart et Gordon Amory prenaient congé de leurs anciens condisciples. Jane s'approcha d'eux. Avant qu'elle ait prononcé un mot, Gordon demanda :

— Avez-vous des nouvelles de Laura ?

— Pas encore.

— On ne peut jamais se fier à Laura. C'est une des raisons qui expliquent l'échec de sa carrière. Alison avait remué ciel et terre pour lui trouver du travail. Dommage que Laura n'ait pas daigné s'en souvenir aujourd'hui.

— Bon…

Jane préféra ne rien manifester de ses sentiments. Elle se tourna vers Carter Stewart.

— Repartez-vous pour New York, Carter ?

— Non. En fait, j'ai l'intention de quitter le *Glen-Ridge* et de prendre une chambre à l'*Hudson Valley*, à l'autre bout de la ville. Pierce Ellison, qui met en scène ma nouvelle pièce, habite à dix minutes de là, à Highland Falls. Nous devons revoir le script ensemble et il m'a proposé de travailler au calme chez lui. Pas question cependant de rester dans cet hôtel. En cinquante ans, ils n'ont pas mis un sou dans la rénovation des lieux.

— Je peux vous le confirmer, renchérit Amory. J'ai été aide-serveur ici, puis garçon d'étage et j'en ai gardé trop de mauvais souvenirs. Je vais aller m'installer au Country Club. Nous cherchons à établir le siège social de ma société dans la région.

— Parlez-en à Jack Emerson, dit Stewart d'un ton sarcastique.

— Plutôt mourir. Mon secrétariat a déjà sélectionné quelques endroits.

— Alors, ce n'est pas tout à fait un au revoir, dit Jane. Nous nous rencontrerons peut-être en ville. De toute façon, j'ai été ravie de me retrouver parmi vous.

Elle ne vit ni Robby Brent ni Jack Emerson, mais elle ne désirait pas s'attarder davantage. Elle devait retrouver Sam Deegan chez Alice Sommers à 14 heures, et il ne lui restait que quelques minutes.

CARTER STEWART avait retenu une suite dans le nouvel *Hudson Valley Hotel* en bordure du parc régional de Storm King. Perché à flanc de coteau au-dessus de l'Hudson, avec son bâtiment principal flanqué de deux tours jumelles, il ressemblait à un aigle aux ailes déployées.

L'aigle, qui symbolise la vie, la lumière, la puissance et la majesté.

Le titre de travail pour sa nouvelle pièce était *L'Aigle et le Hibou*.

Le hibou. Symbole de nuit et de mort. Oiseau de proie. Le titre plaisait à Pierce Ellison, son metteur en scène. « Je ne suis pas convaincu, pour ma part, songea Stewart en descendant de voiture devant l'hôtel. Pas vraiment convaincu. »

Trop évident ? Les symboles sont destinés à des gens qui réfléchissent, ils n'ont pas à être révélés au premier venu. Encore que ce ne soit pas le premier venu qui se précipite pour voir ses pièces.

— Je vais m'occuper de vos bagages, monsieur.

Carter Stewart glissa un billet de cinq dollars dans la main du portier. Au moins n'avait-il pas dit : « Bienvenue chez nous. »

Cinq minutes plus tard, un whisky à la main, il se tenait à la fenêtre de sa suite. L'Hudson était maussade et agité. Mais Dieu soit loué, cette maudite réunion était terminée. « J'ai même eu plaisir à revoir quelques personnes, songea Carter, ne serait-ce que pour me rappeler le chemin parcouru depuis que j'ai quitté cet endroit. »

Pierce Ellison pensait qu'il fallait donner de l'épaisseur au personnage de Gwendolyn dans la pièce. « Trouver une vraie blonde évaporée, avait-il insisté. Pas une actrice qui *joue* les blondes évaporées. »

Carter Stewart rit tout haut en pensant à Laura. « Elle aurait fait l'affaire comme personne. Je lève mon verre à cette idée, bien qu'il n'y ait aucune chance qu'elle se réalise jamais. »

IL n'avait pas échappé à Robby Brent que beaucoup de ses anciens camarades l'évitaient après son discours. Certains lui avaient fait des compliments mi-figue, mi-raisin, le félicitant pour son talent d'imitateur, tout en soulignant qu'il s'était montré un peu dur avec leurs anciens professeurs et le directeur. Il lui était aussi revenu aux oreilles que Jane Sheridan avait fait remarquer qu'humour ne rimait pas avec cruauté. Rien ne pouvait le réjouir davantage.

Il avait laissé entendre à Jack Emerson qu'il songeait à investir dans l'immobilier, et Emerson était venu lui tenir la jambe après le brunch. « Emerson est bouffi de vanité dans bien des domaines, se dit Robby en s'engageant dans l'allée qui menait au *Glen-Ridge*, mais il sait de quoi il parle en matière de transactions immobilières. »

— Les terrains, avait-il expliqué. Leur valeur ne cesse de grimper. Attendez vingt ans et vous aurez gagné une fortune. Restez dans le coin demain et je vous emmènerai faire un tour.

« Si ce pauvre Emerson avait seulement idée de tout ce que je possède, pensa-t-il. J'achète des terrains vierges et je fais poser un écriteau : PROPRIÉTÉ PRIVÉE. DÉFENSE D'ENTRER.

» Pendant toute mon enfance, j'ai vécu dans une maison louée. Ces intellectuels qu'étaient mon père et ma mère n'ont jamais été fichus de mettre trois sous de côté pour se payer la première pierre d'une vraie maison. Aujourd'hui, outre ma résidence à Las Vegas, je pourrais faire construire à Santa Barbara, à Minneapolis, à Atlanta, à Boston, dans les Hamptons, à La Nouvelle-Orléans, à Palm Beach ou à Aspen. La terre est mon secret, pensa Robby avec un sourire satisfait en pénétrant dans le hall du *Glen-Ridge*.

» Et mes secrets y sont enfouis. »

JANE et Sam s'étaient installés dans le confortable petit salon d'Alice Sommers. Alice avait allumé un bon feu dans la cheminée et les flammes leur réchauffaient le cœur.

Après avoir accepté une tasse de thé, Sam aborda directement le sujet qui les préoccupait.

— Jane, j'ai beaucoup réfléchi. Nous devons prendre ces messages au sérieux. L'individu qui vous les envoie est capable de s'attaquer à Lily. Il s'est approché d'elle suffisamment pour lui dérober sa brosse à cheveux. Ce qui indiquerait qu'il s'agit d'un familier de sa famille adoptive. Il – ou *elle* – va peut-être tenter par ce biais de vous extorquer de l'argent, ce qui, comme vous l'avez souligné, serait presque un soulagement. Mais cette situation pourrait durer des années. Le Dr Connors a certainement eu recours à un avocat pour établir les actes d'adoption. Quelqu'un doit bien savoir qui était cet avocat. Sa femme vit-elle encore dans les environs?

— Je l'ignore, dit Jane.

— Commençons par là. Avez-vous apporté la brosse et les fax?

— Non.

— J'aimerais que vous me les confiiez.

— La brosse est un de ces petits modèles pour sac à main qu'on achète dans les drugstores, dit Jane. Les fax n'ont aucune identification d'origine, mais je vous les apporterai.

Jane et Sam partirent ensemble quelques minutes plus tard. Ils convinrent que Sam la suivrait dans sa voiture jusqu'à l'hôtel. Alice les regarda s'éloigner par la fenêtre, puis elle plongea sa main dans la poche de son gilet. Le matin même, elle avait trouvé sur la tombe de Karen une babiole qu'un enfant avait dû laisser tomber. Petite, Karen collectionnait les peluches. Alice se souvint du hibou qu'elle affectionnait particulièrement et, avec un sourire mélancolique, contempla le petit hibou métallique logé au creux de sa main.

ASSIS dans le hall du *Glen-Ridge House*, Jake Perkins attendait. À 14 heures, il vit un chauffeur en uniforme entrer dans le hall et se diriger vers la réception. Jake alla rapidement se poster près de lui et comprit qu'il venait chercher Mlle Laura Wilcox.

À 14 h 30, le chauffeur repartit, manifestement furieux.

À 16 heures, Jake vit arriver Mlle Sheridan, accompagnée de l'homme plus âgé avec lequel elle s'était entretenue après le dîner. Ils se dirigèrent vers la réception. « Elle demande s'ils ont des nouvelles de Laura Wilcox », pensa-t-il. Il avait deviné juste – Laura avait disparu.

Il décida d'aller l'interroger. Il la rejoignit à temps pour entendre l'homme dire :

— Jane, je suis d'accord avec vous. Je n'aime pas la tournure que prennent les choses, mais Laura est adulte : elle a le droit de changer d'avis, de décider de retarder son départ ou de prendre un autre avion.

— Excusez-moi, monsieur. Je suis Jake Perkins, journaliste pour la *Stonecroft Gazette*, l'interrompit Jake.

— Sam Deegan.

Il était clair que sa présence n'enchantait ni Jane Sheridan ni Sam Deegan. « Je vais aller droit au but », se dit-il.

— Mademoiselle Sheridan, pensez-vous qu'il soit arrivé quelque chose à Mlle Wilcox ? La question se pose. Surtout si l'on se souvient du sort de ces cinq femmes qui déjeunaient toujours à la même table à Stonecroft.

Il vit le regard surpris que Sam Deegan adressa à Jane. Visiblement, elle ne l'avait pas mis au courant de cette histoire de table. Il sortit de sa poche la photo des cinq filles.

— Vous voyez, monsieur, voilà le groupe de ces jeunes filles qui déjeunaient à la même table que Mlle Sheridan lorsqu'elles étaient toutes en terminale à Stonecroft. Au cours des vingt dernières années, cinq d'entre elles ont trouvé la mort. Deux ont été tuées dans un accident, une s'est suicidée, une autre a disparu, apparemment emportée par une avalanche. Le mois dernier, la cinquième, Alison Kendall, est morte noyée dans sa piscine. Et aujourd'hui, on est sans nouvelles de Laura Wilcox. La coïncidence ne vous paraît-elle pas étrange ?

Sam prit la photo et l'examina. Son visage s'était assombri.

— Je ne crois pas à une coïncidence d'une telle ampleur, dit-il sèchement. À présent, si vous voulez bien nous laisser, monsieur Perkins.

— Oh! Ne vous occupez pas de moi. Je vais attendre au cas où Mlle Wilcox réapparaîtrait. J'aimerais avoir un dernier entretien avec elle.

Sans lui prêter attention, Sam sortit sa carte et la tendit au réceptionniste.

— Il me faudrait la liste des employés qui étaient de service hier soir, ordonna-t-il d'un ton sec.

— J'AVAIS l'intention de m'en aller plus tôt, mais j'ai trouvé une quantité de messages en revenant du brunch, expliqua Gordon Amory à Jane. Je viens de passer deux heures au téléphone.

Ses valises près de lui, il s'était présenté au comptoir au moment où le réceptionniste montrait à Sam les fiches de travail des employés de l'hôtel. Il examina le visage de Jane.

— Jane, que se passe-t-il?

— Laura a disparu, dit Jane, consciente du tremblement de sa voix. Elle n'a pas dormi dans sa chambre. Ce n'est peut-être rien, mais elle semblait si déterminée à se joindre à nous ce matin que je suis affreusement inquiète.

— Elle était en effet décidée à assister au brunch quand elle a parlé à Jack Emerson hier soir, dit Gordon. Comme vous le savez, elle m'a battu froid après que je lui ai dit qu'elle n'avait aucune chance d'obtenir un rôle dans notre future série, mais au bar, après le dîner, j'ai entendu ce qu'elle disait à Jack.

Sam avait écouté leur conversation. Il se tourna vers Gordon et se présenta.

— N'oublions pas que Laura Wilcox est majeure et vaccinée. Je pense pourtant qu'il faut rester attentifs et chercher si quelqu'un, un employé de l'hôtel ou un ami, était au courant de ses projets.

— Excusez-moi de vous avoir fait attendre, monsieur Amory, disait le réceptionniste en s'excusant. J'ai préparé votre note.

Gordon Amory hésita puis regarda Jane.

— Vous êtes inquiète pour Laura, n'est-ce pas?

— Oui. Laura était très liée à Alison. Elle n'aurait pas manqué d'assister à la cérémonie.

— Ma chambre est-elle toujours libre ? demanda Amory à l'employé.

— Naturellement, monsieur.

— Dans ce cas, je vais rester jusqu'à ce que nous ayons des nouvelles de Mlle Wilcox.

Il se tourna vers Jane et elle fut frappée par sa beauté et son élégance. « Il me faisait pitié, se souvint-elle. C'était un pauvre minable, et voilà ce qu'il est devenu à force de volonté. »

— Jane, j'ai blessé Laura hier soir. C'était moche de ma part – un désir de vengeance, sans doute, parce qu'elle m'a toujours repoussé quand j'étais gosse. J'aurais pu lui promettre de la faire engager dans cette série pour un second rôle. Je crains qu'elle ne soit désespérée. Ce qui expliquerait son absence de ce matin. Je parie qu'elle va revenir comme si de rien n'était, et quand elle sera là, je lui proposerai un engagement. Je tiens à le lui annoncer en personne.

6

L E corps d'Helen Whelan fut découvert à 17 h 30 le dimanche après-midi dans une zone boisée de Washingtonville, une agglomération située à une vingtaine de kilomètres de Surrey Meadows. Un gamin de douze ans était tombé dessus en empruntant un raccourci à travers bois pour se rendre chez un ami.

Sam en fut averti alors qu'il terminait d'interroger les employés du *Glen-Ridge*. Il appela Jane dans sa chambre. Elle était montée pour téléphoner à Mark Fleischman, Carter Stewart et Jack Emerson, dans l'espoir que l'un d'eux serait au courant des projets de Laura. Dans le hall, elle avait rencontré Robby Brent qui lui avait affirmé ne pas savoir où se trouvait Laura.

— Jane, je dois m'en aller, expliqua Sam. Avez-vous déjà passé vos coups de fil ?

— J'ai eu Carter. Il est très inquiet, mais n'a pas la moindre idée de l'endroit où pourrait se trouver Laura. Je lui ai dit que je dînais avec Gordon et il a l'intention de se joindre à nous. Si nous parvenons à dresser une liste des gens avec lesquels Laura a été vue, nous aboutirons peut-être à un résultat. Jack Emerson n'est pas chez lui. J'ai laissé un message sur son répondeur. De même pour Mark Fleischman.

— Si personne n'a de ses nouvelles d'ici à demain matin, dit Sam, je tâcherai d'obtenir un mandat de perquisition pour inspecter sa chambre. Peut-être a-t-elle laissé une indication sur l'endroit où elle est allée. De toute façon, soyez prudente.

Il n'avait pas envie d'annoncer à Jane qu'il se rendait sur la scène d'un crime dont venait d'être victime une autre femme disparue.

HELEN WHELAN avait reçu un coup violent à l'arrière du crâne, avant d'être poignardée à plusieurs reprises.

— Il l'a probablement frappée par-derrière avec le même instrument contondant qu'il a utilisé pour le chien, expliqua Cal Grey, le médecin légiste, à Sam quand il arriva sur place.

— Ses vêtements sont intacts, apparemment.

— En effet. À mon avis, son agresseur l'a amenée directement ici et l'a tuée. Elle a encore la laisse du chien autour du poignet.

— Très bien, Cal. Je vous retrouve à votre bureau.

Durant le trajet qui le menait chez le légiste, Sam se sentit révolté par la mort d'Helen Whelan. Il éprouvait cette même rage chaque fois qu'il se trouvait confronté à des actes d'une pareille sauvagerie. « Je veux avoir ce type, se dit-il, je veux lui passer les menottes. » Il se souvenait de la photo d'Helen souriante qu'il avait vue dans son appartement. Elle avait vingt ans de plus que n'en avait Karen Sommers lorsqu'elle était morte mais elle avait perdu la vie de la même manière. Sauvagement poignardée. Se pourrait-il qu'un maniaque soit resté pendant autant d'années sans se manifester ? Tout était possible.

Sam se gara dans le parking et entra dans le bâtiment qui abritait les services du médecin légiste. La nuit serait longue et la journée du lendemain plus longue encore. Il devait prendre contact avec les familles des cinq anciennes élèves de Stonecroft qui étaient décédées – il avait besoin d'en savoir davantage sur les circonstances de leur mort. Et il lui fallait découvrir ce qui était arrivé à Laura Wilcox.

Le médecin légiste et l'ambulance qui transportait le corps d'Helen Whelan arrivèrent quelques secondes après lui. Une demi-

heure plus tard, Sam inspectait les effets d'Helen qu'on lui avait reti-
rés. Sa montre et une bague étaient ses seuls bijoux. Elle n'avait sans
doute pas de sac à main car les clés de sa maison se trouvaient dans
la poche droite de sa veste.

Posé sur la table à côté des clés, il y avait un autre objet, un petit
hibou métallique d'environ 3 centimètres de long. Sam saisit les
pinces que l'assistant du légiste avait utilisées pour manipuler ces
objets, attrapa le hibou et l'examina de près. Les yeux fixes, froids et
ronds de l'oiseau lui renvoyèrent son regard.

— Il était au fond d'une poche de son pantalon, expliqua l'assistant. J'ai bien failli ne pas le trouver.

Sam se souvint qu'il avait aperçu un squelette de papier dans
l'entrée d'Helen.

— Elle préparait les décorations d'Halloween, dit-il. Cet oiseau
en faisait sans doute partie. Mettez-moi tout ça dans un sac, je
l'emporterai au labo.

Quarante minutes plus tard, il regardait les types du labo examiner les vêtements d'Helen Whelan au microscope. L'un d'eux relevait les empreintes digitales sur les clés.

— Toutes les empreintes sont les siennes, annonça-t-il avant de
soulever le hibou avec ses pinces. (Un moment plus tard, il fit remarquer :) C'est curieux. Il n'y a aucune empreinte sur ce truc. Comment expliquez-vous ça ? Il n'est pas venu tout seul dans sa poche. Il
y a été mis par quelqu'un qui portait des gants.

Sam demeura songeur. Et si c'était l'assassin qui avait délibérément laissé le hibou ? S'emparant des pinces à son tour, il saisit le
hibou et l'examina avec une attention nouvelle.

— C'est toi qui vas me conduire à ce type, marmonna-t-il. Je ne
sais pas encore comment, mais tu vas le faire.

Ils étaient convenus de se retrouver à 19 heures dans la salle à
manger. À la dernière minute, Jane décida de se changer et d'enfiler
un pantalon bleu marine et un pull bleu clair. Elle rectifia son
maquillage et brossa ses cheveux. Debout devant la glace de la salle
de bains, elle interrompit brusquement son geste, contemplant la
brosse qu'elle tenait à la main. Qui avait pu s'approcher assez près de
Lily pour lui dérober sa brosse ?

« À moins que Lily n'ait retrouvé ma trace et ne cherche à me punir de l'avoir abandonnée ? » Non. Au fond, Jane savait que Lily ne jouait à aucun jeu avec elle. « C'est quelqu'un d'autre, se dit-elle, quelqu'un qui me veut du mal. Demandez-moi de l'argent, pria-t-elle tout bas. Je vous donnerai ce que vous voulez, mais ne faites rien à Lily. »

Elle se tourna à nouveau vers la glace et examina son reflet. « Est-ce que Lily me ressemble, se demanda-t-elle, ou a-t-elle les traits de Reed ? Comme moi, Reed avait les yeux bleus, elle a donc presque certainement les yeux bleus, elle aussi. »

Jane se laissait souvent aller à ce genre de réflexions. Secouant la tête, elle descendit rejoindre ses compagnons pour le dîner.

Gordon Amory, Robby Brent et Jack Emerson étaient déjà assis à une table dans la salle à manger presque déserte.

Jack lui avança la chaise voisine de la sienne et elle s'assit.

— Nous avons déjà commandé les apéritifs, Jeannie, dit Emerson. Je me suis permis de choisir pour vous un verre de chardonnay.

— C'est parfait. Êtes-vous tous en avance ou est-ce moi qui suis en retard ?

— Nous sommes arrivés un peu plus tôt. Vous êtes parfaitement à l'heure et Carter n'est pas encore là.

Vingt minutes plus tard, alors qu'ils hésitaient à commencer sans lui, Carter arriva. Il portait un jean et un sweat-shirt à capuche.

— Désolé de vous avoir fait attendre, mais je n'imaginais pas qu'il faudrait nous réunir à nouveau aussi rapidement, fit-il observer d'un ton sec.

— Nous non plus, dit Gordon Amory. Vous devriez commander un verre et nous pourrons ensuite aborder le sujet qui nous réunit.

Carter hocha la tête. Il accrocha le regard du serveur et désigna le Martini dry que buvait Emerson.

— Laissez-moi d'abord vous dire, reprit Gordon, qu'après mûre réflexion, je pense que notre inquiétude au sujet de Laura est peut-être exagérée. (Il se tourna vers Jack Emerson.) Vous êtes le seul, autant que nous le sachions, à posséder une maison en ville, donc le seul qui aurait pu inviter Laura à une petite réunion en privé.

Le visage déjà rouge d'Emerson devint pourpre.

— J'espère que c'est censé être drôle, Gordon.

— Je ne veux pas faire de l'ombre à notre comique maison, dit Gordon en prenant une olive dans la coupelle que le serveur venait de poser sur la table. Bien sûr que je plaisantais.

Jane estima qu'il était temps de donner un autre tour à la conversation.

— Mark m'a rappelée au moment où je m'apprêtais à vous rejoindre. Si nous n'avons pas de nouvelles de Laura d'ici à demain, il reviendra ici.

— Il avait un faible pour Laura quand nous étions mômes, dit Robby Brent. Je ne serais pas surpris qu'il en pince encore pour elle. Hier, il a tenu à s'asseoir à côté d'elle sur l'estrade. Et il a même changé les cartons sur la table pour se retrouver à la place voisine de la sienne.

« Voilà donc pourquoi il a décidé de revenir », pensa Jane, comprenant qu'elle avait mal interprété ce qu'il lui avait dit au téléphone : « Jeannie, je veux croire que Laura n'est pas en danger, mais s'il lui arrivait quelque chose, ce serait bien la preuve qu'il existe une logique effrayante derrière la disparition de vos anciennes camarades. Vous devez en tenir compte. »

« Et je me suis imaginé qu'il s'inquiétait pour moi », se dit-elle.

L'atmosphère se détendit lorsqu'un frêle et vieux serveur vint leur apporter les menus.

— Puis-je vous indiquer les spécialités du jour ? demanda-t-il. Tournedos aux champignons, filets de sole farcis au crabe…

Une fois qu'il eut fini sa tirade, Robby demanda :

— Est-ce une habitude dans cet établissement de transformer les restes de la veille en spécialités du jour ?

— Oh ! monsieur, je suis ici depuis quarante ans et nous avons toujours été très fiers de notre cuisine, répondit précipitamment le vieil homme.

— Ne vous en faites pas, c'était juste une petite plaisanterie pour détendre l'atmosphère. Jane, à vous l'honneur.

— La salade César et le carré d'agneau, rosé mais pas saignant, dit doucement Jane.

« Robby n'est pas seulement sarcastique, pensait-elle. Il est méchant et cruel. Il se plaît à blesser les gens qui ne peuvent lui rendre la pareille. Il dit que Mark avait un faible pour Laura. Mais personne n'en pinçait pour elle autant que lui. »

Une pensée troublante lui traversa soudain l'esprit. Robby était très riche aujourd'hui. Célèbre. S'il avait invité Laura à le retrouver quelque part, elle l'aurait rejoint, sans nul doute.

Jack Emerson fut le dernier à commander. Tout en rendant le menu au serveur, il dit :

— J'ai promis à des amis de passer prendre un verre chez eux après le dîner, nous pourrions donc dresser sans plus tarder la liste de ceux auxquels Laura a accordé une attention particulière durant le week-end. Des suggestions ?

— Notre lauréat absent, Mark Fleischman ? demanda Robby Brent. Il est resté pendu aux basques de Laura.

Jack Emerson haussa les sourcils.

— J'y pense. Mark aurait un endroit parfait pour inviter Laura. Je sais que son père n'est pas en ville. J'ai rencontré Cliff Fleischman à la poste, la semaine dernière, et lui ai demandé s'il viendrait féliciter son fils à l'occasion de la remise des prix. Il m'a répondu qu'il avait prévu depuis longtemps de rendre visite à des amis à Chicago, mais qu'il téléphonerait à Mark. Peut-être lui a-t-il proposé sa maison. Cliff ne sera pas de retour avant mardi.

— M. Fleischman a dû changer d'avis dans ce cas, dit Jane. Mark m'a dit être passé devant son ancienne maison et qu'elle était éclairée *a giorno*.

— Cliff Fleischman laisse toujours les lumières allumées quand il s'en va, répliqua Emerson. Pour tromper les cambrioleurs.

Gordon brisa un gressin.

— J'ai l'impression que Mark est plus ou moins brouillé avec son père.

— En effet, et je sais pourquoi, dit Emerson. Après la mort de la mère de Mark, son père a remercié leur femme de ménage et elle est venue travailler chez nous. Une vraie pipelette, elle nous a tout raconté sur les Fleischman. Personne n'ignorait que le frère aîné de Mark, Dennis, était le chouchou de sa mère. Elle ne s'était jamais remise de sa perte et accusait Mark d'être responsable de l'accident. La voiture était garée en haut de la longue allée de leur maison et Mark harcelait son frère pour qu'il lui apprenne à conduire. Il avait à peine treize ans à l'époque et n'était autorisé à prendre le volant qu'à condition que Dennis soit à côté de lui. Cette après-midi-là, il est monté dans la voiture, a mis le contact, et oublié de serrer le frein à main avant de quitter la voiture. Quand elle a commencé à dévaler la pente, Dennis ne l'a pas vue arriver sur lui.

— Peut-être est-il entré en contact avec son père, peut-être a-t-il toujours une clé de la maison et savait-il que son père serait absent, dit Carter Stewart.

« Mark mentait-il en disant qu'il devait retourner à Boston ? Se pourrait-il qu'il soit en ce moment même avec Laura ? Non. Je refuse de le croire », décréta Jane en son for intérieur.

Jack Emerson avait apporté une liste des participants à la réunion. Ils décidèrent de se partager les appels. Ils expliqueraient les raisons de leur inquiétude, et demanderaient à chacun s'il avait une idée de l'endroit où se trouvait Laura.

En quittant la salle à manger, après s'être promis de se rappeler le lendemain, Carter Stewart et Jack Emerson se dirigèrent vers leurs voitures. Dans le hall, Jane dit à Gordon et à Robby qu'elle devait s'arrêter à la réception.

— Je vous quitterai donc ici, lui dit Gordon. J'ai encore quelques coups de fil à passer.

— C'est dimanche soir, Gordie, s'étonna Robby. Qu'y a-t-il de si important qui ne puisse attendre jusqu'à demain ?

Gordon Amory contempla le visage faussement naïf de Brent.

— Comme vous le savez, mon vieux, je préfère qu'on m'appelle Gordon, fit-il. Bonsoir, Jane.

— Il est tellement imbu de sa personne, fit Robby en regardant Amory traverser le hall et appeler l'ascenseur. Franchement, Jeannie, ce chirurgien plasticien est un génie. Vous souvenez-vous de la tête d'abruti de ce pauvre Gordie quand il était à l'école ?

— Tant mieux pour lui s'il a été capable de transformer sa vie. Il a eu une jeunesse difficile.

— Comme nous tous, rétorqua Robby d'un ton dédaigneux. À part, naturellement, notre reine de beauté disparue. (Il haussa les épaules.) Je vais enfiler une veste et sortir prendre l'air. J'aime entretenir ma forme et je n'ai fait aucun exercice physique durant tout le week-end. Le gymnase local est une horreur !

— Existe-t-il dans cette ville quelque chose ou quelqu'un qui ne soit pas une horreur d'après vous ? demanda Jane sans se soucier du ton acerbe de sa voix.

— Pas grand-chose, répondit Robby du tac au tac, sauf vous-même, bien sûr, Jeannie. J'ai été navré de vous voir si affectée en nous entendant insinuer que Mark s'était beaucoup intéressé à Laura pendant ce week-end. Entre nous, j'ai remarqué qu'il tournait aussi autour de vous. C'est un type difficile à cerner, mais il est vrai que la plupart des psys sont plus cinglés que leurs patients. Si Mark a réellement desserré le frein de la voiture qui a tué son frère, je me demande s'il l'a fait involontairement ou si c'était délibéré de sa part. Réfléchissez à tout ça.

Avec un clin d'œil et un geste de la main, il se dirigea vers les ascenseurs. Humiliée qu'il ait si bien percé ses sentiments concernant Mark et Laura, Jane se tourna vers la réception. Amy Sachs était de service, une petite femme à la voix douce et aux cheveux grisonnants, avec de grosses lunettes.

— Il y a un fax pour vous, mademoiselle Sheridan, dit-elle à Jane.

Jane déchira l'enveloppe.

Le message qu'elle contenait comprenait huit mots : « Le lis putréfié sent pis que mauvaise herbe. »

« Le lis putréfié, pensa Jane. Lily. *Le lis mort.* »

Hébétée, Jane monta dans sa chambre et appela Sam Deegan.

— Que se passe-t-il, Jane ? Avez-vous eu des nouvelles de Laura ? demanda-t-il.

— Non, il s'agit de Lily, un nouveau fax.

— Lisez-le-moi.

D'une voix tremblante, elle lui lut les dix mots.

— Sam, c'est un vers d'un sonnet de Shakespeare. Il fait allusion à des lis fanés. Sam, celui qui a envoyé ce fax menace de mort mon enfant. Que puis-je faire pour l'en empêcher ? Que puis-je faire ?

ELLE avait probablement reçu le fax à présent. Il ignorait pourquoi il prenait plaisir à tourmenter Jane, surtout maintenant qu'il avait pris la décision de la tuer. Pourquoi retourner le couteau dans la plaie en menaçant Meredith, ou Lily, comme l'appelait Jane ? Pendant presque vingt ans, la connaissance qu'il avait de son secret lui avait paru sans importance.

C'était l'année précédente, lorsqu'il avait rencontré les parents de Meredith à un déjeuner et compris qui ils étaient, qu'il avait tout mis en œuvre pour se lier avec eux. En août, il les avait même invités à passer un long week-end dans sa propriété et à amener Meredith. Il avait alors eu l'idée de lui subtiliser quelque chose qui permettrait de déterminer son ADN.

L'occasion de dérober sa brosse lui avait été offerte sur un plateau. Ils étaient tous à la piscine et le téléphone portable de Meredith avait sonné pendant qu'elle se brossait les cheveux après son bain. Elle avait répondu et s'était éloignée pour parler tranquillement. Il avait glissé la brosse dans sa poche et s'était mis à circuler parmi ses autres invités. Le lendemain, il avait envoyé la brosse et le premier message à Jane.

Le pouvoir de vie et de mort ; jusque-là, il l'avait exercé sur cinq des filles de la Stonecroft Academy, et sur bien d'autres femmes choisies au hasard. Mettraient-ils longtemps à découvrir le corps d'Helen Whelan ? Avait-il eu tort de glisser le hibou dans sa poche ? Jusqu'à présent, il avait toujours laissé son symbole dans un endroit discret. Comme le mois dernier, quand il l'avait mis dans le tiroir d'un meuble de la cabine de bain où il avait attendu Alison.

Les lumières étaient éteintes. Il prit ses lunettes de vision nocturne dans sa poche, les chaussa, introduisit sa clé dans la serrure, ouvrit la porte à l'arrière de la maison et entra. Il referma la porte, donna un tour de clé, traversa la cuisine jusqu'à l'escalier du fond, puis monta sans bruit à l'étage.

Laura était dans la chambre qu'elle avait occupée jusqu'à l'âge de seize ans, avant que sa famille ne s'installe dans Concord Avenue. Il lui avait attaché les bras et les jambes et mis un bâillon. Elle était étendue sur le lit, sa robe en lamé scintillant faiblement dans l'obscurité.

Elle ne l'avait pas entendu entrer et, quand il se pencha sur elle, il entendit son cri d'épouvante à travers le bâillon.

— Je suis de retour, Laura, chuchota-t-il. Tu n'es donc pas contente ?

Elle tenta de se reculer.

— Je suuuuis le le hiiiiboubou et et je viviiiis dans dans un… un arbre, chuchota-t-il. Tu trouvais très drôle de m'imiter, n'est-ce pas? Est-ce que tu trouves toujours ça drôle, Laura? Dis-moi?

Avec ses lunettes de nuit, il pouvait voir la terreur dans ses yeux. Elle agitait la tête de droite à gauche. D'un geste rapide, il dénoua son bâillon.

— Ne hausse pas la voix, Laura, murmura-t-il. Personne ne t'entendra et, si tu cries, je presserai cet oreiller sur ton visage. Tu comprends ce que je dis?

— Je vous en prie, souffla Laura, je vous en prie…

— Non, Laura, je ne veux pas t'entendre dire : « Je vous en prie. » Je veux que tu m'imites, que tu prononces ma réplique sur scène, et ensuite, je veux t'entendre rire.

— Je… je je suisuis un hibououou et je visvis dans dans un arbre.

Il hocha la tête avec satisfaction.

— Tu es une excellente imitatrice. Maintenant, fais comme si tu étais avec les autres filles à la table du déjeuner, pouffe, glousse, esclaffe-toi, ris. Je veux voir comment vous vous réjouissiez toutes après m'avoir tourné en ridicule.

Laura se mit à rire, désespérément, d'un rire aigu, hystérique. Des larmes coulaient de ses yeux.

— Je vous en supplie…

Il posa sa main sur sa bouche.

— Tu allais prononcer mon nom. C'est interdit. Tu dois seulement m'appeler le Hibou. Maintenant, je vais te détacher les mains et te laisser manger. Je t'ai apporté de la soupe et un petit pain. Ensuite, je te permettrai d'utiliser les toilettes. Plus tard, je composerai le numéro de l'hôtel sur mon téléphone mobile. Tu diras à la réception que tu es chez des amis et tu demanderas que l'on te garde la chambre. Tu comprends ce que je te dis?

Son « oui » fut à peine audible.

— Si tu essaies d'une manière ou d'une autre d'appeler au secours, tu mourras sur-le-champ.

Vingt minutes plus tard, le téléphone sonnait à la réception du *Glen-Ridge*. L'employée décrocha.

— La réception, Amy à l'appareil. (Elle poussa un cri.) Oh! Mademoiselle Wilcox, nous étions tous tellement inquiets à votre sujet. Nous vous garderons votre chambre, bien sûr. Êtes-vous certaine que tout va bien?

Le Hibou coupa la communication.

— Tu t'en es très bien sortie, Laura. La voix un peu oppressée, mais c'est naturel. (Il remit le bâillon sur sa bouche.) Tâche de dormir un peu.

APRÈS avoir dîné avec ses parents, Jake Perkins était de retour au *Glen-Ridge* à 22 heures. Il s'avança vers le comptoir derrière lequel se tenait Amy Sachs.

Amy l'avait à la bonne. Le printemps précédent, alors qu'il faisait un reportage sur un déjeuner d'affaires pour la *Stonecroft Academy Gazette*, elle lui avait dit qu'il ressemblait à son petit frère. « La seule différence, c'est que Danny a quarante-six ans et vous seize », avait-elle ajouté en riant.

Jake se demandait combien de personnes se doutaient que, sous son apparence effacée et serviable, Amy était sacrément futée et pleine d'humour.

Elle l'accueillit avec un sourire timide.

— Bonsoir, Jake.

— Bonsoir, Amy. Je suis venu voir si vous aviez des nouvelles de Laura Wilcox.

— Pas la moindre.

À ce moment, le téléphone sonna près d'elle et elle souleva le récepteur.

— La réception, Amy à l'appareil, dit-elle doucement.

Jake vit alors son expression changer et l'entendit s'exclamer :

— Oh! Mademoiselle Wilcox…

Jake se pencha par-dessus le comptoir et fit signe à Amy d'écarter le récepteur de son oreille afin qu'il puisse écouter.

« Elle est bouleversée, se dit-il. Sa voix tremble. »

Quand Amy reposa le récepteur, elle échangea un regard avec Jake.

— Où qu'elle soit, elle n'est pas à la fête, dit-il.

— À moins qu'elle n'ait la gueule de bois, insinua Amy.

— C'est peut-être l'explication, admit Jake.

Amy ouvrit un tiroir et en sortit une carte.

— J'ai promis à cet inspecteur, M. Deegan, de lui téléphoner si jamais nous avions des nouvelles de Mlle Wilcox.

— Je m'en vais, Amy, dit Jake. À bientôt.

Une fois dehors, il fit la moitié du trajet jusqu'à sa voiture, puis rebroussa chemin et revint à la réception.

— Avez-vous joint M. Deegan? s'enquit-il auprès d'Amy.

— Oui. Je lui ai dit que j'avais eu des nouvelles de Mlle Wilcox. Il a paru satisfait et il a demandé que je le prévienne lorsqu'elle reviendrait.

— C'est bien ce que je craignais. Amy, donnez-moi le numéro de téléphone de Sam Deegan.

Elle eut l'air inquiet.

— Pourquoi?

— Parce que je pense que Laura Wilcox avait l'air effrayé et que M. Deegan devrait le savoir.

SAM DEEGAN eut d'abord une réaction de colère après avoir parlé à Amy. Laura Wilcox était une femme d'un égoïsme incroyable. Non seulement elle n'avait pas daigné assister à la cérémonie à la mémoire de son amie, mais elle avait inquiété tout le monde. Pourtant, cette première réaction avait été atténuée par le fait que ses propos avaient paru confus à la réceptionniste : celle-ci s'était demandé si elle était nerveuse ou ivre.

Tout de suite après, le coup de fil de Jake Perkins vint renforcer cette impression. Le jeune garçon, en effet, mit l'accent sur le ton effrayé de Laura Wilcox.

— Êtes-vous certain, comme Mme Sachs, qu'il était exactement 22 h 30 quand Laura Wilcox a appelé l'hôtel? demanda Sam.

— Exactement, confirma Jake. Pensez-vous pouvoir retrouver l'origine de l'appel, monsieur Deegan?

— Oui, répondit Sam.

— Je serais heureux de continuer à ouvrir l'œil pour vous, si vous voulez, dit Jake avec entrain.

Ce gosse était un vrai Monsieur Je-sais-tout. Mais il essayait de se rendre utile, aussi Sam était-il enclin à lui faire crédit.

— D'accord. Merci, Jake, ajouta Sam.

Sam ferma son téléphone. Il allait prévenir Jane que Laura avait contacté la réception, et il lui fallait obtenir du juge un mandat lui permettant de consulter les relevés téléphoniques de l'hôtel. Il savait que le *Glen-Ridge* avait un système d'identification des appels. Dès qu'il aurait repéré le numéro, il assignerait la compagnie du téléphone pour obtenir le nom de l'abonné et l'emplacement de l'émetteur d'où provenait l'appel.

7

IL allait la tuer. Elle le savait. Mais quand? Si incroyable que cela pût paraître, elle s'était endormie après son départ. Un jour tremblant filtrait à travers les stores baissés, sans doute l'annonce du matin. « Est-ce lundi ou mardi? » se demanda Laura.

Lorsqu'ils étaient arrivés ici le samedi soir, il avait rempli leurs coupes de champagne et avait trinqué avec elle. Puis il avait dit : « C'est Halloween la semaine prochaine. Veux-tu que je mette le masque que j'ai acheté? »

C'était une tête de hibou avec deux yeux énormes, troués d'une grande pupille noire dans un iris jaunâtre, et bordée de touffes de duvet gris qui s'assombrissait autour du bec pointu, devenant d'un marron presque noir. « J'ai ri, se souvint Laura, croyant lui faire plaisir. Avant même qu'il ait retiré le masque et m'ait empoigné les mains, j'ai su que j'étais tombée dans un piège. »

Il l'avait traînée jusqu'au premier étage, lui avait lié les poignets et les chevilles, l'avait bâillonnée. Puis il lui avait passé une corde autour de la taille et l'avait attachée au cadre du lit.

Avant de la quitter, il avait délibérément posé son téléphone portable sur le dessus de la commode. « Réfléchis, Laura. Si tu parviens à atteindre ce téléphone, tu pourras appeler au secours. Mais n'essaie pas. Si tu tentes de te débarrasser de ces cordes, elles se resserreront. Crois-moi. »

Laura avait essayé malgré tout. Et ses poignets comme ses chevilles la faisaient horriblement souffrir. Elle avait la bouche sèche.

« Oh! mon Dieu! aidez-moi », pria-t-elle, paniquée, s'efforçant de refouler la nausée.

Quand il était revenu, il y avait un peu de jour dans la pièce. Ce devait être le dimanche après-midi. « Il a détaché mes poignets et m'a donné un bol de soupe et un petit pain. Ensuite, il m'a laissée utiliser les toilettes. Il n'est revenu que beaucoup plus tard. Il faisait très sombre, c'était sans doute la nuit. Il m'a alors forcée à téléphoner à l'hôtel. »

Samedi soir. Dimanche matin. Dimanche soir. C'était probablement lundi matin à présent. Elle contempla le téléphone portable. « Non, c'est impossible, songea-t-elle. Impossible. Quelqu'un finira peut-être par comprendre que je suis en danger et essaiera de me retrouver. On peut repérer les appels des portables. Je sais que c'est possible. » Cet espoir était sa seule chance et, si mince qu'il fût, elle se sentit un peu rassérénée.

— Je suis là, Laura.

Elle ne l'avait pas entendu revenir. À travers le bâillon, le hurlement de Laura rompit le silence de la chambre qu'elle avait occupée pendant les seize premières années de sa vie.

Le lundi matin, Jane se doucha rapidement puis elle enfila un de ses pull-overs préférés, un col roulé de couleur prune, et un pantalon gris foncé.

Sa détermination à retrouver Lily avait un peu dissipé son sentiment désespéré d'impuissance. En accrochant ses boucles d'oreilles, elle se rappela les paroles de Sam, la veille au soir : « Vous m'avez dit n'avoir confié à personne que vous aviez eu un enfant. Quelqu'un a néanmoins découvert la vérité et cette découverte, il peut l'avoir faite récemment ou à la naissance du bébé, il y a dix-neuf ans et demi. Qui sait? Il faut vous ressaisir. Vous souvenez-vous d'avoir vu quelqu'un dans le cabinet du Dr Connors lorsque vous êtes allée le consulter? Peut-être une infirmière ou une secrétaire qui a su pourquoi vous étiez là et a cherché à savoir à qui votre bébé avait été confié. N'oubliez pas, votre best-seller vous a rendue célèbre. Je ne serais pas étonné que quelqu'un pouvant approcher Lily ait décidé de vous faire chanter. »

Et soudain lui revint en mémoire le nom de l'infirmière qui travaillait avec le Dr Connors : Peggy Kimball. Une femme enjouée, de forte carrure, la cinquantaine.

Jane ouvrit le tiroir de la table de nuit et en sortit l'annuaire du téléphone. Un rapide coup d'œil lui révéla qu'il y avait plusieurs Kimball, mais elle décida d'essayer en premier celui qui était inscrit sous le nom de « Kimball, Stephen et Margaret ».

Une voix de femme se fit entendre sur le répondeur : « Bonjour, Steve et Peggy sont absents pour le moment. Après le bip, ayez la gentillesse de laisser un message avec votre numéro de téléphone et nous vous rappellerons. »

« Peut-on se souvenir d'une voix après vingt ans ou suis-je seulement en train d'espérer que je reconnais cette voix ? » se demanda Jane tout en choisissant avec soin ses mots :

— Peggy, ici Jane Sheridan. Si vous étiez l'infirmière du Dr Connors il y a vingt ans, je dois absolument vous parler. Pouvez-vous me rappeler à ce numéro dès que possible ?

Profitant que l'annuaire était ouvert, elle consulta la page des C. Le Dr Edward Connors aurait eu au moins soixante-quinze ans aujourd'hui s'il avait vécu. Sa femme était sans doute du même âge. Le docteur habitait Winding Way ; il y avait une Mme Dorothy Connors dans cette rue. Pleine d'espoir, Jane composa le numéro. Une voix frêle lui répondit. Lorsque Jane raccrocha quelques minutes plus tard, Mme Connors lui avait fixé un rendez-vous à 11 h 30 le matin même.

Ce même lundi, à 10 h 30, Sam était dans le bureau de Rich Stevens, le procureur du comté d'Orange, et le mettait au courant de la disparition de Laura et des menaces qui visaient Lily.

— J'ai lancé le mandat concernant les appels téléphoniques du *Glen-Ridge* à 1 heure ce matin, dit-il. Aussi bien la réceptionniste que ce môme qui se pose en journaliste affirment que l'appel émanait de Laura Wilcox, et ils s'accordent également pour dire qu'elle semblait désemparée. D'après les enregistrements de l'hôtel, il s'agissait d'un appel du 917. Elle utilisait donc un téléphone mobile. Une fois l'assignation émise, j'espérais obtenir le nom et l'adresse de l'abonné, mais j'ai dû attendre jusqu'à 9 heures que le bureau soit ouvert.

— Et qu'avez-vous appris? demanda Stevens.

— Le genre d'information confirmant que Laura Wilcox est en danger. Le téléphone utilisé est un de ces appareils que vous achetez avec un crédit de cent minutes d'utilisation avant de le jeter.

— De ceux qu'utilisent les terroristes.

— Ou peut-être un kidnappeur. L'émetteur est situé à Beacon dans le comté de Dutchess. J'ai déjà parlé à nos techniciens. Si nous recevons un nouvel appel, nous pourrons le trianguler et déterminer l'endroit exact d'où il émane. C'est ce que nous aurions fait si l'appareil était toujours en marche, mais malheureusement, il a été éteint.

Sam décrivit alors son plan d'action.

— Je veux des extraits du casier judiciaire de tous les anciens élèves qui assistaient à la réunion, dit-il. Peut-être découvrirons-nous que l'un d'eux a commis des actes de violence. Je veux que soient contactées les familles des cinq femmes qui étaient à la même table du réfectoire. Nous devons savoir si on a relevé quelque chose de suspect au moment de leur mort.

— Cinq de ces femmes sont mortes et une sixième a disparu, dit Stevens d'un ton incrédule. À votre place, je commencerais par la dernière. L'affaire est si récente que si la police de Los Angeles entend parler des cinq autres femmes, ils y regarderont peut-être à deux fois avant de classer la mort d'Alison Kendall dans la rubrique « noyade accidentelle ». Nous allons nous faire communiquer les rapports de police concernant les autres cas.

— L'administration de Stonecroft va nous envoyer une liste des anciens élèves invités à la réunion, ainsi que celle des autres personnes qui assistaient au dîner, poursuivit Sam. Ils ont les adresses et les numéros de téléphone de tous les élèves, et d'une partie des habitants de la ville qui étaient présents.

Épuisé, Sam ne put retenir un bâillement.

Rich Stevens avait si bien perçu l'urgence de la situation qu'il ne suggéra pas à son plus ancien inspecteur d'aller prendre un peu de repos. Il lui dit seulement :

— Je suppose que vous voulez vous y mettre immédiatement?

Le Hibou avait somnolé par intermittence dans la nuit de dimanche. Après sa visite de 22 h 30 à Laura, il avait pris quelques heures de repos. À sa visite suivante au petit matin, il avait eu la satisfaction de l'entendre implorer grâce d'une voix tremblante. Une grâce qu'elle lui avait refusée à l'école, lui avait-il rappelé. Ensuite, il s'était longuement attardé sous la douche, espérant que l'eau chaude soulagerait sa blessure au bras.

Il augmenta le volume de la télévision. Le reportage montrait le lieu de l'assassinat d'Helen Whelan. Il observa que le sol paraissait extrêmement boueux. Cela signifiait que les pneus de sa voiture de location étaient sans doute chargés d'une croûte de boue qui provenait de là. Dans ce cas, mieux valait planquer cette bagnole dans le garage de la maison où, pour l'instant, il laissait Laura en vie, et en louer une autre. Il choisirait une voiture de taille moyenne, une berline noire, discrète. De cette façon, si pour une raison quelconque quelqu'un se mettait à vérifier les voitures qui avaient été utilisées par les participants à la réunion, la sienne n'attirerait pas l'attention.

Au moment où le Hibou sortait une veste de la penderie, un communiqué était diffusé à l'antenne : « Un jeune journaliste de la Stonecroft Academy de Cornwall-on-Hudson révèle que la disparition de l'actrice Laura Wilcox pourrait être liée aux agissements d'un monstre qu'il appelle : "le Tueur en série de la table du réfectoire". »

Dorothy Connors était une frêle vieille dame de soixante-dix ans. Sa maison était l'une des belles propriétés qui surplombaient l'Hudson. Elle invita Jane à la suivre dans le jardin d'hiver où, comme elle l'expliqua, elle passait le plus clair de son temps.

Ses yeux bruns au regard vif s'éclairèrent quand elle parla de son mari.

— Edward était le plus merveilleux des maris et le meilleur médecin du monde, dit-elle. C'est cet affreux incendie qui l'a tué, la perte de son cabinet et de tous ses dossiers. Ce fut l'origine de sa crise cardiaque.

— Madame Connors, commença Jane, je vous ai dit au téléphone que j'avais reçu des menaces concernant ma fille. Elle a dix-neuf ans aujourd'hui. Il faut absolument que je retrouve ses parents adoptifs, que je les prévienne de l'éventuel danger qu'elle court. Je vous en prie, aidez-moi. Le Dr Connors vous a-t-il jamais parlé de moi ? Cela n'aurait rien eu d'étonnant. Mon père et ma mère étaient la risée de la ville avec leurs querelles en public. Votre mari a compris que je ne pourrais jamais me tourner vers eux. Il m'a trouvé un prétexte pour aller m'installer à Chicago. Il est même venu là-bas et m'a accouchée lui-même.

— Oui, il l'a fait pour un bon nombre de jeunes filles. Il voulait les aider à préserver leur vie privée. Aujourd'hui, la plupart des gens se fichent qu'une femme célibataire porte puis élève seule un enfant, mais mon mari était de l'ancienne école. Il était profondément soucieux de protéger l'intimité de ses jeunes patientes, même avec moi. Jusqu'à ce que vous m'en parliez, je n'ai jamais su que vous aviez été sa patiente.

— Mais vous *saviez* qui étaient mes parents.

Dorothy Connors contempla Jane pendant un long moment.

— Je savais qu'ils avaient des problèmes. Je les ai vus parfois à l'église et j'ai quelquefois bavardé avec eux. À mon avis, ma chère enfant, vous ne vous souvenez que des mauvais moments. Votre père et votre mère étaient aussi des gens charmants, intelligents, qui malheureusement n'étaient pas faits l'un pour l'autre.

Jane perçut un reproche voilé dans ces paroles qui, bizarrement, la mirent sur la défensive.

— Je peux vous garantir qu'ils n'étaient pas faits l'un pour l'autre, dit-elle, espérant que la colère qui montait en elle ne perçait pas dans sa voix. Madame Connors, je vous suis très reconnaissante de m'avoir reçue ainsi, presque à l'improviste, mais je vais être brève. Ma fille court peut-être un réel danger. Si vous avez la moindre indication sur les gens qui l'auraient adoptée, vous avez le devoir, envers elle et envers moi, de me le dire.

— Je vous jure qu'Edward ne discutait jamais avec moi de patientes dans votre situation, et je ne l'ai jamais entendu mentionner votre nom.

— Toutes les archives de son cabinet ont-elles disparu ?

— Oui. Le bâtiment a été réduit en cendres. On a tout de suite pensé à un incendie criminel sans jamais trouver de preuves.

Il était clair que Dorothy Connors ne pouvait lui apporter aucune aide. Jane se leva, prête à partir.

— Je me souviens que Peggy Kimball était l'infirmière du Dr Connors lorsque je l'ai consulté. Je lui ai laissé un message et j'espère qu'elle me rappellera. Peut-être saura-t-elle quelque chose. Je vous remercie, madame Connors. Je vous en prie, ne vous levez pas. Je trouverai seule mon chemin.

Elle tendit la main à Dorothy et fut alarmée à la vue du visage que la vieille dame levait vers elle. Un visage qui trahissait une immense inquiétude.

MARK FLEISCHMAN se présenta au *Glen-Ridge* à 13 heures, demanda la chambre de Jane au téléphone, n'obtint aucune réponse et descendit à la salle à manger. Il fut agréablement surpris d'y trouver Jane assise seule à une table d'angle, et traversa la pièce en quelques enjambées.

Elle lui sourit chaleureusement.

— Mark, je ne m'attendais pas à vous voir! Asseyez-vous. Je m'apprêtais à déjeuner.

— Je n'ai eu votre message qu'hier soir. J'ai appelé l'hôtel tôt dans la matinée, et la standardiste m'a répondu que Laura n'avait pas réapparu. C'est alors que j'ai décidé de changer mon emploi du temps et de revenir. J'ai pris l'avion et loué une voiture.

— C'est vraiment gentil de votre part. Nous sommes tous très inquiets à propos de Laura.

Elle lui fit un rapide compte rendu des événements qui s'étaient produits depuis son départ, la veille, après le brunch.

Jetant un regard à Mark par-dessus la table, elle vit une lueur d'inquiétude dans ses yeux. Jane eut soudain envie de lui parler de Lily, de demander au psychiatre si ces menaces lui paraissaient sérieuses, ou si quelqu'un cherchait seulement à la faire chanter.

— Vous voulez commander maintenant? interrompit la serveuse d'une voix haut perchée.

— Oui, merci.

Ils se décidèrent pour un sandwich club et du thé.

— Sur le trajet de l'aéroport, dit Mark, j'ai entendu à la radio que le jeune journaliste qui nous a cassé les pieds pendant toute la réunion parle à qui veut l'entendre de ce qu'il appelle « le Tueur en série de la table du réfectoire ». Même si cette hypothèse ne vous inquiète pas, moi, elle me préoccupe. Et avec la disparition de Laura, vous êtes la seule qui reste de ce groupe.

— J'aimerais n'avoir à me préoccuper que de moi-même, lui répondit Jane.

— Pour qui vous inquiétez-vous ? Allons, Jane, dites-le-moi.

Il la regardait, attendant qu'elle se livre. Pouvait-elle lui faire confiance ? Elle lui rendit son regard. « Il a des yeux merveilleux. Bruns avec des petits points dorés qui ressemblent à des taches de soleil. »

Elle haussa les épaules et fronça les sourcils.

— Vous me rappelez un de mes professeurs à l'université. Quand il posait une question, il vous fixait jusqu'à ce que vous lui fournissiez la réponse.

— Je ne fais rien d'autre, Jane. Un de mes patients appelle ça mon regard de chouette.

— Votre regard de chouette m'a convaincu, Mark. Je vais vous parler de Lily.

8

SITÔT arrivé à son bureau, Sam Deegan demanda à être mis en communication avec Carmen Russo, l'inspectrice qui avait mené l'enquête sur la mort d'Alison Kendall.

— Mort accidentelle par noyade, a conclu l'enquête, et nous nous en tenons là, lui dit Carmen Russo. La porte de la maison était ouverte, mais il ne manquait rien. Rien n'était dérangé dans la maison, tout était à la même place dans le jardin et dans la cabine de bain. Aucune trace d'alcool ni de drogue.

— Aucun signe de violence ? demanda Sam.

— Une légère meurtrissure à l'épaule, c'est tout. Sans davantage d'indices, difficile de penser qu'il s'agissait d'un meurtre.

Découragé, Sam raccrocha. Son instinct profond lui disait qu'Alison Kendall n'était pas décédée de mort naturelle. En soulignant que ces cinq femmes aujourd'hui mortes avaient l'habitude de s'asseoir à la même table de réfectoire, Jake Perkins avait mis le doigt sur quelque chose. Mais si le décès d'Alison Kendall n'avait pas éveillé le moindre soupçon, c'était une vraie gageure de chercher à relier entre elles les quatre autres morts, dont la première remontait à presque vingt ans.

Il y eut un coup frappé à la porte. Le jeune inspecteur qui apparut dans le bureau était visiblement tout excité.

— Monsieur, nous avons examiné les dossiers scolaires de chacun des anciens élèves de Stonecroft qui assistaient à la réunion et nous avons peut-être déniché quelque chose sur l'un d'eux, Joel Nieman.

— Qu'avez-vous trouvé ?

— Quand il était en terminale, il a été soupçonné d'avoir trafiqué le casier d'Alison Kendall. Les vis des charnières avaient été ôtées, si bien qu'en l'ouvrant, Alison a reçu la porte sur elle. Elle a souffert de contusions sans gravité.

— Pourquoi l'a-t-on soupçonné ? demanda Sam.

— Parce qu'il n'avait pas supporté ce qu'elle avait écrit dans le journal de l'école. La pièce de théâtre de fin d'année était *Roméo et Juliette*. Nieman tenait le rôle de Roméo et Kendall a écrit quelque chose de franchement méchant sur lui, soulignant qu'il était incapable de retenir son texte. Il se vantait de savoir Shakespeare par cœur, et a raconté à tout le monde qu'elle ne l'emporterait pas au paradis. Il a dit qu'il avait eu le trac pendant deux secondes et que ça n'avait aucun rapport avec un manque de mémoire. Peu après, Alison recevait la porte de son casier sur la tête. Ce n'est pas tout. Il a un caractère de chien et il a été interpellé à la suite de deux bagarres dans des bars.

« L'individu qui envoie ces fax à Jane a cité un sonnet de Shakespeare », se rappela Sam. Il se leva.

— Ô Roméo, Roméo, pourquoi es-tu Roméo ?

Comme le jeune inspecteur le fixait, stupéfait, Sam ajouta :

— C'est exactement ce que je m'en vais découvrir sans tarder, ensuite, nous verrons quels autres vers de Shakespeare Joel Nieman sera capable de nous citer.

LE Hibou revint à 18 h 30, gravit sans bruit l'escalier. Laura tremblait déjà lorsqu'il entra dans la pièce et braqua la lampe torche dans sa direction.

— Bonsoir, Laura, susurra-t-il. Contente de me revoir ?

— Ou-oui, je suis heureuse, murmura-t-elle.

D'un geste preste, il l'aida à s'asseoir et trancha la corde qui liait ses poignets. Ses mouvements étaient si rapides que Laura vacilla et tendit la main, agrippant malgré elle le bras du Hibou.

Il étouffa un cri sous l'effet de la douleur.

— Ne me touche plus jamais. Compris ?

Laura hocha la tête.

— Lève-toi.

Le Hibou désigna la chaise à côté de la coiffeuse. Sans dire un mot, Laura se dirigea lentement vers elle, s'assit.

— Allez. Je t'ai apporté un sandwich au beurre de cacahuète et un verre de lait. Commence à manger.

Il saisit la lampe torche et dirigea la lumière sur son cou afin de pouvoir étudier son expression sans l'éblouir. Il constata avec satisfaction qu'elle s'était remise à pleurer.

— Tu crèves de peur, hein ? Et je parie que tu te demandes comment j'ai su que tu me ridiculisais. Je vais te raconter. Voilà vingt ans exactement, nous étions quelques étudiants à passer le week-end chez nous et nous nous sommes retrouvés un soir. À une fête. Comme tu le sais, je ne faisais pas partie de ton cercle. Mais pour une raison quelconque, j'ai été invité à cette soirée, et tu t'y trouvais. Ce soir-là, tu étais assise sur les genoux de ta dernière conquête, Dick Gormley, notre star du base-ball. J'ai rongé mon frein en silence, Laura, j'avais un sacré béguin pour toi alors. Alison était là, bien sûr. Elle est venue me trouver. Je ne l'avais jamais aimée. Je redoutais sa langue de vipère. Elle m'a rappelé qu'en terminale j'avais eu le culot de te demander de sortir avec moi. "Toi…, le hibou qui voulait sortir avec Laura." Et c'est alors qu'elle m'a raconté comment tu m'avais imité "Je suuuuis le le hiiiiboubou et et je viviiiis dans un un un…" Laura, ton imitation était certainement parfaite. Alison m'a assuré que les filles de votre groupe hurlaient de rire chaque fois qu'elles y repensaient. Tu leur avais même rappelé que j'avais pissé dans mon froc sur la scène avant de m'enfuir.

Il la regardait mordre dans son sandwich. Elle le laissa tomber sur ses genoux.

— Je regrette…

— Laura, tu ne comprends toujours pas que tu as vécu vingt ans de trop. Je vais te dire pourquoi. Le soir de cette réunion, j'étais ivre, moi aussi. Tellement ivre que j'ai oublié que vous aviez déménagé. Je suis venu ici, dans cette maison, pour te tuer. Je savais que ta famille planquait un double des clés sous le faux rocher derrière la maison. Les nouveaux propriétaires avaient gardé la même habitude. Je suis entré dans cette maison, je suis monté dans cette chambre. J'ai vu les cheveux répandus sur l'oreiller et j'ai cru que c'était toi. Laura, je me suis trompé quand j'ai poignardé Karen Sommers. C'était toi que je tuais. *Toi.* Le lendemain matin, je me suis réveillé avec le vague souvenir d'être venu ici. Puis j'ai découvert ce qui s'était passé et je me suis rendu compte que j'étais devenu célèbre.

La voix du Hibou se précipita sous l'effet de l'excitation à mesure qu'affluaient ses souvenirs.

— Je ne connaissais pas Karen Sommers. Personne ne pouvait imaginer que j'avais un rapport avec elle, mais cette erreur m'a libéré. Ce matin-là, j'ai compris que j'avais le pouvoir de vie et de mort. Et je l'ai toujours exercé depuis. À travers tout le pays.

Il se leva. La terreur se lisait dans les yeux écarquillés de Laura ; sa bouche était ouverte ; le sandwich reposait sur ses genoux. Il se pencha en avant.

— Je dois m'en aller maintenant, mais songe à la chance que tu as eue de profiter d'une rallonge de vingt ans.

Brusquement, il lui attacha les mains, la bâillonna, la leva de sa chaise, la repoussa sur le lit et la ligota avec la longue corde.

Il était parti. Dehors, la lune se levait, et depuis le lit, Laura distingua la forme vague du téléphone mobile posé sur la coiffeuse.

À 18 h 30, Jane était dans sa chambre quand elle reçut l'appel de Peggy Kimball, l'infirmière du Dr Connors.

— Vous avez laissé un message urgent, mademoiselle Sheridan, fit-elle sur un ton dénué d'amabilité. De quoi s'agit-il ?

— Peggy, nous nous sommes rencontrées il y a vingt ans. J'étais une patiente du Dr Connors et il s'était occupé de l'adoption de mon bébé. J'ai besoin… de vous parler à ce sujet.

— Je regrette, mademoiselle Sheridan. Il m'est impossible de parler des adoptions dont s'occupait le Dr Connors. Si vous désirez retrouver la trace de votre enfant, il existe des moyens légaux pour y parvenir.

— Je me suis déjà mise en rapport avec un enquêteur du bureau du procureur, dit Jane précipitamment. J'ai reçu trois messages anonymes dont le contenu laisse clairement entendre qu'une menace pèse sur ma fille. Ses parents adoptifs doivent être prévenus pour pouvoir la protéger. Je vous en prie, Peggy, aidez-moi.

Elle fut interrompue par un cri affolé à l'autre bout du fil.

— Tommy, fais attention. Ne touche pas à ce plat.

Jane entendit un bris de verre.

— Oh! mon Dieu, dit Peggy avec un soupir. Écoutez, mademoiselle Sheridan, je garde mes petits-enfants. Je ne peux pas vous parler maintenant.

— Peggy, puis-je vous rencontrer demain? Je vous montrerai les fax que j'ai reçus. Vous pouvez vous renseigner à mon sujet. Je suis responsable du département d'histoire à l'université de Georgetown.

— Tommy, Betsy, ne vous approchez pas de ce verre! Attendez. Seriez-vous par hasard la Jane Sheridan qui a écrit ce livre sur Abigail Adams?

— Oui.

— Oh, je l'ai adoré! Je sais tout sur vous. Je vous ai vue à l'émission *Today*. Je crains de ne pouvoir vous être d'une grande aide, mais nous pourrions prendre un café vers 10 heures demain matin?

— Volontiers, dit Jane. Merci, Peggy. Merci.

— Je vous ferai appeler depuis la réception, dit Peggy. À demain.

Jane raccrocha lentement. Elle se massa les tempes, essayant de faire disparaître un début de mal de tête. Elle espéra qu'elle se sentirait mieux après un bain chaud.

Le téléphone sonna à 19 h 10, au moment où elle sortait de la baignoire. Elle hésita un instant à répondre, puis saisit un peignoir de bain et courut décrocher dans la chambre.

— Allô! Jeannie, dit une voix joyeuse.

Laura! C'était Laura.

— Laura, où es-tu?

— Dans un endroit où je m'amuse comme une folle. Jeannie, dis à tous ces flics de rentrer chez eux. Je passe des moments merveilleux. Je te rappellerai bientôt. Bye, chérie.

Le lundi en fin d'après-midi, Sam alla interroger Joel Nieman à son bureau de Rye, dans l'État de New York.

« Plus grand-chose à voir avec Roméo », pensa Sam en étudiant les traits empâtés de Nieman et ses cheveux teints en auburn.

— J'ai entendu à la radio ces élucubrations à propos d'un prétendu tueur de la table du réfectoire, dit celui-ci. Écoutez, j'étais en classe avec ces filles. Je les connaissais toutes. Penser que leurs morts ont un rapport quelconque est un non-sens. Commençons par Catherine Kane. Nous étions en première année à l'université quand sa voiture a dérapé et a fini dans le Potomac. Cath avait toujours conduit trop vite. Comptez les amendes pour excès de vitesse qu'elle a récoltées à Cornwall pendant son année de terminale et vous comprendrez ce que je veux dire.

— Mais ne trouvez-vous pas stupéfiant que l'histoire, dans ce cas, se répète non pas deux fois mais *cinq* ?

— Sans doute. Le fait que cinq filles toujours assises à la même table aient trouvé la mort est plutôt inquiétant, mais je pourrais vous présenter le garçon qui s'occupe de la révision de nos ordinateurs. Sa mère et sa grand-mère sont mortes d'une crise cardiaque le même jour, à trente ans d'intervalle. Le lendemain de Noël. Peut-être ont-elles calculé les sommes qu'elles avaient dépensées pour les cadeaux et le choc les a-t-il emportées. Hein, qu'en pensez-vous ?

Sam dévisagea Joel Nieman avec un profond mépris, pourtant, il avait l'intuition que son arrogance cachait un sentiment de malaise.

— Je crois savoir que votre femme a quitté la réunion dès le samedi matin pour partir en voyage d'affaires.

— C'est exact.

— Étiez-vous seul chez vous le samedi soir après le dîner, monsieur Nieman ?

— J'étais seul. Les réunions qui s'éternisent m'assomment.

« Ce type n'est pas du genre à rentrer seul chez lui quand sa femme n'est pas là », songea Sam. Il lança au hasard :

— Monsieur Nieman, on vous a vu quitter le parking avec une femme dans votre voiture.

Joel Nieman haussa les sourcils.

— Eh bien, peut-être suis-je parti avec une femme, en effet, mais elle était loin d'avoir quarante ans. Si vous allez à la pêche au scandale avec moi parce que Laura a filé avec un type et n'a pas réapparu, je vous suggère d'appeler mon avocat. Et maintenant, si vous voulez bien m'excuser, j'ai du travail.

Sam se leva et se dirigea d'un pas tranquille vers la porte. Comme il passait devant la bibliothèque, il s'arrêta.

— Vous avez une belle collection des œuvres de Shakespeare, monsieur Nieman.

— J'ai toujours pris plaisir à lire le Barde.

— J'ai entendu dire que vous teniez le rôle de Roméo dans la pièce que jouaient les élèves de terminale à Stonecroft.

— Exact.

— N'était-ce pas Alison Kendall qui avait critiqué votre jeu ?

— Elle a dit que j'avais oublié mon texte. Je ne l'avais pas oublié. J'ai eu un moment de trac. C'est tout.

— Alison a eu un accident à l'école quelques jours après la pièce, n'est-ce pas ?

— Je m'en souviens. La porte de son casier lui est tombée dessus. Tous les garçons ont été interrogés à ce sujet. J'ai toujours pensé qu'ils auraient dû interroger les filles. Beaucoup d'entre elles ne pouvaient pas la sentir. Écoutez, tout ça ne vous mènera nulle part. Comme je vous l'ai dit, je parierais mon dernier dollar que ces cinq décès ont été accidentels. En outre, Alison était une peste. D'après ce que j'ai lu à son propos, elle n'avait pas changé. Je pourrais imaginer que quelqu'un ait décidé qu'elle avait assez nagé comme ça le jour où elle s'est noyée.

Il marcha vers la porte et l'ouvrit d'un geste délibéré.

— « Hâtez le départ des invités », aurait pu dire Shakespeare.

Sam espéra être suffisamment maître de lui pour ne pas trahir ce qu'il pensait de Nieman et de son dédain pour la mort d'Alison Kendall.

— Connaissez-vous la citation de Shakespeare à propos des lis morts ? demanda-t-il.

Le rire de Nieman ressembla à un hennissement déplaisant et sans joie.

— « Le lis putréfié sent pis que mauvaise herbe. » Un vers d'un de ses sonnets. Bien sûr que je le connais. Si vous voulez savoir, je l'évoque souvent. Ma belle-mère s'appelle Lily.

SAM parcourut le trajet de Rye au *Glen-Ridge* plus vite qu'il ne l'aurait dû, laissant grimper l'aiguille du compteur. Il avait demandé aux lauréats et à Jack Emerson de le retrouver pour dîner à 19 h 30. Son intuition le portait à croire que l'un des cinq hommes détenait l'explication de la disparition de Laura. Maintenant, après avoir interrogé Joel Nieman, il n'en était plus aussi certain. À tout le moins, Joel Nieman méritait qu'on le garde à l'œil.

Il était 19 h 30 tapantes lorsque Sam pénétra au *Glen-Ridge*. En se dirigeant vers la salle à manger privée, il passa devant l'omniprésent Jake Perkins, vautré dans un fauteuil du hall. Perkins se leva d'un bond.

— Du nouveau, monsieur ?

— Rien à signaler, petit.

Jane sortait de l'ascenseur. Même de loin, son attitude trahissait un désarroi profond.

Ils se retrouvèrent à la porte de la salle à manger.

— Sam, j'ai des nouvelles…, commença Jane avant d'apercevoir Jake Perkins.

Sam prit Jane par le bras et franchit avec elle la porte qu'il referma fermement derrière eux.

Carter, Gordon, Mark, Jack et Robby étaient déjà arrivés. Sitôt qu'ils virent l'expression de Jane, les paroles de bienvenue qu'ils s'apprêtaient à prononcer furent oubliées.

— Je viens d'avoir des nouvelles de Laura, leur annonça-t-elle. Il y a juste un instant.

Au cours du dîner, la première réaction de soulagement qu'ils avaient tous ressentie céda peu à peu la place à l'incertitude.

— J'ai été bouleversée en entendant sa voix, rapporta Jane. Mais elle a raccroché avant que je puisse lui parler.

— Vous a-t-elle paru nerveuse ou inquiète ? demanda Emerson.

— Non, je dirais qu'elle semblait plutôt euphorique. Mais elle ne m'a pas laissé le temps de lui poser une seule question.

— Êtes-vous certaine que c'était Laura ? demanda Gordon Amory, posant la question que Sam savait présente dans l'esprit de chacun.

— Je *crois* que c'était elle, dit Jane lentement. Ça lui *ressemblait*, pourtant… C'était sa voix, mais peut-être pas tout à fait. Elle ne m'a pas parlé assez longtemps pour que je puisse affirmer avec certitude s'il s'agissait d'elle ou non…

Gordon Amory la coupa :

— Si l'appel provenait de Laura, et qu'elle se sait portée disparue, pourquoi ne s'est-elle pas montrée plus précise quant à ses intentions?

— Qu'en pensez-vous, Sam? demanda Mark Fleischman.

— Si vous voulez mon avis de flic, que ce soit Laura Wilcox ou non qui ait passé ce coup de fil, ça ne me dit rien qui vaille.

Fleischman hocha la tête.

— C'est exactement mon sentiment.

Carter Stewart découpait son steak avec application.

— Il y a un autre facteur à prendre en considération. Laura est une actrice sur la pente descendante. J'ai appris que le fisc s'apprête à saisir sa maison. En bref, cela signifie que Laura pourrait être aux abois. La publicité est essentielle pour une actrice. Bonne ou mauvaise, peu importe, pourvu que votre nom fasse les gros titres. Une disparition mystérieuse. Un mystérieux appel téléphonique. Franchement, je pense que nous perdons tous notre temps à nous tourmenter pour elle.

— Il ne m'est jamais venu à l'esprit que vous vous tourmentiez à son sujet, Carter, fit Robby Brent.

C'est le moment que choisit Sam Deegan pour se lever.

— Si vous voulez bien m'excuser, je vais me passer de café. Il faut que je localise un appel téléphonique.

9

Peggy Kimball respirait la bienveillance et l'intelligence. L'impression immédiate de Jane fut que Peggy était une femme sensée et qu'il en faudrait beaucoup pour la décontenancer.

Elles repoussèrent la carte et commandèrent un café.

— Ma fille est venue reprendre ses enfants il y a une heure, dit Peggy. J'ai avalé des corn-flakes avec eux vers 7 heures. (Elle sourit.) Vous avez dû croire que c'était l'apocalypse à la maison hier soir.

— J'ai des étudiants de première année à l'université, dit Jane. Ils peuvent être plus bruyants que des tout-petits.

La serveuse servit le café. Oubliant son air enjoué, Peggy Kimball planta ses yeux dans ceux de Jane.

— Je me souviens de vous, Jane, dit-elle. Le Dr Connors s'occupait souvent d'adoptions pour des jeunes filles dans votre situation. J'ai eu pitié de vous car vous étiez l'une des rares à venir seules au cabinet.

— C'est du passé, dit Jane calmement. Je suis aujourd'hui une femme adulte, inquiète pour une jeune fille de dix-neuf ans qui est mon enfant et se trouve peut-être en danger.

Sam avait pris les fax originaux, mais elle en avait fait faire des copies ainsi que du rapport d'ADN. Elle les sortit de son sac et tendit le tout à Peggy.

— Peggy, supposez qu'il s'agisse de votre fille. Ne considéreriez-vous pas tout cela comme une menace ?

— Si.

— Peggy, savez-vous qui a adopté Lily ?

— Non, je l'ignore.

— L'adoption s'accompagne d'un acte officiel. Savez-vous à quel avocat ou cabinet juridique le Dr Connors s'adressait la plupart du temps ?

Peggy hésita, puis dit lentement :

— Je doute qu'il ait fait appel à un avocat dans votre cas, Jane.

« Il y a quelque chose qu'elle a peur de me dire », pensa Jane.

— Peggy, le Dr Connors est venu à Chicago quelques jours avant le terme de ma grossesse, il a provoqué l'accouchement et m'a enlevé Lily peu après sa naissance. Savez-vous où il a déclaré sa naissance ?

Peggy regarda d'un air pensif sa tasse de café, puis reporta son attention sur Jane.

— Il arrivait au Dr Connors de faire la déclaration de naissance directement au nom des parents adoptifs, comme si la femme était la mère biologique.

— Mais c'est illégal ! protesta Jane.

— Je sais, mais le Dr Connors avait un ami qui savait qu'il était un enfant adopté et qui a passé sa vie d'adulte à tenter de retrouver sa famille naturelle. C'était devenu une obsession chez lui, bien qu'il fût très aimé de ses parents adoptifs. Le Dr Connors disait qu'il aurait été plus heureux s'il avait ignoré la vérité.

— Donc, d'après vous, il n'existe peut-être pas d'extrait de naissance originel et personne n'a fait appel à un avocat ? Lily croit sans doute que les gens qui l'ont adoptée sont ses parents biologiques !

— C'est possible. Au fil des années, le Dr Connors a envoyé plusieurs filles dans cette maison de repos de Chicago. Cela signifiait le plus souvent qu'il omettait volontairement d'inscrire le nom de la mère biologique sur l'acte de naissance. (Elle tendit la main à travers la table et saisit celle de Jane.) Peut-être, dans un sens, a-t-il cru devancer vos souhaits en épargnant à Lily le désir de vous retrouver.

Jane eut l'impression que de lourdes portes métalliques venaient de se refermer brutalement devant elle.

— Pourtant, je dois la retrouver, dit-elle lentement, la gorge serrée. Il le faut. Peggy, vous laissez entendre que le Dr Connors ne traitait pas toutes les adoptions de la même façon.

— Non, en effet.

— Il faisait donc appel à un avocat pour certaines d'entre elles ?

— Oui. Et c'était Me Craig Michaelson. Il est toujours en activité, mais il s'est installé à Highland Falls voilà quelques années.

Highland Falls était la ville la plus proche de West Point.

Peggy avala la dernière goutte de son café.

— Je dois vous quitter. Je suis attendue à l'hôpital. J'aurais aimé vous aider davantage, Jane.

— Peut-être le pouvez-vous. Il reste que quelqu'un a découvert la vérité sur Lily, et cela date peut-être de l'époque où j'étais enceinte. Une autre personne que vous travaillait-elle au cabinet du Dr Connors, une personne qui aurait pu avoir accès à ses dossiers ?

— Non, dit Peggy. Le docteur conservait ses dossiers sous clé.

La serveuse déposa la note sur la table. Jane la signa et les deux femmes gagnèrent ensemble le hall. « Craig Michaelson, pensait Jane. Je vais l'appeler dès que je serai dans ma chambre. »

LE mandat autorisant Sam Deegan à vérifier les enregistrements téléphoniques pour déterminer la provenance de l'appel de Laura avait permis de collecter les mêmes indications que la veille. Le second appel de Laura provenait du même type de téléphone mobile, le genre d'appareil à carte qui donne un crédit d'appels de cent minutes et n'exige aucun nom d'abonné.

À 11 h 15 le mardi matin, Sam se trouvait dans le bureau du procureur et lui exposait la situation.

— Ce n'est pas le téléphone dont Laura Wilcox s'est servie dimanche soir, dit-il à Rich Stevens. Celui-ci a été acheté dans le comté d'Orange. Il a un préfixe 845. Eddie Zarro est allé vérifier les boutiques des environs de Cornwall qui les vendent. Bien sûr, il a été aussitôt éteint, exactement comme celui qu'elle a utilisé pour appeler la réception du *Glen-Ridge* dimanche soir.

Le procureur faisait tourner un crayon entre ses doigts.

— Et Jane Sheridan, a-t-elle contacté Craig Michaelson, l'avocat qui s'occupait des adoptions légales du Dr Connors ?

— Elle le voit à 14 heures.

— Quelle est la prochaine étape, Sam ?

Ils furent interrompus par la sonnerie du téléphone mobile de Sam, qui le sortit de sa poche.

— C'est Eddie Zarro, dit-il en appuyant sur le bouton de l'appareil. Qu'est-ce que tu as trouvé, Eddie ?

Le procureur vit Sam rester bouche bée.

— Tu te fiches de moi ? Qu'est-ce que trafique cette petite fouine ? Entendu. Je te retrouve au *Glen-Ridge*.

Sam éteignit le téléphone et regarda son patron.

— Un mobile avec un crédit de cent minutes a été acheté à Cornwall, au drugstore de Main Street, hier un peu après 7 heures du soir. Le vendeur se souvient distinctement de l'homme qui a fait l'achat parce qu'il l'a vu à la télévision. C'est Robby Brent.

— L'acteur comique ! Croyez-vous que Laura Wilcox et lui soient ensemble ?

— Non, monsieur. Le vendeur du drugstore a regardé Brent sortir. Brent est resté sur le trottoir et il a passé un coup de fil. D'après ce qu'il dit, c'était exactement à l'heure où Jane Sheridan a reçu l'appel censé provenir de Laura Wilcox.

— Vous voulez dire que vous pensez…

Sam l'interrompit.

— Robby Brent est un acteur comique de première classe, mais c'est surtout un imitateur incomparable. Mon intuition est que ce type imitait la voix de Laura pour parler à Jane Sheridan. Je vais de ce pas au *Glen-Ridge*. J'ai l'intention d'aller trouver ce fumier et de lui demander de m'expliquer ce qu'il trafique.

— Allez-y, dit Stevens. Il ferait mieux d'avoir une bonne excuse, sinon, flanquez-lui un mandat d'arrêt pour entrave aux recherches de la police.

COMBIEN de temps s'était-il écoulé? Depuis quand le Hibou était-il là? Laura ne savait plus. La veille au soir, au moment où elle avait deviné qu'il allait réapparaître, elle avait entendu des bruits dans l'escalier… puis une voix d'homme qu'elle connaissait.

« Non!… » avait crié Robby Brent, d'un ton terrifié.

Le Hibou s'était-il attaqué à Robby Brent?

« Probablement », pensa Laura. Peu après, elle avait vu le Hibou s'approcher d'elle. Il lui avait donné quelque chose à manger. Il était si furieux que sa voix tremblait quand il lui raconta que Robby Brent s'était fait passer pour elle au téléphone.

— Je me suis inquiété pendant tout le dîner, craignant que tu ne sois parvenue à saisir le téléphone. Puis le simple bon sens m'a rappelé que, si tu avais pu l'atteindre, tu aurais d'abord appelé la police, et non Jane pour lui raconter que tu allais bien. Robby est tellement bête, Laura. Il m'a suivi jusqu'ici. J'ai laissé la porte ouverte et il est entré.

« Ai-je rêvé tout ça? se demanda Laura dans une sorte de brouillard. Est-ce un effet de mon imagination? »

Saisie d'effroi, elle entendit un claquement. La porte?

— Réveille-toi, Laura. Il faut que je te parle. (Il se mit à parler d'une voix plus précipitée.) Robby me soupçonnait et il a essayé de m'avoir. Je ne sais pas à quel moment j'ai baissé ma garde, mais je lui ai quand même fait son affaire. Maintenant, c'est Jane qui s'approche trop près de la vérité, mais je sais comment égarer ses soupçons et l'attirer dans un piège. Tu m'aideras, n'est-ce pas? *N'est-ce pas?* hurla-t-il.

Le Hibou avait allumé la petite lampe torche et l'avait posée sur la table de chevet, braquée dans sa direction. La lumière formait un halo autour d'elle dans l'obscurité. Levant les yeux, elle le vit immobile au bord du lit, la contemplant fixement.

— Oui, murmura Laura, s'efforçant d'être audible à travers le bâillon.

Le Hibou parut s'apaiser.

— Laura, murmura-t-il. Je suis un oiseau de proie. Lorsqu'une émotion trop violente s'empare de moi, je ne connais qu'un seul moyen de recouvrer mon calme. Ne me tente pas, ne fais pas preuve d'entêtement. Je sais que tu as faim. Je t'ai apporté du café. Mais je dois d'abord te parler de Lily, la fille de Jane.

Jane… une fille… Laura leva vers lui un regard stupéfait. Elle avait la gorge sèche. Elle avait les mains et les pieds engourdis, ses muscles se contractaient douloureusement sous l'effet de la peur. Elle ferma les yeux, s'efforçant de se concentrer.

Quand elle les rouvrit, la lampe torche était éteinte. Il n'était plus penché au-dessus d'elle. Elle entendit le claquement de la porte. Il était parti. D'un coin de la pièce lui parvinrent les effluves imperceptibles du café qu'il avait oublié de lui donner.

Les bureaux de Craig Michaelson occupaient un étage entier. La réception était accueillante avec ses murs lambrissés et ses larges fauteuils confortables. À première vue, les affaires du cabinet Michaelson semblaient prospères.

Craig Michaelson apparut en personne à la réception et la conduisit dans son bureau. C'était un homme de haute taille d'une soixantaine d'années, dont l'abondante chevelure grisonnait. Son costume gris était de bonne coupe, éclairé d'une cravate discrète gris-bleu. Tout dans son apparence donnait l'image d'un homme réservé et conventionnel.

Jane lui exposa l'histoire de Lily et lui montra les copies des fax et l'analyse d'ADN. Elle esquissa également un portrait d'elle-même, soulignant son rang à l'université, les distinctions qu'elle avait reçues, et le fait que les ventes records de son livre avaient été abondamment commentées par la presse.

Elle savait que Michaelson la jaugeait, cherchait à savoir si ce qu'elle lui racontait était le reflet de la vérité ou une habile supercherie.

— Grâce à l'infirmière du Dr Connors, Peggy Kimball, je sais que certaines des adoptions arrangées par le docteur étaient illégales, dit-elle. J'ai besoin de savoir une chose : vous êtes-vous occupé de l'adoption de mon enfant, et savez-vous qui l'a adoptée ?

— Mademoiselle Sheridan, laissez-moi d'abord vous dire que je ne me suis jamais occupé d'une seule adoption en dehors du strict respect de la loi. Si, à un moment ou un autre, le Dr Connors a transgressé cette loi, il l'a fait à mon insu, et sans que je sois impliqué.

— J'en déduis que si vous vous étiez occupé de l'adoption de mon enfant, mon nom figurerait sur l'extrait de naissance ainsi que celui de son père, Carroll Reed Thornton ?

— Je dis que toutes les adoptions dont je me suis occupé étaient légales.

— Maître, une jeune fille de dix-neuf ans et demi court probablement un réel danger. Si vous avez établi l'acte d'adoption, vous savez qui sont ses parents adoptifs. Selon moi, vous avez une obligation morale envers elle.

C'était ce qu'il ne fallait pas dire. Le regard de Craig Michaelson se glaça.

— Mademoiselle Sheridan, vous avez insisté pour que je vous reçoive aujourd'hui. Vous insinuez que j'aurais pu enfreindre la loi dans le passé, et à présent, vous *exigez* que je l'enfreigne afin de vous aider. Il existe des moyens légaux pour consulter les actes de naissance. Je vous incite vivement à demander au bureau du procureur d'adresser une requête au juge afin qu'il vous donne accès à ces dossiers. C'est la seule façon pour vous de faire aboutir cette enquête. Comme vous l'avez vous-même souligné, il s'agit peut-être d'une question d'argent. J'ai l'intuition que vous avez raison. Quelqu'un sait qui est votre fille, et s'est mis en tête de vous faire chanter.

Il se leva. Jane demeura assise pendant un instant.

— Maître, mon instinct me trompe rarement et il me dit que vous vous êtes occupé de l'adoption de ma fille et que vous l'avez fait légalement. Il me dit aussi que la personne qui m'a écrit est dangereuse. Vous avez raison, je vais demander au tribunal d'avoir accès au dossier. Mais il n'en reste pas moins que, dans l'intervalle, quelque chose peut arriver à mon enfant uniquement parce que vous faites barrage à ma requête. S'il en était ainsi, vous vous en repentiriez, croyez-moi.

Jane ne put contrôler les larmes qui jaillissaient de ses yeux. Elle se détourna et sortit à la hâte de la pièce, sans se soucier des regards stupéfaits que lui jetèrent la réceptionniste et plusieurs personnes dans la salle d'attente quand elle passa devant elles. Arrivée à sa voiture, elle ouvrit violemment la porte, s'assit au volant et enfouit son visage dans ses mains.

De la fenêtre de son bureau, le visage crispé, Craig Michaelson regarda Jane Sheridan regagner sa voiture. « Elle dit la vérité, pensa-t-il. Ce n'est pas une femme qui veut à tout prix retrouver son enfant et invente une histoire à dormir debout. Dois-je prévenir Charles et Gano ? Si jamais un malheur arrive à Meredith, ils ne s'en remettront pas. »

Il ne pouvait pas leur révéler l'identité de Jane Sheridan, mais il pouvait au moins avertir Charles des menaces qui pesaient sur sa fille adoptive. À lui ensuite de décider ce qu'il dirait à Meredith, ou de trouver le moyen de la protéger. Si cette histoire de brosse à cheveux était vraie, Meredith se souviendrait peut-être de l'endroit où elle l'avait égarée. Ce qui permettrait de retrouver la trace de l'expéditeur des fax.

Craig Michaelson alla à son bureau et décrocha le téléphone. Celui-ci ne sonna qu'une fois.

— Bureau du général Buckley, dit une voix sèche.

— Ici Craig Michaelson, je suis un ami du général Buckley. Je dois lui parler d'un sujet d'une extrême importance. Est-il là ?

— Je regrette, monsieur. Le général est en voyage à l'étranger, mais son bureau est régulièrement en contact avec lui.

— Dans ce cas, demandez-lui de me rappeler le plus tôt possible. C'est très urgent.

Craig laissa son nom. Charles répondrait à un message urgent dès qu'il le recevrait – il n'en doutait pas.

De toute façon, Meredith était plus en sécurité à West Point que nulle part ailleurs. Une pensée fâcheuse lui traversa alors l'esprit : le fait d'être à West Point n'avait pas protégé de la mort le père de Meredith, le cadet Carroll Reed Thornton Jr.

La première personne que vit Carter Stewart en entrant dans le hall du *Glen-Ridge* à 15 h 30 fut Jake Perkins, affalé comme à son habitude dans un fauteuil. « Ce gosse n'a donc nulle part où habiter ? » se demanda-t-il. Il se dirigea vers le téléphone à l'extrémité du comptoir de la réception et composa le numéro de la chambre de Robby Brent.

Il n'obtint pas de réponse.

— Robby, nous étions censés nous retrouver à 3 h 30, dit sèchement Stewart en réponse à la voix synthétique qui le priait de laisser un message. J'attendrai dans le hall pendant une quinzaine de minutes.

En raccrochant, il aperçut l'inspecteur Deegan, assis dans le bureau derrière la réception. Leurs regards se croisèrent et Deegan se leva, avec l'intention manifeste de lui parler.

Les deux hommes se firent face.

— Monsieur Stewart, dit Sam. Je suis content de vous voir. J'ai laissé un message à votre hôtel et j'espérais que vous me rappelleriez.

— J'étais occupé avec mon metteur en scène. Nous travaillions au script de ma nouvelle pièce, répondit Carter d'un ton dénué d'aménité.

— Je vous ai vu utiliser le téléphone intérieur de l'hôtel. Attendez-vous quelqu'un ?

« Pas vos oignons », faillit répliquer Stewart, mais quelque chose dans l'attitude de Deegan le retint.

— J'ai rendez-vous avec Robby Brent à 15 h 30. Avant que vous ne me demandiez la raison de ce rendez-vous, laissez-moi satisfaire votre curiosité. Brent a accepté d'être la vedette d'un nouveau feuilleton. Il a lu les premiers scripts et les juge ineptes. Il m'a demandé d'y jeter un coup d'œil et de lui donner mon opinion sur ce qui pouvait être ou non sauvé.

— Monsieur Stewart, on vous a comparé à des dramaturges célèbres tels que Tennessee Williams et Edward Albee, le coupa Sam. La plupart de ces feuilletons sont des insultes à l'intelligence. Je m'étonne que vous preniez la peine de porter un jugement sur l'un d'eux.

— Bien que je n'écrive pas moi-même de feuilletons, je suis assez bon juge de l'écriture sous *toutes* ses formes. Savez-vous si Robby doit revenir bientôt ?

— Je n'ai pas la moindre idée de ses projets, dit Sam. Je suis venu lui parler, moi aussi. Comme il n'avait pas répondu à mon appel téléphonique et que personne ne l'avait vu, j'ai demandé qu'on aille voir dans sa chambre. Le lit n'a pas été défait. Il semble que M. Brent se soit volatilisé.

— *Volatilisé!* Oh! allons, monsieur Deegan, ne croyez-vous pas que ce scénario est éculé? Je vais vous expliquer : il y a dans cette série un rôle pour une blonde sexy qui ressemblerait assez à Laura Wilcox. L'autre jour à West Point, Brent disait à Laura qu'elle serait parfaite pour ce rôle. Je commence à croire que tout ce cirque entourant sa disparition n'est rien de plus qu'un coup de publicité. Et maintenant, si vous voulez bien m'excuser, je n'ai pas envie de perdre davantage de temps à attendre Robby.

« Je n'aime vraiment pas ce type », pensa Sam en regardant Carter Stewart s'en aller. Il portait un survêtement gris défraîchi et des tennis poussiéreuses, une tenue de clochard dont Sam estima qu'elle avait néanmoins dû coûter très cher.

« Cependant, se dit-il, abstraction faite de mes réticences à son égard, je me demande s'il n'a pas mis le doigt sur la vérité. Nous savons que c'est Brent qui a téléphoné en se faisant passer pour Laura. Je commence à croire que Stewart a raison, que tout ceci n'est qu'un moyen de s'attirer de la publicité. Et dans ce cas, pourquoi est-ce que je perds mon temps ici alors qu'un tueur se balade en liberté dans le comté d'Orange? »

Sam avait espéré voir revenir Jane avant de s'en aller, et il se réjouit quand il la vit entrer dans le hall. Il la rejoignit rapidement, impatient de l'entendre raconter son entrevue avec l'avocat. Il vit qu'elle avait pleuré.

— Je vous offre un café? demanda-t-il.

— Je préférerais une tasse de thé.

— Madame Sachs, lorsque M. Zarro se présentera, voulez-vous lui dire de nous rejoindre au bar? dit Sam à la réceptionniste.

Sam attendit que le thé de Jane et son café fussent servis avant de dire :

— Je suppose que ça ne s'est pas très bien passé avec Craig Michaelson.

— Oui et non, répondit lentement Jane. Sam, je donnerais ma tête à couper que Michaelson s'est occupé de l'adoption et qu'il sait où se trouve Lily aujourd'hui. Je l'ai pratiquement menacé. Sur le chemin du retour, je me suis garée sur le bord de la chaussée et je lui ai téléphoné pour m'excuser. J'en ai profité pour lui dire que, s'il était en mesure de la contacter et que si elle se souvenait de l'endroit où elle avait égaré sa brosse, cela nous permettrait d'établir un lien avec la personne qui la menace.

— Que vous a répondu Michaelson?

— C'est étrange. Il a dit que cette pensée l'avait déjà effleuré. Sam, je vous assure qu'il sait où est Lily. Il m'a incitée fortement à adresser une requête au juge afin de faire ouvrir immédiatement les dossiers et de prévenir les parents adoptifs de la situation. (Elle leva la tête.) Tiens, voilà Mark.

Mark Fleischman se dirigeait vers leur table.

— J'ai mis Mark au courant en ce qui concerne Lily, dit Jane, vous pouvez parler devant lui.

— Vous l'avez mis au courant, Jane. Pourquoi?

Sam était consterné.

— Il est psychiatre. J'ai pensé qu'il pourrait apporter un certain éclairage sur ces fax, savoir s'ils constituent ou non de véritables menaces.

Comme Mark s'approchait, Sam vit le visage de Jane s'illuminer d'un vrai sourire. « Attention, Jane, aurait-il voulu la prévenir. À mes yeux, ce type n'est pas clair. »

Sam ne manqua pas non plus de remarquer la façon dont Fleischman laissa sa main posée sur celle de Jane lorsqu'elle l'invita à se joindre à eux.

— Je ne suis pas indiscret, j'espère? demanda-t-il, cherchant le regard de Sam pour s'en assurer.

— Au contraire, lui dit Sam. J'allais demander à Jane si elle avait des nouvelles de Robby Brent. À présent, je vous le demande à vous deux.

Jane secoua la tête.

— Je n'en ai aucune.

— Pas plus que moi, Dieu merci, dit Fleischman.

— Robby Brent a visiblement quitté l'hôtel dans la soirée d'hier, après le dîner, expliqua Sam. Il n'a pas réapparu depuis. Nous sommes à peu près certains que le coup de téléphone que vous avez pris pour un appel de Laura provenait d'un appareil mobile prépayé que Brent venait d'acheter et que la voix que vous avez entendue était la sienne. Comme vous le savez, c'est un formidable imitateur.

Jane regarda Sam, l'air interdit et bouleversé.

— Mais *pourquoi?*

— Carter Stewart croit que Brent et Laura ont monté un canular. Qu'en pensez-vous?

Les yeux de Sam se plissèrent tandis qu'il observait Mark.

— Je crois que c'est possible, dit Mark lentement.

— Je n'en crois rien, protesta Jane avec vigueur. Laura a des ennuis, je le sens. Je vous en prie, Sam, ne renoncez pas à chercher Laura. J'ignore ce que Robby Brent concocte, mais Laura a des ennuis.

— Calmez-vous, Jeannie, dit doucement Mark.

Sam se leva.

— Jane, nous en reparlerons à la première heure demain. Je voudrais que vous passiez à mon bureau pour cette autre affaire dont nous discutions précédemment.

Dix minutes plus tard, laissant Eddie Zarro sur place au cas où Robby Brent réapparaîtrait, Sam regagna sa voiture d'un pas lourd. Il tourna la clé de contact, hésita, puis composa le numéro d'Alice Sommers.

— Un détective fatigué a-t-il une chance de se voir offrir un verre de sherry?

Une demi-heure plus tard, il était assis dans un profond et confortable fauteuil, face au feu qui flambait dans le petit salon d'Alice. La dernière goutte de sherry avalée, il posa son verre sur la table basse à côté de lui. Alice n'eut pas à insister longtemps pour le convaincre de faire un petit somme pendant qu'elle préparait un dîner léger.

Alors que ses paupières s'abaissaient malgré lui, Sam jeta un regard ensommeillé à la vitrine de curiosités, à côté de la cheminée. Un objet attira son attention, mais avant que son subconscient ne l'enregistre, il dormait déjà.

AMY SACHS termina son service à 16 heures, peu après que Sam Deegan eut quitté le *Glen-Ridge*. Jake Perkins et elle s'étaient donné rendez-vous dans un McDonald's. Pendant qu'ils mangeaient leurs hamburgers, elle le mit au courant des allées et venues de l'inspecteur et lui rapporta la conversation qu'elle avait surprise entre lui et Carter Stewart, « cet auteur dramatique qui se donne des airs ».

Entre deux bouchées, Jake noircissait les pages de son calepin.

— Je n'ai pas tout compris, mais Robby Brent aurait donné ce coup de téléphone hier soir en se faisant passer pour Laura Wilcox. Ils pensent que toute cette histoire était un coup monté par Laura Wilcox et Robby Brent pour se faire de la publicité.

— Vous avez oublié d'être bête, Amy. Avez-vous remarqué autre chose?

— Une seule chose. Mark Fleischman, vous savez, ce psychiatre si charmant... Je parie qu'il a le béguin pour Jane Sheridan. Il est sorti tôt ce matin, et à son retour, son premier geste a été de se précipiter à la réception et de la demander au téléphone. Je l'ai entendu.

— Ça ne m'étonne pas, fit Jake avec un sourire moqueur.

— Je lui ai dit que Jane Sheridan était au bar de l'hôtel. Il m'a remerciée, mais avant d'aller la rejoindre, il m'a demandé si elle avait reçu d'autres fax. Il a eu l'air presque déçu quand je lui ai dit que non. Je le trouve un peu culotté de s'intéresser à son courrier, vous ne pensez pas?

— C'est plutôt gonflé.

— Mais il est sympathique. Je lui ai demandé s'il avait passé une bonne journée. Il m'a répondu que oui, qu'il avait été rendre visite à des amis à West Point.

APRÈS le départ de Sam Deegan, Jane et Mark restèrent près d'une heure à la cafétéria. Gardant sa main posée sur celle de Jane, Mark l'écouta attentivement raconter son entrevue avec Craig Michaelson.

— Avez-vous l'intention de suivre le conseil de Michaelson et d'adresser une requête au tribunal pour avoir accès au dossier? demanda Mark.

— Certainement. J'ai rendez-vous avec Sam à son bureau demain matin.

— Bien. Parlons de Laura. Pour vous, il ne s'agit pas d'un simple coup publicitaire, n'est-ce pas?

— Non, je n'y crois pas.

— Mais si Laura est véritablement en danger, comment expliquer le rôle de Robby Brent ?

— Je n'en ai pas la moindre idée. (Regardant autour d'elle, elle fit remarquer :) Nous ferions mieux de partir. Ils dressent déjà les tables pour le dîner.

Mark demanda l'addition d'un signe de la main.

— J'aurais aimé vous inviter à dîner ce soir, mais je vais avoir le privilège unique de rompre le pain avec mon père.

Jane lui jeta un regard interrogatif. L'expression du visage de Mark était impénétrable.

— Je croyais que vous étiez brouillés, dit-elle enfin. C'est lui qui vous a appelé ?

— Je suis passé devant la maison, aujourd'hui. J'ai vu sa voiture. Saisi d'une impulsion, j'ai sonné. Nous avons eu une longue conversation. Pas suffisante pour tout résoudre, mais il m'a demandé de dîner avec lui, et j'ai dit oui à la condition qu'il veuille bien répondre à certaines de mes questions. Il a accepté. On verra s'il tient parole.

— Je souhaite que vous puissiez combler le fossé qui vous sépare.

— Moi aussi, Jeannie, mais je n'y compte guère.

Ils prirent l'ascenseur ensemble. Mark appuya sur les boutons du quatrième puis du sixième.

— À bientôt, Mark, dit Jane quand l'ascenseur s'arrêta au quatrième étage.

Son répondeur clignotait lorsqu'elle entra dans sa chambre. L'appel provenait de Peggy Kimball.

— Jane, je me suis rappelé que Jack Emerson faisait partie de l'équipe qui nettoyait les bureaux de notre immeuble à l'époque où vous avez rencontré le Dr Connors. Je vous ai dit que le docteur gardait toujours les clés de son classeur dans sa poche, mais il en cachait sans doute un double quelque part, car un jour il a oublié d'apporter son trousseau et a néanmoins pu ouvrir le tiroir. Il est donc possible qu'Emerson ait eu accès à votre dossier. En tout cas, j'ai cru bon de vous en informer.

Jack Emerson. Jane reposa le récepteur et se laissa tomber sur le lit. Se pourrait-il que ce fût lui ? Il est le seul à n'avoir jamais quitté

Cornwall. Si les parents adoptifs de Lily habitent aussi en ville, il est possible qu'il les connaisse.

Elle entendit un bruit, tourna la tête, et aperçut une enveloppe de papier Kraft qui glissait sous la porte. Elle se leva d'un bond, traversa la pièce et ouvrit brusquement la porte.

Un groom à l'air penaud se redressait maladroitement.

— Mademoiselle Sheridan, vous avez reçu un fax qui est arrivé en même temps que ceux d'un autre client et lui a été remis par erreur. Il vient de s'en apercevoir et de le rapporter à la réception.

— C'est sans importance, dit doucement Jane, la gorge nouée.

Elle referma la porte et, d'une main tremblante, ouvrit l'enveloppe. Elle était sûre que le fax concernait Lily.

Elle ne s'était pas trompée.

Jane, pardonne-moi, j'ai honte. Je connais depuis toujours Lily et ses parents adoptifs. C'est une fille délicieuse, intelligente et heureuse. Elle est étudiante en deuxième année d'université. Je n'avais pas l'intention de t'affoler. J'ai un besoin urgent d'argent, et j'ai imaginé ce moyen pour en obtenir. Ne t'inquiète pas pour Lily, je t'en prie. Elle va très bien. Je reprendrai contact avec toi bientôt. Pardonne-moi, et dis aux autres que je vais bien. Le coup de pub était une idée de Robby Brent. Il va tout arranger. Il veut parler à ses producteurs avant de faire une déclaration à la presse.

LAURA

Les genoux tremblants, Jane s'assit sur son lit. Puis, pleurant de soulagement et de joie, elle composa le numéro de Sam.

L'APPEL de Jane tira Sam du sommeil.

— Un nouveau fax, Jane? Calmez-vous, lisez-le-moi. (Il écouta.) Mon Dieu! s'exclama-t-il, comment cette femme a-t-elle pu agir ainsi avec vous?

— Vous parlez à Jane? Comment va-t-elle?

Alice se tenait dans l'encadrement de la porte.

— Elle va bien. Laura Wilcox est l'auteur des fax. Elle demande pardon et dit qu'elle n'a jamais eu l'intention de faire du mal à Lily.

Alice lui prit le récepteur des mains.

— Jane, êtes-vous en état de conduire? (Elle écouta.) Alors, venez nous rejoindre.

Lorsque Jane arriva, Alice scruta son visage et y vit la joie qu'elle-même aurait ressentie quelques années auparavant si Karen avait été épargnée. Elle la prit dans ses bras.

— Oh! Jane, je n'ai cessé de prier pour vous!

Jane lui rendit son étreinte.

— J'ai peine à croire que Laura se soit conduite ainsi, mais je suis persuadée qu'elle n'aurait jamais fait de mal à Lily. Mon Dieu, il y a une demi-heure, j'étais prête à accuser Jack Emerson.

— Jane, venez vous asseoir et calmez-vous. Prenez un verre de sherry et expliquez-vous. Qu'est-ce que Jack Emerson a à voir dans cette affaire?

Docilement, Jane retira son manteau, s'assit dans un fauteuil près du feu et leur raconta l'appel de Peggy Kimball.

— Jack faisait le ménage dans le cabinet du Dr Connors à l'époque où je le consultais. C'est lui qui a organisé la réunion des anciens élèves. Le fax est arrivé vers midi, mais il a été mélangé par erreur avec ceux d'un autre client de l'hôtel.

— Vous auriez dû le recevoir à *midi*? l'interrompit vivement Sam.

— Oui, et dans ce cas, je ne serais pas allée voir Craig Michaelson. Dès que je l'ai reçu, j'ai essayé de lui téléphoner au cas où il aurait projeté de joindre les parents adoptifs de Lily. Il est inutile de les alarmer désormais.

— Avez-vous parlé de ce dernier fax à quelqu'un d'autre?

— Non. Mais je devrais appeler Mark avant qu'il n'aille dîner chez son père. Il sera heureux d'apprendre la nouvelle. Il sait que j'étais horriblement inquiète.

« Jane s'est confiée à Fleischman, pensa sombrement Sam en la voyant sortir son téléphone mobile. Elle a probablement évoqué devant lui la possibilité de retrouver l'endroit où Lily avait perdu sa brosse. »

Il échangea un regard avec Alice et comprit aussitôt qu'elle partageait son inquiétude. Ce fax émanait-il vraiment de Laura, ou s'agissait-il d'un nouvel épisode d'un cauchemar sans fin?

« Jusqu'à preuve du contraire, je me refuse à croire que ces fax émanent de Laura, pensa Sam. Jack Emerson s'occupait de l'entretien des bureaux du Dr Connors, il a toujours vécu dans cette ville, et a pu se lier avec le couple qui a ensuite adopté Lily.

» Mark Fleischman a peut-être gagné la confiance de Jane, mais je reste sceptique à son sujet. Il y a quelque chose chez cet homme qui ne cadre pas avec l'image du psychiatre qui conseille les familles en difficulté. »

Jane laissait un message à Fleischman.

— Il n'est pas là, dit-elle. (Elle huma l'air et se tourna vers Alice avec un large sourire.) Ça sent merveilleusement bon. Si vous ne m'invitez pas à dîner, je vais vous le demander. Oh! mon Dieu, je suis tellement heureuse, *tellement heureuse*!

10

« La nuit est mon royaume », pensa le Hibou en attendant impatiemment l'obscurité.

La veille, sachant que Robby le suivait, il n'avait eu aucun mal à se montrer plus malin que lui. Mais ensuite, il avait dû fouiller dans ses poches pour y trouver ses clés et amener sa voiture dans le garage. Celle qu'il avait louée en premier, dont les pneus étaient incrustés de boue, y était déjà garée. Il avait rangé à côté la voiture de Robby, et tiré le corps de ce dernier depuis l'escalier où il l'avait tué jusqu'au coffre du véhicule.

Il ignorait comment il s'était trahi aux yeux de Robby Brent. Robby avait compris. Mais les autres? Le cercle allait-il se refermer bientôt, l'empêchant de s'échapper dans la nuit?

À 23 heures, il se mit en route, traversa le comté d'Orange. Pourquoi ne pas choisir Highland Falls? Les environs de ce motel où Jane Sheridan descendait avec son jeune officier n'étaient pas un mauvais endroit à explorer.

Il était 23 h 30. Il roulait lentement dans une rue bordée d'arbres quand il distingua deux femmes sur un perron, dans le halo de l'éclairage extérieur. Il regarda l'une d'elles pénétrer dans la maison et refermer la porte derrière elle. L'autre descendit les marches. Le Hibou s'arrêta le long du trottoir, éteignit les phares, et l'attendit, tandis qu'elle traversait la pelouse et s'avançait dans sa direction.

Elle marchait d'un pas vif, tête baissée, et elle ne le vit pas sortir de la voiture et se dissimuler à l'ombre d'un arbre. Il surgit au moment où elle passait devant lui. Il sentit le Hibou jaillir de sa cage à l'instant où, couvrant la bouche de sa victime, il passait la cordelette autour de son cou.

— Navré, murmura-t-il, mais c'est tombé sur vous.

Le réveil tira Sam Deegan du sommeil à 6 heures et il repensa immédiatement au fax. « Trop facile », se dit-il. Mais aucun juge, désormais, ne délivrerait une ordonnance autorisant l'accès au dossier de Lily.

Et si c'était la véritable raison de ce fax ? Si quelqu'un avait été pris de panique à l'idée que le tribunal autorise l'accès au dossier et que Lily soit questionnée à propos de sa brosse ?

C'était ce dernier scénario qui inquiétait Sam. Il s'assit et rejeta les couvertures. Par ailleurs, réfléchit-il, se faisant l'avocat du diable, il était plausible que Laura ait appris à l'époque que Jane était enceinte.

« Ce fax ne me dit rien qui vaille. Si cinq femmes sont mortes dans l'ordre où elles étaient assises à table, je suis sûr que ce n'est pas une simple coïncidence. » L'air sombre, Sam se dirigea vers la cuisine, mit en marche la cafetière électrique, puis alla prendre sa douche.

Le café était prêt quand il regagna la cuisine, pour déjeuner avant de partir au bureau. Il se prépara un verre de jus d'orange, introduisit un muffin dans le grille-pain. Du vivant de Kate, il prenait toujours du porridge au petit déjeuner.

Trois ans auparavant, Kate avait perdu sa longue bataille contre le cancer. Kate aimait cette maison. Elle en avait fait un nid agréable, qu'il était toujours heureux de retrouver après une journée harassante.

« C'est toujours la même maison, songea Sam en ramassant le journal sous le porche de la cuisine avant de s'asseoir à la table devant son petit déjeuner. Mais elle est différente sans Kate. » La veille au soir, pendant qu'il somnolait dans le petit salon d'Alice, il avait retrouvé l'impression que lui procurait autrefois sa maison. Une sensation de confort. De chaleur.

Puis il se souvint que quelque chose avait attiré son attention dans son demi-sommeil. Quoi ? Il crut se rappeler que cela avait un rapport avec la vitrine de curiosités d'Alice.

Il s'apprêtait à ouvrir le journal quand le téléphone sonna. C'était Eddie Zarro.

— Sam, le chef de la police de Highland Falls vient d'appeler. Une femme a été trouvée étranglée devant sa maison. On a découvert un petit hibou métallique dans sa poche. Sam, nous voilà avec une affaire de psychopathe sur les bras en plus du reste.

JANE se réveilla à 9 heures, étonnée d'avoir dormi si tard. Avant de s'endormir la veille, elle s'était promis de mettre au plus vite Craig Michaelson au courant du fax de Laura.

Elle enfila sa robe de chambre et téléphona à son cabinet. Il prit immédiatement la communication, et Jane sentit son cœur se serrer devant sa réaction.

— Mademoiselle Sheridan, avez-vous vérifié que ce dernier fax a été réellement envoyé par Laura Wilcox ?

— Non, et je n'ai aucun moyen de le savoir. Mais demandez-moi si je crois que c'est elle qui l'a envoyé et je vous dirai oui. J'avoue que j'ai été choquée en apprenant que Laura connaissait l'existence de Lily et savait que j'étais sortie avec Reed. Nous savons aussi, grâce au téléphone mobile que Robby Brent a acheté et à l'heure à laquelle j'ai reçu un appel provenant soi-disant de Laura, que c'est Robby qui l'a sans doute passé en imitant sa voix. Nous avons deux éléments à prendre en compte. D'une part, Laura sait qui est Lily et elle a un besoin urgent d'argent. D'autre part, Robby concocte la pseudo-disparition de Laura parce qu'il a l'intention de l'engager dans sa nouvelle série télévisée, et qu'il veut créer le maximum de bruit autour d'elle. C'est le genre de jeu auquel il est tout à fait capable de se livrer.

Elle attendit à nouveau la réaction de Craig Michaelson.

— Mademoiselle Sheridan, dit-il enfin, je vais être franc avec vous. J'ai considéré que l'éventuel danger couru par votre fille était suffisamment sérieux pour que j'en avertisse son père adoptif. Il est à l'étranger à l'heure actuelle, mais j'aurai très rapidement de ses nouvelles. Je vais lui transmettre tout ce que vous m'avez dit, y compris votre identité. Le secret professionnel ne joue pas entre vous et moi, et je pense que son épouse et lui ont le droit de savoir que vous êtes une personne à la fois crédible et responsable.

— Vous avez mon accord, acquiesça Jane. Mais je ne veux pas que ces personnes connaissent les tourments que j'ai endurés durant ces derniers jours. Je ne veux pas leur donner l'impression que Lily court un danger, car je pense que ce n'est plus le cas.

— J'espère que vous avez raison, mais jusqu'à ce que Mlle Wilcox se manifeste, gardons-nous d'être trop optimistes. Avez-vous montré le fax à cet inspecteur de votre connaissance?

— Sam Deegan? Bien sûr. Je le lui ai même remis.

— Puis-je avoir son numéro de téléphone?

— Naturellement.

Jane lui donna le numéro de Sam.

— Maître, dit-elle, pourquoi semblez-vous si inquiet, alors que je suis soulagée?

— C'est à cause de cette brosse. Si Lily a un souvenir précis de la manière dont elle l'a perdue – où elle était, avec qui –, il sera facile d'établir un lien direct avec la personne qui l'a envoyée. Si elle se souvient d'avoir été en compagnie de Laura Wilcox, nous pourrons alors nous fier au contenu de ce dernier fax. Mais connaissant les parents adoptifs, et connaissant par la presse le genre de vie mené par Mlle Wilcox, je doute que votre fille ait pu la fréquenter.

— Je comprends, fit Jane, soudain glacée par la logique du raisonnement.

Elle mit fin à sa conversation avec Michaelson, après avoir confirmé qu'elle resterait en contact avec lui.

Rich Stevens tendit à Sam le dossier qui était sur son bureau.

— Ce sont des photos de la scène du crime, expliqua-t-il. Joy a été la première de notre équipe à arriver sur place. Joy, racontez à Sam qui est la victime.

Quatre autres inspecteurs en dehors de Sam et d'Eddy Zarro faisaient partie de la brigade du procureur. Joy Lacko, la seule femme du groupe, était inspecteur depuis moins d'un an, mais Sam avait appris à respecter son intelligence et sa capacité à recueillir des informations auprès de témoins en état de choc ou frappés par le chagrin.

— La victime, Yvonne Tepper, était une femme de soixante-trois ans, divorcée, avec deux fils adultes, mariés et résidant en Californie. Propriétaire d'un salon de coiffure, elle était très appréciée. Son ex-mari s'est remarié et vit dans l'Illinois. (Elle marqua une pause.) Sam, tout cela est probablement secondaire à côté de la découverte du hibou de métal dans sa poche.

— Pas d'empreintes, j'imagine ? s'enquit Sam.

— Pas d'empreintes. Nous pouvons être certains qu'il s'agit du même type qui s'est attaqué à Helen Whelan vendredi.

Rich Stevens regarda ses inspecteurs à tour de rôle.

— J'ai longuement réfléchi, hésité à révéler ou non l'existence du hibou aux médias. Quelqu'un pourrait avoir une information concernant un individu qui fait une fixation sur les hiboux ou en élève chez lui en guise de hobby.

— Vous imaginez les choux gras que feront les médias de toute cette affaire s'ils apprennent qu'on découvre chaque fois un hibou dans les poches des victimes ! se récria Sam. Si ce malade mental ne cherche qu'à doper son ego, nous lui offririons exactement ce qu'il recherche, sans parler du risque de donner des idées à un imitateur.

— Et nous ne mettrions même pas les femmes en garde en livrant cette information, ajouta Joy Lacko. Il laisse le hibou *après* avoir tué ses victimes, pas avant.

À la fin de la réunion Joy Lacko ajouta doucement :

— Le plus effrayant, c'est qu'en ce moment même une femme vaque innocemment à ses occupations, sans se rendre compte qu'un jour prochain, uniquement parce qu'elle se trouve au mauvais endroit au mauvais moment, ce type peut la croiser et lui ôter la vie.

— Je n'en suis pas encore arrivé à ce genre de conclusion, dit sèchement Rich Stevens.

« Moi si, pensa Sam. Moi si. »

À 10 heures, Craig Michaelson reçut l'appel qu'il attendait.

— Charles, comment allez-vous ?

— Très bien, Craig. Mais qu'y a-t-il de si urgent ?

— Comme vous vous en doutez, il s'agit de Meredith. Mais c'est peut-être moins inquiétant que je ne l'ai craint, dit Craig. Hier, Jane Sheridan m'a rendu visite. Avez-vous entendu parler d'elle ?

— L'historienne ? Oui. Son premier livre concernait West Point. Il m'a beaucoup plu, et je crois avoir lu tout ce qu'elle a écrit par la suite. C'est un écrivain de talent.

— Elle est davantage que cela, dit brusquement Craig Michaelson. C'est la mère biologique de Meredith.

— Jane Sheridan est la mère de Meredith !

Le général Charles Buckley écouta avec attention Michaelson lui rapporter ce qu'il savait de l'histoire de Jane Sheridan et de l'éventuelle menace qui pesait sur Meredith. À la fin, il dit :

— Craig, vous ne l'ignorez pas, Meredith sait qu'elle est adoptée. En grandissant, elle a laissé entendre qu'elle aimerait connaître ses parents naturels.

— Charles, ce que je ne vous ai pas dit, il y a vingt ans, c'est que le père naturel de Meredith était un élève officier qui a trouvé la mort à cause d'un chauffard qui l'a heurté dans le parc de West Point. Son nom était Carroll Reed Thornton Jr.

— Je connais bien son père, dit doucement Charles Buckley. Carroll ne s'est jamais remis de la mort de son fils. Je n'arrive pas à croire qu'il est le grand-père de Meredith.

— N'en doutez pas, Charles, c'est son grand-père. À présent, Jane Sheridan veut tellement croire que les menaces concernant Lily, comme elle appelle Meredith, émanaient de Laura Wilcox qu'elle prend pour argent comptant le dernier fax. Pas moi.

— Je ne vois pas où Meredith aurait pu rencontrer Laura Wilcox, dit lentement Charles Buckley.

— J'ai eu exactement la même réaction.

— Jane Sheridan se trouve-t-elle toujours à Cornwall ?

— Oui. Elle a décidé d'attendre au *Glen-Ridge* d'avoir d'autres nouvelles de Laura.

— Je vais téléphoner à Meredith et lui demander si elle a jamais rencontré Laura Wilcox, et si elle se souvient de l'endroit où elle a égaré sa brosse. Je dois assister à plusieurs réunions au Pentagone, mais dès demain matin, Gano et moi prendrons l'avion pour Cornwall. Voulez-vous contacter Jane Sheridan et lui dire que nous aimerions l'inviter à dîner demain soir ?

— Naturellement.

— Je ne veux pas inquiéter Meredith, mais je peux lui faire promettre de ne pas quitter l'enceinte de West Point avant vendredi.

— Pouvez-vous compter sur elle pour qu'elle tienne sa promesse ?

— Bien sûr que je peux compter sur elle.

« J'espère que vous avez raison », pensa Craig Michaelson.

— Tenez-moi au courant, Charles.

— Bien sûr.

UNE heure plus tard, Charles Buckley rappela.

— Craig, dit-il d'une voix troublée, je crains que vous n'ayez raison au sujet de ce fax. Meredith est certaine de n'avoir jamais rencontré Laura Wilcox, et elle n'a pas le moindre souvenir de l'endroit où elle a perdu sa brosse. Elle a un examen important dans la matinée. Ce n'était pas le moment de l'inquiéter. Elle est ravie que sa mère et moi venions lui rendre visite. Durant le week-end, nous lui parlerons de Jane Sheridan et tâcherons d'organiser une rencontre entre elles deux. J'ai demandé à Meredith de ne pas quitter l'enceinte de l'école jusqu'à notre arrivée. Elle a ri. Elle m'a dit qu'elle avait un autre examen à préparer pour vendredi, et qu'elle ne verrait pas la lumière du jour jusque-là. Néanmoins, elle m'a promis de ne pas s'éloigner.

« C'est déjà ça, pensa Craig Michaelson en raccrochant, mais le plus angoissant est que Laura Wilcox n'a *pas* envoyé ce fax, et qu'il faut en avertir Jane Sheridan. »

11

LA nuit précédente – à moins que ce ne fût ce matin ? –, il lui avait apporté de la confiture avec son pain, et s'était rappelé qu'elle aimait le lait écrémé avec son café.

Elle ne voulait pas se souvenir d'autre chose, surtout pas de ce qu'il lui avait dit quand elle était assise dans le fauteuil, buvant son café.

— Hier soir, Laura, je me suis mis en quête d'une proie. En

l'honneur de Jane, j'ai décidé d'aller à Highland Falls. C'est là qu'elle avait ses rendez-vous secrets avec son cher cadet. Étais-tu au courant, Laura ?

Laura secoua la tête en guise de réponse. Il se mit en colère.

— Parle, bon sang ! Sais-tu que Jane avait eu une liaison avec un élève officier ?

Elle lui dit qu'elle les avait vus ensemble à un concert à West Point mais n'y avait pas attaché d'importance.

— Jeannie n'avait jamais parlé de lui à aucune d'entre nous.

Le Hibou avait hoché la tête, satisfait de sa réponse.

— Je savais qu'elle s'y rendait souvent le dimanche et qu'elle emportait son carnet de notes ; elle s'asseyait sur un banc qui dominait le fleuve. J'y suis allé un dimanche et je les ai surpris. Je les ai suivis pendant qu'ils se promenaient. Profitant d'un moment où ils se croyaient seuls, il l'a embrassée. À partir de ce jour-là, je les ai épiés. J'aurais voulu que tu puisses voir l'expression de Laura quand ils étaient ensemble. Elle était radieuse ! La douce et calme Jane, que je prenais pour mon âme sœur parce qu'elle était malheureuse en famille, avait dorénavant une vie dont elle m'avait *exclu*.

« Je croyais qu'il était amoureux de moi, pensa Laura, et qu'il me haïssait parce que je me moquais de lui, mais c'était Jane qu'il aimait. » L'horreur de ce qu'il lui avait avoué alors pénétrait lentement son esprit.

— La mort de Reed Thornton n'a pas été accidentelle, Laura, avait-il dit. J'étais au volant de ma voiture en ce dernier dimanche de mai, cherchant à les rencontrer. Le beau Reed aux cheveux blonds marchait seul sur la route qui mène au terrain de piquenique. Peut-être avaient-ils prévu de s'y retrouver. Avais-je l'intention de le tuer alors ? Sans doute, oui. Il possédait tout ce que je n'avais pas – le physique, l'origine, un brillant avenir assuré. Et il avait l'amour de Jeannie. C'était injuste. N'est-ce pas, Laura ? Dis que c'était *injuste* !

Elle avait balbutié une réponse, désireuse de lui faire plaisir, d'éviter un accès de fureur. Puis il lui avait décrit en détail comment il avait tué une femme la nuit précédente. Il avait ajouté qu'il s'était excusé auprès d'elle, mais que lorsque viendrait leur tour de mourir, à elle et à Jane, il ne s'excuserait pas.

Il avait dit que Meredith serait la dernière de ses proies. Qu'elle assouvirait une fois pour toutes son désir.

« Je me demande qui est Meredith », pensa Laura en sombrant dans un sommeil peuplé de hiboux qui fondaient sur elle avec un hululement terrifiant, battant des ailes en silence, tandis qu'elle tentait de mouvoir ses jambes qui refusaient de lui obéir.

PENDANT de longues minutes après avoir parlé à Craig Michaelson, Jane était restée assise à son bureau. Avait-elle cru trop vite à la véracité du fax parce qu'elle avait besoin de croire que Lily n'était pas menacée ?

« J'ai besoin de marcher, pensa-t-elle. C'est la meilleure façon de m'éclaircir les idées. » Elle avait apporté son survêtement rouge vif. Elle l'enfila.

Inquiète à l'idée de rater un appel de Laura, elle enregistra un message sur le téléphone de sa chambre. Elle donna le numéro de son portable puis ajouta : « Laura, je veux t'aider. Appelle-moi, je t'en prie. »

Elle raccrocha le récepteur. Toute l'euphorie qui l'avait habitée plus tôt à la pensée que Lily ne courait aucun danger s'était envolée. « Si ce n'est pas elle qui m'a envoyé ces menaces concernant Lily, je pense qu'elle en connaît l'auteur. Voilà pourquoi je dois la persuader que je suis prête à l'aider. »

Jane se leva, mit ses lunettes de soleil, fourra dans sa poche son téléphone portable et la clé de sa chambre, puis y ajouta un billet de 20 dollars. « Ainsi je pourrai toujours m'arrêter pour manger un croissant si j'ai faim », décida-t-elle.

La réceptionniste aux grosses lunettes était derrière le comptoir. Jane s'avança vers la réception, vérifia d'un regard rapide le badge épinglé à son uniforme. *Amy Sachs.*

— Amy, dit Jane avec un sourire aimable, je suis une amie de Laura Wilcox, et comme nous tous ici, je suis très inquiète à son sujet. J'ai cru comprendre que Jake Perkins et vous lui aviez parlé dimanche soir. Pouvez-vous affirmer que c'est bien à elle que vous parliez ?

— Oui, j'en suis absolument sûre, mademoiselle Sheridan, dit Amy d'un air grave. Sa voix m'est familière depuis que je l'ai vue dans *Henderson County*. Pendant deux ans, je n'ai jamais manqué un épisode.

— En effet, je ne doute pas que vous soyez capable de reconnaître la voix de Laura. Amy, pouvez-vous me dire comment vous l'avez trouvée ce soir-là ?

— Je dirais qu'elle m'a paru *bizarre*. Ou plutôt *différente*. J'ai d'abord cru qu'elle avait la gueule de bois. Mais je pense maintenant que Jake avait raison : elle n'avait pas trop bu. Elle était nerveuse, très nerveuse. Comme si elle se retenait de pleurer.

« J'avais raison, pensa Jane. Il ne s'agit pas d'un coup de pub. »

— Et je regrette que le fax qui vous était adressé hier se soit mêlé au courrier de M. Cullen. Nous nous vantons de la rapidité et de la fiabilité de notre service de fax. Il faudra que je l'explique au Dr Fleischman lorsque je le verrai.

— Le Dr Fleischman ? s'étonna Jane. Pourquoi tenez-vous à le lui expliquer ?

— Eh bien, hier après-midi, au retour de sa promenade, il s'est arrêté à la réception et a appelé votre chambre. Je lui ai dit qu'il vous trouverait à la cafétéria. Il a demandé si vous aviez reçu de nouveaux fax, et a paru surpris quand j'ai répondu que non. J'ai compris qu'il savait que vous en attendiez un.

— Je comprends. Merci, Amy.

Jane s'efforça de dissimuler son trouble. Pourquoi Mark avait-il posé cette question ? Elle traversa le hall et sortit.

Elle mit ses lunettes de soleil et s'éloigna de l'hôtel. Mark pouvait-il être l'auteur des fax ? Était-ce lui qui lui avait fait parvenir la brosse ? Mark, si réconfortant lorsqu'elle lui avait confié ses angoisses ?

« Mark savait que je rencontrais Reed. Il m'a dit qu'il nous avait vus quand il faisait du jogging à West Point. A-t-il appris l'existence de Lily ? À moins d'être lui-même l'auteur des fax, pourquoi a-t-il paru inquiet en apprenant que je n'avais pas reçu le dernier ? Est-ce lui qui manigance tout ça ?

» Je n'y crois pas, se persuada-t-elle. Je ne *peux* y croire ! Mais pourquoi est-ce à la réception qu'il a demandé si j'avais reçu un fax ? Pourquoi pas à moi ? »

Jane marcha au hasard dans les rues qu'elle avait si souvent parcourues dans sa jeunesse. Une heure plus tard, elle entra dans un café à l'extrémité de Mountain Road. Elle s'assit au bar et commanda un café.

D'après l'inscription brodée sur sa veste, l'homme décharné et grisonnant qui se tenait derrière le comptoir se prénommait Duke.

— Vous n'êtes pas d'ici, hein? demanda-t-il en versant le café.

— Si, j'ai grandi dans cette ville.

— Est-ce que par hasard vous assistiez à cette réunion des anciens élèves de Stonecroft?

— Oui, en effet.

— Et où vous habitiez autrefois?

Jane fit un geste vague vers l'arrière du café.

— Un peu plus loin dans Mountain Road.

— Sans blague? On n'était pas encore installés ici à cette époque. Il y avait une teinturerie à la place.

— Je m'en souviens.

— La ville nous a plu, à ma femme et à moi, et nous avons acheté cet endroit il y a dix ans. Il a fallu tout rénover.

Jane hocha la tête. Puis, soudain impatiente de s'en aller, elle finit son café, se leva, et posa son billet de 20 dollars sur le comptoir.

Pendant que Duke cherchait la monnaie dans le tiroir-caisse, le téléphone de Jane sonna. C'était Craig Michaelson.

— Merci de m'avoir laissé un numéro où vous joindre, mademoiselle Sheridan. Puis-je vous parler tranquillement?

Jane s'éloigna du bar.

— Oui.

— Je viens de parler au père adoptif de votre fille. Sa femme et lui ont l'intention de venir dans la région demain et ils aimeraient dîner avec vous. Lily, ainsi que vous appelez votre fille, sait qu'elle est une enfant adoptée et a toujours laissé entendre qu'elle aimerait connaître sa mère naturelle. Ses parents sont d'accord. Sachez ceci : il est à peu près impossible que votre fille ait jamais rencontré Laura Wilcox, je pense par conséquent que le fax est un faux. Mais je peux vous promettre que, là où elle est, votre enfant est en sécurité.

Abasourdie, Jane fut incapable de prononcer un mot.

— Mademoiselle Sheridan? Êtes-vous libre demain pour dîner?

— Oui, bien sûr.

— J'ai proposé que nous dînions chez moi afin de vous protéger de toute indiscrétion. Ensuite, ce week-end, vous pourrez rencontrer Meredith.

— Meredith ? C'est le nom de ma fille ?

La voix de Jane avait pris un ton aigu qu'elle ne put contrôler. « Je vais la voir bientôt, pensait-elle. Je pourrai la prendre dans mes bras. » Peu lui importait que les larmes coulent sur ses joues, peu lui importait que Duke la regarde fixement depuis le bar, ne perdant pas un mot de ce qu'elle disait.

— Oui, c'est son nom. (La voix de Craig Michaelson avait pris une intonation bienveillante.) Je comprends ce que vous ressentez. Je serai donc à votre hôtel demain à 19 heures.

— Demain à 19 heures, répéta Jane.

Elle referma son téléphone. Puis elle essuya ses larmes du revers de la main.

— On dirait que vous avez reçu des bonnes nouvelles, pas vrai ? dit Duke.

— C'est vrai. Oh ! oui, mon Dieu, c'est vrai !

Jane ramassa sa monnaie et sortit du café d'un pas vif.

Duke Mackenzie la regarda partir en plissant les yeux. « Elle semblait plutôt déprimée en arrivant, pensa-t-il, mais après ce coup de téléphone, on aurait parié qu'elle venait de gagner au loto. Qu'est-ce qu'elle voulait dire quand elle a demandé si c'était le nom de sa fille ? »

Il l'observa par la fenêtre, la vit remonter Mountain Road. Si elle n'était pas partie si vite, il lui aurait demandé si elle savait qui était ce type avec une casquette et des lunettes noires qui était venu les matins précédents à 6 heures, juste à l'ouverture. Il avait commandé chaque fois la même chose : jus de fruit, petit pain, café. Le tout à emporter. Quand il remontait dans sa voiture, il empruntait Mountain Road.

« Un drôle d'oiseau, pensa Duke en passant un coup d'éponge sur le comptoir. Je lui ai demandé s'il participait à la réunion de Stonecroft, et il a voulu faire son malin : "Je suis la réunion à moi tout seul." »

Duke se servit un café. « Il s'en passe des choses depuis cette réunion, pensa-t-il. Si ce type pas bavard se pointe ce soir pour prendre un sandwich et un café, je l'interrogerai sur la fille qui était là tout à l'heure. C'est une ancienne élève et elle est drôlement chouette, il la connaît sûrement. C'est dingue qu'elle ait demandé quel était le nom de sa fille. Peut-être qu'il sait quelque chose à son sujet. »

« LILY… Meredith. Lily… Meredith », ne cessait de murmurer Jane en reprenant le chemin de l'hôtel.

« Je vais bientôt la revoir. » Elle s'efforça de se concentrer sur le nouveau scénario qui avait pris forme dans son esprit.

« Robby Brent. Se pourrait-il que Robby soit à l'origine des fax? Et qu'aujourd'hui, craignant d'être poursuivi pour avoir formulé ces menaces, il ait décidé de faire porter le chapeau à Laura car il sait que j'aurai pitié d'elle?

» C'est possible », conclut-elle. Si Robby était l'auteur de ces envois, il redoutait probablement d'avoir affaire avec la justice. S'il avait voulu monter un coup avec Laura, ç'avait fait long feu. Dans ce cas, il allait sans doute prendre contact avec ses producteurs et inventer une histoire quelconque. Les médias ne les lâcheraient plus jusqu'à ce qu'ils s'expliquent.

« Par ailleurs, Jack Emerson travaillait le soir dans le cabinet du Dr Connors et a pu avoir accès à ses dossiers. Et j'aimerais aussi savoir pourquoi Mark a demandé à la réceptionniste si j'avais reçu un fax, et paru décontenancé quand elle a répondu par la négative. C'est un point que je pourrai assez rapidement élucider », se dit Jane en s'engageant dans l'allée qui menait au *Glen-Ridge*.

Elle se dirigea vers la réception et demanda à Amy Sachs si du courrier était arrivé pour elle.

— Aucun, répondit Amy.

Jane demanda alors au standard de la mettre en communication avec Mark. Il répondit aussitôt.

— Jane, j'étais inquiet.

— J'étais inquiète, moi aussi, dit-elle d'un ton froid. Il est presque une heure, et je n'ai pris qu'un malheureux petit café depuis ce matin. Je vais me restaurer à la cafétéria. Venez m'y rejoindre, ça me fera plaisir. Mais ne prenez pas la peine de vous arrêter à la réception pour demander si j'ai reçu de nouveaux fax. La réponse est non.

Le mercredi matin, Jake Perkins alla directement dans la classe qui accueillait la rédaction du journal. Il fouilla dans les archives de la *Gazette*, cherchant des photos prises durant les quatre années que Laura Wilcox avait passées à Stonecroft. Laura avait participé à de nombreux spectacles, et il trouva une grande photo d'elle en danseuse dans une comédie musicale, jambe levée, sourire éblouissant. Il n'y avait pas à dire, elle était à tomber.

Mais en trouvant la photo de la cérémonie de remise des diplômes, Jake écarquilla les yeux. Il saisit une loupe pour examiner les visages des diplômés. Laura, naturellement, était superbe. Mais c'est Jane Sheridan qui le frappa. Elle avait l'air triste, vraiment triste. « On ne dirait pas qu'elle a reçu le premier prix d'histoire et une bourse pour Bryn Mawr. »

Le plus large sourire éclairait le visage d'un type qui ne fixait pas l'appareil photo mais regardait Jane Sheridan. « Sacré contraste, pensa Jake. Elle a l'air d'avoir perdu sa meilleure amie, et il lui sourit d'un air béat. »

Jake secoua la tête en examinant les photos entassées sur la table devant lui. Assez pour aujourd'hui. Il irait trouver Jill Ferris, le professeur responsable de la *Gazette*. « Elle est sympa. Je lui demanderai l'autorisation d'utiliser en première page du prochain numéro la photo de Laura en danseuse, et en dernière, celle de la remise des diplômes. Elles encadreront le thème de l'article – le déclin de la reine du bal, la réussite des nuls. »

Il s'arrêta ensuite au studio où était rangé le matériel de photographie. Jill Ferris lui permit d'emprunter le gros appareil démodé qu'il affectionnait particulièrement.

« J'ai hâte de photographier la maison où Laura Wilcox a grandi. Après tout, c'est la maison où Karen Sommers a été assassinée. Ça ajoutera du piment à mon histoire. »

Carter Stewart passa le plus clair de la matinée du mercredi dans sa suite de l'*Hudson Valley*. Il détestait être interrompu pendant qu'il écrivait, et son agent, Tim Martin, était le dernier à l'ignorer. Pourtant, à 11 heures, la sonnerie stridente du téléphone vint déranger sa concentration. C'était Tim.

— Carter, je sais que tu es en plein travail, mais...

— Mieux vaudrait pour toi que tu aies une bonne excuse, Tim.

— Je viens d'avoir un appel d'Angus Schell, l'agent de Robby Brent, et il est hors de lui. Robby avait promis d'envoyer les modifications qu'il souhaitait apporter aux scripts de son nouveau feuilleton télévisé hier au plus tard, et ils n'ont encore rien reçu. Angus a laissé une douzaine de messages pour Robby, mais n'a aucune nouvelle de lui. Les sponsors sont déjà furieux de ce prétendu coup publicitaire monté par Robby Brent et Laura Wilcox. Ils menacent de retirer leurs billes.

— C'est le cadet de mes soucis, rétorqua Carter d'un ton cassant.

— Carter, tu m'as dit l'autre jour que Robby désirait te montrer ces corrections. Est-ce que tu les as vues ?

— Non. Quand j'ai pris la peine d'aller à son hôtel dans l'intention d'y jeter un coup d'œil, Robby n'était pas là et je n'ai plus entendu parler de lui depuis. Maintenant, si tu veux bien m'excuser…

— Carter, je t'en prie, comprends-moi. Crois-tu que Robby ait vraiment fait les changements qu'il a promis aux sponsors ?

— Tim, tâche de m'écouter. Oui, Robby m'a dit qu'il avait fait ces satanées modifications. Il m'a demandé d'y jeter un coup d'œil, je lui ai promis de le faire. Ensuite je ne l'ai pas trouvé à son hôtel. En bref, il m'a fait perdre mon temps.

— Je suis vraiment navré, dit Tim Martin, soucieux de calmer son client. Pourrais-tu vérifier si par hasard Robby a laissé les scripts à l'hôtel ? Il m'a dit que ses modifications rendraient le scénario hilarant. Il utilise très peu ce mot, et quand il le fait, il se trompe rarement. Si on pouvait nous les envoyer par courrier express, nous serions tirés d'affaire.

Carter resta silencieux.

— Carter, poursuivit Tim, je n'aime pas te forcer la main, mais il y a dix ans, quand tu frappais encore aux portes, je me suis occupé de toi et c'est grâce à moi que ta première pièce a été jouée. Je t'ai donné ta chance. Je voudrais que tu t'en souviennes.

— Tim, tu vas finir par me faire pleurer. Puisque tu as complètement bousillé ma matinée, je vais aller à l'hôtel de Robby et voir si je peux me faire ouvrir sa chambre.

— Carter, je ne sais comment…

— Me remercier ? Tu ne peux pas. Salut, Tim.

Une heure plus tard, Carter Stewart était dans la chambre de Robby Brent au *Glen-Ridge*. Justin Lewis, le gérant de l'hôtel, et Jerome Warren, son adjoint, l'avaient accompagné, tous deux visiblement ennuyés d'engager la responsabilité de l'hôtel en autorisant Stewart à prendre quelque chose dans la chambre d'un de leurs clients.

Stewart se dirigea vers le bureau. Plusieurs scénarios y étaient empilés. Stewart en feuilleta quelques-uns.

— Les voilà, dit-il. Comme vous pouvez le constater, ce sont les scénarios modifiés par M. Brent, ceux dont sa maison de production a un besoin urgent. Je n'en prendrai pas possession moi-même. (Il désigna Justin Lewis.) Rassemblez-les. (Et, se tournant vers son adjoint :) Vous vous occuperez de les mettre dans une enveloppe postale adéquate. Et vous déciderez ensuite qui de vous deux ira la poster. Êtes-vous satisfaits ?

— Bien sûr, monsieur, dit Lewis nerveusement. J'espère que vous comprenez pourquoi nous devons nous montrer si prudents.

Carter ne répondit pas. Il fixait du regard la note que Robby Brent avait laissée près du téléphone : « Prendre rendez-vous avec Howie mardi à 15 heures pour lui montrer les scénarios. »

Le gérant l'avait remarquée comme lui.

— Monsieur Stewart, dit-il. Je croyais que c'était vous qui aviez rendez-vous avec M. Brent ?

— En effet.

— Alors, puis-je vous demander qui est Howie ?

— M. Brent faisait allusion à moi. C'est une blague entre nous.

— Oh ! je comprends.

— Je suis certain que vous comprenez. Monsieur Lewis, vous connaissez le proverbe : « Rira bien qui rira le dernier » ?

— Oui.

— Bon. (Il se mit à rire.) Ça s'applique exactement à la situation.

APRÈS avoir quitté Rich Stevens, Sam descendit à la cafétéria du tribunal et commanda un café et un jambon-fromage à emporter.

Il venait de disposer son frugal repas sur son bureau, quand il vit Joy Lacko entrer.

— Le patron m'a demandé de laisser tomber les homicides. Il veut que je travaille avec vous. Il dit que vous m'expliquerez.

À son expression, il était clair que Joy n'était pas enchantée par sa nouvelle affectation.

Sam lui communiqua ce qu'il savait sur Jane Sheridan et sa fille Lily.

— Quant à ces cinq filles qui seraient mortes dans l'ordre où elles étaient assises à table, conclut-il, s'il ne s'agit pas d'un incroyable concours de circonstances, cela signifie que Laura est destinée à être la prochaine victime.

— Vous voulez dire que deux célébrités se sont volatilisées, peut-être pour une histoire de relations publiques ; qu'une élève officier de West Point, fille adoptive d'un général, fait l'objet de menaces, et que cinq femmes sont décédées dans l'ordre où elles étaient assises à la table de réfectoire de leur école. Pas étonnant que Rich ait pensé que vous aviez besoin d'aide, dit Joy d'un ton détaché.

— J'ai besoin d'aide, en effet, reconnut Sam. Trouver Laura Wilcox est la priorité, d'abord parce qu'elle est manifestement en danger si ces cinq décès sont des homicides, et ensuite parce qu'elle a pu apprendre l'existence de Lily et en avoir parlé.

— Et que sait-on de la famille de Laura ? De ses amis proches ? Avez-vous interrogé son agent ?

Joy avait ouvert son carnet de notes. Stylo à la main, elle attendait les réponses de Sam.

— Bonnes questions, fit Sam. Lundi, j'ai passé un coup de fil à son agence. Alison Kendall s'occupait en personne de Laura. Je me suis entretenu avec l'inspecteur qui a enquêté sur la mort d'Alison Kendall. Selon lui, aucune preuve ne vient confirmer qu'il s'agit d'un assassinat. Mais j'ai des doutes. Lorsque j'ai raconté à Rich cette histoire des cinq filles qui s'asseyaient toujours à la même table, il a donné l'ordre de retrouver les rapports d'enquête concernant chacune d'elles. Le plus ancien remonte à une vingtaine d'années, ce qui signifie que nous n'aurons peut-être pas tout réuni avant la fin de la semaine. Ensuite, on passera les dossiers au peigne fin en espérant trouver quelque chose.

Il attendit que Joy eût fini de prendre des notes, puis se leva.

— Je vais rendre visite à la veuve d'un certain Dr Connors qui a accouché Jane. Jane l'a rencontrée l'autre jour et a eu la nette impression qu'elle lui cachait quelque chose, qu'elle était nerveuse. J'essaierai d'en savoir plus.

— Sam, je me débrouille assez bien avec l'Internet. Laissez-moi faire quelques recherches pendant que vous allez voir Mme Connors.

12

—J ANE, j'avais une bonne raison de demander à la réception si vous aviez reçu un fax, expliqua Mark calmement quand il l'eut rejointe à la cafétéria.

— Et quelle est cette raison, je vous prie ?

Mark avait une expression soucieuse et Jane savait que son propre visage trahissait ses doutes et sa méfiance à son égard.

Lily – Meredith – est en sécurité, elle allait bientôt faire sa connaissance. C'était l'essentiel, la seule chose qui comptait pour l'instant. Mais l'envoi de la brosse, les fax, la rose sur la tombe de Reed – tous ces incidents avaient fini par la miner.

« J'aurais dû recevoir ce dernier fax hier à midi, se rappela Jane en dévisageant Mark. Je croyais pouvoir vous faire confiance, Mark. Vous vous êtes montré si compréhensif, hier, lorsque je vous ai parlé de Lily. Vous moquiez-vous de moi ? »

— Jane, dit-il. Franchement, j'espérais que l'auteur de ces messages continuerait à se manifester.

— Pourquoi ?

— Parce que ce serait le signe qu'il, ou elle, veut rester en contact avec vous. Vous avez eu des nouvelles de Laura et vous savez qu'elle ne pourrait pas faire de mal à Lily. Mais l'essentiel est qu'elle soit entrée en communication avec vous. C'est ce que je voulais savoir hier. Oui, j'ai été troublé lorsque l'employée de la réception m'a répondu qu'il n'y avait rien au courrier. J'étais inquiet pour la sécurité de Lily. (Il la regarda et la préoccupation fit place à la stupéfaction sur son visage.) Jane, vous ne croyez tout de même pas que c'est moi qui vous ai envoyé ces fax, que je *savais* que le dernier aurait dû vous parvenir plus tôt ?

« Dois-je le croire ? » se demanda Jane.

Le serveur attendait leur commande.

— À Stonecroft, autrefois, dit Mark, vous aviez une prédilection pour les sandwiches grillés au fromage et à la tomate. Est-ce toujours le cas ?

Jane hocha la tête.

— Deux fromage-tomate et deux cafés, commanda Mark.

Il attendit que le serveur fût hors de portée de voix pour reprendre la conversation.

— Vous êtes restée silencieuse, Jeannie. J'ignore si cela signifie que vous me croyez ou que vous doutez de moi. J'avoue que je suis déçu, mais c'est compréhensible. Répondez seulement à cette question : Êtes-vous toujours convaincue que c'est Laura qui vous a envoyé ces fax et que Lily est en sécurité ?

« Je ne lui parlerai pas de l'appel téléphonique de Craig Michaelson, pensa Jane. Je n'ai plus confiance en personne. »

— Je pense que Lily est en sécurité, dit-elle prudemment.

Mark vit bien qu'elle restait évasive.

— Ma pauvre Jane, dit-il, vous ne savez plus à qui vous fier, n'est-ce pas ? Je ne vous le reproche pas, mais que comptez-vous faire à présent ? Simplement attendre que Laura réapparaisse ?

— Au moins pendant quelques jours. Et vous ?

— Je vais rester jusqu'à demain matin. Mon père souhaite à nouveau dîner avec moi.

— Je suppose qu'il a répondu aux questions que vous vouliez lui poser.

— Oui. Jeannie, vous connaissez la moitié de l'histoire. Vous avez le droit de savoir la suite. Mon frère, Dennis, est mort un mois après être sorti diplômé de Stonecroft. Il devait intégrer Yale à l'automne.

— Je suis au courant de l'accident.

— On vous a donné une *version* de l'accident, corrigea Mark. Je me préparais à entrer à Stonecroft en septembre. Mes parents avaient offert une décapotable à Dennis pour son diplôme. Je ne crois pas que vous l'ayez jamais connu, mais c'était un crack en tout. Premier de sa classe, capitaine de l'équipe de base-ball, président du conseil des élèves, il était beau, drôle et naturellement gentil. L'enfant rêvé.

— J'imagine que vous avez eu du mal à exister face à lui.

— C'est ce que pensaient les gens mais, en réalité, Dennis a été merveilleux avec moi. Je l'admirais. Il jouait au tennis avec moi. Il m'emmenait faire des tours dans sa décapotable. Puis, cédant à mes supplications, il m'a appris à la conduire.

— Mais vous n'aviez pas plus de quatorze ans alors, protesta Jane.

— J'avais treize ans. Oh! je n'ai jamais conduit sur route, naturellement, et il était toujours à côté de moi. Nous habitions une grande propriété. L'après-midi de l'accident, j'ai harcelé Dennis pour qu'il m'emmène faire un tour. Finalement, vers 16 heures, il m'a jeté les clefs en disant : « D'accord, d'accord, monte dans la voiture. Je te rejoins tout de suite. » J'étais au volant, à l'attendre, à compter les minutes. Sont alors arrivés deux de ses amis et Dennis m'a dit qu'il allait faire quelques paniers de basket avec eux. « Je te promets de m'occuper de toi dans une heure », m'a-t-il dit. Puis il a ajouté : « Coupe le moteur et n'oublie pas de serrer le frein à main. » J'étais affreusement déçu, et furieux. Je suis rentré à la maison en claquant la porte. Ma mère était dans la cuisine. Je lui ai dit que je serais content si la voiture de Dennis dévalait la pente et allait s'écraser contre la barrière. Quarante minutes plus tard, elle a dévalé la pente. Le panier de basket se trouvait au bout de l'allée. Les autres garçons ont pu s'écarter. Pas Dennis.

— Mark, vous êtes psychiatre. Vous *devez* savoir que vous n'y êtes pour rien.

Le serveur revenait avec les sandwiches et les cafés.

— Je le sais, naturellement, mais mes parents ne furent jamais les mêmes après ça. J'ai entendu ma mère dire à mon père que j'avais laissé le frein à main desserré exprès, non pas dans l'intention de tuer Dennis, bien sûr, mais en espérant le punir de m'avoir laissé tomber.

— Qu'a répondu votre père?

— Il n'a *pas* répondu. Je m'attendais qu'il me défende, mais il ne l'a pas fait. Il paraît que ma mère disait : Si Dieu voulait reprendre un de mes fils, pourquoi a-t-il choisi Dennis?

— J'ai entendu cette histoire, avoua Jane.

— Vous avez grandi en souhaitant échapper à vos parents, moi aussi. J'ai toujours eu l'impression que nous avions beaucoup en commun, vous et moi. Nous nous sommes jetés comme des perdus dans les études et nous nous sommes tus. Revoyez-vous souvent vos parents ?

— Mon père vit à Hawaï. Je lui ai rendu visite l'année dernière. Il a une compagne, mais il proclame à qui veut l'entendre qu'un seul mariage l'a guéri à tout jamais de remonter l'allée d'une église. Ma mère semble sincèrement heureuse à présent. Elle est venue me voir avec son second mari à plusieurs occasions. J'avoue que cela me serre un peu le cœur de les voir roucouler main dans la main quand je me rappelle la façon dont elle se comportait avec mon père. Je ne leur en veux plus, je ne leur reproche qu'une chose, c'est qu'à l'âge de dix-huit ans, je n'aie pas pu trouver de l'aide auprès d'eux.

— Ma mère est morte alors que j'étais encore à la faculté de médecine, dit Mark. Personne ne m'avait prévenu qu'elle avait eu une crise cardiaque et était mourante. J'aurais sauté dans un avion et je serais venu lui dire adieu. Mais elle ne désirait pas me voir. J'ai ressenti une impression de rejet définitif. Je n'ai pas assisté à son enterrement. Après, je n'ai plus jamais remis les pieds à la maison, et mon père et moi sommes restés brouillés pendant quatorze ans.

— Quelles sont les questions que vous avez posées à votre père ?

— Je lui ai demandé pourquoi il ne m'avait pas prévenu que ma mère était mourante.

Jane porta sa tasse à ses lèvres.

— Et quelle a été la réponse ?

— Il m'a dit que ma mère commençait à souffrir de delirium. Peu de temps avant d'avoir un infarctus, elle était allée consulter une voyante. Celle-ci lui avait raconté que son jeune fils avait intentionnellement desserré le frein à main par jalousie envers son frère. Ma mère avait toujours cru que j'avais seulement voulu abîmer la voiture de Dennis, mais cette voyante l'a anéantie. Provoquant peut-être l'infarctus. Voulez-vous savoir quelle autre question j'ai posée à mon père ?

Jane hocha la tête.

— Ma mère ne supportait pas la vue de l'alcool, et mon père aimait prendre un verre en fin de journée. Il allait dans le garage où il cachait quelques bouteilles. Là, il feignait de nettoyer l'intérieur de sa voiture et buvait un petit coup tout seul. Il lui arrivait de s'asseoir dans la voiture de Dennis à ces occasions. Je sais que j'avais serré le frein à main. J'ai demandé à mon père s'il s'était assis dans la voiture de Dennis cette après-midi-là pour prendre son scotch habituel et, dans ce cas, s'il était possible qu'il ait desserré le frein par inadvertance.

— Qu'a-t-il répondu?

— Il a reconnu qu'il s'était effectivement réfugié dans la voiture pour boire et qu'il en était sorti une minute avant qu'elle dévale la pente. Il n'avait jamais eu le courage de l'avouer à ma mère, pas même après que la voyante l'eut dressée contre moi.

— Pourquoi l'avoue-t-il aujourd'hui?

— Mon carnet de rendez-vous est plein de gens qui traînent pendant toute leur existence le poids de conflits jamais résolus. Lorsque j'ai vu la voiture de mon père, dans cette même allée, j'ai décidé d'entrer dans la maison et, après quatorze années de silence, d'avoir une explication avec lui.

— Vous l'avez vu hier soir et vous le revoyez ce soir. Est-ce le signe d'une réconciliation?

— Il aura bientôt quatre-vingts ans, et il n'est pas en bonne santé. Il a vécu dans le mensonge pendant vingt-quatre ans. Son désir de se réconcilier à tout prix avec moi est presque pathétique. C'est impossible, bien sûr, mais ces rencontres m'aideront peut-être à tourner la page. Il dit que, si ma mère avait appris qu'il buvait dans la voiture et qu'il avait provoqué l'accident, elle l'aurait quitté sur-le-champ.

— Alors que c'est *vous* qu'elle a rejeté.

— Ce qui, en retour, a été la cause du sentiment d'échec qui ne m'a jamais quitté tant que j'ai vécu à Stonecroft. Je m'efforçais de ressembler à Dennis, mais c'était peine perdue. Je n'étais pas aussi beau, je n'étais pas un athlète, je n'étais pas un leader. Je n'ai eu de relations de camaraderie qu'à de rares occasions, lorsque certains d'entre nous allaient travailler le soir en sortant de l'école. Nous mangions ensuite ensemble à la pizzeria du coin. Le côté positif de tout cela est peut-être que j'ai acquis de la compassion pour les enfants qui ont eu la vie dure. Devenu adulte, j'ai essayé de rendre leur existence un peu plus facile.

— D'après ce que je sais, vous faites un travail formidable.

— Je l'espère. Les producteurs veulent que l'émission soit produite à New York, et on m'a offert de rejoindre l'équipe psychiatrique du New York Hospital. Je crois que je suis prêt à vivre ce changement.

— Un nouveau départ? demanda Jane.

— Exactement, quand ce qui ne peut être pardonné ou oublié peut au moins être relégué dans le passé. (Il leva sa tasse de café.) Pouvons-nous boire à ça, Jeannie?

— Oui, bien sûr.

Elle faillit tendre la main par-dessus la table et la poser sur la sienne, comme il l'avait fait la veille pour la consoler. Mais quelque chose la retint. Elle n'arrivait pas à lui faire confiance. Puis elle se rendit compte qu'elle voulait revenir sur une chose qu'il venait de dire.

— Mark, quel était ce job que vous aviez en sortant de l'école?

— Je travaillais avec l'équipe de nettoyage dans un immeuble qui a brûlé depuis. Le père de Jack Emerson avait engagé quelques-uns d'entre nous. Tous les lauréats ont poussé un balai là-bas.

— Tous? demanda Jane. Carter, Gordon, Robby et vous?

— Oui. Oh, et un autre. Joel Nieman, alias Roméo. Nous avons tous travaillé avec Jack. (Il se tut un instant.) À propos, reprit-il. Vous devez connaître cet immeuble, Jane. Vous étiez une patiente du Dr Connors.

Jane sentit son sang se glacer.

— Je ne vous l'ai pas dit, Mark.

— Vous avez dû me le dire. Comment l'aurais-je su, sinon?

« Comment, en effet? » se demanda Jane, en repoussant sa chaise.

— Mark, j'ai quelques coups de fil à passer. Voyez-vous un inconvénient à ce que je n'attende pas qu'on vous apporte l'addition?

À SON retour, Jake trouva Jill Ferris occupée à travailler dans le studio.

— Alors, Jake, comment cela s'est-il passé? demanda-t-elle.

— Une véritable aventure, madame, admit Jake. On gèle dehors, mais au moins, le poste de police était bien chauffé.

— Le poste de police?

— Oui. Je vais tout vous raconter. D'abord, j'ai photographié la deuxième maison de Laura, la McMansion. Très impressionnante si l'on aime ce genre de truc de mauvais goût. Il y a un grand jardin sur le devant, et les propriétaires actuels ont planté quelques statues grecques sur la pelouse. Pour moi, c'est le comble de la prétention, mais les lecteurs comprendront ainsi que Laura n'a pas eu une enfance de déjeuners-surprises.

— De déjeuners-surprises ? répéta Jill Ferris, perplexe.

— Mon grand-père m'a raconté l'histoire d'un acteur dénommé Sam Levinson dont la famille était si pauvre que la mère achetait des boîtes de conserve à deux *cents*. Elles coûtaient ce prix-là parce que les étiquettes étaient parties, et qu'on ignorait leur contenu. Elle disait à ses enfants qu'ils allaient avoir un « déjeuner-surprise ». Ils ne savaient jamais ce qu'ils allaient manger. Quoi qu'il en soit, les photos de la deuxième maison de Laura montrent bien qu'elle a été élevée dans la soie.

Le visage de Jake s'assombrit.

— Après ça, j'ai traversé la ville jusqu'à Mountain Road, où elle a habité pendant les seize premières années de sa vie. Une rue très agréable et, franchement, la maison est davantage à mon goût que l'autre avec ses statues. J'avais à peine sorti mon appareil qu'une voiture de police s'est arrêtée, et un flic plutôt agressif m'a demandé ce que je fichais là. Quand j'ai répondu que je prenais des photos dans la rue, comme tout citoyen en a le droit, il m'a emmené au commissariat.

— Il vous a *arrêté* ?

— Non, m'dame, pas exactement. Le commissaire m'a inter-rogé, et, comme je pensais avoir rendu un fier service à l'inspecteur Deegan en le prévenant que Laura Wilcox semblait très nerveuse au téléphone, j'ai cru bon d'expliquer que j'étais un assistant personnel de Sam Deegan dans le cadre de l'enquête sur la disparition de Laura.

— Le commissaire vous a-t-il cru, Jake ?

— Il a appelé M. Deegan, qui non seulement ne m'a pas sou-tenu, mais lui a suggéré de me boucler dans une cellule et de perdre la clé. Ça n'est pas drôle, madame. M. Deegan a rompu un pacte. Le commissaire s'est avéré beaucoup plus sympathique. Il m'a dit que je pourrais terminer mon reportage demain, puisqu'il ne restait que quelques vues à prendre de la maison de Mountain Road. Je vais développer dès maintenant le film que j'ai pris ce matin et, avec votre permission, j'emprunterai à nouveau l'appareil demain pour les dernières photos.

— D'accord, Jake.

Jake pénétra dans la chambre noire et entreprit de développer les films. Il adorait voir personnages et objets surgir lentement du révélateur. Une par une, il fixa les épreuves à sécher sur une corde. Elles étaient toutes bonnes, mais l'unique photo qu'il avait prise de la maison de Laura dans Mountain Road avant l'arrivée de la police était la plus intéressante.

« Une impression bizarre s'en dégage, se dit Jake. Pourquoi ? Tout y est dans un état parfait. C'est peut-être ça. C'est trop parfait. » Puis il regarda de plus près. « J'ai trouvé ! Ce sont les stores intérieurs. Ceux de la chambre à l'extrémité de la maison sont différents des autres. Ils paraissent beaucoup plus sombres. Nom d'un chien ! Lorsque j'ai lu l'article concernant Karen Sommers sur l'Internet, je me rappelle avoir noté qu'elle avait été assassinée dans la chambre d'angle, sur le côté droit de la maison.

» Et si je montrais seulement ces deux fenêtres dans mon article ? se demanda-t-il. Je soulignerais qu'une sombre aura flotte autour de la chambre fatale où Laura a dormi pendant seize ans et où une jeune femme a été assassinée. Cela ajouterait une petite touche de mystère. »

L'agrandissement de la photographie révéla que la différence de couleur était sans doute due à la présence de stores vénitiens à l'intérieur, derrière ceux que l'on apercevait depuis la rue.

« Supposons que quelqu'un habite là et veuille empêcher que l'on voie la moindre lumière depuis l'extérieur. Ce serait l'endroit idéal pour se planquer. La maison a été rénovée. Il y a des meubles dans la galerie extérieure, ce qui permet de supposer que le reste est également meublé. Personne n'y habite. Qui l'a achetée, d'ailleurs ? Quel foin ça ferait si Laura Wilcox était propriétaire de son ancienne maison et s'y terrait en ce moment avec Robby Brent ! »

Sam Deegan ne s'attarda pas plus d'un quart d'heure chez Dorothy Connors. Constatant son infirmité, il lui parla avec ménagement et présuma que les réticences qu'elle avait manifestées concernaient la réputation de son défunt mari. Le sachant, il lui fut plus facile d'aborder franchement la question.

— Madame Connors, Jane Sheridan a parlé à Peggy Kimball, qui a travaillé avec votre mari à une époque. Afin d'aider Mlle Sheridan à retrouver sa fille, Mme Kimball lui a avoué que le Dr Connors avait pu, à l'occasion, contrevenir aux règles de l'adoption. Pour vous rassurer, je peux vous dire que la fille de Jane Sheridan a été légalement enregistrée et que l'adoption a été établie selon les règles. D'ailleurs, Jane Sheridan est invitée à dîner demain soir par les parents adoptifs de son enfant, et doit rencontrer sa fille pendant le week-end.

La vieille dame parut soulagée.

— Mon mari était un homme merveilleux, inspecteur, dit-elle. Je n'aurais pas supporté que, dix ans après sa mort, les gens le soupçonnent d'avoir agi illégalement.

« C'est pourtant ce qu'il a fait, pensa Sam, mais je ne suis pas ici pour ça. »

— Madame Connors, je vous promets que rien de ce que vous me direz ne sera jamais utilisé d'une façon qui pourrait ternir la réputation de votre mari. Mais je vous prie de répondre à cette question : Savez-vous si quelqu'un a pu avoir accès au dossier médical de Jane Sheridan dans le cabinet de votre mari ?

Il n'y avait plus aucune trace de nervosité dans la voix de Dorothy Connors.

— Je vous donne ma parole que je n'en ai jamais entendu parler, mais si jamais j'en avais connaissance, je vous en ferais part immédiatement.

Mme Connors tint à accompagner Sam jusqu'à la porte, mais marqua une hésitation avant de l'ouvrir.

— Mon mari s'est occupé de douzaines d'adoptions, dit-elle. Il prenait toujours une photo du bébé à sa naissance. Il inscrivait la date au dos de la photo avant de signer les documents d'adoption, et si la mère donnait un nom à son enfant avant de signer à son tour, il l'indiquait également. (Elle fit demi-tour.) Accompagnez-moi dans la bibliothèque.

Sam la suivit dans une petite pièce tapissée de rayonnages chargés de livres.

— Les albums de photos sont ici, dit-elle. Après le départ de Mlle Sheridan, j'ai trouvé la photo de son bébé avec son nom, Lily, inscrit au dos. J'ai craint, je l'avoue, qu'il ne s'agisse d'une de ces adoptions dont on ne peut retrouver la trace. Mais maintenant que Mlle Sheridan sait où se trouve sa fille et s'apprête à la rencontrer, je suppose qu'elle serait heureuse d'avoir une photo de Lily âgée de trois heures.

Mme Connors ouvrit un album, retira la photo de son enveloppe plastifiée et la tendit à Sam.

— Dites à Mlle Sheridan combien je suis heureuse pour elle.

En regagnant sa voiture, Sam rangea soigneusement dans sa poche de poitrine la photo d'un nouveau-né aux yeux étonnés, un léger duvet ombrant son petit crâne. « Quelle beauté ! pensa-t-il. Je ne suis pas loin du *Glen-Ridge*. Je vais passer voir Jane. »

Jane était dans sa chambre et accepta aussitôt de rejoindre Sam dans le hall.

— Il n'y a pas de mauvaise nouvelle, Sam ?

— Aucune, Jane.

« Pas pour le moment, du moins », pensa-t-il, même s'il n'arrivait pas à chasser un obscur pressentiment.

Il s'était attendu à trouver Jane radieuse à la pensée de rencontrer Lily, mais il vit tout de suite que quelque chose la troublait.

— Allons nous installer là-bas, dit-il en désignant un coin à l'écart dans le hall.

Jane ne mit pas longtemps à lui faire part de son inquiétude.

— Sam, je commence à croire que Mark est l'auteur des fax.

Une réelle souffrance se lisait dans ses yeux.

— Qu'est-ce qui vous fait penser ça ? demanda-t-il doucement.

— Il m'a dit, au détour d'une conversation, qu'il savait que j'avais été une patiente du Dr Connors. Or, je ne le lui ai jamais dit. Et hier, il a demandé à la réception si j'avais reçu un fax, et a paru déçu en apprenant que non. Il s'agissait de celui qui avait été glissé par erreur dans le courrier d'un autre client. Mark m'a raconté qu'il travaillait parfois le soir au cabinet du Dr Connors, à l'époque où je le consultais.

— Jane, nous allons le surveiller de près. Je préfère vous parler franchement. J'aurais préféré que vous ne vous confiiez pas à lui.

J'espère que vous ne lui avez pas fait part de ce que Michaelson vous a dit ce matin.

— Non, je ne lui ai rien dit.

— Vous devez être prudente. Je parie que l'auteur des fax était dans la même classe que vous autrefois. Je ne pense plus à présent qu'il ait agi pour de l'argent. Je crois que nous avons affaire à un psychopathe qui peut à tout moment devenir dangereux. (Il l'observa pendant une longue minute.) Fleischman commençait à vous plaire, n'est-ce pas?

— Oui, reconnut Jane. Et je n'arrive pas à croire qu'il est totalement différent de l'image qu'il donne de lui au premier abord.

— C'est trop tôt pour l'affirmer. Pour le moment, voilà quelque chose qui devrait vous remonter le moral.

Il sortit la photo de Lily de sa poche et lui expliqua d'où il la tenait avant de la lui tendre. Puis du coin de l'œil, il vit Gordon Amory et Jack Emerson franchir la porte d'entrée de l'hôtel.

— Vous préférerez sans doute l'emporter dans votre chambre pour la regarder tranquillement, suggéra-t-il. Amory et Emerson viennent d'arriver et, s'ils vous voient, ils vont rappliquer.

Jane murmura rapidement :

— Merci, Sam.

Elle prit la photo et se hâta vers les ascenseurs.

Sam vit que Gordon l'avait aperçue et s'apprêtait à aller lui parler. Il alla rapidement vers lui.

— Monsieur Amory, dit-il, comptez-vous rester encore longtemps à l'hôtel?

— J'ai l'intention de partir pendant le week-end. Pourquoi?

— Parce que, si nous n'avons pas de nouvelles de Mlle Wilcox, nous serons obligés de la considérer comme disparue. Dans ce cas, nous devrons interroger plus longuement les personnes qui se trouvaient avec elle peu avant sa disparition.

Gordon Amory haussa les épaules.

— Croyez-moi, vous aurez bientôt de ses nouvelles, dit-il d'un ton sarcastique. Pour votre information cependant, au cas où vous désireriez me joindre, je ne pense pas partir très loin. Par l'intermédiaire de Jack Emerson, nous sommes en train de faire une offre pour un grand terrain où j'ai l'intention de construire mon siège social. Donc, après avoir quitté l'hôtel, je séjournerai dans mon appartement de Manhattan pendant plusieurs semaines.

Jack Emerson avait fini de parler à quelqu'un près de la réception. Il s'approcha d'eux.

— Pas de nouvelles du crapaud ? demanda-t-il à Sam.

— Le crapaud ?

Sam haussa les sourcils. Il savait très bien qui Emerson désignait par ce surnom, mais il fit mine de l'ignorer.

— Notre comique maison, Robby Brent. Tout le monde en a marre de cette histoire.

Sam ignora l'allusion.

— Je suppose que vous serez disponible au cas où j'aurais besoin de vous interroger à propos de Laura Wilcox. Comme je viens de l'expliquer à M. Amory, nous serons tenus d'enregistrer sa disparition si nous n'avons aucun nouvelle d'elle dans les prochaines heures.

— Pas si vite, inspecteur, le coupa Emerson. Dès que Gordie, je veux dire Gordon, et moi aurons réglé notre transaction, j'ai l'intention de mettre les voiles. Je possède une maison à Saint-Barth où il est grand temps que j'aille me reposer. Je me fiche que Laura Wilcox et Robby Brent réapparaissent ou non. C'est le genre de publicité dont la Stonecroft Academy n'a aucun besoin.

Gordon Amory l'avait écouté avec un sourire amusé.

— Je dois dire, monsieur Deegan, que Jack a parfaitement résumé la situation. J'ai essayé de rattraper Jane avant qu'elle ne monte dans l'ascenseur et je l'ai ratée. Savez-vous quels sont ses projets ?

— Je l'ignore, dit Sam. Vous voudrez bien m'excuser, je dois retourner à mon bureau.

Son téléphone sonna au moment où il montait dans sa voiture. C'était Joy Lacko.

— Sam, j'ai trouvé quelque chose, dit-elle. J'ai eu l'idée de vérifier le compte rendu concernant le suicide de Gloria Martin, avant de m'occuper des autres décès.

Sam attendit.

— Gloria Martin s'est suicidée en se mettant un sac plastique sur la tête. Écoutez ça : quand on l'a découverte, elle serrait un petit hibou de métal dans sa main.

C E soir-là, à 21 heures, Duke Mackenzie eut le plaisir de voir réapparaître son taciturne client. L'homme commanda un sandwich bacon-fromage et un café avec du lait écrémé. Pendant qu'il passait le sandwich au gril, Duke engagea la conversation.

— Il y a une dame de votre réunion qui est venue ici aujourd'hui, dit-il. Elle a habité Mountain Road autrefois.

— Savez-vous son nom ? demanda son visiteur d'un air détaché.

— Non. Mais je peux vous la décrire. Très jolie, cheveux châtains et yeux bleus. Sa fille s'appelle Meredith.

— Elle vous a dit ça !

— Non, monsieur. Elle était au téléphone avec quelqu'un qui le lui a annoncé. Je peux vous affirmer qu'elle était drôlement bouleversée. Ça me dépasse qu'elle n'ait pas su le nom de sa propre fille.

— A-t-elle mentionné le nom de son interlocuteur ?

— Non, elle a dit qu'elle le verrait – lui ou elle – demain à 19 heures.

Duke se retourna, prit une spatule et sortit le sandwich du gril. Il ne vit pas le sourire froid sur le visage de son client, pas plus qu'il ne l'entendit murmurer tout bas : « Non, mon vieux, elle ne risque pas de le voir. Certainement pas. »

— C'est prêt, monsieur, dit Duke, jovial.

Le Hibou déposa de la monnaie sur le comptoir et partit en marmonnant un au revoir.

Il remonta lentement Mountain Road, mais préféra ne pas s'engager dans l'allée de la maison de Laura. Il dépassa l'entrée et regarda dans le rétroviseur, s'assurant qu'il n'était pas suivi. Puis il fit demi-tour et rebroussa chemin. Revenu à l'endroit voulu, il éteignit ses phares, s'engagea rapidement dans l'allée et se retrouva dans le jardin clos.

Il réfléchit à ce qu'il venait d'apprendre. Jane connaissait le nom de Meredith ! Elle se préparait donc sans doute à rencontrer les Buckley. Meredith avait oublié l'endroit où elle avait perdu sa brosse, sinon Deegan serait déjà venu frapper à sa porte. Il devait agir plus vite que prévu. Le lendemain, il serait obligé d'entrer et de sortir de la maison à plusieurs reprises en plein jour. Mais il ne pouvait pas rester garé dehors. Même si on ne voyait pas le jardin de l'extérieur, un voisin risquait de remarquer la voiture depuis une fenêtre et de prévenir la police. La maison était théoriquement inhabitée.

La voiture de Robby, avec son cadavre dans le coffre, occupait la moitié du garage. Celle que le Hibou avait louée en premier et dont il s'était servi pour transporter le corps d'Helen Whelan était garée à côté. Il lui fallait dégager l'une des deux pour pouvoir accéder au garage. La voiture de location permettrait de remonter jusqu'à lui. Il la garderait en attendant de pouvoir la rendre sans risque.

« Je suis allé trop loin, songea le Hibou. Je ne peux plus m'arrêter. » Il contempla le sandwich et le café qu'il avait achetés pour Laura. « Je n'ai rien avalé, pensa-t-il. Quelle importance si Laura ne mange pas ce soir ? »

Il mangea le sandwich et but le café. Lorsqu'il eut fini, il sortit de la voiture, se dirigea vers l'arrière de la maison et entra. Il ouvrit la porte qui menait de la cuisine au garage et la claqua délibérément derrière lui tout en enfilant les gants de plastique qu'il conservait toujours dans la poche de sa veste.

Laura avait certainement entendu du bruit et elle commençait sans doute à trembler à la pensée qu'il était revenu pour la tuer. Mais elle devait aussi avoir faim. En ne le voyant pas apparaître, la peur et la faim iraient en augmentant, jusqu'à ce qu'elle craque, prête à obéir.

Il avait laissé les clés de Robby sur le contact. Il ouvrit la porte du garage, se mit au volant et sortit en marche arrière. En quelques minutes qui lui semblèrent une éternité, il gara dans l'emplacement vacant la deuxième voiture de location.

Roulant tous phares éteints jusqu'au bout de la rue, le Hibou conduisit la voiture de Robby Brent jusqu'à sa destination finale au fond de l'Hudson River.

Quarante minutes plus tard, il était de retour dans sa chambre. Sa mission du lendemain serait semée d'embûches, mais il s'appliquerait à réduire les risques.

Sam Deegan était loin d'être stupide. En ce moment même, il cherchait sans doute à en savoir plus sur la mort des autres femmes, enquêtait sur ces prétendus accidents. « Ce n'est qu'à partir de Gloria que j'ai laissé ma signature et, comble de l'ironie, c'était elle-même qui avait acheté cette bricole. »

« Vous avez fait du chemin depuis ces années, avait-elle dit. Quand je pense qu'on vous surnommait le Hibou. » Elle avait ri, un peu éméchée, toujours aussi indifférente. Elle lui avait alors montré le hibou métallique. « Je l'ai trouvé dans une boutique du centre commercial, avait-elle expliqué. Lorsque vous avez téléphoné que vous étiez en ville, j'y suis retournée et j'en ai acheté un. J'ai pensé que c'était un clin d'œil rigolo. »

Après la mort de Gloria, il avait acheté une poignée de ces minuscules hiboux à 5 dollars. Il ne lui en restait que trois. Laura, Jane et Meredith. Un pour chacune d'elles.

Le Hibou régla son réveil à 5 heures du matin et s'endormit.

JANE passa une nuit agitée et ne s'endormit vraiment que vers 5 heures du matin.

À 6 h 45, le téléphone la réveilla.

— Allô ? dit-elle d'une voix anxieuse.

— Jeannie… c'est moi.

— Laura ! s'écria Jane. Où es-tu ? Comment vas-tu ?

Laura sanglotait si fort qu'elle avait du mal à comprendre ce qu'elle disait.

— Jane… aide-moi. J'ai si peur… J'ai fait une chose si stupide… pardon… les fax… à propos… de Lily.

Jane se raidit.

— Tu n'as jamais rencontré Lily. Je le sais.

— … Robby… il… il… a pris… sa… brosse. C'était… son… idée.

— Où est Robby ?

— Parti… en… Californie. Il… il dit… il dit que je suis responsable… Jeannie… viens… me… retrouver… je t'en prie… viens seule.

— Laura, où es-tu ?

— Dans… un… motel. Je… je dois… m'en aller.

— Laura, où puis-je te retrouver ?

— Au… au *Lookout*.

— Le *Storm King Lookout* ?

— Oui… oui.

Les sanglots de Laura redoublèrent.

— … me suicider…

— Laura, écoute-moi, dit Jane précipitamment, je serai là-bas dans vingt minutes. Tout ira bien. Je te le promets, tout ira bien.

À L'AUTRE bout de la ligne, le Hibou coupa la communication.

— Bravo, Laura, dit-il, admiratif. Tu es une bonne actrice au fond. C'était une scène digne d'un Oscar.

Laura était retombée sur son oreiller, ses sanglots cédant la place à de longs frissons.

— Je ne l'ai fait que parce que vous avez promis de ne pas faire de mal à la fille de Jane.

— Je l'ai promis, c'est vrai, reconnut-il. Tu dois avoir faim maintenant. Tu n'as rien mangé depuis hier matin. J'ai du café pour toi. Et regarde ce que j'ai apporté.

Elle ne réagit pas.

— *Tourne la tête, Laura, regarde-moi!*

Elle ouvrit ses yeux gonflés et vit qu'il tenait trois housses de plastique.

Le Hibou éclata de rire.

— Ce sont des cadeaux, expliqua-t-il. Un pour toi. Un pour Jane. Et un pour Meredith. Sais-tu ce que je vais en faire? Réponds-moi, Laura, sais-tu ce que je vais en faire?

— DÉSOLÉ, Rich, dit Sam. Qu'on ait trouvé un hibou métallique serré dans la main de Gloria Martin au moment de sa mort ne peut être une simple coïncidence. Personne ne me fera avaler ça.

Une fois de plus, il n'avait pas fermé l'œil de la nuit. Après l'appel de Joy Lacko, il était retourné directement à son bureau. Le dossier avait été transmis par les services de police de Bethlehem. Joy et lui en avaient analysé chaque mot.

Lorsque Rich Stevens était arrivé à 8 heures, il les avait immédiatement convoqués. Après avoir écouté Sam, il se tourna vers Joy.

— Qu'est-ce que vous en pensez?

— Au début, il m'a paru impossible que ce malade mental qui se nomme le Hibou ait tué des filles de Stonecroft au cours des vingt dernières années et qu'il soit de retour dans la région, dit Joy. À présent, j'en suis moins sûre. J'ai parlé à Rudy Haverman, le flic qui a été chargé du cas de Gloria Martin il y a huit ans. Il avait mené une enquête très sérieuse. Il m'a dit que Gloria Martin chinait des petites figurines bon marché, des animaux, des oiseaux, des trucs comme ça. Celle qu'elle tenait quand elle est morte était encore dans son emballage de plastique. Haverman a retrouvé la vendeuse qui la lui avait vendue dans le centre commercial du coin ; Gloria Martin lui avait raconté qu'elle l'achetait pour faire une blague.

— Vous dites que le taux d'alcool dans son sang indiquait qu'elle était complètement bourrée au moment de sa mort ?

— C'est exact. D'après Haverman, elle s'était mise à boire après son divorce ; elle avait dit à ses amis qu'elle était dégoûtée de la vie.

— Joy, y a-t-il des références à ces hiboux dans les dossiers des autres femmes ? A-t-on trouvé un de ces objets sur elles ou dans leurs mains quand leurs corps ont été examinés ?

— Je n'ai rien vu jusqu'ici, monsieur.

— Je me fiche que Gloria Martin ait acheté elle-même ou non ce hibou, dit Sam avec obstination. Qu'elle l'ait eu dans la main prouve à mes yeux qu'elle a été assassinée. Qu'elle ait dit à ses amis qu'elle était déprimée importe peu. La plupart des gens broient du noir après un divorce, même s'ils l'ont voulu. Mais Gloria Martin n'a laissé aucune lettre d'explication et, étant donné la quantité d'alcool qu'elle avait ingurgitée, c'est un miracle qu'elle soit parvenue à introduire sa tête dans le sac sans lâcher le hibou.

— Êtes-vous d'accord avec cette analyse, Joy ?

— Oui, monsieur. Rudy Haverman est convaincu qu'il s'agit d'un suicide, mais il n'a pas eu à s'occuper des deux autres cas où l'on a retrouvé le même hibou dans les poches des victimes.

Rich Stevens se cala dans son fauteuil et croisa les mains.

— À titre d'hypothèse, disons que celui qui a tué Helen Whelan et Yvonne Tepper *peut*, je répète, *peut*, être mêlé à la mort d'une des filles de Stonecroft.

— La sixième, Laura Wilcox, a disparu, les interrompit Sam. Il ne reste que Jane Sheridan. Elle aurait peut-être besoin d'une protection rapprochée.

— Où se trouve-t-elle en ce moment ? demanda Stevens.

— À son hôtel. Elle me rirait au nez si je lui proposais un garde du corps. Mais elle a confiance en moi et je pense qu'elle accepterait que je l'accompagne chaque fois qu'elle quittera l'hôtel.

— Ce n'est pas une mauvaise idée, en effet, reconnut Stevens. Il ne manquerait plus qu'il arrive quelque chose à Jane Sheridan.

— Ah ! j'oubliais, ajouta Sam. J'aimerais faire filer un des types qui participaient à la réunion. Il est encore en ville. Il s'appelle Mark Fleischman.

Joy regarda Sam d'un air stupéfait.

— Le Dr Fleischman ! Il donne les conseils les plus sensés que j'aie jamais entendus à la télévision.

— Voyez qui est disponible pour le surveiller, dit Rich Stevens. Un dernier point : nous ferions mieux de porter Laura Wilcox sur la liste des personnes disparues. Cela fait plus de cinq jours qu'on ne l'a plus vue.

— Si nous voulons être honnêtes, nous devrions l'inscrire sous la rubrique « disparue, présumée morte », rectifia Sam.

APRÈS avoir raccroché, Jane s'aspergea le visage, enfila son survêtement, mit dans sa poche son téléphone mobile et son portefeuille, quitta l'hôtel et se hâta vers sa voiture. Le *Storm King Lookout* se trouvait à un quart d'heure de là. Il était encore tôt et la circulation était fluide.

« Laura est désespérée, pensa-t-elle. Pourquoi veut-elle me rencontrer là-bas ? » Le *Lookout* dominait l'Hudson de 30 mètres. L'image de Laura arrivant la première et grimpant par-dessus la balustrade pour se jeter du haut de la falaise poursuivait Jane.

La voiture dérapa dans le dernier virage. Jane eut du mal à reprendre le contrôle de la direction, mais les roues se redressèrent et elle aperçut une voiture stationnée près du télescope de l'observatoire. « Faites que ce soit Laura », implora-t-elle.

Elle s'arrêta dans un crissement de pneus au milieu du parking, coupa le moteur, sortit et s'élança vers l'autre voiture, ouvrit la portière côté passager. « Laura !... » Les mots moururent sur ses lèvres. L'homme qui était au volant portait un masque de plastique représentant une tête de hibou.

Il brandissait un pistolet.

Terrifiée, Jane voulut s'enfuir, mais une voix familière lui ordonna :

— Monte dans la voiture, Jane, à moins que tu ne désires mourir ici. Et ne prononce pas mon nom. C'est interdit.

Pétrifiée, elle ne bougea pas ; puis, cherchant à gagner du temps, elle avança lentement un pied à l'intérieur de la voiture. « Je ferai un bond en arrière. Il devra sortir pour tirer sur moi. Je pourrai peut-être atteindre ma voiture. » Mais d'un geste rapide comme l'éclair, il lui saisit le poignet, l'attira sur le siège, puis, passant son bras derrière elle, claqua la portière.

Il fit marche arrière et reprit la direction de Cornwall. Il arracha son masque et lui adressa un sourire sardonique.

— Je suis le Hibou, dit-il. En aucun cas tu ne dois m'appeler par mon nom. Compris ?

« Il est fou », pensa Jane en acquiesçant d'un signe de tête.

— *Je suuuis le le hiiiboubou et et je viviiis dans un un…* Tu te souviens, Jeannie ? Tu te souviens ?

— Je me souviens.

« Il va me tuer, se dit-elle. Il faut que je saisisse le volant, que j'essaye de provoquer un accident. »

Il se tourna vers elle et lui sourit, la bouche grande ouverte, grimaçante.

« Mon téléphone mobile ; il est dans ma poche. » Elle se recula imperceptiblement sur son siège, tâtonna, parvint à sortir l'appareil et à le coincer à côté d'elle. Mais avant qu'elle n'ait pu soulever le couvercle et composer le 911, la main droite du Hibou se détendit comme une flèche et la saisit au cou.

Elle se rejeta en arrière et, dans un dernier effort, enfonça le portable entre le dossier et le fond du siège.

LORSQU'ELLE se réveilla, elle était attachée à une chaise, un bâillon sur la bouche. La pièce était plongée dans l'obscurité mais elle distinguait la silhouette d'une femme couchée sur le lit à l'autre extrémité de la pièce. « Que s'est-il passé ? se demanda Jane. J'ai mal à la tête. Pourquoi ne puis-je bouger ? J'allais retrouver Laura. Je suis montée dans la voiture et… »

— Tu es réveillée, Jeannie, n'est-ce pas ?

Elle tourna la tête au prix d'un effort. Il se tenait dans l'embrasure de la porte.

— Te souviens-tu de la pièce de théâtre que nous avons jouée en primaire ? Tout le monde s'est moqué de moi.

« Non, je ne me moquais pas. J'avais pitié de vous », pensa Jane.

— Jane, réponds-moi.

Le bâillon était si serré qu'elle n'était pas sûre qu'il pût entendre sa réponse.

— Je me souviens.

— Je dois m'en aller maintenant. Mais je serai bientôt de retour. Et je serai accompagné d'une personne que tu meurs d'impatience de voir. Devine qui ?

Il était parti. Jane entendit une plainte provenant du lit. La voix étouffée par le bâillon, Laura gémissait :

— Jeannie… promis… qu'il ne ferait pas de mal à Lily… mais il va… la tuer aussi.

À 20 h 15, Sam se dirigeait vers le *Glen-Ridge*. Il composa le numéro de la chambre de Jane et fut déçu de ne pas obtenir de réponse, mais il ne s'inquiéta pas. Elle était probablement descendue à la cafétéria pour le petit déjeuner.

Un mauvais pressentiment s'empara de lui quand il ne la trouva pas dans la cafétéria.

Sam aperçut Gordon Amory qui sortait de l'ascenseur. Il portait un costume gris anthracite de coupe sobre. En voyant Sam, il se dirigea vers lui.

— Avez-vous parlé à Jane ce matin ? demanda-t-il. Nous étions censés nous retrouver pour le petit déjeuner, mais elle ne s'est pas manifestée et le téléphone ne répond pas dans sa chambre.

— J'ignore où elle est, dit Sam, s'efforçant de dissimuler son inquiétude.

— Bon. Je la rappellerai plus tard.

Avec un bref sourire, il se dirigea vers la porte de l'hôtel.

Sam sortit son portefeuille et chercha en vain le numéro du portable de Jane. Une seule personne de sa connaissance l'avait peut-être – Alice Sommers.

En composant son numéro, il s'avoua qu'il avait envie d'entendre le son de sa voix et même qu'il aimerait la revoir ce soir.

Alice lui communiqua le numéro de Jane.

— Sam, Jane m'a appelée hier. Elle était tout excitée à la pensée de faire la connaissance des parents adoptifs de Lily. Elle a ajouté qu'elle aurait peut-être l'occasion de voir Lily pendant le week-end. N'est-ce pas merveilleux ?

Une rencontre avec sa fille qu'elle n'a pas vue pendant vingt ans. « Alice est heureuse pour Jane, se dit Sam, mais je suis certain que c'est un rappel douloureux pour elle. Karen est morte depuis pratiquement autant de temps. »

— C'est une grande nouvelle en effet, Alice. Il faut que je me sauve, maintenant. Si vous avez des nouvelles de Jane avant moi, demandez-lui de me passer un coup de fil, d'accord ?

— Vous vous inquiétez pour elle, Sam. Pourquoi ?

— Il se passe trop de choses. N'y pensons plus, elle est sans doute sortie faire un tour.

— Prévenez-moi dès que vous lui aurez parlé.

— Comptez sur moi, Alice.

Sam éteignit son portable. Au même moment, Mark Fleischman franchissait la porte d'entrée et pénétrait dans le hall. Il aperçut Sam et se dirigea vers lui.

— Monsieur Deegan, je voudrais vous parler. Je suis inquiet pour Jane Sheridan.

— Pourquoi donc, docteur Fleischman ?

— Parce que, selon moi, l'auteur de ces messages est quelqu'un de dangereux. Après la disparition de Laura, Jane est la seule qui reste de ce groupe de filles, elle est la seule qui soit indemne.

— J'y ai pensé.

— Jane m'en veut et ne me fait pas confiance. Elle n'a pas compris pourquoi j'avais interrogé l'employée de la réception au sujet d'un fax. Et maintenant, elle ne veut plus rien écouter de ce que je lui dis.

— Comment avez-vous su qu'elle était la patiente du Dr Connors ?

— Jane m'a posé la question, et je lui ai répondu qu'elle me l'avait appris. J'ai réfléchi depuis, et je sais comment le sujet est arrivé sur le tapis. Lorsque Carter, Gordon, Robby et moi plaisantions avec Jack Emerson en nous rappelant l'époque où nous travaillions pour son père dans l'entreprise de nettoyage, l'un d'eux a fait allusion à Jane. J'ai oublié qui.

Mark Fleischman disait-il la vérité?

— Essayez de vous souvenir, docteur, insista-t-il. C'est extrêmement important.

— D'accord, mais pour le moment je vais faire un tour en voiture en ville et essayer de la retrouver.

Le policier affecté à la surveillance de Fleischman n'était pas encore arrivé.

— Pourquoi ne pas attendre un peu? suggéra Sam. Elle va peut-être rentrer. Vous risquez de la rater.

— Je n'ai pas l'intention de rester assis à me tourner les pouces alors que je m'inquiète pour elle, rétorqua Fleischman d'un ton sec. (Il tendit sa carte à Sam.) Je vous serais très reconnaissant de m'avertir si vous avez de ses nouvelles.

Il traversa rapidement le hall et gagna la sortie. « Je me demande s'il a pris des cours d'art dramatique. S'il n'est pas sincère, c'est un acteur hors pair, car, en apparence, il a l'air aussi inquiet pour Jane que moi. »

La chaise à laquelle il l'avait attachée était contre le mur, près de la fenêtre, face au lit. Il y avait quelque chose dans cette pièce qui lui était familier. Avec un effroi grandissant, Jane tendit l'oreille pour tenter de saisir ce que disait Laura. Elle semblait à moitié inconsciente, mais un murmure continu sortait de sa bouche à travers le bâillon.

Lily. Laura avait dit qu'il allait la tuer. Mais elle était en sûreté. Craig Michaelson le lui avait promis. Laura délirait-elle? « Elle dit sans cesse qu'elle a faim. Ne lui a-t-il rien donné à manger? C'est impossible. Elle a sûrement avalé quelque chose! »

Elle se tordit les mains, cherchant à distendre ses liens, mais ils étaient trop serrés. Se pouvait-il qu'il ait assassiné Catherine, Cindy, Debra, Gloria et Alison? Était-il l'auteur des deux meurtres commis dans les environs la semaine précédente? « Je l'ai vu entrer dans le parking de l'hôtel au volant de sa voiture très tôt dans la matinée du samedi, avec ses phares éteints. » Si elle en avait parlé à Sam alors, il l'aurait *arrêté*.

« Mon mobile est dans la voiture. S'il le trouve, il le jettera. Mais s'il ne le trouve pas, Sam parviendra peut-être à le localiser. Je vous en supplie, mon Dieu, avant qu'il ne fasse du mal à Lily, faites que Sam retrouve la trace de mon téléphone. »

La respiration de Laura devint plus saccadée. « Les housses de plastique… les housses de plastique… non… non… non. »

Jane aperçut des housses accrochées à des cintres suspendus au bras du lampadaire près du lit. Quelque chose était inscrit sur celle qui se trouvait en face d'elle. Elle ne le distinguait pas clairement.

Son épaule effleurait le bord du store. Elle se balança d'un côté puis de l'autre jusqu'à ce que la chaise se déplace de quelques centimètres et qu'elle puisse écarter le store avec son épaule.

Un filet de lumière éclaira les lettres tracées au marqueur sur la housse. Et elle put lire : Lily/Meredith.

14

JAKE n'avait pas pu manquer le premier cours de 8 heures, mais il en attendit impatiemment la fin pour se précipiter au studio. Les tirages des photos qu'il avait prises la veille étaient encore meilleurs à la lumière du jour.

« La maison de Concord Avenue a un aspect "Admirez comme je suis riche" », pensa-t-il. Celle de Mountain Road est tout l'opposé. Une habitation bourgeoise, typique de la banlieue résidentielle, aujourd'hui chargée de mystère. Chez lui, il avait consulté Internet et il avait eu confirmation que Karen avait été assassinée dans la chambre d'angle du premier étage à droite. « Jane Sheridan habitait la maison voisine, se rappela Jake. Je lui demanderai si elle peut me confirmer qu'il s'agit de la chambre de Laura. »

Jake plaça les épreuves dans un sac avec les rouleaux de film supplémentaires. Il en aurait peut-être besoin.

À 9 heures, il arriva à proximité de Mountain Road. Il jugea plus prudent de ne pas se garer dans la rue. Ce flic pourrait reconnaître sa voiture, un modèle unique auquel il tenait comme à la prunelle de ses yeux. Dans de telles circonstances, néanmoins, il regrettait de l'avoir peinte façon zèbre.

« J'avalerai vite fait une pâtisserie, je laisserai ma voiture garée devant le café et j'irai à pied jusqu'à la maison de Laura », décidat-il. Il avait emprunté à sa mère un grand sac de chez *Bloomingdale*. Ainsi l'appareil photo passerait inaperçu. Il se glisserait dans l'allée et prendrait ses photos de l'arrière de la maison.

À 9 h 10, il était assis au comptoir du café en bas de Mountain Road et bavardait avec Duke.

— Vous dites que vous étudiez à la Stonecroft Academy? C'est plutôt chic comme école. Des anciens élèves se sont arrêtés ici pendant le week-end. Tiens, le revoilà.

Le regard de Duke s'était tourné vers la fenêtre.

— Qui? interrogea Jake.

— Un type qui vient tôt le matin et parfois tard le soir et emporte un café et un petit pain, ou un café et un sandwich.

— Vous savez qui c'est? demanda Jake négligemment.

— Non, mais il participait aussi à la réunion des anciens.

Jake se leva et sortit quelques billets froissés de sa poche.

— J'ai envie de me dégourdir les jambes. Je peux laisser ma voiture devant chez vous pendant une quinzaine de minutes?

— Sans problème, mais pas plus.

— Vous en faites pas. Je suis pressé, moi aussi.

Huit minutes plus tard, Jake se trouvait dans le jardin derrière l'ancienne maison de Laura. Il photographia l'arrière de la maison, prit quelques vues de la cuisine à travers la porte. Les plans de travail semblaient nus. Ni grille-pain, ni machine à café, ni dessous-de-plat fantaisie. Pas le moindre signe d'une présence humaine. « Je crois que je fais fausse route », pensa-t-il à regret.

Il examina les traces de pneus dans l'allée. Il y avait deux voitures. Mais elles appartenaient peut-être au jardinier. Les portes du garage étaient fermées et sans fenêtre. Dommage, il aurait bien aimé voir ce qu'il y avait à l'intérieur.

Il remonta l'allée, traversa la rue et prit une photo supplémentaire de la façade. « Ça ira pour aujourd'hui, décida-t-il. Bien sûr, j'aurais trouvé bien plus excitant de découvrir Laura Wilcox et

Robby Brent planqués ici », songeait-il en rangeant l'appareil dans son sac et en traversant l'avenue. « Mais je n'y peux rien. On peut couvrir une affaire, pas la fabriquer. »

En sortant de son premier cours, Meredith Buckley se précipita dans sa chambre pour réviser une dernière fois son examen d'algèbre linéaire, la matière sans conteste la plus difficile de la seconde année d'études à West Point.

Elle ne leva pas la tête pendant vingt minutes. Au moment où elle rangeait ses notes dans leur chemise, le téléphone sonna. Elle décrocha, et un sourire éclaira son visage. Avant qu'elle n'ait prononcé un mot, une voix enjouée dit :

— Puis-je avoir le plaisir d'inviter le cadet Meredith Buckley à passer un autre week-end avec ses parents dans ma propriété de Palm Beach ?

— Quelle bonne idée ! s'exclama Meredith, se rappelant le weekend de rêve qu'elle avait passé chez l'ami de ses parents. Je viendrai volontiers. Je ne voudrais pas paraître impolie, mais je suis obligée de raccrocher, je dois aller passer un examen.

— Accordez-moi seulement une minute. Meredith, j'ai assisté à une réunion des anciens élèves de notre classe à la Stonecroft Academy de Cornwall. Une des anciennes élèves présentes à la réunion est une amie intime de Jane, votre mère naturelle, et vous a écrit une lettre à son sujet. J'ai promis de vous la remettre en main propre. Je vous attendrai dans le parking du musée à l'heure qui vous conviendra.

— Ma mère naturelle ! Vous avez rencontré quelqu'un qui la connaît ?

Le cœur battant, Meredith se cramponna au téléphone. Elle regarda la pendule. Elle ne pouvait s'attarder davantage.

— J'aurai terminé à midi moins le quart, dit-elle à la hâte. Je pourrais vous retrouver dans le parking à moins dix.

— Parfait. Bonne chance pour votre examen, mon général.

Il fallut à Meredith toute sa détermination pour s'empêcher de penser que, dans un peu plus d'une heure, elle en apprendrait davantage sur la jeune fille qui l'avait mise au monde. Elle savait seulement que sa mère était en terminale lorsqu'elle s'était aperçue qu'elle était enceinte, et que son père venait d'achever ses études universitaires quand il avait été tué par un chauffard avant sa naissance.

Ses parents adoptifs lui avaient parlé de sa mère naturelle. Dès qu'elle serait diplômée de West Point, lui avaient-ils promis, ils chercheraient à la retrouver et à organiser une rencontre entre elles deux.

Comme elle remettait sa copie et se hâtait vers le musée de l'Académie militaire, elle eut soudain la réponse à la question que son père lui avait posée la veille. Palm Beach. C'était là qu'elle avait égaré sa brosse à cheveux.

À 10 heures, le visage fermé, Carter Stewart franchit la porte de l'hôtel. Assis dans le hall, Sam se leva et se dirigea vers lui. Il le rattrapa à la réception.

— Monsieur Stewart, j'aimerais m'entretenir avec vous une minute, si c'est possible.

— Un instant, monsieur Deegan. Je dois demander à la direction de l'hôtel l'autorisation d'entrer de nouveau dans la chambre de M. Brent, lui lança Stewart. La société de production a bien reçu le paquet envoyé hier. Apparemment, il existe une autre version du script dont ils ont besoin, et je suis chargé une fois de plus de les tirer d'affaire. Comme le script en question n'était pas sur le dessus du bureau, il va falloir fouiller les tiroirs.

— Je vais prévenir le directeur tout de suite, monsieur, dit le réceptionniste.

Stewart se tourna vers Sam.

— Qu'ils acceptent ou non de me laisser fouiller le bureau de Robby m'est totalement indifférent. J'aurai fait preuve de gratitude envers mon agent, une reconnaissance à laquelle il prétend avoir droit.

« Ce type est odieux », pensa Sam.

— Monsieur Stewart, dit-il d'un ton froid, j'ai une question à vous poser et j'ai besoin d'une réponse. L'autre soir, j'ai cru comprendre que MM. Amory, Brent, Emerson, Fleischman, Nieman et vous-même aviez fait partie d'une équipe de nettoyage qui travaillait dans un immeuble géré par le père de M. Emerson.

— En effet. C'était au printemps de notre dernière année.

— Avez-vous entendu quelqu'un mentionner que Mlle Sheridan avait été une patiente du Dr Connors, dont le cabinet se trouvait dans cet immeuble ?

— Non. Pourquoi Jane serait-elle allée consulter le Dr Connors ? Il était obstétricien. (Stewart ouvrit des yeux ronds.) Allons donc ! Ne me dites pas que vous allez nous révéler un petit secret. Jeannie a été une patiente du Dr Connors ?

Sam lui jeta un regard noir.

— Je vous ai simplement demandé si quelqu'un y avait fait allusion. Je n'ai pas laissé entendre que c'était vrai.

Justin Lewis, le directeur de l'hôtel, s'était approché d'eux.

— Monsieur Stewart, je crois savoir que vous désirez pénétrer dans la chambre de M. Brent et fouiller son bureau. Je crains de ne pouvoir vous en donner l'autorisation.

— Et voilà, dit Stewart. (Il tourna le dos au directeur.) J'ai pratiquement terminé ce que j'avais à faire ici, inspecteur. Je retourne à Manhattan cet après-midi, et je vous souhaite bonne chance en attendant que Laura et Robby refassent surface.

Sam et le directeur de l'hôtel le regardèrent quitter le hall.

— Cet homme est franchement désagréable, dit Justin Lewis.

Le téléphone de Sam sonna avant qu'il ait eu le temps d'approuver. C'était Rich Stevens.

— Sam, on vient de recevoir un appel de la police de Cornwall. Une voiture a été découverte dans l'Hudson. Elle était en partie submergée et il y a un corps dans le coffre. C'est celui de Robby Brent, et il semble que la mort remonte à au moins deux jours. Vous feriez mieux d'aller voir.

— Tout de suite, Rich.

Sam claqua le couvercle de son téléphone. *Quand Laura et Robby referont surface.* Referont surface après avoir plongé dans l'eau ? Carter Stewart, le célèbre auteur dramatique, serait-il un tueur psychopathe en série ?

À 10 heures, Jake développait ses photos. Celles qu'il avait prises de l'arrière de la maison de Mountain Road n'apporteraient rien à son article. « Une matinée pour ainsi dire gâchée », conclut Jake.

Il entendit qu'on l'appelait. C'était Jill Ferris, et elle n'avait pas sa voix habituelle.

— J'arrive, lui cria-t-il de l'intérieur de la chambre noire.

Dès qu'il ouvrit la porte, il vit à son expression que quelque chose l'avait bouleversée.

— Jake, je savais bien que je vous trouverais ici. Vous avez interviewé Robby Brent, n'est-ce pas?

— Oui. C'est une bonne interview, sans vouloir me vanter.

— Jake, on vient de l'annoncer aux informations. Le corps de Robby Brent a été découvert dans le coffre d'une voiture à demi submergée près de Cornwall Landing.

Robby Brent mort! Jake saisit l'appareil photo. Il lui restait encore de la pellicule.

— Merci, Jill, lança-t-il en sortant précipitamment.

LE parc de Cornwall Landing, habituellement paisible, avec ses bancs et ses saules pleureurs, grouillait de policiers. La zone avait été hâtivement ceinturée d'un cordon afin de maintenir à l'écart badauds et journalistes qui s'attroupaient toujours plus nombreux.

Quand Sam arriva à 10 h 30, le corps de Robby Brent avait déjà été installé dans le fourgon de la morgue. Cal Grey, le médecin légiste, lui résuma ses observations.

— Il est mort depuis plus de deux jours. Un coup de couteau à la poitrine a traversé le cœur. Je peux vous dire dès maintenant que la blessure a été portée par un couteau à lame crantée semblable à celui qui a causé la mort d'Helen Whelan.

Avant de se rendre sur les lieux du crime, Sam avait tenté de joindre Jane sur son portable. En vain. Il avait laissé un message lui demandant de le rappeler d'urgence. Son anxiété augmentait et son instinct l'avertissait de ne pas attendre davantage pour se mettre à la recherche de Jane.

— Depuis combien de temps n'aviez-vous pas revu Brent? demanda Cal Grey.

— Depuis le dîner de lundi, répondit Sam.

— À mon avis, il a été tué peu après, dit Grey. Mais l'autopsie indiquera l'heure du décès de manière plus précise.

Un camion-grue avait hissé la voiture de Robby Brent hors du fleuve, et elle reposait sur la rive, dégoulinante, pendant que les techniciens la photographiaient sous tous les angles.

Un policier local fournit à Sam quelques rapides explications.

— Nous pensons que la voiture a été précipitée dans le fleuve hier soir aux environs de 10 heures. Un couple faisait du jogging dans le coin vers 21 h 45. Ils disent avoir vu une voiture stationnée près de la voie de chemin de fer et qu'il y avait quelqu'un à l'intérieur. Ils ont fait demi-tour huit cents mètres plus loin. La voiture avait disparu lorsqu'ils sont repassés au même endroit, mais un homme s'éloignait d'un pas pressé le long de Shore Road.

— L'ont-ils clairement distingué ?

— Non. Le mari dit que le type était de taille moyenne, la femme qu'il était plutôt grand.

« Dieu me garde des témoins oculaires », maugréa Sam in petto. Se retournant, il aperçut Jake Perkins qui se frayait un passage derrière le cordon de sécurité. Il portait un appareil qui lui rappela le modèle qu'utilisait Robert Capa dont il avait vu un album consacré à la Seconde Guerre mondiale.

« Je me demande si ce gosse a le don d'ubiquité, se demanda Sam. Ce n'est pas qu'il *semble* être partout, il *est* partout. » Ses yeux croisèrent ceux de Jake, qui tourna immédiatement la tête. « Il m'en veut d'avoir dit à Tony de le boucler lorsqu'il a prétendu être mon assistant. J'aurais pu être plus indulgent, dire qu'il essayait de rendre service, ce qui était exact. Après tout, c'est lui qui m'a indiqué que Laura avait l'air anxieuse au téléphone. »

Sam hésitait à aller parler à Jake, quand son portable sonna. Il le sortit rapidement de sa poche, espérant entendre Jane. C'était Joy Lacko.

— Sam, un appel nous est parvenu du 911 il y a quelques instants. Une BMW décapotable appartenant à Jane Sheridan est parquée au *Storm King Lookout* sur la 218 depuis deux heures. L'appel provient d'un voyageur de commerce qui est passé devant elle une première fois à 7 h 45 et à nouveau voilà vingt minutes. Il a trouvé bizarre que la voiture soit restée là pendant si longtemps, et a décidé d'aller y jeter un coup d'œil. Les clés étaient sur le contact et il y avait un portefeuille sur le siège du passager. Ça ne me dit rien de bon.

— Voilà pourquoi elle ne répond pas au téléphone, dit Sam, atterré. Joy, la voiture est-elle toujours au même endroit ?

— Oui. Rich savait que vous voudriez la voir sur place avant de la faire enlever. On se tient au courant, Sam.

Le véhicule qui transportait le corps de Robby Brent faisait marche arrière. « Trois cadavres en moins d'une semaine qui partent dans ce fourgon, pensa Sam. Mon Dieu, faites que le prochain ne soit pas celui de Jane. »

JAKE PERKINS avait immédiatement regretté d'être resté de marbre quand son regard avait croisé celui de Sam Deegan. Aucun bon journaliste, même froissé dans son orgueil, n'agit comme ça.

« Deegan sait peut-être où se trouve Jane Sheridan », pensa Jake. Il voulait obtenir d'elle la confirmation que, dans son enfance, Laura Wilcox occupait bien la chambre du meurtre dans la maison de Mountain Road.

Se débattant avec son appareil, Jake fendit la foule et retrouva Sam près de sa voiture.

— Monsieur Deegan, sauriez-vous où je pourrais trouver Mlle Sheridan ? Son téléphone ne répond pas.

Sam s'apprêtait à monter dans sa voiture.

— J'ignore où elle est, dit-il sèchement.

Il claqua la portière et mit en marche le gyrophare.

« C'est bizarre, pensa Jake. Il s'inquiète pour Jane Sheridan, mais ne prend pas le chemin de l'hôtel. Il conduit trop vite pour que je puisse le suivre. Je n'ai plus qu'à aller faire un tour du côté du *Glen-Ridge*. »

PENDANT le trajet, Sam appela l'hôtel et demanda à parler au directeur. Dès qu'il eut Justin Lewis en ligne, il dit :

— Écoutez, on vient de retrouver la voiture de Mlle Sheridan et elle-même a disparu. Je veux que vous me donniez immédiatement la liste des numéros correspondant aux appels qu'elle a reçus entre hier 22 heures et ce matin 9 heures.

Il s'était attendu à des objections, mais Lewis obtempéra.

— Donnez-moi votre numéro. Je vous rappelle immédiatement.

Sam posa son portable sur le siège du passager et fonça vers le *Storm King Lookout*. Après un dernier virage, il aperçut la décapotable bleue de Jane auprès de laquelle était posté un policier. Il se gara derrière elle. Il sortait son carnet de notes et son stylo lorsque Lewis rappela.

— Mlle Sheridan a reçu plusieurs appels téléphoniques ce matin, dit-il. Le premier à 6 h 45.

— 6 h 45 ? le coupa Sam.

— Oui, monsieur. Il émanait d'un téléphone mobile enregistré dans les environs. Le nom de l'abonné n'a pas été communiqué. Le numéro est…

Stupéfait, Sam nota le numéro. C'était celui du portable que Robby Brent avait utilisé pour appeler Jane le lundi soir, en imitant la voix de Laura.

— Les autres appels ont été identifiés, ils proviennent d'une certaine Alice Sommers et de Jake Perkins. Ils ont tous les deux essayé de joindre Mlle Sheridan à plusieurs reprises. Les deux derniers proviennent de votre numéro, monsieur.

— Merci. Vous m'avez été très utile, dit Sam en raccrochant.

« Robby Brent est mort depuis plus de deux jours, pensa-t-il, mais quelqu'un a utilisé son téléphone pour convaincre Jane de quitter l'hôtel. Elle a dû partir en toute hâte après cet appel. On a repéré sa voiture à 7 h 45. Avec qui avait-elle rendez-vous ? Elle avait promis d'être prudente. Or, il n'y avait que deux personnes qu'elle aurait accepté de rencontrer sans hésiter, sa fille Lily, ou Laura.

» Qui que soit ce psychopathe, il détient Jane à présent. Et la fille de Jane est-elle *vraiment* en sécurité ? » se demanda-t-il soudain. Il ouvrit son portefeuille, chercha parmi ses cartes de visite et appela le cabinet de Craig Michaelson.

— Je suis désolée, s'excusa sa secrétaire. Me Michaelson est en réunion avec un confrère et ne peut être dérangé.

— Vous allez le déranger, la coupa brutalement Sam. Inspecteur Deegan à l'appareil – il s'agit d'une question de vie ou de mort.

— Oh, monsieur, protesta la voix affectée, je regrette mais…

— Écoutez-moi, jeune fille. Vous m'appelez Michaelson tout de suite et vous lui dites que Sam Deegan l'a appelé. Dites-lui que Jane Sheridan a disparu et qu'il est *impératif* qu'il contacte West Point immédiatement et les avertisse de placer sa fille sous protection. Vous m'avez bien compris ?

— Naturellement, j'ai compris. Je vais essayer de le joindre, mais…

— Il n'y a pas de mais. Joignez-le, nom de Dieu! hurla Sam.

Il referma son appareil et sortit de sa voiture. « On peut toujours localiser le téléphone de Robby Brent, pensa-t-il. Mais ça ne donnera probablement rien. Il n'y a qu'un espoir. »

Il passa devant le policier. Le portefeuille de Jane était resté sur le siège. Il ouvrit la boîte à gants et inspecta tous les espaces de rangement de la voiture.

— Nous avons peut-être une chance, dit-il. Il est possible qu'elle ait son portable sur elle.

Il était 11 h 30.

CRAIG MICHAELSON ne rappela pas avant 11 h 45. Il trouva Sam au *Glen-Ridge*.

— Je viens seulement d'avoir votre message, dit-il. Que se passe-t-il?

— Il se passe que Jane Sheridan a été enlevée, répondit Sam laconiquement. Je me fiche que sa fille soit à West Point entourée par toute une armée. Je veux qu'on lui assure la protection spéciale d'un garde du corps. Nous sommes face à un psychopathe en pleine crise. Le corps d'un des lauréats de Stonecroft vient d'être retiré de l'Hudson, il y a deux heures à peine. Il a été poignardé.

— Jane Sheridan a disparu! Le général et son épouse ont pris la navette de 11 heures depuis Washington et ils ont l'intention de dîner avec elle ce soir. Je ne peux pas les joindre tant qu'ils sont en vol.

L'inquiétude et la frustration contenues de Sam explosèrent littéralement.

— Si, vous le pouvez, hurla-t-il. Vous pouvez faire passer un message au pilote par l'intermédiaire de sa compagnie, mais il est trop tard pour ça à présent. Donnez-moi le nom de la fille de Jane Sheridan et je vais appeler West Point moi-même.

— Cadet Meredith Buckley. Mais le général m'a assuré que Meredith ne quitterait pas le campus avant la fin de ses examens.

— Souhaitons qu'il ait raison, dit Sam.

Il mit fin à la conversation et composa le numéro de West Point. Les techniciens étaient en train d'effectuer une triangulation du mobile de Jane, et ils espéraient avoir le résultat dans quelques minutes. Ils seraient alors à même de déterminer l'emplacement exact de l'appareil. « À condition qu'il ne soit pas en miettes dans une poubelle », pensa Sam.

Le général-commandant de l'académie militaire écouta les brèves explications de Sam, puis dit :

— Elle est probablement en salle d'examen en ce moment même. Je vais la faire venir dans mon bureau immédiatement.

— Prévenez-moi lorsqu'elle sera là. Je reste en ligne.

Il patienta cinq minutes. Lorsque le général revint en ligne, sa voix était chargée d'inquiétude.

— Il y a moins de cinq minutes, le cadet Buckley a été vue en train de se diriger vers le parking du musée de l'Académie militaire. Elle n'est pas revenue et on ne l'a trouvée ni dans le parking ni dans le musée.

Sam n'en croyait pas ses oreilles.

— Elle avait promis à son père de ne pas quitter l'enceinte de l'école, dit-il.

— Le cadet n'a pas manqué à sa parole, répondit son interlocuteur. Bien qu'accessible au public, le musée fait partie du campus de West Point.

À SON retour à Stonecroft, Jake se rendit dans la chambre noire. Il se demandait que faire des photos qu'il avait prises sur les lieux du crime. Il était peu probable qu'elles soient jamais publiées dans la *Stonecroft Academy Gazette.*

Celles qu'il avait prises de la maison de Mountain Road étaient alignées sur la corde. Son regard s'arrêta sur la dernière, la photo légèrement floue de la façade. Et soudain ses yeux s'agrandirent.

Il saisit la loupe, examina l'épreuve, la décrocha et se précipita hors de la chambre noire.

Jill Ferris était encore là, en train de corriger des copies. Il déposa la photo devant elle, et lui tendit la loupe.

— Jake, protesta-t-elle.

— C'est important. Regardez cette photo, et dites-moi si vous remarquez quelque chose d'insolite. Je vous en prie, madame Ferris, regardez attentivement.

— Jake, vous finirez par me rendre folle, dit-elle avec un soupir en prenant la loupe. Je suppose que vous voulez dire que le store vénitien de la fenêtre du premier étage est un peu de travers ? C'est ça ?

— C'est *exactement* ça, exulta Jake. Or il ne l'était pas hier. Quelqu'un habite cette maison !

15

Sam avait préféré revenir au *Glen-Ridge* plutôt qu'à son bureau car il était de plus en plus certain qu'un des lauréats, ou peut-être Jack Emerson ou Joel Nieman, était l'auteur des menaces qui visaient Lily. Ils avaient tous travaillé dans l'immeuble où était installé le cabinet du Dr Connors. À un moment donné durant le week-end, l'un d'eux avait mentionné que Jane avait été sa patiente. Mais lequel ?

En restant à l'hôtel, Sam avait au moins la possibilité de surveiller Fleischman et Gordon Amory, qui y séjournaient encore. La disparition de Jane allait bientôt être rapportée par les médias et la nouvelle ferait revenir Jack Emerson en vitesse.

Sam avait demandé à Rich Stevens de faire surveiller toute la bande. Le résultat ne tarderait pas.

À 12 h 10, il reçut l'appel qu'il espérait des techniciens du bureau.

— Sam, on a la position du téléphone de Jane Sheridan. Il est dans une voiture qui se dirige vers Cornwall.

— Il vient de West Point, dit Sam. Il a Meredith. Ne perdez pas sa trace. Ne la perdez surtout pas.

— Comptez sur nous.

— Soyez gentil, faites demi-tour. Je n'ai pas l'autorisation de quitter le campus, disait Meredith. Quand vous m'avez demandé de monter dans votre voiture, j'ai cru que vous vouliez me parler une minute. Je suis désolée que vous ayez laissé la lettre concernant ma mère dans votre autre veste, mais j'attendrai pour la lire. Je vous en prie, je dois rentrer, monsieur...

— Tu allais m'appeler par mon nom, Meredith. C'est interdit. Tu dois m'appeler Hibou.

Elle le regarda, soudain saisie d'effroi.

— Je ne comprends pas. Je vous prie de me reconduire.

Meredith saisit la poignée de la portière. « S'il s'arrête à un feu rouge, je saute, pensa-t-elle. Il n'est plus le même. Il a l'air différent. Non, pas seulement différent. Il a l'air fou ! »

La voiture roulait très vite sur la route 218 en direction du nord. « Il dépasse la limite de vitesse, pensa Meredith. Mon Dieu, faites que nous croisions une voiture de police, faites qu'un policier nous voie. »

— Où m'emmenez-vous ? demanda-t-elle.

Quelque chose s'enfonçait dans son dos. Qu'est-ce que c'était ?

— Meredith, je t'ai menti en disant que j'avais rencontré une amie de ta mère. C'est ta *mère* que j'ai rencontrée. Tu vas la voir.

— Ma mère ! Jane ! Vous m'emmenez la voir ?

— Oui. Et ensuite, vous irez toutes les deux rejoindre ton père au ciel. Ce seront de merveilleuses retrouvailles. Tu ressembles beaucoup à ton père, sais-tu ? Du moins avant que je ne l'aie écrasé. Tu sais où c'est arrivé, Meredith ? Près de l'aire de pique-nique, à West Point. C'est là qu'est mort ton vrai père. J'aurais aimé que tu puisses aller sur sa tombe. Son nom est gravé dessus : Carroll Reed Thornton Jr. Il devait recevoir son diplôme une semaine plus tard. Je me demande si l'on t'enterrera avec lui, ainsi que Jeannie. Ce serait une bonne idée, non ?

— Mon père était à West Point, et *vous* l'avez tué ?

— Bien sûr. Tu aurais trouvé juste que Jane et lui soient heureux et me laissent à l'écart ?

Il tourna la tête et lui jeta un regard empli de rage.

« Il est fou », pensa-t-elle à nouveau.

— Non, monsieur. Cela n'aurait pas été juste.

Meredith essayait de garder son sang-froid. « Je ne dois pas lui montrer que je meurs de peur. »

Il parut s'apaiser.

— On t'a bien formée à West Point. « Oui madame, non monsieur ». Je ne t'ai pas demandé de m'appeler monsieur. Je t'ai dit de m'appeler Hibou.

Ils avaient atteint les faubourgs de Cornwall. « Je dois rester calme. Regarder autour de moi. Chercher quelque chose pour me défendre. »

Meredith gardait les mains serrées. Elle sentit à nouveau quelque chose dans son dos. Quoi ? Avec d'infinies précautions, elle déplaça lentement sa main droite sur le côté, puis la glissa derrière son dos. Ses doigts effleurèrent le bord d'un objet étroit qui lui parut familier au toucher.

C'était un téléphone portable. Elle dut tirer d'un coup sec pour le déloger mais le Hibou parut ne rien remarquer.

Meredith ramena lentement sa main refermée sur le téléphone. Elle l'ouvrit, baissa discrètement le regard et appuya sur les touches 9… 1…

Elle ne vit pas le bras du Hibou se détendre en travers du siège, mais le sentit s'abattre sur son cou. Elle s'affaissa en avant tandis qu'il s'emparait du téléphone, baissait la vitre et le jetait sur la chaussée.

Moins de dix secondes après, un camion postal roulait dessus, le brisant en mille morceaux.

— SAM, nous l'avons perdu. Il est dans Cornwall, mais nous ne recevons plus le signal.

— Comment avez-vous fait pour le perdre ? hurla Sam.

C'était une question stupide, inutile. Il connaissait la réponse – le téléphone avait été découvert et détruit.

— Qu'est-ce qu'on fait maintenant ? demanda le technicien.

— Il ne reste plus qu'à prier, dit Sam.

JAKE demanda à nouveau à Duke l'autorisation de se garer devant son établissement, autorisation qui lui fut à nouveau accordée. Le téléphone de Jake sonna au moment où il franchissait le seuil. L'appel venait d'Amy Sachs.

— Jake, chuchota-t-elle, vous devriez faire un tour par ici. C'est la panique. M\ue Sheridan a disparu. On a trouvé sa voiture abandonnée au *Storm King Lookout*. M. Deegan s'est installé dans le bureau.

— Merci, Amy. J'arrive, dit Jake. (Il se tourna vers Duke.) Finalement, je n'aurai pas besoin de cet emplacement, mais merci quand même.

— Tiens, voilà ce type dont je vous ai parlé, dit Duke. Il roule drôlement vite. Il va choper une contravention s'il n'est pas plus prudent.

Jake tourna la tête assez rapidement pour apercevoir et reconnaître le conducteur.

— C'est lui qui vous achète des trucs à emporter ? demanda-t-il.

— Ouais. Il vient presque tous les jours acheter un petit pain et un café. Et parfois, il s'arrête le soir pour prendre un sandwich et un café.

« Se pourrait-il qu'il les achète pour Laura ? se demanda Jake. Et maintenant, c'est Jane Sheridan qui a disparu. Je vais suggérer à M. Deegan d'aller fouiller l'ancienne maison de Laura. Ensuite, j'irai l'attendre là-bas. »

Il composa le numéro de l'hôtel.

— Amy, passez-moi l'inspecteur Deegan. C'est important.

Amy ne fut pas longue à revenir.

— M. Deegan vous dit d'aller au diable.

— Amy, dites-lui que je sais où il peut trouver Laura Wilcox.

JANE leva la tête en voyant s'ouvrir la porte de la chambre. Le Hibou se tenait dans l'embrasure. Il portait dans ses bras une frêle silhouette, vêtue de l'uniforme gris foncé des cadets de West Point. Avec un sourire de triomphe, il traversa la pièce et déposa Meredith aux pieds de Jane.

— Voilà votre fille, dit-il. Regardez-la. Elle est ravissante, n'est-ce pas ?

« Reed, pensa Jane, c'est tout le portrait de Reed ! » Le nez fin et légèrement recourbé, les yeux écartés, les pommettes saillantes, les cheveux d'un blond doré. « Oh ! mon Dieu, l'a-t-il tuée ? Non, elle respire encore. »

— Ne lui faites pas de mal ! Ne vous *avisez* pas de lui faire du mal ! s'écria-t-elle.

Sa voix s'étrangla. Venant du lit lui parvinrent les sanglots terrifiés de Laura.

— Je ne vais pas lui faire de mal, Jeannie. Je vais la *tuer* et tu vas regarder. Ensuite viendra le tour de Laura. Et pour finir, le tien. Je pense d'ailleurs que ce sera une faveur de ma part. Comment pourrais-tu vivre après avoir vu mourir ta fille ?

Avec une lenteur délibérée, le Hibou traversa la pièce, décrocha le cintre où pendait la housse de plastique au nom de « Lily-Meredith », et revint vers Jane. Il s'agenouilla près de la forme inconsciente de Meredith et retira le cintre de la housse.

Frappée de stupeur, horrifiée, Jane vit le Hibou glisser lentement le sac en plastique par-dessus la tête de Lily.

— Non, non, non…

Avant que le sac ait recouvert le nez de Lily, elle fit basculer sa chaise en avant, protégeant son enfant de tout son corps. La chaise heurta le bras du Hibou et le coinça. Il poussa un hurlement de douleur. Comme il luttait pour se dégager, il entendit le bruit d'une porte qu'on enfonçait au rez-de-chaussée.

Lorsque Sam Deegan prit Jake au téléphone, il ne le laissa pas débiter son petit discours.

— Écoutez, Jake, Jane Sheridan et sa fille sont entre les mains d'un tueur psychopathe. Ne me faites pas perdre mon temps. Savez-vous, oui ou non, où se trouve Laura Wilcox ?

Là-dessus, Jake se mit presque à bafouiller dans sa précipitation à raconter ce qu'il avait découvert.

— Quelqu'un habite l'ancienne maison de Laura dans Mountain Road, même si on la croit inoccupée. Un des lauréats de la réunion des anciens de Stonecroft achète presque tous les jours de quoi manger au café qui est en bas de l'avenue. Il vient de passer à la minute où je vous parle. Je crois qu'il se dirige vers la maison…

Jake avait à peine prononcé le nom de l'homme qu'il entendit Sam raccrocher.

« Cette fois-ci, j'ai retenu son attention », pensa Jake. Il était posté dans la rue près de l'ancienne maison de Laura. Six minutes plus tard, Deegan s'arrêtait dans un crissement de pneus, suivi par deux voitures de patrouille.

Jake dit à Sam qu'à son avis celui qui occupait la maison se tenait dans la chambre à l'angle de la façade. Sans attendre davantage, les policiers avaient défoncé la porte d'entrée et s'étaient rués à l'intérieur. Sam lui avait crié de rester dehors.

« Compte là-dessus! » pensa Jake. Il les suivit, son appareil à l'épaule. En arrivant sur le palier, il entendit une porte claquer. Celle de l'autre chambre.

Sam Deegan sortait de la chambre d'angle, pistolet à la main.

— Descendez, Jake, ordonna-t-il. Il y a un tueur qui se cache par ici.

Jake montra du doigt l'extrémité du couloir.

— Il est là-bas.

Sam et deux autres policiers le dépassèrent en courant. Jake s'élança vers la porte de la chambre en façade, jeta un coup d'œil à l'intérieur et resta un instant stupéfait devant le spectacle qui s'offrait à son regard. Puis il pointa son appareil et commença à mitrailler.

Il photographia Laura Wilcox. Elle était couchée sur le lit. Sa robe était froissée, ses cheveux emmêlés. Un policier lui soulevait la tête et approchait un verre d'eau de ses lèvres.

Jane Sheridan était assise sur le sol, tenant dans ses bras une jeune fille portant l'uniforme des cadets de West Point. Jane pleurait et répétait : « Lily, Lily, Lily. » Jake crut d'abord que la jeune fille était morte, mais il la vit remuer.

Jake leva son appareil et fixa pour la postérité l'instant où Lily, ouvrant les yeux, les plongeait dans ceux de sa mère pour la première fois depuis le jour de sa naissance.

« DANS quelques secondes, ils auront ouvert la porte », pensa le Hibou. Il contempla les hiboux métalliques qu'il tenait serrés au creux de sa paume, ceux qu'il avait eu l'intention de placer près des corps de Laura, de Jane et de Meredith. Il n'en aurait plus jamais l'occasion.

— Rendez-vous! criait Sam Deegan. Vous ne pouvez pas vous échapper.

« Oh! si, je le peux! » pensa le Hibou. Avec un soupir, il sortit son masque de sa poche. Il l'enfila et se regarda dans la glace au-dessus de la commode pour s'assurer qu'il était correctement ajusté.

— Je suis un hibou et je vis dans un arbre, dit-il tout haut.

Le pistolet était dans son autre poche. Il le sortit et pointa le canon sur sa tempe. « La nuit est mon royaume », murmura-t-il. Il ferma les yeux et appuya sur la détente.

En entendant la détonation, Sam enfonça la porte d'un coup de pied. Suivi des autres policiers, il se rua à l'intérieur.

Le corps gisait de tout son long sur le sol, l'arme à côté de lui. Il était tombé en arrière, et le masque était toujours en place, rougi par le sang qui s'écoulait au travers.

Sam se pencha, retira le masque et regarda le visage de l'homme qui avait ôté la vie d'un si grand nombre d'innocents. Dans la mort, les cicatrices des opérations chirurgicales apparaissaient clairement, et les traits qu'un plasticien était parvenu à rendre si séduisants semblaient soudain déformés et repoussants.

— Curieux, dit Sam, je n'aurais jamais imaginé que Gordon Amory était le Hibou.

CE même soir, Jane dîna avec Charles et Gano Buckley chez Craig Michaelson. Meredith avait déjà regagné West Point.

— Après avoir été examinée par un médecin, elle a voulu y retourner tout de suite, expliqua le général Buckley. Elle tient à être prête pour son examen de physique qui a lieu demain matin. C'est une enfant disciplinée. Elle fera un bon soldat.

Il s'efforçait de ne pas montrer à quel point il avait été bouleversé en apprenant que son unique enfant était passée si près de la mort.

— Reed se serait comporté exactement de la même façon, dit Jane.

Elle savourait encore au plus profond d'elle-même la joie indescriptible qui l'avait envahie au moment où le policier l'avait libérée de la chaise et où elle avait pu serrer Lily dans ses bras, le moment où elle l'avait entendue murmurer « Jane – mère. »

On les avait emmenées à l'hôpital pour les examiner. Elles étaient restées à parler, commençant à rattraper le temps perdu depuis presque vingt ans.

— J'essayais de t'imaginer, avait dit Lily. Je crois que je te voyais exactement telle que tu es.

— Moi aussi. Il faudra que je m'habitue à t'appeler Meredith. C'est un beau nom.

Le médecin ne les avait pas retenues longtemps.

— La plupart des femmes auraient besoin de prendre des tranquillisants après une pareille épreuve. Pas vous. De vrais petits soldats.

Elles s'étaient arrêtées dans la chambre de Laura. Gravement déshydratée, la jeune femme était sous perfusion et dormait.

Sam était revenu les chercher à l'hôpital pour les ramener à l'hôtel. Mais les Buckley étaient arrivés au même moment.

— Maman, papa, s'était écriée Meredith.

Et, le cœur serré, Jane l'avait vue s'élancer dans leurs bras.

— Jane, vous lui avez donné la vie, et vous lui avez sauvé la vie, avait dit doucement Gano Buckley. Dorénavant, vous ferez pour toujours partie de son existence.

Jane admira le couple qui lui faisait face. Ils étaient tous les deux âgés d'une soixantaine d'années. Avec ses cheveux gris, son regard pénétrant et ses traits énergiques, Charles Buckley avait un air d'autorité que compensaient l'élégance de ses manières et son sourire chaleureux. Gano Buckley était une femme menue d'une beauté délicate.

Tous trois iraient rendre visite à Meredith le samedi après-midi. « Ils sont son père et sa mère, songea Jane. Ce sont eux qui l'ont élevée, qui l'ont aimée et en ont fait la merveilleuse jeune fille qu'elle est aujourd'hui. Mais j'aurai une place dans son existence. Samedi, j'irai avec elle sur la tombe de Reed et je lui parlerai de lui. Elle doit savoir quel homme extraordinaire était son père. »

Ce fut une soirée douce-amère pour elle, et elle sut que les Buckley la comprenaient quand, plaidant la fatigue, elle partit peu après le café.

Lorsque Craig Michaelson la déposa à l'hôtel à 22 heures, elle y trouva Sam Deegan et Alice Sommers qui attendaient dans le hall.

— Nous avons pensé que vous aimeriez prendre un dernier verre avec nous, dit Sam.

Jane les regarda, les yeux brillants de larmes de gratitude. « Ils savent combien cette soirée a été difficile pour moi », pensa-t-elle. Puis elle aperçut Jake Perkins près de la réception. Elle lui fit un signe, et il se précipita vers elle.

— Jake, dit-elle, tout s'est passé tellement vite que je ne crois pas vous avoir remercié. Sans vous, ni Laura, ni Meredith, ni moi-même ne serions en vie aujourd'hui.

Elle lui passa les bras autour du cou et l'embrassa sur les deux joues.

Jake était visiblement ému.

— Mademoiselle Sheridan, dit-il, je regrette seulement de n'avoir pas été un peu plus malin. Quand j'ai vu les hiboux sur la commode près du corps de Gordon Amory, j'ai dit à M. Deegan que j'en avais trouvé un sur la tombe d'Alison Kendall. Si je l'avais averti à ce moment-là, ils auraient peut-être pris des mesures de protection tout de suite.

— N'y pensez plus, dit Sam. Vous ne pouviez pas savoir ce que représentaient ces hiboux. Jane Sheridan a raison. Si vous n'aviez pas compris que Laura se trouvait dans cette maison, elles seraient mortes toutes les trois. Maintenant, allons occuper notre table avant qu'on nous la prenne. Venez avec nous, Jake.

Alice se trouvait près de lui. Sam vit que la remarque de Jake l'avait fait sursauter.

— Sam, la semaine dernière, j'ai trouvé un petit hibou métallique sur la tombe de Karen, dit-elle doucement. Je l'ai rapporté à la maison et rangé dans ma vitrine de curiosités.

— C'était donc ça ! s'écria Sam. Je me suis creusé la cervelle pour retrouver ce qui m'avait frappé dans cette vitrine. Maintenant, je sais ce que c'était.

Sam passa son bras autour de ses épaules et l'entraîna vers le bar. Il avait raconté à Alice que le Hibou avait avoué à Laura avoir tué Karen par erreur. Alice avait eu le cœur brisé en apprenant que sa fille avait été assassinée uniquement parce qu'elle était venue passer la nuit chez eux. Mais au moins pourrait-elle enfin faire son deuil.

— Lorsque je vous raccompagnerai ce soir, j'irai ôter ce hibou de la vitrine, dit-il. Je ne veux plus le revoir chez vous.

Ils arrivaient à leur table.

— Vous aussi, vous allez trouver le repos, n'est-ce pas, Sam ? demanda Alice. Pendant vingt ans, vous n'avez jamais cessé de tenter de résoudre le mystère de la mort de Karen.

Jake s'apprêtait à s'asseoir à côté de Jane quand il sentit une tape sur son épaule.

— Vous permettez ?

Mark Fleischman se glissa sur la chaise.

— Je suis passé à l'hôpital pour voir Laura, dit-il à Jane. Elle va mieux, encore qu'elle soit sous le choc. Mais elle se remettra.

Jake prit l'autre place à côté de Jane.

— En tout cas, je crois que cette affreuse expérience marquera un tournant dans sa carrière, dit-il d'un ton convaincu. Avec toute cette publicité, elle va crouler sous les propositions. C'est ça, le show-business.

« Il a sans doute raison », pensa Sam. Et du coup, il décida de commander un double scotch.

Jane avait appris par Sam que Mark avait parcouru toute la ville en voiture pour essayer de la retrouver. Quand Sam lui avait téléphoné, il s'était précipité à l'hôpital où Laura, Meredith et elle avaient été transportées. Il était reparti sans la voir en apprenant qu'elle allait en ressortir bientôt. Elle ne l'avait pas vu ni ne lui avait parlé de la journée. Elle le regardait à présent. La tendresse qu'elle lisait dans son regard amplifiait ses remords de l'avoir si mal jugé.

— Je vous demande pardon, Mark, dit-elle. Je regrette tellement.

Il posa sa main sur la sienne comme il l'avait fait quelques jours plus tôt, un geste qui l'avait réconfortée, éveillant en elle un émoi qu'elle n'avait pas connu depuis longtemps.

— Jeannie, dit-il avec un sourire, ne soyez pas désolée. Je vais vous donner beaucoup d'occasions de vous rattraper.

— Avez-vous jamais soupçonné que c'était Gordon ? demanda-t-elle.

— Le fait est que, en dépit des apparences, tous nos camarades lauréats avaient beaucoup à cacher, sans oublier l'organisateur de cette réunion. Jack Emerson est peut-être un remarquable homme d'affaires, mais je ne lui ferais pas confiance. Mon père m'a raconté qu'on le tient ici pour un homme à femmes et un alcoolique au sale caractère, bien qu'il n'ait jamais agressé personne physiquement. Tout le monde est convaincu qu'il a incendié cet immeuble, il y a dix ans. La nuit de l'incendie, un vigile, probablement payé par lui, a fait une tournée d'inspection inhabituelle pour s'assurer qu'il n'y avait personne dans le bâtiment. Ç'a été suffisant pour éveiller les soupçons, mais ça semble indiquer aussi qu'Emerson n'a jamais voulu tuer personne. Pendant un moment, j'ai vraiment cru Robby Brent capable d'avoir tué ces jeunes femmes. Souvenez-vous du gosse renfermé qu'il était dans sa jeunesse, et il s'est montré tellement odieux lors du dîner de gala que j'ai pensé qu'il pouvait s'attaquer à quelqu'un physiquement. Mais alors que je commençais à m'en convaincre, Robby a disparu.

— Nous pensons qu'il soupçonnait Gordon et qu'il l'a suivi dans la maison, dit Sam. On a relevé des traces de sang dans l'escalier.

— Carter est animé d'une telle fureur intérieure que je l'ai cru capable de meurtre, dit Jane.

Mark secoua la tête.

— Pas moi. Carter évacue sa colère à travers un comportement odieux et la noirceur de ses pièces.

— Ne restaient alors que Gordon Amory et vous, dit Jane.

Mark sourit.

— En dépit de vos doutes, Jeannie, *je* savais que je n'étais pas le coupable. Plus j'étudiais Gordon, plus mes soupçons grandissaient. On peut arranger un nez cassé, éliminer des poches sous les yeux, mais modifier complètement son apparence est une chose qui m'a toujours parue étrange.

Jane se tourna vers Sam.

— Je sais que vous avez parlé à Laura à l'hôpital. Gordon lui a-t-il révélé comment il avait fait passer quatre autres morts pour des accidents, et celle de Gloria pour un suicide ?

— En effet. Il lui a dit qu'il avait suivi toutes ces femmes avant de les tuer. La voiture de Catherine Kane a dérapé avant de tomber dans le Potomac après qu'il eut saboté ses freins. Cindy Lang n'a pas été prise dans une avalanche – il l'a accostée sur la piste et a précipité son corps dans une crevasse. Une avalanche s'est déclenchée au cours de l'après-midi, et tout le monde a cru qu'elle l'avait ensevelie. On n'a jamais retrouvé son corps.

Sam but lentement une gorgée de scotch et continua :

— Il a téléphoné à Gloria Martin et lui a demandé de l'inviter à prendre un verre chez elle. Elle savait qu'il avait brillamment réussi et qu'il était devenu un très bel homme. Elle a accepté. Mais elle n'a pu résister à l'idée de le taquiner, et elle est allée acheter ce maudit hibou métallique. Gordon l'a fait boire, et il a attendu qu'elle soit endormie pour l'étouffer avec un sac en plastique. Ensuite, il a placé le hibou dans sa main.

Alice laissa échapper un cri.

— Mon Dieu, quel monstre !

— Oui, c'était un monstre, dit Sam. Debra Parker prenait des cours de pilotage sur un petit aérodrome voisin qui n'était pas très bien surveillé. Gordon avait lui-même son brevet de pilote, aussi a-t-il su exactement comment saboter son avion avant qu'elle ne décolle lors de son premier vol en solo. Et pour Alison, ç'a été simple – il lui a maintenu la tête sous l'eau dans sa piscine.

Sam regarda Jane avec compassion.

— Je sais, Jane, qu'il vous a dit ainsi qu'à Meredith qu'il avait écrasé Reed intentionnellement avec sa voiture.

Mark n'avait pas quitté Jane des yeux.

— Mon Dieu, Jeannie, quand j'y pense, je deviens fou. Je n'aurais pas supporté qu'il vous arrive quelque chose.

Lentement, d'un geste délibéré, il prit le visage de Jane entre ses mains et l'embrassa, un long et tendre baiser qui disait tout ce qu'il n'avait pas encore traduit par des mots.

Un flash éclata soudain et ils sursautèrent. Jake était planté devant eux, son appareil pointé dans leur direction.

— Je sais reconnaître un bon sujet quand j'en vois un, expliqua-t-il, ravi.

ÉPILOGUE

West Point, jour de la remise des diplômes

— Je n'arrive pas à croire qu'il y a maintenant deux ans et demi que Meredith a réapparu dans ma vie, dit Jane à Mark.

Les yeux brillants de fierté, elle regardait entrer sur le terrain les nouveaux diplômés, magnifiques dans leur uniforme tout neuf : tunique grise à parements et boutons dorés, pantalon blanc amidonné, gants blancs, shako.

— Il s'est passé tant de choses entre-temps, renchérit Mark.

C'était une belle après-midi de juin. Les familles des cadets, débordantes de fierté, emplissaient le stade Michie. Charles et Gano Buckley étaient assis devant eux. À côté de Jane, le général à la retraite Carroll Reed Thornton et son épouse regardaient avec fierté défiler leur petite-fille qu'ils s'étaient vite habitués à aimer tendrement.

« Tant de bonheurs ont succédé à tant de chagrins », pensa Jane. Mark et elle venaient de fêter leur deuxième anniversaire de mariage, et le premier de leur petit garçon, Mark Dennis. Chérir son bébé la consolait de n'avoir pu s'occuper de sa fille. Meredith était folle de son petit frère, même si, comme elle le faisait gentiment remarquer, il ne faudrait pas trop compter sur elle pour faire du baby-sitting. Dès la fin de la cérémonie, elle serait sous-lieutenant de l'armée des États-Unis.

Jake et Meredith étaient parrain et marraine du petit Mark. Le bonheur de Jake s'exprimait dans le flot d'articles sur les soins à donner aux bébés qu'il leur envoyait de l'université de Columbia où il était étudiant.

Sam et Alice étaient assis quelques rangs plus loin. « Je suis si heureuse qu'ils se soient trouvés, pensa Jane. C'est une chance pour eux deux. »

Jane faisait parfois des cauchemars où revenaient la hanter les événements de la réunion des anciens élèves. Mais ces mêmes événements l'avaient rapprochée de Mark. Et si elle n'avait pas reçu ces fax, elle n'aurait pas connu Meredith.

Tout avait commencé ici, à West Point, se souvint-elle, tandis qu'éclataient les premières mesures de *The Star Spangled Banner*.

Pendant la cérémonie, lui revint en mémoire cette après-midi où, pour la première fois, Reed s'était assis à côté d'elle sur le banc. « Il a été mon premier amour, pensa-t-elle avec tendresse. Il demeurera toujours dans mon cœur. » Alors, tandis que le cadet Meredith Buckley s'avançait pour recevoir le diplôme de West Point qui n'avait pu être remis à son père trop tôt décédé, Jane sut que, d'une certaine façon, il était présent parmi eux aujourd'hui.

MARY HIGGINS CLARK

Rien ne destinait Mary Higgins Clark à devenir la « reine du suspense ». Très tôt, elle interrompt ses études pour travailler, comme secrétaire puis comme hôtesse de l'air, afin d'aider sa mère veuve. Elle aussi se trouve veuve de bonne heure. La solution pour travailler chez soi en élevant cinq enfants ? Écrire. Pari risqué, pari gagné. Fan d'Agatha Christie, Mary s'essaie au roman policier et, très vite, trouve son public. Ses lectrices s'identifient à ses héroïnes courageuses et sages, et se régalent (les lecteurs aussi !) d'intrigues astucieuses, mêlant angoisse et romantisme sans jamais rien de sordide. Trente et un titres plus tard, le cocktail fonctionne toujours, tout particulièrement en France où elle est très populaire. L'avenir assuré, Mary reprend le chemin de l'université pour étudier la philosophie, et, à soixante-sept ans, convole à nouveau.

Christian Signol
La grande île

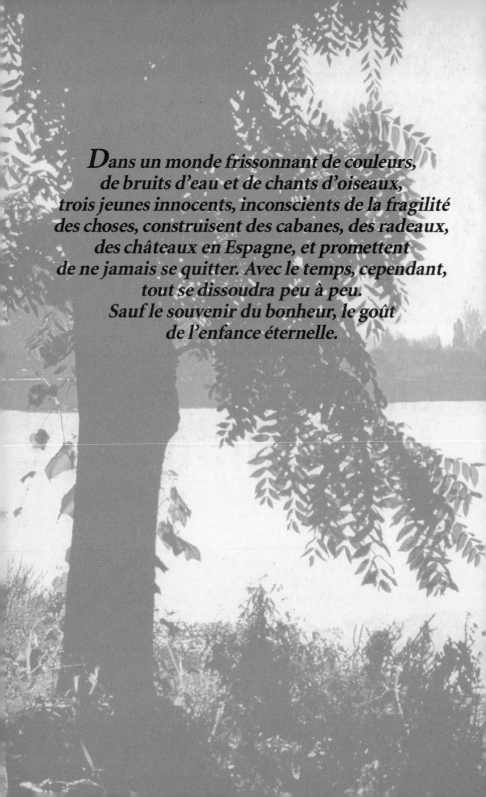

*D*ans un monde frissonnant de couleurs,
de bruits d'eau et de chants d'oiseaux,
trois jeunes innocents, inconscients de la fragilité
des choses, construisent des cabanes, des radeaux,
des châteaux en Espagne, et promettent
de ne jamais se quitter. Avec le temps, cependant,
tout se dissoudra peu à peu.
Sauf le souvenir du bonheur, le goût
de l'enfance éternelle.

1

Nous étions trois enfants libres et sauvages, heureux comme on l'est à cet âge, dans l'aube sans fin de nos vies. Moi, Bastien, j'étais l'aîné, puis venaient Baptiste, de deux ans mon cadet, et Paule, plus jeune que lui d'une année. Notre père était pêcheur. Il tenait une concession depuis deux kilomètres en amont des îles, jusqu'en aval des falaises qui dressaient leur muraille grise au-dessus des eaux vertes. Il s'appelait Charles, avait des mains puissantes, noueuses, qui ne lâchaient jamais ce qu'elles avaient saisi. C'était un homme fort et placide, qui sentait l'eau, la mousse, les poissons et le sable. Il vendait ses prises dans les villages d'amont, les auberges, les fermes où les portes lui étaient ouvertes au moins dix mois sur douze. Il rentrait le soir, sortait des pièces et quelques billets de sa poche, les donnait à notre mère, puis il nous appelait un par un et nous caressait les cheveux sans parler. Il aimait le silence, nous semblait mystérieux comme les eaux dormantes des grands fonds.

Je n'ai jamais oublié ce temps où nous vivions tous ensemble, si heureux, près de la rivière dont les bras enserraient des bouquets de verdure où nichaient des canards sauvages et toute sorte de gibier d'eau. Au milieu, la grande île s'étendait sur plus de quatre-vingts mètres, dominée par des aulnes, des frênes et des trembles. En aval, un courant furieux se précipitait vers les falaises contre lesquelles il se brisait en écume et en tourbillons.

L'hiver, les prairies, sur les rives, devenaient des marécages peuplés de poules d'eau, de sarcelles, de bécassines qui zigzaguaient vers les taillis, sous le miroir aveuglant du ciel. À partir du printemps, nous pêchions des poissons dont les écailles durcissaient sur nos mains, comme des soleils d'argent. Alors venait l'été, flamboyant et superbe, sans le moindre nuage. Il s'étirait en soirées d'une douceur extrême, puis la nuit tombait dans des froissements de velours. Les journées, elles, n'étaient qu'un immense éclat de lumière où il n'y avait de place que pour le bonheur.

Notre mère s'appelait Albine. Elle était plus fragile que Charles, moins secrète et toujours très gaie. Elle s'occupait de la maison qui était dressée sur une éminence, entre des saules cendrés et de fins peupliers, à cinq cents mètres de la rive. Les crues étaient très nombreuses et plus violentes qu'aujourd'hui. Les pluies de printemps et d'automne engrossaient la rivière de flots tumultueux, sur lesquels il était dangereux de s'aventurer. Notre père, lui, s'y risquait sans la moindre crainte.

Le lieu-dit où se trouvait notre maison s'appelait les Saulières, à l'extrémité d'un chemin de terre, qui, depuis le plateau, descendait en pente douce vers la rivière. Sur près de six kilomètres, il serpentait entre des bois touffus, des champs et des prés toujours déserts. Ainsi, nous étions seuls en bas, au bout du monde, dans cette anse verte que délimitait la rivière, et nous vivions solitaires et farouches, comme personne, j'en suis sûr, n'a jamais vécu nulle part. Plus haut, au sommet de cette côte qui se frayait difficilement un passage entre des chênes magnifiques, il y avait le village, d'une trentaine de maisons, aux toits de tuiles brunes, où nous allions à l'école, bien décidés à refuser tout ce qui nous venait des autres – des adultes comme des enfants.

Octobre était l'époque où les rives étaient les plus belles, avec des teintes allant du jaune clair au vieil or, du cuivre le plus chaud au pourpre le plus vif, et quelques plumes de verdure encore fichées dans les plus hautes branches.

Je ne me souviens jamais de ces départs vers l'école, au début de l'automne, que comme une trahison envers ce que nous étions : un couple et trois enfants ivres d'eau, de soleil et d'amour. Il m'arrivait de faire demi-tour à mi-côte et de revenir vers l'eau. Je souffrais de m'éloigner de Charles et d'Albine, mais également de la douceur des rives où je me savais à l'abri, protégé des menaces qui rôdaient ailleurs. Je revenais vers elles en évitant la maison, me cachais dans les taillis, me couchais face au ciel, écoutais vivre ce monde qui me bouleversait.

C'était avant que la vie nous emporte, avant que je comprenne vraiment ce qui se passait là, dans le secret des arbres, le murmure de l'eau, le parfum des herbes et cette lumineuse enfance qui me faisait tellement battre le cœur.

2

P AULE ressemblait à notre mère : mêmes yeux clairs, même sensibilité dans le regard, même voix douce, et même passion pour la vie. Elles s'entendaient très bien, se confiaient des secrets dont elles riaient sans nous les faire partager. Malgré leur gaieté apparente, cependant, toutes deux m'inquiétaient : je devinais qu'elles étaient plus fragiles que nous, que le cristal qui brillait dans leurs yeux, à tout instant, pouvait casser.

Baptiste, au contraire, était le portrait de Charles. Fort, trapu, les cheveux bruns frisés, il parlait après d'amples réflexions, d'une voix assurée, ses grands yeux noirs fixés sur nous, et ne cillait jamais. Moi, j'étais plus timide, moins robuste que lui, mais aussi lent de parole, et sans doute le suis-je resté.

Notre père ne nous emmenait jamais sur la rivière quand il y avait du danger. C'était fréquent au printemps, à cause de la fonte des neiges dans le haut pays, mais aussi à l'équinoxe d'automne. En quelques heures, la Dordogne devenait folle et charriait des branches, des gravats, de la terre, des troncs d'arbres dangereux pour la navigation. Nous étions très inquiets pour Charles, mais il rentrait chaque soir toujours aussi calme, et nous disait en souriant :

— Ne vous inquiétez pas. Le vent a tourné. La décrue est pour demain.

En revanche, par basses eaux, l'été, il m'a emmené très tôt – je devais avoir cinq ans, guère plus – pour l'aider à relever les filets ou tendre ses lignes de fond. C'est à l'occasion de l'une de ces pêches que Charles m'a appris à nager, dans une anse blottie dans l'ombre épaisse des aulnes, au cœur d'une eau d'un vert profond dans laquelle il m'a fait glisser doucement depuis la barque, tout en me retenant par la main. Puis il est venu me rejoindre et il m'a entraîné vers le fond, lentement, sans me brusquer. Je n'ai pas eu peur. D'ailleurs, je n'ai jamais eu peur près de cet homme qui tenait les choses et les êtres si fermement. Nous sommes remontés plusieurs fois, et puis il m'a lâché. Alors, j'ai replongé tout seul, les yeux ouverts sur le mystère des profondeurs où il me semblait que battait le cœur immense de cette rivière aussi sauvage que les poissons qui la peuplaient. Très vite, je n'ai plus rien redouté des grands fonds.

Deux ans ont passé et nous avons appris à nager à Baptiste, de la même manière. Dès lors, il est venu avec nous sur la barque et nous lui avons enseigné le silence nécessaire à la traque, l'écoute de l'eau, le danger des miroitements de la lumière, les murmures du vent, la force d'attraction des falaises, toutes ces choses que mon père donnait l'impression de connaître d'instinct. Je me souviens de ces filets remontés à trois à l'entrée des bras morts, des poissons qui coulaient dans le bateau comme un ruisseau, du sourire de Charles et des tremblements de Baptiste. Les poissons l'enfiévraient. Il ne les saisissait jamais sans appréhension, comme s'il allait commettre un sacrilège, mais très vite il riait, redevenait le même, sûr de lui et de son pouvoir sur le peuple de l'eau.

Je ne savais pas encore que c'était là que se forgeaient nos vies. Charles, lui, devait le savoir. Son regard se chargeait d'une gravité douloureuse dans laquelle je suspectais le pressentiment d'un malheur. Il devinait tout mais n'en parlait jamais. Parfois, sans raison, sinon connue de lui seul, il me prenait le bras, ou plutôt le poignet, et ses doigts épais me serraient avec une force qui avait quelque chose de désespéré. J'en ai compris la raison plus tard, quand j'ai réalisé que l'existence n'est qu'une perte et que nous sommes seuls pour accepter cette évidence ou renoncer à vivre.

À nous trois, nous avons appris à nager à Paule. Ou plutôt, nous avons cru lui apprendre, car d'instinct elle savait. Nous en avons fait la découverte un après-midi, à l'endroit même où Baptiste et moi avions pour la première fois plongé en eau profonde. Paule n'a pas voulu qu'on la tienne, ni même qu'on l'accompagne. Elle est descendue toute seule, dès le premier jour, et elle est remontée sans la moindre hésitation en s'aidant de ses bras et de ses jambes. Elle était en réalité une fille de l'eau : la rivière coulait en elle depuis sa naissance. Elle était aussi intrépide qu'elle, aussi fantasque, aussi folle, parfois.

Baptiste et moi, nous avons compris très tôt de quoi elle était capable, mais nous avons su en même temps que nous serions impuissants à la protéger, que ce soit d'elle-même ou des autres. D'ailleurs, que nous importait, à l'époque, cette sorte de folie qui l'habitait ? Elle nous suivait partout, légère et trop belle, déjà, pour nous, qui osions à peine lui parler. Mais les mots n'étaient pas nécessaires entre nous. C'est la rivière qui, à travers elle, nous parlait. Nous avions appris à l'écouter, cela nous suffisait.

3

L'HIVER, les arbres perdaient leurs feuilles, et l'on apercevait de loin la rivière, ses eaux de fer qui s'acharnaient contre la falaise. Charles sortait moins, car les poissons attendaient le réchauffement des eaux, blottis dans leurs caches secrètes, sous les rochers. Nous vivions comme eux, tapis dans notre refuge. Il y avait des jours de neige qui nous isolaient encore davantage. Nous n'allions plus à l'école. Des oiseaux blancs tournaient sous le ciel d'un éclat aveuglant. Ils se posaient rarement sur les berges désolées qui viraient au rose cendré, et que le gel prenait parfois dans sa gangue si blanche qu'elles me faisaient penser aux candélabres de l'église.

Nous y allions pour Noël, à l'église, accompagnés par Charles, exceptionnellement. C'était en effet la seule fois qu'il consentait à monter jusqu'au village. D'ailleurs, il n'avait pas besoin d'y aller, car Albine s'occupait des provisions. Au reste, il n'aimait pas ça. Je crois que les autres hommes l'intimidaient, ou plutôt qu'il se méfiait d'eux. Mais il devait aimer les lumières de l'église, cette nuit-là. Elles représentaient une fête dont il se souviendrait toute l'année et qui lui suffisait.

Nous partions vers dix heures sur le chemin désert, une lampe à la main. Nos chaussures cognaient contre la terre gelée. Le vent du nord agitait les branches nues des arbres sous les étoiles. Elles luisaient comme des pierres précieuses, clignotaient pour nous indiquer le chemin.

Là-haut, une fois dans la nef, je me plaçais à côté de Charles pour sentir l'odeur de son costume de velours. Je respirais bien à fond, les yeux fermés, pour en faire provision d'une année. Lui, il ouvrait grands ses yeux habitués à la verdure et à l'eau fuyante. Il ne chantait pas. Il écoutait chanter. Il était heureux et je le savais. Je me serrais contre lui pour sentir son bras contre mon épaule.

Nous repartions passé une heure du matin, éblouis de reflets d'or et de chants, marchant les uns derrière les autres, sur le chemin qui s'enfonçait dans la nuit de plus en plus épaisse. Je me tenais toujours au plus près de Charles, à cause du velours. Chaque fois que j'ai senti cette odeur, plus tard, loin de lui, je me suis retrouvé sur ce chemin d'avant le désastre, à l'époque où l'on croit que tout est créé pour durer, que la vie n'est qu'un prolongement des premières fois.

Venaient des jours de gel et de glace. La rivière et ses rives étaient un miroir immense qui plaquait les oiseaux contre le ciel, les faisait crier et s'abattre sur les berges désertes. Baptiste et moi, nous jouions alors à les débusquer. Les pluviers, les vanneaux, les sarcelles n'avaient pour nous aucun secret.

Mais celles que nous attendions sans oser l'avouer, c'étaient les oies sauvages. Elles arrivaient de nuit, s'appelaient en tournant au-dessus des prairies, surtout s'il y avait du brouillard. Elles se posaient sur la grande île, mais traversaient parfois la rivière, pour trouver de quoi manger. Nous avions construit des affûts et nous pouvions les admirer jusqu'à ce que l'impatience à les voir s'envoler nous pousse à nous montrer. C'était ce que nous faisions brusquement, en courant vers elles.

J'ai longtemps gardé en moi ce bruit étrange, bouleversant, ce froissement d'ailes géantes dans les oreilles. C'était comme si la rivière s'envolait. Baptiste riait. Moi, je courais pour ne pas les perdre de vue, jusqu'à ce que le V formé par leur cortège se fonde dans l'acier du ciel, là-bas, au-delà des collines.

Et puis venaient des jours étincelants, des grandes plages

blanches de temps immobile, sans école, sans lendemain. Les trous d'eau, les fossés des prairies étaient pris par la glace. La sauvagine perdait toute prudence. Nous surprenions des renards, des lièvres, des putois, des ragondins, des loutres, des fouines, qui souffraient de l'hiver. Nous rentrions le soir, ivres de froid, de lumière, les mains gelées.

Alors, nous nous précipitions devant la cheminée, et nous nous allongions face aux flammes dorées, muets soudain, épuisés, regardant devant nous s'envoler des oiseaux de feu.

4

ALBINE avait ses secrets. Elle se rendait une fois par semaine au village, sur le plateau, pour chercher des travaux de couture chez une femme qui habitait sur la place, près de l'église. Elle y travaillait chaque jour patiemment, prenait grand soin de son ouvrage qu'elle rapportait la semaine suivante. Elle partait le matin et rentrait à la nuit, un panier plein à chaque bras. Charles ne semblait pas s'en inquiéter. Moi, parfois, je demandais :

— Pourquoi t'en vas-tu si longtemps ?

— Une journée, allons, est-ce que ça compte ? répondait-elle en soupirant.

Elle chantait continuellement, tandis que ses doigts agiles maniaient l'aiguille et les ciseaux, et elle rêvait beaucoup. Elle se tenait sans cesse à sa couture ou faisait la cuisine, s'occupait du jardin, vidait les poissons rapportés par Charles, mais elle n'allait jamais au bord de la rivière, ne s'approchait pas de l'eau. Je sais aujourd'hui pourquoi elle en avait si peur et pourquoi elle avait tellement raison d'avoir peur. Mais alors, sa présence suffisait à éclairer la maison, même les jours de pluie.

Ces jours-là, il nous arrivait de rester près d'elle, au lieu d'aller nous perdre dans les prairies. C'est à ces occasions-là que j'ai découvert le parfum du temps : celui du linge repassé par une mère, un après-midi de pluie. C'est là, aussi, que s'est creusée en moi la blessure la plus profonde, celle qui ne s'ouvre que plus tard, et nous fait demander s'il faut continuer après avoir connu ça – l'avoir connu et l'avoir perdu. Ce n'est rien, pourtant, ou pas grand-chose, mais il y a ce geste de la mère qui soulève le fer, puis l'abat, la fumée qui monte, le parfum de linge chaud, brûlé presque, qui se répand et le sourire, quand les regards se croisent pour prolonger ce moment qui déjà est passé et dont, enfant, nous ne savons pas qu'il ne reviendra plus.

Albine, notre mère, c'était cela : ce parfum de linge chaud, ces chants et ce sourire. Aujourd'hui qu'elle est morte, trois ou quatre images comme celles-là demeurent en moi et me foudroient, me renvoyant vers ces heures des premières fois où j'ai senti la furtive caresse du temps qui fuit. Plus tard, très loin de là, par des portes entrouvertes, cette même odeur a jailli, me renvoyant violemment vers cette époque mais en me privant de son essentielle saveur : ce n'était plus la main d'Albine qui tenait le fer. Ses mains reposaient sur sa poitrine, dans un petit cimetière aux marguerites blanches et depuis longtemps je n'entendais plus sa voix, ses mots qui s'accordaient si bien avec ses gestes pleins de douceur.

Car elle se confiait plus volontiers que Charles. Elle parlait de ses rêves, de lointains voyages, de paquebots immenses, de ces pays où elle n'irait jamais.

Parfois, je lui demandais :

— Tu partirais sans nous ?

— Bien sûr que non. Je vous emmènerais.

Je m'inquiétais pour Charles, qui n'accepterait jamais de quitter la rivière, et je me demandais comment, si différents, ils avaient pu se rencontrer. Je sais aujourd'hui comment cela s'était passé. Il me l'a raconté, plus tard. Enfant, il vivait en amont, sur la rivière où son père était pêcheur comme lui devait le devenir. Albine était la fille d'un fermier dont les terres finissaient à la rivière. Elle s'en approchait parfois, l'été, entre les fenaisons et les moissons, et elle s'endormait sous un frêne du bord de l'eau, toujours le même.

Un jour, Charles l'avait aperçue, observée, puis guettée sur le chemin, après avoir attendu qu'elle voulût bien se réveiller. Depuis cet après-midi-là, ils ne s'étaient plus quittés. Que s'étaient-ils dit pour s'apprivoiser ? Je ne l'ai jamais su car on ne parlait pas de ces choses-là.

Au retour de la pêche, Charles s'approchait d'elle, la frôlait, mais il ne la touchait jamais devant nous. Il disait « votre mère » avec une sorte de distance, de respect, dont il ne s'est jamais départi. Je crois qu'elle l'intimidait. Lui, l'enfant de l'eau, de la vie sauvage, élevé dans un milieu d'hommes, avait connu peu de femmes, car sa propre mère était morte en couches. Il avait un frère, mais pas de sœur. Albine, découverte à dix-huit ans dans la beauté d'une jeunesse ensoleillée, vêtue d'une robe légère sur le chemin fleuri de graminées, l'avait envoûté. Je ne sais pas s'il l'avait comprise. Il l'avait seulement apprivoisée, comme on apprivoise un animal qui vous est étranger.

En fait, ils s'étaient rencontrés à l'extrême limite de deux univers quasi étrangers, et cette alliance était aussi belle que fragile. Il fallait voir Albine laver, repasser, repriser amoureusement les vêtements de Charles. Je jurerais l'avoir aperçue à plusieurs reprises occupée, les yeux clos, à respirer l'une de ses chemises encore chaude avant de la glisser dans l'armoire. Parfois, pourtant, je me demande si je ne l'ai pas rêvé. Depuis que le temps a coulé sur ma mémoire, j'ai découvert que j'ai souvent cru voir des choses qui en réalité n'ont jamais existé : des chevaux dans un pré qui a toujours été désert, des tuiles rouges sur une toiture en ardoises, ou des peupliers le long d'un chemin nu. Après tout, il est possible que j'aie souhaité très fort voir Albine respirer les chemises de Charles. Et cependant, à cette image, à ce souvenir, mon cœur s'emplit de cette âcre douceur des tissus chauds, du parfum des moments bénis de l'existence.

5

LES printemps surgissaient toujours un matin, dans un éclaboussement de lumière. Le vent avait tourné à l'ouest depuis trois jours. C'étaient les ronciers, les cerisiers sauvages, les mûriers qui se réveillaient les premiers. L'eau n'avait jamais été aussi froide. Là-bas, dans le haut pays, les neiges fondaient. Charles avait ressorti ses deux barques, réparé ses filets, ajusté les hameçons à ses cordes. La rivière était nerveuse. Il ne nous emmènerait pas, Baptiste et moi, avant le mois de mai.

C'était alors une explosion de couleurs où le vert dominait. Les prairies embaumaient, et les fleurs jaillissaient avec une force, une profusion qui toujours m'étonnaient. Pour pêcher, il nous suffisait de barrer les bras morts et l'entrée des chenaux entre les îles. Les truites et les perches, épuisées par le frai, cherchaient l'abri des courants et Charles le savait. Il ne lui était pas difficile de les prendre au piège du filet. Moi, je sentais que les jours grandissaient, que les grandes vacances approchaient, que rien ne pourrait me priver de cette liberté qui m'était promise.

Je me souviens de ces interminables journées de juin qui me trouvaient debout à l'aube, dans la lueur cristalline qui tremblait entre le ciel et l'eau. Les midis s'abattaient sur la rivière dans un immense éclat qui brûlait tout, même les rives oscillantes comme des serpents, dont le vert s'embrasait. Le jour se prolongeait infiniment dans des soirées de chaleur et de silence. Le niveau des eaux baissait. Nous pouvions traverser à la nage et atteindre sans mal la grande île qui était devenue pour nous un refuge, le domaine sacré de notre liberté. Ce territoire nous appartenait en propre. Charles n'y accostait jamais lorsque nous y étions. Il savait ce que représentaient pour nous ces heures d'indépendance et d'insouciance, dans l'ombre des aulnes et des grands frênes.

À six heures, nous rentrions pour voir Charles jeter l'épervier. Ce n'était pas vraiment, pour lui, une pêche, mais une distraction qu'il pratiquait en fin d'après-midi pour prendre la friture du repas du soir. Il l'avait fabriqué lui-même et le jetait d'un geste ample, les mains hautes, vers les trous d'eau proches de la rive. Cet épervier, en émergeant, provoquait un grand scintillement de lumière, d'où coulaient des goujons, des ablettes, une blanchaille qu'Albine ferait frire en entrée pour le dîner.

Après le repas, nous repartions dans l'île pour regarder le jour s'éteindre. L'eau, presque tiède, lavait le sable et la sueur collés sur notre peau brunie. Nous jouions à nous poursuivre, à nous cacher, à nous perdre dans les herbes hautes et les fougères. Nous revenions fourbus dans la nuit qui tombait, sous le regard des étoiles complices. L'air sentait la feuille chaude, le chèvrefeuille, les genêts âcres, les fleurs sauvages.

Charles et Albine nous attendaient sur la terrasse et nous entendions leur murmure de loin. Il faut avoir connu ces soirées de juin pour deviner la vraie douceur du monde : la palpitation secrète de la nuit, le velours tiède de l'ombre qui ressemble à celui des ventres maternels où les bruits vous parviennent étouffés, où les caresses de l'air sont aussi douces que celles de l'eau. Comment ceux qui ont connu cela peuvent-ils vivre après coup ? En souffrant plus que d'autres, sans doute. Souvent, j'entends dans mon sommeil le murmure de Charles et d'Albine : deux ombres sur la terrasse fleurie de glycines, dont l'une dit, dès que nous arrivons :

— Il faut aller dormir, petits.

6

NOUS faisions naturellement la distinction entre le monde de l'eau et celui de la terre. Le premier était le monde enchanté, le second celui des dangers. À quelques exceptions près, car il avait ses charmes, parfois, même s'ils ne duraient pas. Surtout l'été, en juin et juillet. Alors nous traversions pour aller de l'autre côté de l'île dans les champs et les prés. Notre père participait aux foins et aux moissons, comme il était d'usage entre gens de connaissance. Les paysans lui achetaient ses poissons, et il les aidait de son mieux au moment des gros travaux.

Je n'ai rien oublié de ces matins ruisselants de lumière qui nous voyaient accoster, mon père, Baptiste et moi, de l'autre côté de la grande île. L'air sentait la poussière collée par la rosée sur les chemins de terre. Nous partions à pied dans des prairies où les paysans s'étaient déjà mis au travail. On me donnait un râteau ou une fourche aux dents de bois. Les andains coupés la veille s'étiraient sur le sol, couleur de sauterelle.

Je ne m'éloignais pas de mon père, tâchais de travailler comme lui, mais, comme tous les enfants, je me fatiguais vite. L'air commençait à sentir la paille sèche, la feuille brûlée. La matinée s'avançait doucement, poussée par des murmures de vent plus légers qu'un oiseau, et qui froissaient doucement les feuilles des trembles. Alors, le parfum épais de l'herbe couchée se levait, montait en nappes vertes au-dessus des prés qui ondulaient dans la brume de chaleur. Le temps s'arrêtait. La sueur coulait dans mes yeux. Je ne tardais pas à me réfugier à l'ombre des peupliers de la rive, d'où j'apercevais la grande île.

Je m'allongeais sur le dos, j'entendais l'eau, la chanson des feuilles, la voix des femmes qui parlaient de maladies, de deuils et de naissances. Je me redressais, ouvrais grands les yeux, cherchais mon père du regard, écoutais les clochers sonner midi. Les femmes avaient posé le pain, les charcuteries et les salades sur des couvertures de toile brute que les inégalités de l'herbe bosselaient. Les hommes s'approchaient, s'asseyaient avec des soupirs, fouillaient leurs poches, sortaient leur couteau, faisaient saillir la lame qui jetait un éclat de source dans l'ombre bleue. Ils repoussaient leur chapeau vers l'arrière, s'essuyaient le front, coupaient le pain, tendaient des tranches épaisses aux femmes et aux enfants. Ils riaient d'avoir échappé au soleil, d'une jupe qui les frôlait, du vin dont on avait mis les bouteilles dans la rivière afin de les tenir au frais, et qu'ils buvaient les yeux mi-clos, la tête inclinée en arrière.

Les femmes mangeaient distraitement, leurs nuques adoucies par la sueur. Je m'asseyais près de Charles qui demeurait toujours un peu à l'écart, comme s'il n'appartenait pas vraiment à ce monde-là.

C'était l'heure de la sieste. Les hommes s'allongeaient sur le dos, abaissaient leur chapeau sur leurs yeux, ne bougeaient plus. Les femmes faisaient taire les enfants, les emmenaient plus loin, descendaient sur des plages de galets. Moi, je regardais les hommes qui semblaient morts, écrasés sur la terre par une main divine. Comme eux, souvent, je m'endormais.

Ils étaient de nouveau au travail quand je me réveillais. La paix profonde du jour reposait sur la terre, abolissant le temps. J'avais l'impression que le soir n'arriverait jamais. J'avais hâte pourtant, car Charles me paraissait de plus en plus seul parmi les autres hommes. J'étais persuadé qu'il fallait que je le protège, que je l'aide à retourner vers l'eau, et je savais que Baptiste nourrissait les mêmes pensées que moi.

Nous guettions le déclin du jour qui s'annonçait par un froissement plus ample des feuilles de peupliers. Charles serrait des mains, venait vers nous qui l'attendions sur le chemin de la rivière. Sans un mot, il détachait la barque, et nous regagnions enfin la rive opposée, notre monde à l'écart du monde sous un ciel strié d'hirondelles.

Charles avait l'air un peu ivre. Il nous regardait sans nous voir, mais moi, j'avais retrouvé celui que l'on m'avait pris, et je ne prêtais plus attention qu'au calme du soir, celui que je recherche encore aujourd'hui, en juin, sur les traces de ceux qui ne sont plus. Les années qui ont passé depuis ces jours n'ont rien terni de leur éclat. Pourtant, ni Charles ni Baptiste ne marchent à côté de moi sur le chemin de sable blanc. Si je tente de mettre mes pas dans les leurs, c'est toujours avec le même serrement de cœur, car nous ne pourrons jamais accepter, même quand nous connaîtrons la clef de l'énigme qui gouverne nos vies, que nous soit si cruellement retirée la présence de ceux que nous avons aimés.

7

La plupart du temps, nous vivions seuls, et c'est ainsi que nous étions le plus heureux. Il n'y avait que Paule pour s'en inquiéter et demander parfois, brusquement, au cours d'un repas, sans que sa question eût aucun rapport avec la conversation :

— Alors, vraiment, nous sommes seuls ? Nous n'avons pas d'autre famille ?

— Nous ne sommes pas seuls, puisque nous sommes cinq, répondait Albine avec un peu d'agacement.

— Pourquoi ne voyons-nous jamais personne ?

— Mon père est mort, disait Charles, et mon frère est parti à Paris pour trouver du travail.

Paule se tournait vers notre mère qui croyait nécessaire de se justifier en disant :

— Les miens ont pris un fermage plus bas, en Dordogne.

— Pourquoi ne les voit-on pas ?

— Ils n'ont pas le temps.

— Et nous, pourquoi ne va-t-on pas les voir ?

— Parce que nous travaillons, répondait Albine, qui, en réalité, s'était fâchée avec ses parents lors de son mariage avec Charles.

Ceux-ci, en effet, n'avaient pas approuvé sa décision de faire sa vie avec un pêcheur. Pour eux, ce n'était pas un métier, sinon de misère. Il n'y avait que la terre qui comptait.

— Ne sommes-nous pas heureux ainsi ? demandait alors Albine qui se sentait coupable. Il vous manque quelque chose ?

À moi, il ne me manquait rien. Au contraire, je me réjouissais de cette solitude à cinq qui nous resserrait les uns contre les autres. Ces conversations, si elles ne préoccupaient pas Charles, troublaient Albine. Durant les jours qui suivaient, elle se montrait plus nerveuse, passait d'une pièce à l'autre sans raison, parlait à voix basse pour elle seule.

Parfois, elle m'interrogeait avec dans la voix comme une angoisse :

— Est-ce que tu te sens seul, Bastien ?

Je répondais avec le plus d'assurance possible :

— Jamais.

— Ah, bon ! se rassurait-elle.

Elle ajoutait, retrouvant son sourire :

— Merci, Bastien.

Ça n'allait pas plus loin, mais je savais qu'elle s'inquiétait aussi auprès de Baptiste, que ces questions agaçaient. Pour lui, nous vivions ainsi, et c'était la seule manière de vivre bien. Finalement, seule Paule semait le trouble et Baptiste ne manquait pas de le lui reprocher :

— Tu ne peux pas te taire, non ? Qu'est-ce que tu cherches, à la fin ?

— Je ne sais pas, répondait Paule.

— Tu n'es pas bien, ici, avec nous ?

— Mais si, bien sûr.

— Alors, tais-toi.

Au reste, autant elle cherchait à agrandir notre famille, autant Paule se montrait hostile envers tous ceux qu'elle considérait comme des étrangers.

Il en venait rarement par la route, si loin du village. S'ils arrivaient jusqu'à nous, c'était par la rivière : les paysans d'en face qui traversaient parfois, ou alors des inconnus qui descendaient en bateau, surtout en été. Paule, comme nous, ne supportait pas que quelqu'un accoste sur la grande île. Elle nous accompagnait à la rencontre des intrus, prenait la parole pour les dissuader de rester, leur montrer combien ils seraient mieux ailleurs.

— Que faites-vous ici ? demandait-elle d'un ton qui ne laissait aucun doute sur sa réprobation.

Les étrangers tentaient de s'expliquer, mais les questions pleuvaient, ne leur laissant pas le temps de répondre :

— D'où venez-vous ? Qui êtes-vous ?

À la fin, elle allait jusqu'à prétendre que l'eau pouvait monter dans la nuit et tout emporter, que c'était arrivé une fois, des barrages de branches et de troncs avaient cédé sous l'effet de gros orages dans le haut pays. Souvent, les étrangers décampaient. Si ce n'était pas le cas, elle n'en dormait pas et le matin elle était debout avant le jour pour aller réveiller les profanateurs.

Baptiste lui demandait parfois :

— Est-ce que tu sais ce que tu veux ? Tu trouves qu'on est trop seuls et tu ne veux voir personne !

— Je veux une grande famille, disait-elle, mais je ne veux pas d'étrangers.

Et elle ajoutait, d'une voix décidée :

— Plus tard, j'aurai huit enfants. Quatre garçons et quatre filles.

— Et où vivras-tu ?

— Ici, bien sûr.

— Tu en es certaine ?

— Évidemment.

— La maison sera trop petite, déplorait Baptiste, brusquement inquiet.

— Nous en construirons une autre à côté. Tout près. Ainsi, nous ne nous quitterons pas.

Baptiste la considérait gravement et se taisait. Moi, je me demandais si elle pensait vraiment ce qu'elle disait ou si elle jouait à rêver parce qu'elle avait trop peur de ce que nous allions devenir. Je crois qu'elle avait surtout la prescience de ce qu'était la vie en dehors de notre domaine, et qu'elle en était, par avance, secrètement terrorisée.

8

Un soir, Charles n'est pas rentré. Ce devait être en avril, car la nuit tombait tôt, et sans doute juste après les vacances de Pâques, puisque nous avions repris l'école. Il avait beaucoup plu depuis une semaine et les eaux étaient hautes, chargées de branches et de troncs arrachés aux berges d'amont. Depuis une heure déjà, Albine n'était plus la même : elle s'agitait devant sa cuisinière, laissait choir les objets, parlait à mi-voix. En cette saison-là, Charles avait l'habitude de rentrer avant six heures. Pourtant, la nuit était tombée sans qu'il se montre, malgré le mauvais temps et la puissance de la rivière qui devait être très froide à cause de la fonte des neiges.

Nous pensions tous, souvent, au danger de la noyade, mais nous n'en parlions pas. Charles, lui, ne l'évoquait jamais. Ce soir-là, nous guettions le moindre bruit sur le chemin, la plus petite lueur, mais le temps passait et il n'arrivait pas. Albine était très pâle, avait de plus en plus de mal à se maîtriser.

— Mangeons! a-t-elle dit brusquement, je suis sûre que ça le fera venir.

Nous nous sommes installés à table, en évitant que nos regards ne se croisent. Nous ne parvenions pas à manger. Albine était de plus en plus pâle, haletait légèrement comme sous l'emprise d'une douleur physique. À la fin, n'y tenant plus, elle a dit dans un sanglot à peine étouffé :

— Il faut aller voir… Baptiste, tu vas rester ici avec Paule, et Bastien va venir avec moi.

Mais Baptiste a refusé de rester à la maison, si bien que nous sommes partis tous les quatre, une lampe tempête portée par Albine, sur le chemin de la rivière. Il y avait du vent, beaucoup de vent, et pourtant nous entendions le grondement de l'eau, loin devant nous, au-delà des frênes et des peupliers. Un croissant de lune éclairait à peine les taillis autour du chemin, et la nuit nous paraissait pleine de menaces.

Le premier appel d'Albine m'a transpercé de terreur : il y avait dans sa voix tant de souffrance qu'elle me semblait accroître notre peur au milieu de cette ombre si hostile. Au bord de l'eau, le vacarme des flots en furie était effrayant. Je me disais que si Charles était tombé, il devait à cette heure s'être noyé.

Nous avons appelé longtemps, longtemps, mais sans résultat. Nous ne savions plus que faire.

— Il nous attend peut-être à la maison, a dit Paule.

Albine a paru alors reprendre espoir et a fait demi-tour. Nous avons marché de plus en plus vite en direction de la maison, et nous avons fini par courir, pressés de regagner un refuge sûr où le malheur ne pouvait pas s'être installé. Pourtant, la maison était vide : Charles n'était pas rentré.

— Il n'y a plus qu'à attendre, a soufflé Albine.

Je ne l'avais jamais vue si désespérée, et je mesurais vraiment à quel point ils étaient indispensables l'un à l'autre. Le sang semblait avoir reflué de son visage. Elle ne pouvait pas s'arrêter de trembler. Elle nous regardait sans nous voir.

Les minutes, puis les heures, ont commencé à s'écouler. Paule était allée se coucher, Baptiste s'était endormi près de nous dans la salle à manger où je demeurais seul à veiller avec Albine. Elle s'est rapprochée de moi, a passé son bras droit autour de mes épaules et m'a tenu serré contre elle. Je sentais sa poitrine se soulever doucement et quelque chose d'infiniment précieux se substituait à mon angoisse : c'était comme si rien de grave ne pouvait survenir cette nuit-là, malgré l'absence de Charles, malgré le danger des flots en colère. Comment lui dire, cependant, cette certitude qui m'habitait ? J'ai murmuré :

— Ne t'inquiète pas. Je sais qu'il est vivant.

— Oui, oui, a-t-elle répété, il est vivant, il est vivant.

Mais j'ai compris qu'elle essayait seulement de s'en persuader et que la peur grandissait en elle.

Nous avons attendu longtemps encore, sans bouger, en écoutant au-dehors la violence du vent. Moi, j'étais bien, là, dans le creux de ses bras, blotti dans la chaleur de sa poitrine qui me rappelait ces lointaines heures où elle avait été mon premier contact avec le monde. J'en arrivais presque à oublier ce qui nous forçait à demeurer éveillés cette nuit-là.

À un moment donné, elle m'a demandé :

— Tu dors, Bastien?

— Non.

— Tu sais, on ne pourrait pas vivre sans lui.

Je me suis redressé et je lui ai dit calmement :

— Il va revenir, c'est sûr. N'aie pas peur.

— Vite, vite, a-t-elle dit, et elle m'a serré davantage, comme si à travers moi c'était son mari qu'elle étreignait.

Une heure a passé encore, faite d'attente et de cette peur qui maintenant, peu à peu, revenait en moi insidieusement. Et puis quelque chose s'est levé dans le vent, là-bas, très loin encore, mais nous l'avons entendu tous les deux. Albine m'a lâché, s'est précipitée à la porte, et elle est sortie sur le seuil.

Je l'ai rejointe là, en compagnie de Baptiste qui s'était réveillé. On n'entendait plus que le vent. Nous écoutions, aux aguets, tendus vers le chemin, pour retrouver ce bruit de pas qui nous avait alertés et qui ne pouvait pas nous tromper. Et de nouveau il est monté au-dessus des arbres pour venir jusqu'à nous.

— C'est lui! a dit Albine, et, sans même passer une veste, elle s'est mise à courir.

Nous l'avons suivie, Baptiste et moi, et nous avons entendu le choc au moment où elle s'est violemment précipitée contre Charles. Quand nous sommes arrivés près d'eux, il nous a aussi serrés contre lui, nous tenant tous les trois et murmurant :

— Allons, allons! Est-ce que c'est bien raisonnable d'avoir peur comme ça?

Il était là et le monde redevenait ce qu'il avait toujours été. Je comprenais ce que sa présence représentait réellement pour nous, et combien elle était indispensable à notre bonheur.

Nous sommes rentrés, et Charles s'est calmement installé à table pour raconter ce qui s'était passé : peu avant la nuit, en remontant le long de la rive, il avait été distrait par le vol d'un épervier, et cet instant d'inattention avait été suffisant pour être pris par le courant et ne plus lui échapper. Il avait laissé dériver la barque vers l'aval sans essayer de lutter contre les eaux, jusqu'au moment où il avait cru pouvoir accoster. Il avait alors réussi à franchir le courant en direction de la berge, mais un remous avait fait tournoyer la barque à cinq mètres du bord, le précipitant dans l'eau. Heureusement, il avait rapidement pris pied et avait pu sans trop de difficultés atteindre la rive. À partir de là, il avait marché jusqu'à une ferme dont les propriétaires le connaissaient pour lui avoir acheté des poissons, et où, pour ne pas tomber malade, il avait fait sécher ses vêtements devant le feu. Puis il était reparti le plus vite possible, avait coupé par les bois pour gagner du temps et, au contraire, s'était perdu. Enfin il était là, comprenant à quel point nous avions eu peur et cherchant à rassurer Albine qui tremblait toujours :

— Enfin ! Tu sais bien que je connais la rivière. Quand on est pris de la sorte, il suffit de se laisser porter vers l'aval. Il faudra t'en souvenir, n'est-ce pas ?

Elle faisait « oui » de la tête, mais ses yeux n'avaient pas retrouvé leur éclat ordinaire. Il y avait en eux une telle frayeur que Charles lui-même en paraissait ébranlé.

J'ai eu beaucoup de mal à m'endormir, cette nuit-là, non pas à cause de la peur, mais à cause de la chaleur perdue de cette poitrine, qui, pourtant, continuait de se soulever doucement contre ma joue. J'étais persuadé d'avoir retrouvé par hasard l'une des merveilles de la vie, et que de cet abandon, quoi qu'il advînt désormais, je demeurerais inconsolable.

9

L A pêche était pour Charles un métier, mais aussi une véritable passion qu'il nous a transmise naturellement. À l'époque, les eaux étaient d'une clarté superbe et le poisson abondant. Grâce aux filets posés à l'entrée des chenaux, nous prenions des perches et des brochets ; avec les cordes : des truites, des anguilles, toutes sortes de poissons de courant et d'eau morte. Nous ne pêchions pas à la ligne car nous avions assez à faire à poser et à relever les cordes et les filets.

Je n'ai jamais oublié cette excitation fiévreuse à l'instant de voir apparaître les prises, le jaillissement hors de l'eau, les éclairs verdâtres ou argentés, les éclats de lumière au ras de la barque, la saisie du poisson qui se débat, le mystère de ces vies sauvages dévoilées dans le jour.

Nous posions les filets tard le soir et nous les relevions le lendemain au lever du jour. Seulement quand nous n'allions pas à l'école, évidemment. Je me souviens surtout des premières fois, quand nous n'emmenions pas encore Baptiste avec nous. Je me levais sans bruit, allais dans la cuisine où Charles faisait réchauffer son café. Ses yeux lourds de sommeil se posaient sur moi, mais il ne parlait pas. Il me regardait. Il regardait son fils. Passait dans ses yeux la même lueur que lorsqu'il poussait la porte en revenant de la pêche et qu'il apercevait Albine. Il faudrait faire davantage attention au regard de son père tant qu'il est là, près de soi. Mais qui prend le temps de soupeser cette reconnaissance, ces remerciements muets de seulement exister ? Enfant, on ne sait rien de tout cela, et quand on l'a appris, il est bien tard, car le regard du père est tourné vers la mort et non plus vers la vie.

Je mangeais mes tartines de pain près de lui, puis Albine arrivait. Je les avais tous les deux rien que pour moi. C'était aussi pour cela que je me levais si tôt, pour pouvoir les observer à mon aise, me rassasier de leur présence : elle, blonde, plutôt ronde, les yeux d'un vert très clair, légèrement doré ; lui, grand et brun, tout en muscles, avec des rides de part et d'autre de la bouche, les yeux noirs, et une humilité devant elle que je n'ai retrouvée chez aucun homme en présence de sa femme. Non pas une crainte – Charles n'a jamais eu peur de personne – mais une admiration muette qui provenait sans doute de sa nature même : elle avait été la première et sans doute la seule femme qu'il avait approchée, du moins j'aime à le croire.

— Tu viens ? me disait-il, mais je devinais que, comme moi, il aurait aimé que ces instants se prolongent indéfiniment.

Je m'arrachais à ma chaise, le rejoignais sans hâte, et nous partions sur le chemin qui sentait l'herbe humide. Le jour se levait à peine, dans une plage couleur pêche qui s'élargissait au-dessus des falaises.

Six cents mètres séparaient la maison de l'anse protégée où Charles accostait avec sa barque. Elle était là, fidèle et sûre, entre les osiers, remuait lentement à l'extrémité de l'anse verte qui nous servait de port. J'embarquais le premier. Charles défaisait la chaîne, montait à son tour, poussait sur la rame, et le courant nous emportait dans la lumière vierge d'un matin en train de naître.

L'eau se mettait à fumer, le brouillard montait, s'accrochant aux branches des îles. Une éblouissante journée commençait, dont il me semblait que je ne verrais jamais la fin. Il n'y avait plus au monde que mon père et moi, l'aveuglant éclat des premiers rayons du soleil que l'étain de l'eau renvoyait vers les rives, comme pour se protéger de blessures mortelles.

Nous tirions doucement vers nous le filet devenu lourd. Mon cœur se mettait à battre plus vite. Les bouchons de liège basculaient enfin par-dessus la barque, les poissons s'accumulaient et je pensais à Baptiste qui me dirait au retour :

— Pourquoi ne m'as-tu pas réveillé ?

Je n'avais pas le courage de lui expliquer que ces matins d'été étaient comme les premiers matins de l'univers, que la présence de Charles les rendait impérissables et que j'avais beaucoup de peine à les partager, même avec lui. Je lui répondais simplement qu'il dormait, que j'avais fait du bruit, mais qu'il ne s'était pas réveillé.

— Promets-moi que tu me réveilleras demain ! disait Baptiste d'une voix contrariée.

— J'essaierai.

Plus tard, quand il s'est réveillé seul, et même bien avant moi, j'ai dû partager Charles avec lui. Tout est devenu différent, y compris la couleur du ciel qui pâlissait au-dessus des falaises.

Il y avait une telle folie en Baptiste qu'il occupait tout l'espace. C'était lui qui tirait le filet ou la corde, faisait basculer les poissons dans la barque. Je ne lui en voulais pas. C'était mon frère, et sa passion de la pêche m'émouvait comme elle émouvait Charles. Je ne me sentais plus le droit de partir seul sur la barque avec mon père.

10

EN fait, j'avais compris très tôt que nous n'étions pas, que nous ne vivions pas comme tout le monde. Je l'avais deviné dès le premier jour où j'avais dû partir à l'école, conduit par ma mère qui, sur le chemin, m'avait paru aussi malheureuse que moi. Je devais avoir six ans, et je n'avais connu que le monde de Charles, d'Albine et de la rivière. Je ne savais rien, ou pas grand-chose, de ce qui existait ailleurs, mais je le redoutais d'instinct.

Dès que je me suis retrouvé dans la compagnie des autres enfants, j'ai senti que j'étais différent. À part deux ou trois, ils n'étaient pas méchants, mais ils jouaient à des jeux que je n'aimais pas, pour la simple raison qu'ils étaient enclos dans une cour trop petite pour moi, qui étais habitué à beaucoup d'espace. La salle de classe, également, m'oppressait sans que je puisse l'expliquer à personne. J'ai failli sombrer à ce moment-là, sans un mot, sans une plainte. Je ne répondais pas au maître – un homme sévère, qui foudroyait ses élèves du regard et qui, après avoir vainement sévi, en a informé Albine.

— Il refuse de parler, lui a-t-il dit. Je n'ai jamais vu un enfant pareil. Vous êtes certaine qu'il n'est pas malade ?

— Bien sûr que non, s'est-elle indignée. Il ne parle pas beaucoup, mais il sait s'exprimer.

À notre retour, elle s'est enfermée avec Charles dans leur chambre, et nous n'avons rien entendu de leur conversation. Il en est ressorti sans émotion apparente, m'a dit de le suivre et m'a emmené sur la rivière. Là, il m'a demandé :

— Bastien, pourquoi ne parles-tu pas au maître ?

Et, comme je ne répondais pas :

— C'est un homme très savant, qui peut tout entendre.

Comment lui dire que là-haut je respirais un air trop pauvre pour être heureux ? J'avais peur de lui faire de la peine. Il a dû le comprendre car il devinait tout. Il n'a pas insisté, et, au contraire, nous avons traversé pour aller poser des filets entre les îles. Nous avons procédé comme nous le faisions depuis toujours, puis nous sommes rentrés à la nuit tombante.

Un peu avant la maison, Charles m'a de nouveau posé la question.

— Il a peur de moi, ai-je répondu sans bien savoir ce que je voulais exprimer là.

— Voyons ! s'est exclamé Charles. Pourquoi un maître d'école aurait-il peur d'un enfant ?

— Je ne sais pas.

Nous n'avons plus parlé jusqu'à la maison.

La nuit venue, alors que j'étais couché dans la chambre que je partageais avec Baptiste, j'ai entendu mon père et ma mère qui discutaient dans leur propre chambre avec un ton, une voix que je ne leur connaissais pas. Je me suis approché et il m'a semblé qu'ils se disputaient à mon sujet, puisque à plusieurs reprises est revenu le même mot : Bastien.

Alors, le lendemain, j'ai répondu aux questions du maître qui, aussitôt, m'a semblé rassuré.

Avec les enfants, c'était un peu pareil. Après plusieurs tentatives de rapprochement, j'avais découvert à leur contact quelque chose que je ne connaissais pas : le mépris de l'autre. Moi, je ne l'avais jamais rencontré. Avec Charles et Albine, nous vivions dans un respect mutuel et confiant. Cette découverte m'avait instinctivement replié sur moi-même, malgré les efforts que je consentais pour que Charles et Albine ne se disputent pas.

Deux ans plus tard, quand Baptiste m'a rejoint, je me suis senti moins seul et j'ai réussi à faire les pas nécessaires pour me rapprocher vraiment des autres. Il n'y avait que le maître qui ne s'habituait pas à moi. C'était pourtant un homme plein d'expérience et d'intelligence, mais justement : il savait que mes réponses jetteraient le trouble dans la classe, surtout lors des commentaires des lectures du lundi après-midi. À cette occasion-là, ma sensibilité et ma vision particulière des choses le décontenançaient autant que mes camarades.

Je me souviens précisément d'un texte dans lequel l'auteur racontait comment, un soir après l'école, un enfant apprenait de la bouche de sa mère que son père venait de perdre son travail. Les commentaires de mes voisins de table étaient tous les mêmes : c'était bien triste d'apprendre une telle nouvelle.

Quand ce fut mon tour, j'ai deviné que le maître hésitait, mais il ne pouvait pas faire autrement que me poser la même question :

— Et toi, Bastien, qu'en penses-tu ?

— Moi, je pense que cet enfant a eu de la chance.

— Et pourquoi donc ?

— Parce que son père est resté près de lui.

Un grand silence est tombé sur la classe, avec, comme d'habitude, quelques rires, vite étouffés.

— Comment gagner de l'argent quand on ne travaille pas ? m'a demandé le maître. On a besoin d'argent pour vivre.

— Oui, mais plus tard, nos parents meurent et on regrette de n'avoir pas été plus proches d'eux.

— Et comment tu sais ça, toi ? a poursuivi le maître d'une drôle de voix.

— Je sais que tout le monde doit mourir un jour. C'est comme ça. Même mes parents, même vous, même moi.

Le maître a toussoté, puis, comme si de rien n'était, a continué d'interroger ceux de la rangée où je me trouvais. Au moment de la récréation, pourtant, il m'a demandé de rester dans la classe, alors que les autres sortaient. Il s'est approché de moi, et m'a dit doucement, de cette voix qu'il prenait parfois et qui ressemblait à celle de Charles :

— Il ne faut pas parler comme ça, Bastien.

— Pourquoi ?

— Parce que ça risque de faire peur à tes camarades.

J'ai relevé la tête et je lui ai dit :

— J'ai bien peur, moi.

Il n'a pas su quoi me répondre, mais, à partir de cet après-midi-là, il est devenu encore plus méfiant vis-à-vis de moi. D'autant qu'un jour, j'ignore pourquoi, il sortit de la classe en compagnie d'un homme du village, en fermant la porte à clef derrière eux. D'un élan fou, je me suis précipité et j'ai cassé les carreaux à coups de poing. Quand ils ont rouvert, quelques secondes plus tard, j'avais les poignets en sang. Alertés, Charles et Albine, une nouvelle fois, ne m'ont fait aucun reproche. Avait-on idée d'enfermer ainsi des enfants, même pour quelques instants ? Le maître s'est senti coupable, je l'ai compris, et il ne m'a jamais reparlé de l'incident.

À la réflexion, je crois qu'il n'a pas été fâché que je quitte l'école après le certificat d'études. Sa conscience professionnelle, cependant, lui avait suggéré de confier à Albine qu'à son avis, je pouvais réussir dans les études. Ma place de premier du canton au certificat d'études l'a démontré d'ailleurs aisément. Cette question a été quelques jours débattue entre Charles et Albine qui ont tenté de me convaincre, mais je n'ai pas cédé : je voulais vivre sur la rivière, aider mon père, ne jamais quitter la vallée où était enfermé tout ce dont j'avais besoin pour être heureux.

11

J'AI vraiment découvert Baptiste à l'occasion de nos allers et retours à l'école. Six kilomètres le matin, six le soir nous prenaient une heure, un peu plus l'hiver. J'avais souffert de solitude et d'incompréhension les deux premières années, mais, dès que Baptiste est venu avec moi, je me suis senti plus fort dans la cour de l'école où nous faisions figure d'originaux. Car nous ne savions pratiquer ni la malice ni les arrière-pensées. Ainsi, je ne comprenais pas que les coupables d'une mauvaise action ne se dénoncent pas lorsque le maître en exprimait la demande devant la classe réunie. Au cours de la récréation qui suivait, j'allais voir les coupables, non pas pour me battre avec eux – ce que j'aurais très bien pu faire, car je n'ai jamais eu peur – mais pour leur démontrer en toute innocence qu'ils causaient du tort à l'ensemble des élèves.

Je n'essuyais souvent que des ricanements qui me laissaient perplexe. Est-ce que la vie ailleurs était si différente de chez nous? J'imaginais Charles et Albine devant tant de mauvaise foi et j'étais malheureux pour eux, qui ignoraient combien les règles qu'ils avaient édictées étaient bafouées en dehors de notre domaine.

Avec l'arrivée de Baptiste, les choses ont changé. Lui, il campait sur les certitudes de Charles et d'Albine et il n'hésitait pas à les défendre à coups de poing. Souvent, passé les dernières maisons du village, sur la route qui commençait à s'incliner vers la grande combe, nous étions attendus par tous ceux que notre singularité agaçait. Ils étaient menés par le grand Faye, le garçon le plus âgé de l'école, le plus robuste aussi, et qui n'aimait ni notre indépendance ni notre différence. Ces combats au côté de Baptiste nous unissaient davantage mais désespéraient Albine.

— Qu'est-ce qui est arrivé encore? demandait-elle.

— C'est les autres, répondait calmement Baptiste qui, par ces quelques mots sans véritable signification, la décourageait.

Elle soupirait, en parlait à Charles mais il n'intervenait pas. Il savait, je crois, qu'il y avait un prix à payer pour vivre comme nous vivions et il l'avait accepté définitivement. Nous autres, ses enfants, devions agir de même. C'est ce que nous faisions, d'ailleurs, et sans nous plaindre, même si nous cherchions à comprendre ce qui nous différenciait tellement des autres.

C'est avec la venue de Paule à l'école que nous avons vécu les saisons et les jours différemment. Dès le premier matin, tandis que je tenais sa main tremblante, nous avons compris, Baptiste et moi, que le monde autour de nous prenait une autre dimension. Elle s'est mise à inventer des fées, des chevaliers et des fantômes qui nous poursuivaient ou nous attiraient dans les profondeurs des bois. Pour elle, le monde était peuplé, jamais désert, mais il était peuplé d'êtres extraordinaires. Elle en parlait de façon si précise qu'il me semblait apercevoir des silhouettes fuyantes entre les arbres, entendre des rires ou des paroles mystérieuses, des plaintes, des soupirs, des appels au secours.

Dès qu'elle a mis les pieds dans la cour de l'école, un cercle s'est formé autour d'elle et ne s'est plus défait. Nous l'observions, Baptiste et moi, depuis notre cour, car à l'époque les filles et les garçons demeuraient séparés pendant les récréations. Elle racontait avec passion le monde qu'elle habitait, ses sortilèges, sa beauté. Même le maître en était impressionné. J'ai entendu Albine en faire l'aveu à Charles, un soir, et s'en inquiéter.

— Que veux-tu! a dit Charles. C'est une fille de l'eau.

Je savais, moi, depuis longtemps, que Paule entretenait un lien avec un ailleurs inconnu de tous. Les enfants, aussi, le devinaient. Elle les intriguait, les ensorcelait, y compris le grand Faye. Dès le premier soir où nous nous sommes retrouvés, sur le chemin du retour, face à nos adversaires habituels, elle s'est avancée vers eux, les a dévisagés avec ses grands yeux verts et leur a demandé :

— Est-ce que vous l'avez vu?

— Qui ça?

— L'homme à tête de lièvre.

Ils se sont retournés d'instinct vers les bois, se sont serrés les uns contre les autres. Elle leur a alors expliqué qu'elle l'avait aperçu le matin même, qu'il avait couru derrière nous, et que nous avions eu beaucoup de mal à lui échapper. Devant leur silence, elle a ajouté qu'il portait une veste rouge et de grandes bottes noires, qu'elle l'avait vu s'approcher du village et entrer dans une maison, à côté de l'église. Ses longues oreilles tombaient jusqu'à ses reins, et ses yeux, d'un noir brillant, jetaient des étincelles d'or.

À partir de ce soir-là, nous n'avons plus marché seuls sur le chemin de la rivière. Derrière Paule, il y avait toujours cinq ou six garçons silencieux pour tenter d'apercevoir les êtres étranges dont ils n'avaient jamais soupçonné l'existence et qui, pourtant, aujourd'hui, étaient entrés dans leur vie.

12

JE n'ai jamais laissé passer un hiver sans être malade ou sans feindre de l'être. Tout m'était bon pour échapper à l'école. J'avais appris à saisir la moindre occasion, à la provoquer même, si j'en ressentais le besoin. Je suis à peu près sûr qu'Albine espérait ces moments, car elle aimait nous soigner, nous, ses enfants, et elle n'était heureuse que lorsqu'elle nous savait près d'elle. Cependant, elle était loin d'imaginer ce dont j'étais capable pour ne pas m'éloigner du seul lieu où je pouvais être heureux.

J'avais trouvé un moyen aussi sûr que dangereux pour prendre froid, tousser, être victime d'angines ou de bronchites. Une fois, même, j'y ai gagné une pneumonie. Dès que l'eau était froide, quand j'avais décidé de ne plus quitter la maison – et surtout au cours des deux premières années où j'allais seul à l'école sans le secours de Baptiste –, je me déshabillais et me laissais glisser dans la rivière. J'y restais quelques secondes, parfois une minute, selon que j'avais besoin de deux ou de huit jours de répit, me forçant à penser à l'abri de la chambre que je partageais avec mon frère. Le soir même, je commençais à grelotter et à sentir la fièvre embraser mon corps. D'un geste familier, Albine posait sa main sur mon front, puis elle soupirait et murmurait :

— Tu as encore pris froid. Va te coucher, je vais te préparer un cataplasme.

J'avais gagné. Je montais dans mon refuge, m'enfouissais sous l'édredon de plume rouge, savourais à l'avance les journées qui m'attendaient dans une quiétude heureuse. Aucune des recettes appliquées par Albine pour me soigner ne me faisait regretter mes plongées dans l'eau glacée. Pas même les picotements des cataplasmes de moutarde qui démangeaient ma poitrine, ni les ventouses appliquées sur mon dos, ni les tisanes, ni les sirops, ni les assiettes de tapioca auxquelles Albine prêtait je ne sais quel pouvoir de guérison.

J'étais seul, là-haut, dans mon lit, une brique chaude de chaque côté de mon corps, à écouter les bruits familiers de la maison, à respirer l'odeur de bois qui montait du poêle situé en bas de l'escalier. Je ne m'étais jamais senti aussi protégé, aussi heureux.

Albine venait souvent, appliquait chaque fois sa main sur mon front, fronçait les sourcils ou souriait selon que la température baissait ou montait. Elle avait des gestes calmes, caressants. Plus tard, devenu adolescent, je m'en suis voulu de la peine que je lui faisais et de l'inquiétude qu'elle en concevait. Car elle avait fini par croire que j'étais fragile et s'inquiétait beaucoup pour moi. En réalité, j'étais d'une constitution très robuste car n'importe quel autre enfant n'aurait pas résisté à de si fréquentes immersions en eau glacée. À l'époque, pourtant, je n'en concevais aucun remords. Je considérais que mes parents étaient coupables de m'éloigner de la rivière, sachant que j'en souffrais.

Charles, aussi, montait souvent. Je reconnaissais son pas dans le couloir, puis, au bas de l'escalier, sur la première marche qui craquait. Je fermais les yeux pour mieux savourer son approche, son hésitation à l'entrée, et enfin son soupir quand il s'asseyait sur le lit de Baptiste, à côté du mien. Je rouvrais les yeux. Il était là, immense, merveilleusement fort, sans la moindre inquiétude apparente, au contraire secrètement heureux de me savoir au chaud dans sa maison et non dans le froid du dehors. Il m'observait longuement, réfléchissait, mais ne parlait pas. Je n'ai jamais pu oublier ce regard-là, même lorsque je suis parti de l'autre côté de l'océan. J'y lisais quelque chose que je définissais mal mais que je savais, d'instinct, capable de me guérir de tout.

Quand la fièvre ne tombait pas, Charles allait chercher le médecin du village. C'était un vieux monsieur au visage de buis, aux cheveux blancs, aux traits creusés par le manque de sommeil dû aux visites nocturnes, qui tutoyait mes parents.

— Encore toi! s'exclamait-il en entrant dans ma chambre. Ma parole, tu vis les pieds dans l'eau!

Je baissais les yeux pour ne pas me trahir, car j'avais l'impression que tout le monde était au courant de mes bains coupables. J'ignorais que le vieil homme s'inquiétait vraiment de mes bronchites chroniques, et qu'il suspectait même la tuberculose. Mais il n'en laissait rien paraître auprès de moi. Il se montrait toujours aussi gai, feignant de considérer la maladie comme une farce. C'était là sa manière de soigner le plus efficacement possible, en une époque où l'on ne prescrivait pas encore d'antibiotiques.

Plus tard, quand Baptiste est venu avec moi à l'école et que je m'y suis senti moins seul, j'ai renoncé à mes bains dangereux, car j'avais compris que je mettais ma santé en péril. Mais je retrouvais cette merveilleuse vacance du corps et de l'esprit tous les jeudis, restant volontairement au lit jusque tard dans la matinée, persuadé qu'il y avait là, dans l'odeur du poêle qui montait par l'escalier, une manne sacrée.

Il a fallu bien des années pour que Baptiste, un soir, alors que nous allions nous séparer sur un quai de Bordeaux, me dise, avec cette voix calme et naturelle qu'il prenait pour énoncer les choses les plus graves :

— Et si nous sautions dans l'eau froide? Peut-être que tout s'arrêterait?

Nous nous trouvions au bord du quai, au-dessus de l'eau grise, déchirés à l'idée de nous quitter sans savoir si nous nous reverrions. Je devinais qu'il lui en coûtait de partir, qu'il cherchait, comme je l'avais fait jadis, le moyen de lutter contre la réalité de la vie. Je l'ai observé un instant, le cœur battant, et j'ai compris ce soir-là qu'il savait. Je lui ai demandé qui d'autre était au courant et il m'a répondu avec un pauvre sourire :

— Tout le monde, à la fin.

— Charles et Albine aussi?

— Ils t'avaient vu, un jour d'hiver, entrer dans l'eau, mais ni l'un ni l'autre n'ont osé t'en parler. Je crois qu'ils avaient un peu peur de toi. Ils savaient que tu étais capable de bien pire encore.

— C'est vrai, ai-je dit, j'étais capable de mourir.

Nous nous sommes embrassés et Baptiste s'est éloigné lentement, en se retournant plusieurs fois. Il a disparu derrière de hauts immeubles gris, après un dernier geste du bras. J'ai regardé l'eau à mes pieds, mais je n'ai pas eu envie de m'y jeter : je me sentais apaisé, envahi d'une chaleur réconfortante. Je venais de comprendre pourquoi les regards de mon père me faisaient tellement de bien, dans ma chambre lointaine : ils incluaient l'amour, la crainte, mais aussi le pardon.

13

U N jour, il y a eu la guerre. J'avais neuf ans, ce mois de septembre-là, quand Charles et Albine nous l'ont annoncé un soir avec précaution, sans parvenir à totalement dissimuler leur angoisse.

— Je vais devoir partir, a dit Charles.
— Pour longtemps ?
— Non, je ne pense pas.

J'ai été rassuré, car il ne mentait jamais. Effectivement, il est parti un matin, un sac de toile sur l'épaule, après nous avoir demandé, à Baptiste et à moi, de bien veiller sur Albine. Ce que j'ai fait, en refusant d'aller à l'école cet automne-là. D'ailleurs, le maître était parti, lui aussi. Je me suis mis à observer ma mère, à la suivre partout, à la rassurer, quand elle s'interrogeait à voix haute, à la tombée de la nuit, sur le sort de son époux. De guerre, il n'y en avait pas. Rien ne se passait.

Il y eut un hiver merveilleux, très froid, avec de la neige et de la glace. La petite route qui menait au village étant impraticable, nous étions complètement isolés, en bas, dans l'anse de la rivière. Bien serrés autour de la cheminée, nous pensions à Charles, qui avait peut-être froid, lui, dans la Haute-Marne. Il devait surtout souffrir de l'éloignement, comme Albine qui ne souriait plus. Pour le rendre plus présent, je ne cessais pas de lui poser des questions au sujet de son mari : comment était-il à vingt ans, comment s'étaient-ils rencontrés, est-ce qu'elle pensait à lui continuellement, est-ce qu'elle lui parlait ?

— Je lui parle en pensée, me répondait-elle.

— Est-ce qu'il te répond ?

— Au début, oui, il me répondait, mais aujourd'hui, je l'entends de moins en moins.

J'ai fait part de cette réponse à Baptiste et à Paule, en leur demandant de l'aider à ne pas l'oublier.

— Elle ne l'oubliera pas, a répondu Paule en haussant les épaules.

— Et s'il ne revenait pas ?

— Il reviendra, a dit Baptiste, il est fort.

Cette certitude exprimée avec conviction par mon frère m'a convaincu. C'était vrai que Charles était fort, courageux, adroit. Nous n'avions pas à nous inquiéter, il suffisait d'attendre.

La journée, nous nous occupions surtout du bois, car Charles n'avait pas eu le temps de le rentrer avant de partir. Avec Baptiste, nous posions aussi des nasses et des cordes dans les anses à l'abri du courant, et nous prenions des perches et des brochets. Mais ce n'était pas suffisant pour vivre. Un jour par semaine, malgré le froid, nous partions tous ensemble vers le village, à travers les champs et les bois pétrifiés par le gel. Il nous fallait plus de deux heures pour arriver sur le plateau où soufflait un vent du nord si froid que nous en avions le nez et les oreilles glacés. Albine passait à la poste voir s'il n'y avait pas une lettre de Charles, faisait des courses, et visitait sa patronne couturière qui ne lui donnait plus de travail, ou très peu. Cette femme nous offrait un bol de chocolat pour nous réchauffer et à Albine, du café. Puis nous redescendions très tôt pour ne pas être surpris par la nuit.

Parfois je demandais à Albine :

— Est-ce que tu crois que nous lui manquons ?

— Bien sûr que nous lui manquons.

— Et nous, ses enfants, plus que toi ?

— Autant que moi.

Vers la fin février, un soir, la porte s'ouvrit : c'était Charles, couvert de givre, amaigri, mais tel qu'en lui-même, placide, avec les mêmes bras, les mêmes mains, pour nous serrer contre lui. Ce soir-là, nous avons veillé très tard, tous ensemble, mais c'était nous qui parlions plutôt que lui, qui nous avait brièvement expliqué, dès son arrivée, qu'il était consigné dans sa caserne et ne faisait rien, sinon attendre en jouant aux cartes.

Le lendemain, malgré le froid, nous sommes partis vers la rivière et Charles a voulu sortir la barque, pour aller sur l'eau. Il a accepté de nous emmener, Baptiste et moi, dans la lumière vive, sur des eaux glaciales dans lesquelles il n'aurait pas fait bon tomber. Je ne sais pas si c'est le froid ou l'émotion qui ont pétrifié deux larmes au coin de ses yeux, mais il n'a pas prononcé un mot, ce matin-là, et je me suis bien gardé de raconter à Albine ce qui s'était passé. Ce qui m'a le plus frappé, c'est qu'il semblait également différent avec elle, et j'ai eu peur que l'éloignement ne l'eût vraiment changé. Pourtant, au cours des trois jours durant lesquels il est resté près de nous, il est redevenu, au fil des heures, le Charles d'avant, souvent silencieux, certes, mais avec la même lueur dans ses yeux noirs, où je lisais de nouveau sa confiance en nous et dans le monde.

Et puis il est reparti. Avant de quitter la maison, il s'est accroupi devant moi, m'a pris par les épaules et m'a dit :

— Bastien, tu es l'aîné, je te confie ta mère, ton frère et ta sœur. Je sais que je peux compter sur toi.

Nous nous sommes retrouvés seuls, et ce temps de fer et de froid s'est prolongé jusqu'au mois d'avril. Avec le printemps, cependant, la guerre est devenue plus menaçante, surtout à partir du mois de mai. Nous avons eu peur quand les Allemands sont entrés en France, et que les journaux rapportés par Albine du village ont rendu compte des combats dans le Nord. Mais nous n'avons pas eu peur longtemps. Très vite, tout s'est arrêté. Un soir de juin, la porte s'est de nouveau ouverte : c'était Charles, fourbu, affamé, qui, aussitôt assis, nous a raconté ce qui s'était passé et nous a avoué n'avoir pas tiré un seul coup de fusil. Il était très fatigué, parce qu'il avait marché longtemps, longtemps, sur les routes surpeuplées de l'exode, où toute la population du nord de la France avait été jetée par la défaite.

Dès le lendemain matin, il est parti sur la rivière et il n'a jamais reparlé de cet épisode de sa vie. Alors, tout a recommencé comme avant. Nous n'avons pas vu un seul uniforme de toute la guerre, pas même au moment de la Libération. Charles n'a pas eu besoin de se cacher. Nous étions trop loin de tout, bien à l'abri, protégés par les îles et la rivière qui creusaient un fossé infranchissable entre le monde et nous.

L'ABSENCE prolongée de Charles m'avait fait découvrir une Albine que je ne connaissais pas. Elle s'était peu à peu confiée à moi, sans doute pour compenser ce qu'elle ne pouvait lui dire. J'ai deviné ainsi qu'elle devait beaucoup lui parler quand ils étaient ensemble. Parmi mes découvertes, l'une d'entre elles m'a beaucoup inquiété. J'ai compris qu'elle rêvait de voyages. Elle rapportait du village des livres et des photographies que lui prêtait la couturière qui avait vécu en Indochine dans sa jeunesse. On y voyait des sampans, des pagodes, des rizières, des maisons coloniales et le peuple de la rue. Elle pouvait rester des heures à les regarder, à s'isoler, sans nous accorder la moindre attention alors que nous nous trouvions dans la même pièce. J'attendais que Baptiste et Paule s'éloignent pour lui demander :

— Tu n'es pas heureuse, ici ?

— Voyons, Bastien, qu'est-ce que tu dis là ?

— Je vois bien que tu rêves de ce pays.

J'ajoutais, d'un ton de reproche :

— Tu sais pourtant qu'il ne pourrait pas vivre loin d'ici.

— Bien sûr que je le sais, me répondait-elle, mais ça n'empêche pas.

Je m'indignais :

— Tu rêves contre lui.

Elle rangeait les magazines et les photographies, répondait :

— Peut-être que si on partageait tout, on s'aimerait moins.

Et, comme à cette phrase je serrais les poings, elle ajoutait :

— Tu vois, Bastien, c'est peut-être ses silences que j'aime le plus. C'est grâce à toi que je viens de le comprendre.

C'est vrai que les silences de Charles le rendaient mystérieux. Je crois qu'il savait d'instinct que nous sommes peu de chose à l'échelle des siècles, et que c'est le monde qui compte, non les hommes qui n'en sont que des occupants provisoires. Voilà pourquoi, sans doute, n'avait-il jamais de colères. Ce que j'ai le plus regretté, c'est de n'avoir pas été capable de le faire parler à ce moment-là, mais seulement quand je suis revenu vers lui, trop tard, car il était déjà très malade.

Albine, elle, me paraissait moins secrète, et dissimulait mal ses émotions. Un jour, pendant l'absence de Charles, elle est revenue de chez la couturière sans pouvoir cacher ses larmes et m'a dit, dans sa chambre où elle était allée se réfugier :

— Il y a un homme du village qui me suit quand je redescends.

— Quel homme ?

— Un réfugié qui se cache. Il ne faut pas me laisser seule, Bastien. Il faut venir avec moi.

Ce que j'ai fait, sans hésiter, la semaine suivante. Et j'ai vu cet homme, quand nous avons repris le chemin en direction de la rivière. Il attendait, assis sur le talus. Il s'est levé quand nous sommes arrivés à sa hauteur, nous a salués. Il était jeune : un peu plus de vingt ans, et il était beau, avec des cheveux très noirs et des yeux d'un bleu très sombre. J'en ai été surpris, mais rassuré en même temps, car d'évidence il ne représentait pas une menace pour Albine. Il nous a suivis pendant quelques centaines de mètres, nous a dit des mots aimables, puis il s'est adressé à ma mère, murmurant que la semaine lui avait paru longue sans elle. Albine n'a pas répondu. Elle a pressé le pas, et il s'est arrêté.

Je lui ai dit :

— Tu vois, tu n'as pas à avoir peur. Il n'est pas méchant.

Elle tremblait cependant, et j'ai compris alors que c'était d'elle-même, surtout, que je devais la protéger. De ce jour-là, elle m'est apparue comme une étrangère et je lui en ai beaucoup voulu. Il m'a semblé que je ne l'avais jamais connue, qu'elle était une autre, et que peut-être Charles non plus ne la connaissait pas très bien. Je me suis mis à la guetter, à surveiller ses moindres gestes, et me suis rendu compte à quel point, à trente ans passés, elle était belle. Sur ses épaules rondes, sa peau dorée rehaussait la blondeur de ses cheveux mi-longs, et ses yeux gris-vert trahissaient une fragilité que les hommes devaient deviner. Mais, pour moi, elle avait toujours été et serait toujours la femme de Charles.

Je me suis mis à lui parler durement. Je la harcelais en la voyant rêveuse :

— Si tu ne t'étais pas mariée avec lui, tu serais malheureuse.

Elle me répondait d'un air accablé :

— Je le sais, Bastien.

— Où crois-tu donc que tu serais plus heureuse qu'ici ?

— Nulle part, bien sûr.

— Alors, rapporte ces magazines et ces photographies à la couturière ! Ça te fait du mal.

Elle m'a écouté, les a rendus la semaine suivante. L'homme aux yeux bleus, lui, avait disparu, sans doute parce qu'il avait compris qu'elle ne monterait plus seule au village. Je m'en suis voulu quand je l'ai vue triste devant la table de la cuisine, ce soir-là, avec son tablier qu'elle attachait à la taille et autour de son cou, en faisant cuire une omelette. Le soir, il m'a semblé l'entendre pleurer dans sa chambre. Aussi lui ai-je dit le lendemain matin, alors que nous prenions seuls notre petit déjeuner :

— Tu pourras reprendre les magazines, va.

Elle n'a pas répondu tout de suite. Elle a soupiré plusieurs fois, puis elle a murmuré :

— Le monde est si grand…

Et elle a ajouté :

— Il ne faut pas m'en vouloir, Bastien. On peut aimer en rêvant d'autre chose. La preuve : je n'ai jamais autant rêvé que depuis que je connais ton père.

Elle a quand même attendu que Charles soit rentré pour reprendre les magazines et les photographies, comme si elle se sentait coupable de les avoir regardés hors de sa présence. Ensuite, tout est rentré dans l'ordre et la vie a repris son cours.

Un soir, j'ai demandé à Charles si ça ne le dérangeait pas qu'Albine s'intéresse à ces photos d'un pays étranger.

— Moi aussi, je voyage, m'a-t-il dit, mais c'est sur la rivière. Elle, elle n'a rien. Alors, forcément il lui faut quelque chose.

Cette réponse m'a blessé. J'avais toujours pensé que lorsqu'on s'aimait comme ils s'aimaient, on n'avait besoin de rien d'autre. J'ai fait part de mes réflexions à Baptiste, qui m'a répondu, catégorique :

— Il n'y a vraiment pas de quoi s'inquiéter. C'est seulement lui qu'elle cherche. (Il a ajouté, avec un sourire :) Il est partout.

Ces quelques mots ont suffi à apaiser les craintes que l'absence de Charles avait un moment soulevées.

15

J E dois avouer qu'un jour, Baptiste et moi, nous avons failli nous
noyer. Je ne sais pourquoi, Paule ne se trouvait pas avec nous cet
après-midi-là. Sans doute Albine l'avait-elle retenue pour des travaux de couture. C'était en septembre, juste avant la rentrée. Baptiste,
incapable d'imaginer que l'école nous guettait, avait consacré trois
jours entiers à construire un radeau qu'il prétendait indestructible.

— Tu verras, m'a-t-il dit : avec celui-là, on pourra passer sous la
falaise.

Charles nous recommandait souvent de ne pas emprunter le violent courant qui butait contre les rochers dans des tourbillons et des
remous très dangereux. Mais cette fois-là, Baptiste tenait à me prouver la robustesse de son radeau, et comment l'eût-il mieux fait qu'en
prenant ce risque ?

— Si tu as peur, a-t-il ajouté, je passerai tout seul et tu regarderas de la rive d'en face.

Il n'était pas question pour moi de le laisser affronter le danger
sans me tenir à ses côtés. L'eau était encore tiède de la chaleur que lui
communique la terre pendant les mois d'été. Les arbres avaient jauni.
J'avais l'impression désagréable de me trouver dans un monde finissant, et j'étais désespéré, déjà, de devoir bientôt abandonner la rivière
pour l'école.

Au moment de lancer le radeau, Baptiste a eu une dernière hésitation et m'a dit :

— Si tu veux, on n'y va pas.

— Pourquoi on n'irait pas ? Tu n'es pas sûr de ton bateau ?

— Si, bien sûr.

— Alors ?

Je crois que cet après-midi-là, en pensant à ce qui m'attendait les
jours prochains, j'aurais été capable d'affronter n'importe quel danger pour ne pas avoir à les vivre.

— Tu sais, a dit Baptiste en appuyant sur sa rame, mon radeau,
il n'est pas indestructible, mais il est insubmersible.

J'avais souvent remarqué qu'il accordait des pouvoirs, de la force, à des mots. Il lui arrivait de rester de longs moments devant un dictionnaire pour en découvrir de nouveaux. Il pouvait en savourer un pendant des jours, parfois des semaines. C'était étrange, pour moi, cette manière qu'il avait de faire confiance à ce que de simples mots évoquaient. Je devais apprendre, plus tard, qu'un autre, « banquise », l'avait ensorcelé. En attendant, ce jour-là, « insubmersible » l'avait envoûté et il était prêt à tout pour se l'approprier.

Nous sommes donc partis sur le radeau qui devait mesurer à peine deux mètres sur trois et dont les planches flottaient sur des bidons d'inégale épaisseur. Tout s'est bien passé pendant les quelques minutes où nous avons longé la grande île, puis dans le calme qui prolongeait sa pointe ouest. Le courant augmentait un peu plus loin, à la confluence du lit principal et de celui qui faisait le tour de l'île.

Le premier remous nous a bousculés un peu, puis le second nous a projetés au cœur des eaux écumantes. Les rames que nous avait fabriquées Charles sont devenues alors totalement impuissantes. Pourtant, nous tentions de toutes nos forces de nous tenir à distance de la falaise, mais la force de l'eau nous en rapprochait irrésistiblement. Nous allions savoir si le radeau de Baptiste possédait bien les qualités qu'il lui prêtait.

Le premier choc a été terrible et l'a disloqué en partie ; le deuxième, dix mètres plus loin, l'a fracassé. Sans même avoir eu le temps de sauter, nous avons été renversés et roulés aussitôt par un tourbillon vers les profondeurs. En bas, la falaise avait été creusée par la rivière en une grotte concave où l'eau était d'un vert translucide. Il régnait dans la cavité une sorte de calme envoûtant, et il m'a fallu au moins dix secondes pour comprendre que je devais réagir, et vite. J'ai tenté de me frayer un passage dans le courant à l'aplomb du rocher, mais sa violence m'a renvoyé rudement dans la nasse. Il y avait un grand bourdonnement dans mes oreilles. Je ne voyais pas Baptiste. Je ne savais pas où il se trouvait.

J'ai pris appui des jambes contre le fond de la grotte et je me suis projeté vers le courant qui, une nouvelle fois, m'a renvoyé violemment vers l'intérieur où le calme était toujours aussi ensorcelant. Je sentais mes yeux se troubler, mes forces me quitter. Une sorte de consentement me gagnait, dans cette eau tiède qui réveillait sans doute en moi des échos enfouis, peut-être issus de nos origines. Une paix étrange envahissait mon esprit de plus en plus embrumé. J'ai fermé les yeux en songeant vaguement qu'il y avait là une consolation à tout, mais pas un instant je n'ai pensé à Charles ni à Albine, au prochain retour à l'école.

C'est alors qu'une main s'est posée sur mon bras : celle de Baptiste, mystérieusement réapparu. Je crois me souvenir que, constatant mon inertie, il m'a frappé. Puis il m'a obligé à me déplacer vers l'extrémité de la caverne et à prendre appui contre le bord extérieur, à ras du courant. Grâce à nos poids réunis, nous avons franchi le mur et nous avons pu remonter à l'air libre pour en avaler une grande goulée salvatrice. J'étais tellement épuisé qu'il a dû m'aider à flotter jusqu'à ce que le courant nous abandonne sur une plage de galets, deux cents mètres plus loin.

Nous sommes restés un long moment allongés côte à côte pour reprendre des forces. Nous ne parlions pas. Nous savions que nous avions frôlé la mort et nous écoutions battre nos cœurs. Baptiste, je le devinais, se sentait coupable.

— Je ne te voyais pas, ai-je dit, à la fin, comme pour m'excuser de ma faiblesse.

Il m'a répondu faiblement :

— Je n'étais pas là.

J'ai alors compris qu'il avait échappé au piège, et que, ne me voyant pas apparaître, il avait replongé malgré le danger, pour me sauver. Il était plus jeune que moi, avait moins de force, mais il avait joué sa vie pour son frère.

— Tout est de ma faute, a-t-il dit, je n'aurais pas dû t'entraîner dans cette folie. (Il a ajouté, plus bas :) Il vaudrait mieux que Charles ne l'apprenne pas.

— Il vaudrait mieux, en effet.

— Regarde là-bas.

À trente mètres de nous, il y avait nos rames, échouées elles aussi – les rames fabriquées par Charles, qui nous avait accordé sa confiance.

La peur éprouvée depuis que nous étions sortis du piège ne s'estompait pas, et il me semblait que Baptiste tremblait.

— Tu n'aurais pas dû, ai-je dit.

— Tu sais, Bastien, je n'ai même pas réfléchi. J'ai seulement pensé à Charles et à Albine.

— Tu aurais dû penser à toi.

Alors, il m'a répondu d'une voix égale :

— Tu sais, toi ou moi, c'est pareil.

Nous sommes repartis lentement vers la grande île pour reprendre des forces avant de nous montrer à nos parents. En fait, nous ne sommes rentrés qu'à la nuit, protégés par une ombre complice. Ensuite, nous n'avons plus parlé de cet après-midi-là. Car nous savions l'un et l'autre que, pour la première fois, nous avions trahi Charles et nous en avions honte, terriblement. Mais nous savions aussi que nous étions unis à tout jamais – lui, le petit, et moi, le grand – puisque Baptiste m'avait sauvé la vie au péril de la sienne. Un sentiment de solidarité profonde se substitua très vite à notre honte d'avoir désobéi.

16

J E me souviens aussi du jour où nous avons, pour la première fois, emmené Paule avec nous sur la grande île. Nous n'étions, Baptiste et moi, déjà plus tout à fait des enfants. Nous avions construit une cabane sous les aulnes et les frênes, une maison de feuillages où il faisait si bon, à l'ombre, les jours d'été. Nous avions longtemps refusé d'y emmener Paule, jusqu'à ce qu'elle nous dise, un soir, avec cette voix d'une douceur étrange :

— Et si je mourais demain, vous ne regretteriez pas de n'avoir pas su me faire plaisir ?

Je crois que c'est le jour où elle a pénétré dans la cabane qu'elle nous a fait prêter le serment qui a tant pesé sur nos vies :

— Jurons que, plus tard, nous ferons tout ce que nous pourrons pour acheter la grande île.

Nous avons juré, après avoir tracé au couteau une croix dans la paume de nos mains, jusqu'au sang. Paule était ravie. Elle avait aboli la barrière qui existait entre nous et, déjà, c'était elle qui menait le jeu.

Nous savions que la grande île appartenait à un paysan voisin,

qui n'y mettait jamais les pieds. Il en consentait à notre père l'utilisation, contre des livraisons régulières de poissons. Mais c'était pour
nous une sorte d'usurpation, d'injustice, car tout ce qui se trouvait
au milieu de l'eau était censé nous appartenir.

Quand nous avons parlé à Charles de notre serment, il a souri,
mais n'a rien dit. Sans doute croyait-il que les serments des enfants
ne durent que le temps de l'enfance, ce en quoi il avait tort. Je me
demande d'ailleurs si ce serment n'a pas été déterminant dans la
folie de Paule, quand elle nous a quittés. Et je revois l'ombre fraîche
des feuillages, ce jour-là, j'entends le murmure de l'eau, je m'allonge
sur le lit de fougères en devinant le corps fin de ma sœur : une liane,
un serpent, avec une peau dorée comme un abricot, au cœur d'un
mystère qui, pour moi, malgré le temps, ne s'est jamais dissipé.

Dès qu'elle a eu posé le pied sur l'île, nos jeux ont changé.
D'explorateurs méticuleux, nous sommes devenus des défenseurs
de notre territoire armés jusqu'aux dents. Contre qui ? Contre quoi ?
Contre un ennemi invisible qui voulait débarquer, enlever Paule,
qui l'enlevait d'ailleurs, et nous l'entendions parfois gémir dans
l'ombre ou supplier, nous appeler à son secours. Nous avions fabriqué des arcs et des flèches capables de gagner des batailles contre les
présences étrangères les plus redoutables, par une sorte d'instinct
de divination qui saisit parfois les enfants, souvent plus proches des
mystères et des ombres que les adultes. Malgré notre surveillance,
Paule disparaissait sans cesse.

J'avais treize ans, guère plus, quand nous avons obtenu la permission de passer la nuit pour la première fois dans l'île.

Assis sur un rivage de galets, nous avons, tous les trois côte à
côte, regardé tomber la nuit. Paule était assise entre Baptiste et moi.
L'ombre descendait lentement sur l'eau qui devenait couleur de
plomb fondu. Des canards sauvages tournaient une dernière fois
avant de s'abattre dans les oseraies. Il n'y avait plus au monde que le
ciel, l'eau et nous trois, seuls, face aux falaises dont la masse grisâtre
fondait peu à peu. Quand nous n'avons plus rien vu, Paule a fris-
sonné longuement et a murmuré :

— Rentrons, maintenant.

Nous avons gagné la cabane en marchant lentement. L'air sentait
la feuille humide, les genêts, le sable sec. Nous nous sommes couchés

sur notre lit de fougères, et nous avons parlé longtemps, ou plutôt, c'est Paule qui nous a parlé de ce royaume que nous avions la chance d'habiter. Nous nous sommes endormis tard, vers une heure du matin.

C'est une sorte d'absence qui m'a réveillé vers trois heures. Je me suis agenouillé et j'ai cherché de la main les corps autour de moi. J'ai trouvé celui de Baptiste qui s'est redressé aussitôt, mais pas celui de Paule.

— Elle n'est plus là, ai-je murmuré d'une voix qui n'était pas très rassurée.

Baptiste n'a pas paru surpris.

— Allons-y! a-t-il dit.

Nous sommes sortis dans la nuit tiède, et nous avons commencé à chercher, d'abord autour de la cabane, puis de plus en plus loin, en l'appelant doucement. La lune avait émergé de la brume qui tombe sur les rivières au crépuscule et s'évapore ensuite à mesure que la température fraîchit. Nous avions emporté la lampe, et nous suivions les minuscules sentiers que nous connaissions par cœur. Ils menaient tous vers l'eau. Une fois sur la rive, nous avons tenté de voir si elle n'avait pas décidé de se baigner. Mais non, nul remous n'agitait la surface des flots qui glissaient lentement dans la lueur frissonnante de la lune.

Nous l'avons cherchée toute la nuit, de la pointe sud à la pointe nord, jusque dans les recoins les plus inaccessibles. Baptiste n'arrêtait pas de lui promettre des représailles, mais il cherchait comme moi, inlassablement. À la fin, nous sommes revenus dans la cabane pour attendre l'aube, mais nous étions si fatigués que le sommeil nous a bientôt gagnés.

Vers huit heures, un froissement de feuilles nous a subitement réveillés. Paule était là, devant nous, tremblant de tous ses membres, très pâle, si pâle, si défaite, que nous n'avons rien osé dire. Elle s'est assise face à nous, s'est mise à pleurer et nous a dit d'une voix blanche :

— Je voulais savoir si mes frères étaient capables de me retrouver et ils n'ont pas pu.

Elle a ajouté, avec un accablement qui nous a transpercés :

— Je suis perdue.

Nous avons essayé de la questionner, de la rassurer, mais il y avait une telle peur dans ses yeux que nous avons dû y renoncer. Alors, nous avons retraversé la rivière sans un mot, puis nous avons regagné la maison où Albine, en découvrant Paule si angoissée, s'est inquiétée de ce qui s'était passé.

— Rien du tout, a dit Baptiste. Cette fille est complètement folle.

Paule est allée s'enfermer dans sa chambre, qu'elle n'a pas quittée de trois jours.

N'ai-je pas rêvé tout cela, après coup ? Non, sans doute, car je l'ai revue souvent dans mon souvenir ce matin-là, avec ce terrible pressentiment et ce désespoir qui la hantaient. Je crois vraiment qu'elle avait une sorte de don de divination et que c'était d'elle qu'elle avait le plus peur.

17

JE m'aperçois que je vais trop vite. Si j'ai entrepris de revivre les heures magiques de ma vie, ce n'est pas par une sorte de vaine nostalgie. Non, c'est parce que j'ai toujours eu la conviction qu'à l'heure de disparaître tout ce qui est oublié est perdu, et tout ce qui est emporté, au contraire, est sauvé. Il faut donc creuser le ferment de la mémoire, y incruster le meilleur de l'existence pour qu'il nous accompagne sur d'autres routes, dans d'autres îles.

Le meilleur de ma vie est incontestablement ces années-là, même dans ce qu'elles avaient de douloureux, comme ce jour où j'ai découvert que nous étions pauvres alors que je nous croyais riches. Nous n'étions riches, en réalité, que de liberté et de lumière, mais c'était tellement bon que je ne m'en étais jamais préoccupé.

Je ne savais pas ce que c'était que l'argent. Je voyais Charles donner des pièces ou des billets à Albine qui s'occupait des achats au village, mais ils nous maintenaient à l'écart de ces préoccupations étrangères à notre liberté. Or un jour, c'était en octobre, Charles a été arrêté par un garde en possession d'une alose, parmi d'autres poissons, alors que la pêche en était interdite. Il n'aurait pas dû la garder. Il aurait dû la remettre à l'eau.

— Quand même, a dit Albine, cinq mille francs d'amende pour une alose !

— C'est ainsi, a dit Charles, je n'aurais pas dû la garder. Je n'en avais pas le droit.

— Une seule alose, voyons, ce n'est pas si grave.

— Je me suis mis dans mon tort, je payerai.

C'est alors qu'Albine a demandé comment, et nous nous sommes regardés tous autour de la table, comme si soudain un voile se déchirait, laissant apparaître notre fragilité. J'ai bien compris qu'elle regrettait aussitôt d'avoir posé cette question, car elle a très vite changé de sujet. Mais une ombre froide s'était posée sur nous et ne se levait plus.

À partir de ce soir-là, Charles n'a plus été le même. Son calme et son assurance s'étaient évanouis. Il disparaissait pendant la journée, rentrait le soir éreinté, et je voyais s'éteindre peu à peu la lumière de son regard.

— Il s'est embauché sur un chantier, a fini par avouer Albine devant mes questions.

— Pourquoi ? a demandé Baptiste.

— Vous savez bien : pour payer cette malheureuse amende au sujet de l'alose.

— Et les poissons ?

— Les poissons, avec l'hiver qui arrive…

— Et ta couture ?

Albine a détourné les yeux. Ni Baptiste ni moi n'avons eu le cœur d'insister, mais nous avions compris que, contrairement à ce que nous croyions, nous n'étions pas à l'abri des menaces du monde extérieur.

Cette année-là, Charles a travaillé tout l'hiver pour payer l'amende, sans jamais se plaindre. Ce n'était ni dans sa nature ni dans ses habitudes. Parfois, je m'inquiétais de son absence auprès d'Albine.

— Ça ne va pas durer, me répondait-elle en reprisant nos vêtements usagés.

Je me suis alors aperçu, pour la première fois, qu'elle ne nous achetait jamais de vêtements neufs, mais qu'elle entretenait amoureusement ceux qu'elle confectionnait. J'ai compris par la même occasion que, pour elle, la propreté était l'honneur de la pauvreté, mais je n'en ai pas été blessé. Nos vêtements sentaient bon après avoir séjourné dans l'armoire parfumée des bouquets d'herbes des champs au milieu desquels dominait celui des violettes, et leur usure même me les rendait précieux. Non, si je souffrais, c'était de savoir mon père contraint de vivre à l'écart de sa rivière, obligé d'aller gagner loin d'elle l'argent d'une dépense à laquelle il ne pouvait faire face.

Cet hiver-là m'a paru ne jamais devoir finir. Et pourtant il a passé, comme les autres, et le printemps est arrivé. La lumière s'est rallumée sur les rives et dans les yeux de Charles dont je me suis aperçu qu'il était toujours habillé d'un pantalon bleu et d'une chemise à carreaux, sur laquelle, à la mauvaise saison, il enfilait un gros chandail de laine, lui aussi tricoté par Albine. Elle lui avait probablement fait part de mes inquiétudes au sujet de notre pauvreté car, dès le premier jour où nous sommes remontés sur la barque, dans la magnifique lueur d'un matin d'avril où les arbres se couvraient d'un vert tendre et où le bleu du ciel semblait descendre jusqu'à nous, il m'a dit d'une voix redevenue la même :

— Tu vois bien, Bastien, que nous sommes riches.

Je n'ai jamais oublié son geste du bras, ni son regard, ce matin-là. Ils m'ont pour toujours délivré de la jalousie et de l'envie, même si la vie m'a changé comme elle change les hommes. Seul Charles est demeuré le même, persuadé que le ciel et la rivière lui faisaient don de ce qu'il y avait de plus précieux au monde.

— Tu vois, Bastien, me disait-il à la fin de son existence, ici, j'ai tout ce qu'un homme peut souhaiter. Tout m'est donné.

— Tu n'as jamais manqué de rien?

— Non, jamais. J'ai toujours pensé que l'argent ne fait que nous détourner de la beauté qui nous entoure. Mais l'argent, tu sais, il y en a aussi sur l'eau. Regarde!

Effectivement, l'eau des courants cascadait sur les galets dans un pétillement de cristal et, dans les premières feuilles des arbres, passaient des éclairs de vitre brisée. Je n'ai pas eu le cœur de lui faire observer que sa chemise, aux coudes, était trouée, car Albine n'était plus là pour la repriser et la repasser amoureusement.

18

Baptiste, je l'ai dit, était dès l'enfance un roc de certitudes et de passion. Il savait tout, même ce qu'il ferait plus tard.

— Je naviguerai, affirmait-il; je deviendrai commandant de vaisseau.

Je lui demandais, affolé :

— Alors, tu partiras? Tu quitteras la rivière?

— Oui, mais je reviendrai souvent.

— Et nous?

— Je vous emporterai avec moi.

— Et comment feras-tu?

— Vous êtes là, disait-il en me montrant son cœur.

— Et notre serment? La grande île?

— Justement. Comme ça, je gagnerai assez d'argent et c'est moi qui l'achèterai.

Sa passion, à part la pêche, c'étaient les bateaux. Il en construisait de toutes les tailles, en forme de radeau, l'été, sur lesquels il nous entraînait jusqu'au naufrage, comme s'il avait voulu banaliser le premier : celui dans lequel nous avions failli périr, lui et moi. Le moindre écueil venait à bout des fragiles esquifs qui se disloquaient subitement et nous abandonnaient à notre sort. Nous rentrions à la nage, épuisés, Paule très en colère, mais Baptiste riait et, sitôt de retour, il se remettait à l'ouvrage.

Aujourd'hui, lui aussi est mort, dans un vrai naufrage. Il n'est pas devenu commandant de vaisseau, mais capitaine d'un chalutier de deux mille tonnes qu'il conduisait là-bas, très loin, sur la mer de Barents, dans le voisinage de l'île aux Ours. J'étais allé à sa rencontre, à Cherbourg, quand Charles, malade, avait demandé à le voir.

— Tu sais, Bastien, m'avait-il dit, notre père est un homme qui restera toujours fort et jeune, pour moi. C'est comme ça que je l'ai aimé et que je l'aimerai toujours.

— Il voudrait te parler. C'est pour ça que je suis là.

— Tu lui diras que je viendrai bientôt. Comme ça, il se battra, et il m'attendra.

— Mais tu viendras vraiment?

— Je ne suis jamais réellement parti, Bastien.

À douze ans, déjà, il prononçait des phrases définitives, lourdes de sens, et j'avais parfois du mal à le comprendre. À treize ans, un soir, il n'est pas rentré. Albine a tout de suite été très inquiète, mais Charles pas du tout, du moins au début. Moi, j'étais surtout vexé qu'il ne m'ait rien dit.

— Il sera là demain matin, a dit Charles. Allons nous coucher.

Le lendemain matin, Baptiste n'a pas reparu. Le visage de Charles s'est un peu assombri, mais il n'a rien dit qui puisse trahir la moindre inquiétude. Quant à Albine, elle a suggéré, au moment où nous nous sommes assis pour le repas de midi :

— Il faudrait aller prévenir.

— Prévenir qui? a demandé Charles.

— Je ne sais pas. Les gendarmes, peut-être.

Cette proposition lui a paru tellement déplacée qu'elle n'a pas insisté.

— Je vais le chercher, moi, a décidé Charles en se levant brusquement, à la fin du repas.

Il est parti et je suis resté seul avec Albine et Paule.

— Si tu sais quelque chose, lui a dit Albine avec un début de colère, tu as intérêt à me le dire!

Paule a juré sur la tête de Baptiste qu'elle ne savait rien. Nous avons attendu tout l'après-midi sans prononcer un mot.

Charles est rentré le soir sans l'avoir trouvé. Il m'a paru un peu plus inquiet que la veille, mais il est parvenu à rassurer Albine :

— Je le connais, il ne se mettra pas en danger.

— Qu'est-ce que tu en sais?

— Je le sais. Ne t'inquiète pas.

Au fur et à mesure que les jours ont passé, Charles a eu du mal à ne pas céder à Albine, qui insistait pour qu'il aille trouver les gendarmes. Le sixième jour vers midi, alors que nous étions en train de manger, nous avons entendu des pas sur le chemin. C'était Baptiste, amaigri, épuisé, mais souriant. Il y avait une lumière immense dans ses yeux.

— J'ai faim, a-t-il dit.

Il s'est assis au milieu de nous comme si de rien n'était, a avalé tout ce qu'Albine a mis dans son assiette, puis il a relevé la tête et nous a regardés en riant, avec un tel sourire que personne n'a pu lui poser la moindre question. Devant le regard insistant d'Albine, Charles a forcé la voix pour lui dire :

— Viens avec moi !

Ils sont partis tous les deux et j'ai pensé que Baptiste allait avoir du mal à échapper à un châtiment. J'aurais donné tout ce que je possédais pour me glisser entre eux et les écouter. Mais j'ai dû patienter tout l'après-midi avant de les voir revenir. Albine paraissait excédée. Elle allait de la cuisine au jardin, de son ouvrage à la terrasse.

Quand ils sont rentrés, vers six heures du soir, Charles avait la même étrange lueur dans les yeux que Baptiste. Il s'est enfermé dans la chambre avec Albine et j'ai pu enfin questionner mon frère.

— Je l'ai vu, m'a-t-il dit.

— Qui ça ?

— L'océan, je l'ai vu.

Et il m'a raconté que l'envie l'avait pris l'année précédente, qu'il avait étudié les cartes et que ce n'était pas bien difficile d'y arriver : il suffisait de suivre la rivière jusqu'à l'estuaire. Et puis il m'a raconté son voyage, comment il était monté sur des bateaux de plus en plus gros, avait rencontré des hommes qui avaient connu des tempêtes et traversé l'océan jusqu'en Amérique.

— Et Charles ? Qu'est-ce qu'il a dit ?

— Il m'a demandé de lui raconter, c'est tout.

— On a été inquiets, tu sais.

— Je sais. Mais si j'avais demandé la permission, ils ne me l'auraient pas donnée, et moi, j'en avais besoin. Tu comprends, Bastien, j'en avais besoin.

J'avais compris, comme Charles, comme Albine, que certains enfants ont besoin de vivre leurs rêves. J'ai également compris plus tard que ces rêves peuvent les tuer, mais que ce n'est pas ce qui compte. Ce qui compte, c'est qu'ils puissent vivre heureux, même s'ils doivent en payer le prix. Charles, qui connaissait d'instinct les secrets du monde et des hommes, n'a pas voulu l'en détourner. Je suis persuadé qu'il a été heureux, ce jour-là, sur la rivière, en écoutant son fils sans lui faire le moindre reproche, de le savoir capable de franchir tous les obstacles pour atteindre ses rêves.

19

E N arrivant sur la place du village, un matin, nous avons aperçu des roulottes au toit vert, et Paule n'a pu s'empêcher de s'approcher. Nous l'avons suivie, Baptiste et moi, en direction des chevaux qui broutaient calmement l'herbe entre les ormes. C'étaient des bêtes superbes, à la crinière tombante, à la queue très longue, et dont la robe baie, lustrée, témoignait de soins attentifs. Entre les roulottes, des feux brillaient sous des chaudrons à moitié pleins d'étain fondu, derrière lesquels des hommes à la peau tannée étaient assis sur des chaises de paille. C'étaient des étameurs, qui, nombreux à l'époque, parcouraient les campagnes pour trouver de quoi exercer leur métier.

Nous avons eu beaucoup de mal à nous arracher au spectacle de ces hommes et de ces femmes vêtus si différemment de nous – pantalons à côtes, gilets en peau pour les hommes ; robes longues et foulards de couleur vive sur la tête pour les femmes. Quand la cloche de l'école nous a rappelés à l'ordre, nous savions déjà que nous allions vivre un matin extraordinaire.

J'ai tout de suite aperçu dans la cour les deux garçons qui se tenaient sur les marches, seuls, à l'écart : deux Gitans à la peau brune, au regard sombre et à l'allure fière. Les autres enfants gardaient une distance prudente, comme si cette présence nouvelle constituait pour eux une menace. Je ne sais pas pourquoi, un élan spontané m'a poussé vers les nouveaux venus.

Nous nous sommes arrêtés à un pas d'eux, ne sachant que dire, mais persuadés, tout de suite, que nous avions rencontré des alliés.

— Je m'appelle Manuel, a dit l'aîné, avec un accent traînant qui s'attardait sur la dernière syllabe. Mon frère s'appelle Luis.

J'ai à peine eu le temps de donner nos prénoms que Manuel, prenant ma main droite, a dit, en la serrant d'une manière inhabituelle, l'avant-bras replié sur lui-même, comme pour un défi de force :

— Vous êtes nos frères.

À cet instant, le maître a surgi et tapé dans ses mains pour nous faire mettre en rang. Nous avons alors été séparés, mais dès que je me suis assis, je me suis retourné vers les Gitans qui avaient trouvé place au fond, sur le dernier banc.

— Vous avez deux nouveaux camarades, a dit le maître. Ils viennent de loin, mais ils resteront chez nous quelque temps. Je compte sur vous pour leur faire bon accueil.

Je crois n'avoir rien entendu de la leçon de calcul, ce matin-là. En fait, je m'inquiétais pour Manuel et Luis, que je croyais incapables de faire face aux difficultés des mathématiques, et j'aurais voulu leur venir en aide. Mais eux ne paraissaient pas s'en soucier. Ils devaient m'apprendre, lors de la récréation de dix heures et demie, qu'ils fréquentaient l'école régulièrement, lors de chaque halte dans les villages. Et surtout, j'ai découvert très vite qu'ils étaient d'une intelligence différente de la nôtre, instinctive, mais bien au-dessus de la moyenne de la classe.

Nous nous sommes rejoints dans la cour dès le début de la récréation. Dès que nous nous sommes assis sur le mur, Paule s'est approchée de nous, mais elle n'était pas seule. Il y avait une fille avec elle : brune, les cheveux noués en chignon, elle portait une robe longue de couleur rouge.

— Esilda, notre sœur, a dit Manuel.

Quand les yeux de pervenche se sont posés sur moi, il m'a semblé que le monde était encore plus beau que je ne l'avais imaginé. J'ai deviné, ce matin de printemps, dans l'air tiède des premiers beaux jours, que les femmes étaient l'une des plus grandes douceurs de la vie. Paule, elle, ne pouvait pas ne pas avoir mesuré le mystère et la grandeur de ces Gitans frères et sœur. Il lui avait suffi, comme nous, de quelques minutes pour nouer avec eux des liens qui, dès le premier jour, sont devenus fraternels.

Nous l'avons compris quand ils sont revenus tous les trois dans la cour bien avant la rentrée de quatorze heures, après avoir pris leur repas chez eux. Paule, Baptiste et moi, nous avions l'habitude de manger dans la salle de classe les casse-croûte préparés par Albine, parce que nous n'avions pas le temps de redescendre à la rivière et de remonter en si peu de temps. Nous étions seuls, à ce moment-là, et pas fâchés de l'être. Les autres élèves habitaient beaucoup moins loin et rentraient chez eux.

À une heure, donc, alors que nous étions assis sous le préau, les deux frères et leur sœur sont revenus et nous ont donné trois morceaux d'un gâteau aux amandes. D'abord, nous n'avons pas accepté, mais j'ai compris que c'était leur faire offense tant ils nous les proposaient avec un naturel désarmant, une évidente sincérité. Nous découvrions la générosité vraie, la grandeur naturelle, une sorte de noblesse du cœur à laquelle, hors de la rivière, nous n'étions pas habitués.

Paule semblait émue, Baptiste gêné, et moi, je ne savais que dire pour remercier. Mais Manuel n'attendait aucun merci. Il s'est mis à nous parler comme s'il nous connaissait depuis toujours. De leurs parents venus d'Andalousie pour tenter de vivre mieux, de leurs voyages sans fin, des nombreux villages traversés, des gens, des paysages sans cesse différents.

— Mais alors, a dit Paule, vous repartirez.

— Pas avant un mois, a répondu Manuel. Il y a beaucoup d'osier, ici, au bord de la rivière, et nous devons en faire provision pour nos paniers.

— Vous connaissez donc la rivière ? ai-je demandé.

— Nous la remontons depuis le bas pays, a répondu Manuel.

— C'est là que nous habitons, a dit Paule.

— Nous le savions.

C'était la première fois qu'Esilda parlait. Jusqu'à présent, elle s'était contentée d'écouter ses frères. Elle portait aux poignets des bracelets qui jetaient des éclats d'argent et, aux oreilles, des anneaux qui paraissaient d'or. Elle devait avoir treize ans à peine, mais il y avait déjà en elle toutes les grâces d'une femme. Comme elle était assise, j'apercevais ses chevilles chaussées d'espadrilles lacées très haut, sous les volants noirs qui ourlaient sa robe rouge.

Il m'a semblé que je devais parler de notre rivière pour partager avec eux ce que nous possédions de plus beau. Je m'y suis évertué.

— D'ailleurs, ai-je conclu, vous viendrez nous voir et nous vous montrerons la grande île.

Nous n'avons pas pu bavarder longtemps, ce premier jour, car l'heure avait avancé et les enfants arrivaient. Esilda et Paule ont regagné la cour des filles. Nous, nous avons dû faire face à cette sorte d'hostilité que créent immanquablement les secrets partagés à quelques-uns. Les garçons les plus âgés sont venus défier les deux frères, mais Manuel avait l'habitude de se faire respecter, car il avait souvent fréquenté des écoliers hostiles.

— Qu'est-ce que vous voulez ? leur a-t-il dit. Demandez-le-moi, je vous le donnerai.

— Tu es bien prétentieux, a dit le grand Faye. Et d'abord, est-ce qu'on t'a demandé quelque chose ?

— Regarde ! a dit Manuel en sortant un morceau de bois et de la ficelle de raphia de sa poche.

Il s'est mis à fabriquer un personnage en enroulant la ficelle autour du morceau de bois qu'il avait préalablement taillé selon la forme qu'il souhaitait. Ses doigts s'activaient avec une agilité extraordinaire, celle avec laquelle il tressait l'osier pendant l'hiver, pour fabriquer des paniers. Très vite, a jailli de ses mains un homme à large chapeau qui ressemblait à Napoléon. La ressemblance était si frappante que tous les témoins de la scène en furent subjugués. Manuel l'a tendu négligemment au grand Faye qui n'a pas eu le temps de remercier, car le maître appelait. Je suis rentré en classe confiant, apaisé, persuadé que nous avions trouvé des amis qui allaient embellir notre vie.

Le soir, sans que nous l'ayons décidé, Esilda, Manuel et Luis nous ont suivis tout naturellement sur le chemin qui descendait vers la rivière. Manuel parlait de sa voix grave, et le monde autour de nous prenait des dimensions inhabituelles. À l'entendre, ses parents leur laissaient la liberté d'aller et venir, sauf l'hiver, quand il fallait tresser les paniers. Ce soir-là, il ne semblait pas se préoccuper de l'heure, de la nuit qui tombait tôt encore en cette saison. Cependant, ils se sont arrêtés juste avant d'arriver chez nous, comme s'ils ne voulaient pas abuser de l'hospitalité que nous leur offrions.

— Demain, a-t-il dit. Pas tout à la fois. Nous avons le temps.

Ils nous ont serré la main avec gravité. Puis Manuel a dit encore avant de retourner sur ses pas :

— Nous sommes frères et sœurs tous les six. Rien ni personne ne nous séparera.

Je me suis demandé pourquoi il parlait de la sorte alors qu'ils devaient repartir bientôt, mais je n'ai pas trouvé de réponse. Nous avons attendu qu'ils disparaissent derrière les arbres qui reverdissaient, puis nous avons marché lentement vers notre maison en nous demandant si nous n'avions pas rêvé. Mais Paule nous a montré le bracelet que lui avait donné Esilda en gage d'amitié. Et pendant toute la soirée j'ai gardé les yeux fixés sur ce bracelet qui témoignait d'une première vraie rencontre dans nos vies solitaires. Nous savions désormais que le monde extérieur pouvait aussi nous apporter du bonheur.

20

J AMAIS vacances de Pâques n'ont été plus heureuses que ce printemps-là. Dès l'aube, nous rejoignions sur la place nos amis, entrions dans leur roulotte, partagions leur vie. Leurs parents semblaient trouver cela naturel. Ils ne possédaient pas grand-chose mais donnaient facilement, avec une générosité semblable à celle de leurs enfants, et qui nous touchait chaque fois intensément. Nous nous occupions des chevaux, des ustensiles à étamer, des corvées d'eau à la fontaine, mais nous parlions également, assis en cercle, pour partager ce que nous avions en nous de meilleur.

Nous leur avons fait découvrir notre univers : les rives aux saules cendrés, la grande île, Charles et Albine un peu étonnés de cette invasion pacifique. Nous mangions dans la cabane, nous pêchions, nous coupions les branches des saules, et nous parlions, surtout, alors qu'au-dessus de nous le soleil ne cessait de briller. Luis, toujours silencieux, nous observait comme s'il s'étonnait de nous voir réunis. Baptiste aussi gardait le silence, mais je le savais heureux, à l'écoute de tout ce qui se disait, afin de n'en rien perdre. Parfois, Paule et Esilda s'éloignaient pour se confier des secrets, et nous ne songions pas à les suivre car nous avions, nous aussi, les garçons, des confidences à partager.

Un soir, Paule, mystérieuse, a manœuvré pour se trouver seule avec moi, et elle m'a tendu une feuille de papier bleu pliée en quatre en me disant gravement :

— C'est pour toi.

Je l'ai dépliée, impatient de découvrir ce qu'elle contenait, et, dès que mes yeux ont parcouru les mots, j'ai senti quelque chose d'immense s'éveiller en moi, me submergeant d'une vague inconnue :

« Bastien, tu es pour moi le ciel et l'eau, et je connais le goût de tes lèvres. » C'était signé d'un E majuscule qui ne pouvait me laisser aucun doute sur celle qui les avait écrits. J'étais bouleversé mais je ne savais comment réagir à ces mots, dont je découvrais la douceur.

Un peu plus tard, Paule est venue me demander si je voulais répondre. Il m'a semblé que j'aurais trahi la confiance de Manuel et je lui ai dit non. Elle a paru déçue mais n'a pas insisté. Le lendemain, j'ai craint que nos relations ne soient modifiées, mais Esilda demeurait la même : elle ne me regardait pas, ou alors fugacement, au moment où je m'y attendais le moins. Manuel ne se montrait pas différent, bien qu'il y eût davantage de gravité dans sa voix. La journée sur la grande île n'a rien perdu de son éclat, au contraire : elle a été imprégnée d'un charme supplémentaire, que nous ressentions tous.

Le soir, quand nous nous sommes retrouvés seuls, Paule est venue vers moi et m'a dit :

— Manuel sait tout. Il est d'accord.

Et elle m'a tendu un nouveau billet bleu avant de s'en aller. Je l'ai déplié avec hâte, et les mots ont été encore plus beaux que ceux dont j'avais rêvé : « Bastien, nous avons peu de temps, s'il te plaît, je t'aime tant. »

Une fois encore, je n'ai pas répondu. Il me semblait que j'allais rompre l'équilibre qui s'était instauré entre nous, si je n'y prenais garde. Et je ne souhaitais pour rien au monde ternir la moindre minute que nous passions ensemble. Ce fut Manuel lui-même qui intervint un matin, en me parlant seul à seul.

— Elle souffre, me dit-il. Et je ne veux pas. (Comme je ne répondais pas, il a cru sans doute que je refusais de comprendre, et il a ajouté :) Bastien, c'est moi qui te le demande.

J'ai hoché la tête, et cela nous a suffi. Vers le milieu de la matinée, alors que nous avions regagné la grande île, ils se sont tous éloignés et nous ont laissés seuls, Esilda et moi, dans la cabane. Nous sommes restés debout un moment face à face, puis elle est venue se blottir contre moi et j'ai refermé sur elle mes bras en ayant l'impression de l'y enfermer pour toujours.

Comment exprimer le merveilleux des jours qui ont suivi ? Il m'arrive aujourd'hui de me demander s'ils ont vraiment existé. Et pourtant, je sens encore parfois le parfum de violette d'Esilda, son corps contre le mien, même si nous n'avons jamais trompé la confiance de Manuel. J'avais quatorze ans, elle à peine treize. Il ne nous a pas été difficile de ne trahir personne. Tout cela était bien au-delà de ce que j'ai connu par la suite, de ces combats des corps qui ne sont que des défaites ou des victoires vite oubliées.

Les jours ont passé très vite, trop vite, sans que nous nous en rendions compte. Les autres avaient pris l'habitude de nous laisser seuls une heure ou deux, chaque matin et chaque après-midi. Pourtant, j'ai senti qu'Esilda avait recommencé à souffrir.

— Nous partons après-demain, m'a-t-elle dit un soir.

Je lui ai répondu que ce n'était pas possible, que j'empêcherais ce départ, que Manuel nous aiderait. Mais quand j'ai sollicité cette aide, le soir même, à ma grande surprise il s'y est refusé.

— Il le faut, a-t-il dit.

— Et Esilda?

— Elle ne t'oubliera pas.

— Et moi? Et nous?

Alors, il a prononcé ces paroles étranges que je n'ai jamais oubliées :

— La vraie vie est en nous. Là, tous ceux qui n'oublient pas se retrouvent.

Je me souviens du dernier soir, quand nous les avons raccompagnés vers leur roulotte. Il faisait beau, déjà, et des souffles tièdes couraient sur ma peau. Je marchais derrière les autres, près d'Esilda. Elle s'arrêtait souvent, comme si elle se refusait à ce qui allait se passer. Manuel, inquiet, se retournait, ralentissait. Elle me tenait la main, et je la sentais se crisper au fur et à mesure que nous avancions. Elle m'appelait à son secours d'une voix à peine audible, répétait :

— Bastien, Bastien, ne me laisse pas…

En haut, Manuel a dû défaire ses doigts d'entre les miens puis il l'a attirée vers lui. Il souriait, se montrait grave et fort, m'invitant du regard à agir comme lui. Ils se sont éloignés lentement, Esilda s'est retournée longtemps, jusqu'à ce qu'elle disparaisse derrière une roulotte. Nous avons attendu quelques instants, espérant qu'ils allaient réapparaître, ces frères gitans venus vers nous pour éclairer le monde d'une lumière magique, mais la porte de la roulotte est demeurée close.

— Viens ! a dit Baptiste. Il faut partir.

Comme je ne bougeais pas, Paule et lui m'ont pris par le bras et m'ont entraîné sur le chemin, muet, dévasté par une souffrance encore jamais éprouvée.

Une fois en bas, je n'ai pas pu manger et je suis allé me coucher pour être seul et penser à Esilda. Plus tard, quand tout le monde a été endormi, je suis remonté vers le village. Il ne faisait pas froid mais je grelottais. Je ne croyais pas que les roulottes s'en iraient. Cela me paraissait impossible. Elles étaient là depuis trois semaines et il me semblait qu'elles s'y trouvaient depuis toujours.

Le jour s'est levé, traînant avec lui un peu de brume. Des lumières se sont allumées, des portes se sont ouvertes. Manuel et son père sont sortis pour atteler les chevaux. J'ai quitté mon abri, derrière une laurière, et il m'a aperçu. Il m'a regardé un instant, sans détourner les yeux, et j'ai compris qu'il était étonné, sans doute même déçu. J'ai fait demi-tour et, mécontent de moi, je suis repassé derrière le rideau de verdure. Au bout d'un moment, la première roulotte s'est ébranlée, puis les autres l'ont suivie, sans que jamais n'apparaisse Esilda. En quelques minutes, elles ont disparu dans le brouillard comme dans un rêve. C'était fini.

Je n'ai jamais guéri de cette première grave blessure. Même aujourd'hui, j'ai toujours beaucoup de mal à admettre qu'il faille perdre ce que nous possédons de plus précieux. Parce que c'est notre nature et que nous allons, quoi que nous fassions, vers la disparition. Seuls les derniers mots de Manuel m'ont consolé parfois, et il m'est arrivé de les croire : « La vraie vie est en nous. Là, tous ceux qui n'oublient pas se retrouvent. »

21

PENDANT l'été qui a suivi ces vacances de Pâques, Paule s'est mise à jouer à des jeux romanesques et dangereux. Elle demandait à Albine de l'aider à coudre de magnifiques robes longues pour le mariage qu'elle projetait. Elle côtoyait des rois gitans. L'un d'eux viendrait un jour la rejoindre sur la rivière pour l'épouser.

Je lui disais d'un ton de reproche :

— Alors, tu partiras.

— Mais non, voyons, il s'installera ici. Il deviendra le prince de l'eau et la vallée sera notre royaume.

Elle pouvait rester des jours et des jours sur une idée, dans un univers qu'elle s'inventait et où elle s'efforçait en vain de nous faire pénétrer. Seule Albine se prêtait à ce jeu, car, au fond, elles se ressemblaient. Et les rêves de Paule, souvent, la poussaient aux pires extrémités.

Cette année-là, au mois d'août, elle s'est mise à jouer à mourir, car son fiancé ne venait pas. Elle a plongé à plusieurs reprises dans les grands fonds aux remous dangereux, et nous avons bien cru, Baptiste et moi, qu'elle ne remonterait pas. Nous plongions à notre tour, descendions tout au fond dans l'eau verte, et nous lui donnions des coups de pied, des coups de poing pour l'obliger à réagir. Elle remontait alors, et s'abandonnait sur les galets, le souffle court, désespérée, nous reprochant de l'obliger à vivre.

Paule était excessive en tout. Parfois, elle nous dévisageait, Baptiste et moi, prenait une voix fiévreuse et murmurait :

— Si vous saviez comme je vous aime !

Elle nous attirait dans ses bras et nous serrait l'un après l'autre avec des sanglots qui, eux, n'étaient pas feints. Baptiste sortait de ces effusions très contrarié.

— Les filles, disait-il, quelle plaie !

Moi, j'étais plus intrigué que furieux. Mais je suis certain que c'est à cause d'elle autant qu'à cause d'Esilda que, plus tard, j'ai approché les femmes, dans ma vie, avec quelque prudence. Je les ai toujours crues susceptibles d'entretenir des relations avec des forces que nous, les hommes, ignorons. Je les ai toutes considérées capables des plus grandes folies, par exemple de choisir de disparaître plutôt que trop souffrir.

Je revois Paule ce jour où elle est venue nous trouver, Baptiste et moi, dans la cabane de la grande île et où, prenant un ton solennel, elle nous a dit :

— Désormais, je suis une femme.

— Évidemment que tu es une femme ! a bougonné Baptiste.

Elle a haussé les épaules, murmuré :

— Vous ne pouvez pas comprendre.

Ce que nous comprenions, c'était que sa nature était différente de la nôtre. Par exemple, elle avait horreur de nous voir tuer les poissons. Nous avions beau lui expliquer qu'ils souffraient moins que si nous les avions laissé agoniser, la bouche ouverte, brûlés par la température d'un milieu qui n'était pas le leur, elle nous traitait de barbares.

Parfois, pourtant, Paule parvenait à nous faire entrer dans son univers enchanté. Nous avons ainsi vécu avec elle des instants inoubliables, comme ces jours où elle nous racontait comment nous resterions tous réunis sur la grande île, une fois que nous l'aurions achetée. Nous pourrions alors y construire une maison qui serait assez grande pour que nous l'habitions tous ensemble. Tous, c'est-à-dire nous, son mari, mais aussi Manuel, Luis et Esilda. Elle savait trouver les mots pour cela. Des mots qui lui venaient je ne savais d'où, sinon des livres qu'elle lisait parfois, si absorbée que plus rien ni personne n'existait autour d'elle.

Elle avait acquis cette passion de bonne heure et je crois qu'elle a été déterminante dans sa courte vie. Sans doute lui a-t-elle donné l'habitude et le besoin de rendre le monde plus beau qu'il n'est en réalité, et le nôtre, en particulier, magnifique. C'est pour cette raison qu'elle n'a pas supporté de devoir le quitter. Car elle embellissait tout, organisait des festins dans la grande île où elle nous invitait, avec Charles et Albine.

Je me souviens notamment d'une fête un soir de juin. Paule avait accroché des paillettes aux feuilles des arbres, depuis la plage de galets où l'on accostait jusqu'à la cabane. Le vent les faisait scintiller dans la lumière finissante du soir et la cabane elle-même en était illuminée, à l'intérieur comme à l'extérieur.

Paule avait préparé ce soir-là un vrai repas, servi dans la meilleure vaisselle d'Albine. Elle était vêtue d'une longue robe rouge, portait aux poignets des bracelets d'argent que lui avait donnés Esilda. Nous étions dans son palais, disait-elle avec conviction, un palais dont nous ne sortirions jamais.

Après le dîner, elle a dansé à la manière d'une Gitane, les bras arrondis au-dessus de la tête, en chantant des airs que lui avait appris Esilda. Nous avons fini par tomber sous le charme et nous avons tous dormi là, dans la cabane, sur des lits de fougères.

Juste avant de s'endormir, elle s'est glissée près de moi et m'a demandé :

— Alors, Bastien, tu es content ?

Je me demande souvent : comment peut-on être si heureux et vivre autre chose ensuite, sans perdre tout courage ? Le monde était si beau ce soir-là, dans la nuit bleue d'où les étoiles étaient descendues jusque dans les branches des arbres pour mieux veiller sur nous, que ce seul souvenir m'a parfois consolé d'avoir perdu ces heures-là. Il m'est alors arrivé d'accrocher des paillettes autour de moi, mais elles n'ont jamais brillé de la même manière, car elles n'avaient pas été déposées par la main d'une sœur inventive et fantasque.

22

UNE fois par an, le samedi qui suivait le 12 mai, date de leur anniversaire de mariage, Charles emmenait Albine à la ville, et jusqu'à ce que j'aie eu quatorze ans nous allions avec eux. C'était un court voyage, qui durait seulement une journée, mais nous y pensions très longtemps à l'avance, comme à une fête dont on espère beaucoup.

Nous partions de très bonne heure, avant le jour, vers le village, Albine tenant au bras le sac à main qu'elle n'utilisait qu'à cette occasion-là, et Charles le panier de victuailles pour midi. Au départ, nous ne parlions pas, puis Paule commençait à évoquer les robes des vitrines, les lumières des boutiques, les grands immeubles aux volets verts, les gens vêtus de façon élégante et dont les gestes savamment étudiés se déployaient sur les trottoirs comme on joue au théâtre. Bientôt, Albine lui faisait écho, et nous les écoutions, nous les hommes, rêvant au grand magasin de pêche situé sur la place du marché et dont les deux étages recelaient des trésors inépuisables.

La gare se trouvait à quatre cents mètres du village. Nous y prenions le train, et nous nous asseyions face à face sur deux banquettes, soudain silencieux, et nous écoutions les conversations autour de nous, un peu inquiets de nous être aventurés si loin parmi les hommes.

Une demi-heure plus tard, nous arrivions à S. où, dès l'entrée de la ville, nous étions assaillis par la foule, car le samedi était jour de marché. Nous nous séparions, Albine et Paule partant de leur côté ; Charles, Baptiste et moi du nôtre, vers des boutiques où je savais que, par manque d'argent, nous ne satisferions pas totalement nos désirs. Mais nous pouvions rester deux heures dans le magasin de pêche, où Charles achetait le minimum pour l'année à venir, en hameçons, cordes de diverses épaisseurs, pour pêcher ou réparer les filets. Puis nous circulions entre les étals des marchands ambulants venus au marché vendre leurs outils ou leurs légumes.

À midi, nous retrouvions Albine et Paule dans le grand foirail ombragé de platanes. Nous mangions sur un banc le pain coupé en tranches par Charles, les sardines, le saucisson et le fromage, puis la tarte aux pommes achetée par Albine. Je ne pense pas que la pluie ait assombri ces repas. Dans mon souvenir, lors de chaque journée à la ville, il a fait beau. Il m'arrive de chercher au mois de mai la couleur des rayons du soleil de ces moments-là, si chaude, si dorée qu'elle réchauffait même le pain, comme s'il venait de sortir du four.

L'après-midi, nous repartions dans les rues à l'aventure, tous ensemble cette fois. Nous descendions dans les ruelles basses où survivaient de petites échoppes de modistes, de cordonniers ou d'épiciers, puis nous allions jusqu'à la rivière qui était la même que la nôtre, mais vingt kilomètres en aval. Là, nous vérifiions qu'elle ressemblait bien à celle qui nous appartenait, comme pour nous approprier aussi cette ville qui nous semblait étrangère.

Avant de repartir, nous parcourions encore une fois la grand-rue où, toujours à la même boulangerie, Albine nous achetait une glace : la seule que nous mangerions de l'année, mais d'une saveur que je n'ai retrouvée nulle part. Comme tous les gens de modeste condition, peu à l'aise en dehors de notre domaine, nous arrivions toujours très en avance à la gare, de peur de manquer le train. Nous attendions serrés les uns contre les autres, nos poches de provisions et nos paniers sur nos genoux, silencieux maintenant, sans doute pour revivre cette journée si différente de notre quotidien, une journée dont nous devions profiter toute l'année à venir.

Des années plus tard, quand je suis revenu vers la rivière, il m'a semblé les revoir tous les quatre serrés sur la banquette, leurs paquets sur les genoux, dans l'abri de la petite gare parallèle à la voie, et j'ai cru qu'il ne s'était rien passé. Un instant. Un instant seulement. Car la gare du village était désaffectée et la voie ferrée envahie par les ronces.

Seul le monde de la rivière est demeuré le même, ou presque. Son isolement l'a préservé des misères du temps. Mais je sais que ces fêtes toutes simples me sont aujourd'hui interdites. J'ai découvert des villes trop grandes et les trains m'ont mené trop loin. Il n'y a plus que des ombres autour de moi pour me parler du temps où le pain, sous les platanes, avait le goût et la saveur des moments inoubliables.

23

À QUATORZE ans, j'ai quitté l'école pour travailler près de Charles et je l'ai suivi pour vendre le poisson de l'autre côté de l'eau. Je savais pourtant qu'il préférait être seul pendant ces moments-là, car il lui en coûtait de frapper aux portes pour demander si on voulait de ses poissons. Il avait accepté ma présence uniquement par souci de ne pas me froisser et nous traversions alors la rivière en silence, les truites et les perches au frais dans l'herbe de nos deux grands paniers d'osier.

Une fois de l'autre côté, il fallait marcher pendant une demi-heure pour remonter vers les auberges de deux hameaux situés en amont. Là, habitaient ses meilleurs clients, qui lui passaient commande, souvent à l'occasion de fêtes ou de banquets. Je n'aimais pas le patron de l'auberge la plus éloignée – un gros homme vêtu d'un maillot de corps lie-de-vin – car je trouvais qu'il ne parlait pas à Charles avec suffisamment de respect.

— Fais voir, lui disait-il.

Je ne comprenais pas pourquoi il tutoyait mon père qui, lui, le vouvoyait.

— Ils sont de quand? Pas de trois jours, j'espère.

— Mais non, vous savez bien : ce matin.

— Allez! Donne-moi six truites puisque tu es là.

Ce ton de reproche et de mépris m'exaspérait d'autant plus que, lorsqu'il avait pris les poissons, le patron tardait à nous payer. Nous attendions dans la cuisine, immobiles, parfois deux ou trois minutes, avant que le gros homme ne daigne s'apercevoir de notre présence.

Il se retournait alors brusquement, semblait s'étonner de nous voir là, s'exclamait :

— Ah ! oui, c'est vrai, tu veux tes sous !

Charles ne répondait pas. Il ne tendait pas la main, sinon au dernier moment, juste pour prendre les quelques pièces qu'il faisait aussitôt disparaître dans la poche droite de son pantalon. Il remerciait hâtivement, sortait sans serrer la main du gros homme. Une fois que nous étions repartis sur le chemin de la deuxième auberge, je disais à Charles :

— Je ne l'aime pas.

— Moi non plus, me répondait-il, mais que veux-tu ? Il m'en prend chaque fois.

Je lui en voulais un peu de cette sorte de soumission dans laquelle il vivait, mais je sais aujourd'hui que ce n'était pas de la faiblesse de sa part. Je crois qu'il se mesurait avec sa force : je veux dire qu'il aurait été capable d'un seul coup de poing d'écraser le gros homme, qu'il le savait, et que cela lui suffisait. S'il n'avait pas de colère, c'était parce qu'il avait fait son compte avec la vie. Il payait le prix d'une existence de liberté et, pour lui, c'était là l'essentiel.

La deuxième auberge était tenue par une vieille femme qui, au contraire du gros homme, personnifiait la bonté même. Son auberge était toujours pleine, car elle faisait facilement crédit. Elle aussi tutoyait Charles, mais ce tutoiement ne me choquait pas : il était affectueux, car elle l'avait connu enfant, quand il venait avec son père porter ses poissons.

— Tiens, mange un morceau ! lui disait-elle, une fois dans la cuisine, poussant vers lui une assiette de charcuterie.

— Et toi aussi, bien sûr, ajoutait-elle en posant sur moi ses yeux verts, bordés de longs cils.

Nous mangions rapidement sur un coin de table, puis nous repartions réconfortés, et Charles me disait :

— Tu vois, ils ne sont pas tous pareils.

C'était vrai des auberges comme des fermes que nous visitions. Certains nous accueillaient avec le respect qui me paraissait indispensable, et d'autres beaucoup moins. Le plus difficile était de se faire payer. Non qu'ils fussent avares, mais ils n'étaient pas riches, et ils regrettaient sans doute de n'avoir pas le temps d'aller eux-mêmes pêcher les poissons.

Pour la plupart, ces paysans disaient à Charles, comme aux commerçants en tournée :

— Marquez ! On payera à la fin du mois.

Charles sortait un petit carnet et notait succinctement la somme à la page où figuraient les noms classés par ordre alphabétique, car il savait à peine lire et compter. Mais Charles n'aimait pas réclamer. Il fallait vraiment qu'il y eût du retard pour qu'il s'y décidât, et c'était pour lui une corvée. Depuis un incident survenu un été, je ne le suivais plus, ces jours-là. Je n'avais pu oublier ce matin où un père de famille lui avait dit :

— Tu t'es trompé. Nous avons payé.

Charles avait consulté son carnet, et, devant tant de mauvaise foi, n'avait su que répondre. Il était parti, et, au retour, avait simplement dit à Albine qu'il ne reviendrait plus chez ces gens. Ce qui l'avait le plus blessé, ce n'était pas de ne pas recevoir son argent, mais qu'on ait pu l'imaginer malhonnête, capable de se faire payer deux fois. Or l'honnêteté, comme l'humilité, faisait partie intégrante de sa vie, sans doute aussi de sa force.

Plus j'ai grandi et moins je l'ai suivi dans ses tournées. J'ai compris qu'il souffrait d'avoir à affronter des humiliations devant son fils, et je regrette aujourd'hui de l'avoir accompagné si souvent. Elles ternissaient quelque peu l'éclat de notre rivière en faisant entrer dans notre domaine les laideurs du monde extérieur. Nous en parlions le moins possible, habitués que nous étions à refuser ou à minimiser tout ce qui ne participait pas au bonheur des jours. Mais il restait parfois des traces qui mettaient plusieurs jours à disparaître, et c'étaient autant de nuages sur la clarté de nos vies.

24

A<small>U</small> fur et à mesure que j'ai grandi, que je suis devenu un homme, j'ai constaté qu'Albine me considérait avec une sorte de stupéfaction. Je crois qu'elle se demandait comment l'enfant qu'elle avait mis au monde pouvait changer à ce point, devenir aussi grand que son mari.

— Bastien, me disait-elle, pourquoi grandis-tu si vite ? Es-tu donc si pressé de me voir de haut ?

Quand Baptiste eut passé le certificat d'études, il voulut partir en mer, mais il était trop jeune, et Charles s'y opposa.

— Tu feras ce que tu voudras quand tu seras majeur, lui a-t-il dit. En attendant, tu resteras avec nous.

Albine en fut soulagée, malgré les difficultés à vivre avec pour seule ressource la vente des poissons. Contre cet argument-là, qu'avait fini par soulever Baptiste, elle avait aussi trouvé une réponse :

— Nous avons vécu ainsi jusqu'à aujourd'hui, nous pourrons bien vivre de la même manière pendant quelques années encore.

Dès lors, pourtant, j'ai compris qu'elle avait engagé un combat contre l'irrémédiable. Elle s'est évertuée à ce que rien ne change, s'opposant à ce qui, de l'extérieur, pouvait devenir une menace. Charles, lui, se montrait encore plus silencieux qu'auparavant. Je sentais qu'il se demandait comment nous allions pouvoir continuer à vivre ainsi.

Un matin, je me souviens d'être revenu à l'improviste de la rivière et d'être entré dans la maison sans bruit. Il m'a semblé alors entendre pleurer dans la chambre du bas, celle d'Albine et de Charles. Je me suis approché et j'ai découvert Albine assise face à son miroir, la tête dans ses mains. Elle s'est redressée brusquement en entendant des pas derrière elle et n'a pas eu le temps d'essuyer les larmes sur ses joues. Elle a ri, cependant, en m'apercevant, car elle a craint de m'avoir effrayé.

— Bastien, que fais-tu là ? m'a-t-elle demandé.

— Je suis venu chercher la goujonnière. Il y en a un banc dans le chenal du bas.

— Tant mieux ! Nous en mangerons ce soir.

Je suis resté un long moment debout devant elle, et ses yeux, pour la première fois, se sont baissés, n'ont pas osé affronter les miens. Je lui ai demandé ce qui se passait et elle m'a fait signe d'approcher.

— Regarde, a-t-elle dit, ce sont les premiers.

Sur la table de toilette, il y avait deux cheveux blancs. J'ai senti quelque chose se nouer en moi et je lui ai dit, très vite, pour éviter qu'elle ne parle :

— Ce n'est pas bien grave quand on est blonde comme toi.

Elle a eu alors un regard d'une douleur infinie, puis elle a dit d'une faible voix :

— Mais ce n'est pas pour moi que j'ai peur, Bastien, c'est pour nous.

Je me suis approché davantage et je l'ai prise par les épaules pour l'aider à se lever. Elle s'est laissée aller contre moi comme elle le faisait parfois avec Charles, quand ils se croyaient seuls, et j'ai compris vraiment ce jour-là que j'étais devenu un homme. J'ai essayé d'en rire, et, la tenant à bout de bras, je lui ai dit :

— Tu n'as jamais été aussi jeune et aussi belle.

Elle a feint d'en rire elle aussi, et je me suis éloigné sans plus attendre, car je savais qu'il ne fallait pas s'attarder dans ces parages. Quand je suis arrivé à la porte, elle m'a rejoint, m'a pris le bras et m'a dit :

— Bastien, il faut m'aider, tu sais.

J'ai répondu :

— Ne t'inquiète pas. Je suis là.

Et je suis parti très vite, pour ne pas voir ses yeux qui, de nouveau, sans qu'elle y pût rien, s'étaient remis à briller.

À partir de ce jour, j'ai coupé les seuls liens qui parfois me reliaient au monde de la terre, et je ne suis plus allé aider aux foins et aux moissons.

Chaque fois que je l'ai pu, j'ai retenu Baptiste, qui songeait toujours à partir. Il s'en allait d'ailleurs une fois par an pour revoir l'océan. Il en avait besoin, c'était vital pour lui, mais il revenait toujours, comme il l'avait promis.

Pendant ses absences, je disais à Albine, persuadé que si je retrouvais Esilda, elle viendrait habiter avec moi près de la rivière :

— Ne t'en fais pas : moi, je ne m'en irai jamais.

— Je sais, Bastien, répondait-elle.

Mais elle sentait le moment approcher où elle ne pourrait plus éviter ce qu'elle redoutait depuis toujours.

Afin de prendre plus de poissons, Baptiste et moi nous sommes mis à pêcher la nuit au fanal, une pêche qui était interdite. Je me souviens de cet été si chaud, quand les poissons se tordaient au bout de la fouëne après avoir été aveuglés par la lumière, ou lorsque les anguilles claquaient contre nos bottes, comme des serpents. On entendait la terre boire le long des rives, les carpes se glisser dans les osiers, les feuillages respirer l'air tiède de la nuit. Avec Baptiste, nous étions comme fous, saisis d'une fièvre qui nous laissait exténués au matin, des écailles sur nos jambes, sur nos bras, jusque sur nos visages.

Charles n'a pas pu le supporter longtemps. Un matin, alors que nous rentrions avec, chacun, un sac plein sur le dos, il s'est dressé devant nous et a dit :

— Les vrais pêcheurs ne braconnent pas. J'ai réfléchi : je sais ce que nous allons faire.

Il a pris, vers l'aval, une concession qui venait de se libérer. Nous avons eu ainsi cinq kilomètres de rivière à pêcher, mais pour pouvoir payer le loyer, il nous a fallu travailler davantage encore. Cela nous importait peu, puisque nous n'étions vraiment heureux que sur l'eau.

Nous nous sommes à peine aperçus que Paule, aussi, avait grandi. Elle n'était plus une enfant depuis longtemps, mais comme elle était plus jeune que nous, nous avons cru, sans doute, qu'elle ne grandirait jamais. Et pourtant, elle était si belle que, lorsqu'elle apparaissait, nous avions l'impression qu'elle faisait pâlir la lumière du jour.

25

AINSI, plus ce monde est devenu grand, et plus il est devenu difficile à défendre. Rien ne nous indisposait plus, je l'ai dit, qu'une présence étrangère, surtout l'été, quand passaient des canoës, comme une certaine mode en était venue, après la guerre. Les pagayeurs ne s'arrêtaient guère, mais quelques-uns, parfois, accostaient sur les îles pour quelques haltes naturelles. Aussitôt, nous les surveillions, contrariés de voir profaner notre royaume. Et quand il leur prenait l'idée de dresser une tente et de passer la nuit sur une île, nous y dormions aussi, Baptiste, Paule et moi, pour témoigner de notre présence et de notre réprobation.

— Il faut bien qu'ils dorment quelque part, disait Charles, qui, lui, ne montrait jamais d'hostilité envers qui que ce soit.

Mais il guettait lui aussi, car ces présences dérangeaient les poissons et il devait en tenir compte. Il craignait pour nos filets, pour nos nasses, nos cordes, et il n'avait pas tort, car certains, parfois, disparaissaient.

C'EST comme ça que tout est arrivé, un été, à la mi-août. Il avait fait une chaleur accablante, et l'orage menaçait au loin, au-dessus des collines. Un soir, vers six heures, un bateau a accosté, conduit par un homme seul, grand, fin, avec un visage très brun, la peau brûlée par le soleil. C'est Paule qui l'a vu la première s'arrêter à la pointe de l'île.

— On dirait Manuel, nous a-t-elle dit.

Avec Baptiste, nous avons compris qu'il allait se passer quelque chose, car elle ne lui a pas demandé de partir. Elle avait à peine dix-sept ans mais elle attendait depuis trop longtemps. L'homme est resté trois jours. La dernière nuit, elle l'a rejoint dans sa tente, du moins il me semble. Quand il est reparti, elle l'a suivi.

Nous nous en sommes aperçus le lendemain, tard dans la matinée. Elle avait laissé un mot dans sa chambre qui disait à peu près ceci : « Je ne pourrai pas vivre sans lui. Je le suis. Je sais que vous ne m'en voudrez pas parce que vous ne souhaitez pas me voir malheureuse. Ne me cherchez pas. Quand vous penserez à moi, dites-vous simplement : elle est heureuse. »

Charles et Albine ont été anéantis : c'était comme si, brutalement, le monde avait changé de couleur. Baptiste et moi un peu moins : nous savions de quoi notre sœur était capable. Après avoir hésité, nous avons tous décidé, y compris Albine, de ne pas rechercher Paule, de la laisser vivre la vie qu'elle avait choisie. Nous ne sommes pas partis à sa poursuite, et nous avons eu tort. Elle n'était pas armée pour affronter un autre monde que celui dans lequel elle avait vécu. Mais nous l'aimions trop pour agir en quoi que ce soit contre sa volonté.

Ainsi se décide le destin des vivants. Il suffit de peu de chose. D'un bateau, d'une nuit, d'un visage entrevu et l'on comprend que rien, jamais, ne sera plus comme avant.

CE fut le cas, dans la maison près de la rivière. Charles s'est enfermé de plus en plus en lui-même. Sans doute essayait-il de comprendre les raisons de ce qui venait de se passer, mais il ne les trouvait pas et il en souffrait. Albine aussi, bien sûr. Elle soupirait, mais ne se plaignait pas. Baptiste et moi, nous avons décidé de faire confiance à Paule malgré ce qu'il fallait bien appeler une trahison. Ensuite, il a été trop tard pour agir.

D'ailleurs, je devais moi aussi quitter la rivière et bientôt partir au service militaire. J'étais déchiré, malheureux, mais comment faire autrement ? Se cacher toute sa vie ? J'aimais trop la liberté. Il n'y avait pas d'autre issue que d'accepter d'en être privé pendant quelques mois pour ne pas la perdre tout entière. C'est ce que j'ai résolu de faire, et, pour ne pas risquer de moisir dans une caserne où je me sentirais prisonnier, je me suis porté volontaire pour partir en Indochine. Le Mékong ouvrait autant d'échos en moi que l'océan pour Baptiste, mais je n'en avais jamais parlé à personne. Comme Albine s'alarmait de ma décision, je lui ai dit :

— Quitte à partir, à quitter la rivière, je veux au moins que ça serve à quelque chose. Là-bas, je ferai des photographies, tu sais, comme celles que tu regardais tant. Dès que je reviendrai, je te les montrerai et je te raconterai. Tu verras, ce sera exactement comme si tu y étais allée.

Je n'ai pas hésité car la France venait de signer des accords qui garantissaient une grande autonomie au Vietnam. Les troubles, là-bas, venaient pratiquement de cesser. Il n'y avait certainement pas un grand danger à partir pour le pays des rêves d'Albine. Sans le vouloir, sans mesurer à quel point sa fascination m'avait touché, elle m'avait donné une envie folle de le connaître. C'est pourquoi je me suis engagé sans la moindre appréhension, persuadé que, si les troubles reprenaient, je survivrais à la manière de Charles qui était revenu de la guerre sans avoir tiré un coup de fusil, comme si rien ne s'était passé. J'étais certain qu'il en serait de même pour moi.

Ce fut vrai, du moins en partie. Le voyage a duré longtemps, très longtemps, mais je ne me suis pas ennuyé sur le bateau car tout ce que je voyais m'était découverte. Après un mois à Saigon, j'ai été affecté à la petite garnison qui gardait l'entrée du fleuve Rouge, dans le Nord-Vietnam, près de Nam Binh. C'était un gros village peuplé de paillotes et de paysans pêcheurs. Nous disposions d'une canonnière rapide qui n'a jamais tiré un coup de canon et de deux sampans munis de moteurs qui démarraient difficilement. Pour améliorer l'ordinaire, avec l'autorisation de mon lieutenant, je pêchais au filet dans les eaux limoneuses du grand fleuve, sous des ciels jaunes, d'une infinie douceur, et dormais sur le pont, la nuit, dans le chant des crapauds buffles et des martins-chasseurs à collier blanc.

J'y suis resté un an, jusqu'à ce que la guerre reprenne vraiment. Le désastre de Cao Bang et l'évacuation de Lang Son ont provoqué le repli de l'armée française qui s'était battue en vain dans les forêts des hauts plateaux. Nous, sur le fleuve Rouge, nous n'avions rien vu. Les nouvelles nous parvenaient seulement par nos officiers, qui se désespéraient de ne pas en découdre avec Hô Chi Minh. Après trois mois de halte dans le voisinage de Danang, nous avons été repliés sur My Tho, tout en bas, dans le delta du Mékong, où nous remplissions plutôt des opérations de police parmi les sampans du fleuve. Lors de la montée vers la Chine et au cours du voyage de retour, j'ai découvert des rizières, des forêts, des villages aux ruelles envahies par les volailles et les porcs, mais surtout égayées par de très beaux enfants qui vivaient nus, une population travailleuse et souriante, près de laquelle je me sentais bien.

Le temps m'a paru long, souvent, mais à la fin je vivais sur ce Mékong qui m'avait tant fait rêver, loin de la guerre, loin des combats du Nord-Laos et de la frontière de la Chine. J'ai pu nouer des liens de confiance avec les pêcheurs du coin qui m'avaient tout de suite reconnu comme l'un des leurs, les aider, leur apprendre ce que je savais de la pêche et recueillir leur expérience. J'ai alors compris que la chanson de l'eau est la même partout et que tous les hommes des fleuves se ressemblent. Il me suffisait de fermer les yeux pour me croire sur les berges de ma rivière, loin des pilotis du delta.

Q UAND je suis revenu, j'avais changé, bien sûr, car j'avais découvert des grands espaces et des fleuves immenses. En comparaison, ma rivière m'a paru bien petite mais toujours aussi belle.
Charles, Albine et Baptiste m'attendaient. J'ai montré les photos du
Vietnam à ma mère, mais elles l'intéressaient moins qu'avant, car elle
ne pensait plus qu'à sa fille. Paule avait régulièrement donné de ses
nouvelles, surtout au début, mais, depuis quelques mois, plus du
tout. Sa dernière lettre, postée à Paris, laissait apparaître une grave
blessure dont il était évident qu'elle souffrait terriblement.

Alors, forts de l'accord de Charles et d'Albine, nous sommes partis, Baptiste et moi, et nous l'avons cherchée pendant des semaines,
à Paris et en banlieue. Nous n'avons trouvé aucune trace d'elle et
nous sommes rentrés avec une sensation désagréable au fond de
nous. Peu après notre retour, une lettre est arrivée de la mairie de
Conflans-Sainte-Honorine : Paule avait été retrouvée morte sur la
rive gauche de la Seine, dans un état si pitoyable qu'elle avait dû être
enterrée aussitôt dans le cimetière de cette ville.

Nous sommes partis tous les quatre un matin pour aller nous
recueillir sur sa tombe. Ce fut un terrible voyage, durant lequel nous
n'avons pas pu prononcer le moindre mot. Nous ne sommes pas
restés longtemps dans le cimetière inconnu, où la tombe de Paule se
trouvait contre un mur gris, avec une simple croix, à même la terre.
Du cimetière, on apercevait la Seine, en bas, et j'ai pensé que Paule
était venue vers ce fleuve comme vers un ultime refuge, cherchant
vainement un soutien, portée par le souvenir d'un bonheur ancien.

À la sortie, nous sommes allés, Charles et moi, à l'hôtel de police,
mais Albine n'a pas voulu nous suivre. Elle est restée avec Baptiste,
à nous attendre dans un café voisin. L'officier chargé de l'enquête
nous a dit qu'il avait conclu à un suicide, car Paule ne présentait
aucune blessure apparente. Ensuite, nous sommes partis et nous
avons passé la nuit dans un petit hôtel de la ville, très inquiets pour
Albine qui ne cessait de trembler.

Charles avait sur le visage une expression que je ne lui avais jamais vue : une sorte de stupeur douloureuse et glacée. Baptiste s'était enfermé dans un silence hostile. Je crois bien qu'aucun de nous n'a pu trouver le sommeil durant cette nuit-là, qui demeure la pire de ma vie. Nous sommes rentrés par le train le lendemain matin, accablés, toujours incapables de prononcer le moindre mot à son sujet.

Peu après, Baptiste est parti à son tour au service militaire, dans la marine, comme moi, mais à Rochefort. Charles et Albine se montraient très courageux, mais je voyais bien que le remords les rongeait. Ils auraient voulu comprendre vraiment ce qui était arrivé. C'était pourtant simple. L'homme au visage de loup n'était qu'un vulgaire malfrat, mais Paule l'aimait. Elle était trop entière, trop sincère, trop innocente comme nous l'étions tous pour accepter la réalité du monde et la véritable identité de celui qu'elle avait élu. Elle avait lutté quelque temps pour survivre, avant de sombrer dans le désespoir.

— Mais pourquoi n'est-elle pas revenue? se lamentait Albine. Pourquoi ne nous a-t-elle pas appelés au secours?

Je répondais :

— Elle ne le pouvait pas.

— Pourquoi? insistait Albine.

— Parce qu'elle en était empêchée.

— Par qui?

— Par celui qu'elle a suivi, bien sûr. Tu le sais : les policiers nous ont confirmé que c'était un homme violent et dangereux.

— Non, je ne crois pas, disait Albine. Je crois surtout qu'elle l'aimait tel qu'il était et qu'elle n'a pas pu le quitter.

Ces discussions s'éternisaient, la faisaient souffrir encore plus. Un soir, n'y tenant plus, je lui ai dit :

— Faisons comme si elle vivait ailleurs, très loin, et comme si nous devions la retrouver un jour.

Elle m'a répondu, d'une voix brisée :

— J'essaye, Bastien, mais je ne peux pas. Tu vois, c'était ma fille, elle est sortie de moi, je croyais la connaître et ce n'était pas le cas. C'est de cela que j'ai peur aujourd'hui : je me demande si je connais vraiment Charles et si je te connais, toi, Bastien.

— Tu sais, ce qui compte, c'est de l'avoir laissée vivre ce qu'elle souhaitait. C'est la seule manière d'aider ceux que nous aimons.

— Tu le crois sincèrement?

— J'en suis persuadé.

Cette ultime conversation a fait du bien à Albine, du moins pendant quelque temps. Puis le chagrin l'a rongée peu à peu, et elle s'est fanée, comme une fleur privée d'eau. Malgré nos paroles, nos efforts pour l'aider, elle s'est mise à dépérir. Charles et moi, nous avons tout fait pour la sauver; nous nous sommes relayés auprès d'elle sans jamais la laisser seule. Mais Albine avait été trop proche de sa fille. Elles se ressemblaient beaucoup, je le savais depuis toujours. Charles, quelquefois, se sentant coupable, me disait :

— Si je n'étais pas resté à distance, si je ne l'avais pas tant admirée, aujourd'hui, peut-être, je serais capable de la sauver.

Je m'efforçais de le déculpabiliser, de lui montrer que vraiment nous ne pouvions pas faire plus, qu'il y a des événements qui nous laissent impuissants. Nous avons même trouvé en nous une force que nous ne soupçonnions pas, à l'orée de ce qu'il faut bien appeler la folie. Cependant, malgré tous nos efforts, notre courage mis en commun, Albine n'a pas pu survivre longtemps à sa fille. Six mois seulement. Souvent, la douleur est insupportable à ceux qui sont trop fragiles.

Charles et moi, écrasés de chagrin, nous l'avons accompagnée jusqu'au petit cimetière du village, vers une tombe creusée entre des marguerites blanches. Ensuite, nous avons essayé de recommencer à vivre du mieux que nous l'avons pu. Nous sommes restés ensemble quelque temps. Charles ne me parlait toujours pas. Nous allions pourtant sur la rivière tous les deux, nous partagions le pain, le temps et la douleur, mais son esprit était tourné vers autre chose et il ne me voyait pas. Je crois qu'il cherchait dans ce monde paisible des signes d'une permanence secourable. Peut-être des preuves que la vie est plus forte que la mort. Je le voyais redresser la tête à un rayon de soleil entre les nuages, à une éclosion de campanules sur le talus, à un vol d'éphémères au-dessus de l'eau.

— Elles ne vivent que quelques heures, m'a-t-il dit un soir en me désignant du doigt un petit nuage d'insectes gris qui dansaient dans la lumière.

Puis il s'est tu. J'ai cru déceler dans ces quelques mots une sorte de consolation, comme si l'essentiel, peut-être, était ailleurs que dans notre courte vie terrestre.

— C'est pour cette raison qu'elles sont si belles, a ajouté Charles.

J'ai eu l'impression qu'il souriait. Je crois qu'il avait trouvé une ressemblance entre la beauté fragile des insectes, des fleurs, et celle de tous les êtres vivants. Elle le rassurait, un peu comme si nous étions les fruits de la même création, et donc destinés à renaître chaque printemps.

28

L A vie des hommes est ainsi : à des années de grand soleil succèdent des jours et des jours de terribles tempêtes dont les blessures ne s'effacent jamais. Il m'a semblé alors que je ne pourrais pas vivre sur ces décembres-là, car ils entretenaient la douleur au lieu de l'endormir. Seul Charles était assez fort. Moi, je ne le pouvais pas. J'ai vraiment fait tous les efforts nécessaires, mais rien n'a pu me faire oublier ce qui avait si bien embelli ma vie, au temps des premiers rayons du soleil, de ses premières caresses. J'ai lutté pour ne pas repartir, ne pas laisser mon père seul, mais souvent, il me semblait qu'Esilda m'appelait. Comme ses frères, elle n'avait jamais quitté mon esprit : ils se manifestaient par des mots, des chants, des images, qui, chaque fois, me ramenaient vers un printemps superbe mais trop bref.

Avec mes quelques économies, j'ai acheté une bicyclette et une toile de tente et je suis parti sur les routes dans l'espoir de les retrouver. Je suis naturellement descendu vers les Pyrénées, dont ils m'avaient parlé souvent comme d'une région où ils séjournaient le plus longtemps possible à cause de sa proximité avec l'Espagne. Chaque jour qui passait, j'avais la conviction de me rapprocher d'eux. Je m'arrêtais dans les villages, travaillais ici et là pour gagner quelque argent, mais je me nourrissais surtout de fruits et de poissons que je pêchais dans les rivières.

J'ai fait la découverte de tout le sud de la France en moins d'une année et en apprenant à aimer ce qui n'avait jamais fait partie de mon univers : des champs, des prés, des ponts, des ruisseaux, des rivières et des villages inconnus. Porté par un espoir qui ne faiblissait pas, j'ai traversé des forêts, des vallées peuplées, des causses déserts, des villes énigmatiques, des vallons secrets, des collines boisées et des plaines immenses.

J'ai trouvé des Gitans un peu partout, mais je devinais dès mon arrivée que les roulottes n'étaient pas celles de Manuel et de sa sœur, car celles-là, je les aurais reconnues aussitôt. Les gens du voyage m'offraient de partager leur repas au cours duquel je pouvais les questionner à ma guise, mais sans succès : aucun de ceux que j'ai rencontrés ne connaissait la famille de Manuel et d'Esilda.

Alors, je repartais, pas du tout découragé, sachant très bien que je ne pouvais pas réussir si rapidement dans mes recherches. Je visitais trois ou quatre villages par jour. Mon cœur s'emballait chaque fois que j'apercevais des roulottes ou des chevaux en train de brouter l'herbe d'une place. J'ai fait connaissance avec des étameurs, des rempailleurs, des vrais Gitans dont les femmes étaient aussi belles les unes que les autres, des gens du cirque : en fait, tous ceux qui font de leur vie un voyage sans fin.

L'hiver venu, je suis tombé malade et j'ai été recueilli dans un petit cirque où j'avais travaillé la semaine précédente à monter et démonter le chapiteau. Quand j'ai été guéri, je suis resté avec eux, pensant que c'était le plus sûr moyen de ne manquer aucun village, aucun bourg, de vivre au même rythme qu'Esilda et Manuel. Il y avait là une vieille femme – la mère du patron – qui lisait les signes de la main. Je suis allé la trouver un soir dans sa roulotte et je lui ai demandé si elle pouvait deviner où vivait celle que je cherchais. Elle a mis longtemps à me répondre. Puis ses yeux se sont levés sur moi et elle m'a dit :

— Je ne la vois pas.

— Elle s'appelle Esilda. Elle vit avec ses frères. Ils sont étameurs mais font aussi des paniers.

— Je ne la vois pas, a-t-elle répété en me fixant de ses yeux noirs ourlés de bleu.

— Si elle est morte, il faut me le dire.

La vieille a soupiré, puis elle a murmuré, tout bas :

— Elle n'est pas morte, mais elle est loin, très loin.

— Dans un autre pays ? En Espagne ?

— Non, plus loin.

— Mais où ?

— Je ne sais pas.

— Et son frère, Manuel ?

La vieille a repris ma main, l'a observée longtemps, puis elle a répondu avec lassitude :

— Il vit près d'elle.

Je lui ai alors demandé si je les retrouverais un jour.

— Bien sûr que tu les retrouveras, m'a-t-elle dit, avec, pour la première fois, un sourire.

— Quand ?

— Quand il le faudra.

— Mais comment pourrais-je les retrouver si je ne sais pas où ils sont ?

— Fils, tu sais très bien où ils sont. Je ne peux rien te dire de plus.

Dans les jours qui ont suivi, j'ai quitté le cirque et je suis rentré chez moi pour savoir si Manuel et Esilda n'étaient pas revenus ou s'ils n'avaient pas envoyé un message. J'y ai rencontré Baptiste, de retour du service militaire, qui était venu revoir Charles avant de partir vers la vie dont il rêvait. Quand je lui ai demandé ce qu'il comptait faire, il m'a répondu d'une voix où perçait une grande résolution :

— Travailler pour m'acheter un bateau de pêche.

— Où donc ?

— En Bretagne.

— Et Charles ?

— Il est bien ici. Il m'a dit que je pouvais partir.

Notre père avait jugé qu'il était, seul, assez fort pour veiller sur les débris d'un bonheur magnifique. Ainsi, nous sommes repartis, Baptiste et moi, tous les deux en même temps. Nous avons eu du mal à nous quitter, mais nos routes se sont finalement séparées à Bordeaux, sur un quai désert.

— Tu sais, Bastien, m'a-t-il dit en m'embrassant, ne crois pas que j'ai oublié quoi que ce soit de ce que nous avons vécu. Je l'emporte avec moi.

Il a ajouté, en s'écartant un peu :

— J'ai envie d'îles blanches. Je sais qu'il y en a là-haut, dans le Grand Nord. C'est là que j'irai naviguer.

Je suis reparti, seul, déchiré, malheureux, mais bien décidé à parvenir au terme de mes recherches. Cette errance a duré deux ou trois ans, je ne sais pas exactement, parce que j'avais perdu la notion du temps. Enfin, épuisé, j'ai dû m'arrêter. Je me suis consolé en me disant qu'Esilda me recherchait sans doute elle aussi et je suis revenu près de la rivière où j'ai retrouvé Charles, mais nul n'avait donné signe de vie.

Les jours et les semaines qui ont suivi ce retour ont été douloureux. J'ai eu l'impression que Manuel et Esilda étaient perdus à tout jamais. Ils n'avaient eu d'autre destin que d'éclairer quelques jours de ma vie. C'était ainsi. Sans doute Esilda était-elle mariée, à présent, non pas à un étranger mais à un homme de la grande famille des gens du voyage. C'est ce que m'a confirmé une lettre de Manuel qui est arrivée enfin, portant un cachet illisible car mouillé par la pluie, alors que je ne l'attendais plus. Il m'annonçait qu'elle n'était plus libre, qu'il fallait l'oublier, que je n'entendrais plus jamais parler d'eux. Il ne donnait pas d'adresse, je ne saurais pas où ils se trouvaient.

La lettre se terminait par ces mots qui m'ont rappelé les paroles étranges de Manuel, ce printemps-là : « Souviens-toi, Bastien, que la vraie vie est en nous. C'est pourquoi rien n'est perdu, jamais. Tout continue de vivre. Il suffit d'attendre. »

29

IL m'a semblé que je n'irais jamais assez loin, que rien ne serait jamais assez grand ni assez beau pour me donner la force d'oublier le passé et de reconstruire ce qui pouvait l'être encore. Un continent assez vaste pour que je m'y perde, que je cesse de penser à ce qui n'était plus. Je me suis embarqué pour le Québec, où j'ai tenté de vivre pendant de longues années. J'y suis parvenu, au bord des fleuves, des forêts d'épinettes, des grands espaces vierges où le temps, l'hiver, s'arrêtait.

Là, il m'a semblé comprendre ce qu'avait voulu me dire Baptiste au moment de me quitter, sa quête d'une île blanche. Moi aussi, j'avais trouvé un pays blanc, où, loin des villes, j'entretenais le contact avec le monde, ce lien qui était indispensable à l'oubli.

J'ai beaucoup voyagé, depuis le Saint-Laurent jusqu'au lac Saint-Jean, depuis le Saguenay jusqu'à la baie James. J'ai découvert des villes pittoresques : Trois-Rivières, Chicoutimi, Joliette, Rivière-du-Loup. J'ai commencé à travailler sur les rives du lac Saint-Jean, avec des pêcheurs aussi rudes que les hivers de là-bas. Mais comme je gagnais peu d'argent, juste de quoi vivre, depuis le lac Saint-Jean j'ai remonté la rivière Péribonca, puis, l'année d'après, la rivière aux Outardes et j'ai travaillé dans les coupes de bois que l'on flottait jusqu'au Saint-Laurent. L'hiver, je redescendais vers Trois-Rivières où je trouvais de l'embauche dans les conserveries de poissons.

J'ai pu ainsi mettre un peu d'argent de côté, et acheter une coupe à l'est du lac Mistassini où elles étaient moins chères. Je me suis installé à Fort-Rupert, à l'extrême sud de la baie James, d'où l'on flottait le bois jusqu'à Chibougamau. Avec les bénéfices d'une année, j'ai acheté deux coupes, puis trois, de forêt d'épinettes, de chênes blancs et de tamaraks, et c'est ainsi que j'ai commencé à gagner vraiment de l'argent.

Cette activité me plaisait. Elle me permettait de me déplacer beaucoup et de découvrir la beauté de ce gigantesque pays. Je me souviens des aurores boréales du Grand Nord, d'étendues blanches à perte de vue, de nuits bleues dans la chaleur très brève des étés, d'innombrables rivières toutes aussi indomptables les unes que les autres. Je me souviens d'hommes assez semblables à Charles, c'est-à-dire peu loquaces, rudes, vivant en accord avec le monde, et de femmes intrépides qui parlaient une langue savoureuse et dont les mains savaient être caressantes.

Au fil des années, la douleur s'est un peu estompée en moi. Le vaste monde avait réussi à la diluer et j'ai cru quelquefois trouver un peu de bonheur. Et puis j'ai compris qu'il n'en était rien, que la beauté de ce monde n'est qu'un écran destiné à nous cacher l'essentiel, à savoir que nos vies ne durent qu'un instant et que l'on cherche vainement à retrouver le sortilège des premières fois. Paule, Albine, Baptiste, Esilda et Manuel m'accompagnaient toujours sur les chemins de sable. Je les voyais la nuit, ils me parlaient, me tenaient la main ou s'éloignaient comme s'éloignent les oiseaux dans le ciel : on ne les voit plus et pourtant, ils continuent de vivre quelque part.

Une lettre de Charles m'a ouvert les yeux. Il ne me disait pas vraiment la vérité, mais j'ai compris qu'il avait besoin de moi. Je n'ai pas hésité. Je suis parti, ou plutôt : je suis rentré.

30

MON père était vieilli, malade. J'ai eu du mal à reconnaître l'homme qu'il avait été, celui qui apportait la joie et la force dans la grande maison. La vie avait coulé sur lui comme sur moi, modifiant l'éclat de notre rivière et aussi, terriblement, celui du regard que nous portions sur ce monde paisible. J'ai regretté ce soir-là d'être parti si longtemps en le découvrant amoindri, si fragile, soudain, que j'avais envie de le prendre dans mes bras.

Nous sommes restés un long moment sur la terrasse, à parler de la rivière et de Baptiste dont Charles recevait de temps en temps des nouvelles. Je guettais malgré moi dans sa voix les signes de sa maladie mais il les cachait bien, parce que c'était encore, malgré tout, un homme fort, avec beaucoup de pudeur. Je ne lui ai pas dit que j'étais revenu parce que j'avais compris qu'il était malade. À S., où j'étais descendu du train, j'étais allé me renseigner auprès du médecin que nous connaissions, et qui ne m'avait pas caché la maladie de mon père en me laissant peu d'espoir de guérison.

Quand la nuit est tombée, nous sommes rentrés dans la maison déserte et, en me tournant le dos, Charles s'est mis à la cuisine. J'observais malgré moi son corps amaigri et je me demandais s'il connaissait la gravité de son état.

À un moment, il s'est retourné et il m'a demandé :

— Bastien, est-ce que tu crois que nous avons fait tout ce que nous aurions pu pour empêcher qu'elles ne disparaissent ? Est-ce que tu crois que nous les avons assez aimées ?

J'ai répondu avec le plus d'assurance possible :

— Nous les avons aimées plus que nous-mêmes.

Il a semblé apaisé, a murmuré :

— Oui, tu as raison, plus que nous-mêmes. C'est d'ailleurs pour cela que nous les avons laissées partir. C'est ce qu'il faut se dire.

Ce soir-là, je lui ai rappelé notre serment d'acheter la grande île, et je lui ai dit que j'avais gagné de l'argent, beaucoup d'argent. Je le revois à l'instant où il s'est assis face à moi, posant la salade de pommes de terre et de tomates sur la table, et j'entends encore sa voix quand il a murmuré :

— Tu sais, Bastien, il n'y a plus d'île.

— Comment ça, il n'y a plus d'île ?

— À cause du barrage en aval. Les débits ont changé. Tout le lit a été modifié. L'eau a grignoté les îles, même la grande. Aujourd'hui, il n'y a plus rien.

Nous avons dîné très vite, puis, comme nous étions fatigués, nous sommes allés nous coucher. Pourtant, je n'ai pu m'endormir. Je me suis relevé et j'ai marché vers la rivière, mais elle était trop sombre et je n'ai rien distingué au-delà des premiers mètres. Je suis rentré dans ma chambre d'enfant où les odeurs, les meubles, les draps étaient toujours les mêmes – mais Baptiste n'y dormait plus. Je n'ai pas pu trouver le sommeil, tellement je revivais des sensations familières, au point que je me demandais si je n'entendais pas la respiration de mon frère à deux mètres de moi. Durant toute la nuit, la maison m'a paru habitée par des présences depuis longtemps éteintes et je me suis réjoui d'être revenu. C'était comme si j'avais franchi le seuil du miroir, comme si j'avais enfin ouvert l'une de ces portes qui battent parfois à une image, un souvenir, nous livrant fugacement la clef du grand secret.

Je me suis levé avec le jour, ne sachant si j'avais rêvé ou pas. Charles, comme avant, m'attendait dans la cuisine. Nous avons déjeuné de pain, de beurre et de café comme au temps où nous allions à la pêche sans Baptiste, puis nous sommes partis ensemble vers l'eau, dans ce monde qui avait changé mais qui pourtant, en moi, si je fermais les yeux, demeurait le même.

Charles avait dit vrai : la grande île avait disparu. Il n'y avait plus d'apparentes que l'eau dont le niveau avait monté, les falaises et les rives d'en face où jadis nous allions aider aux foins. Au-dessus de ce qui avait été les îles, les flots bouillonnaient comme ils le font toujours sur les obstacles immergés. Avant d'embarquer, Charles m'a expliqué qu'il lui était très difficile de prendre du poisson, car il ne pouvait plus fermer les chenaux qui, eux aussi, avaient disparu.

— Je pose mes cordes au-delà de la falaise, m'a-t-il dit. Les filets, aujourd'hui, le courant les emporte.

Il dirigeait la barque de la même manière qu'avant, toujours assis, au fond, du côté gauche, manœuvrant sans à-coups, lentement, redressant après chaque coup de rame. Sur les cordes posées la veille s'étaient prises deux anguilles et une petite truite. Il n'en a pas paru surpris, et, comme je m'en inquiétais, il a répondu :

— Il y a beaucoup moins de poissons qu'avant. Mais ce n'est pas grave. Je ne les vends plus. Je les garde pour moi.

C'était une matinée de septembre : « la saison des feuilles qui tombent », comme disent les Indiens d'Amérique. Elle charriait des échos profonds dans l'air épais, encore chaud de l'été, et faisait saigner les arbres de la rive. Il y a longtemps, cette saison annonçait l'école, et je ne l'aimais guère. Aujourd'hui, j'avais l'impression que, si je le souhaitais vraiment, rien ne me séparerait plus jamais de Charles, et cette pensée me faisait du bien.

Au retour, je lui ai demandé de me laisser conduire la barque. Dès que j'ai eu la rame en main, des sensations très agréables me sont revenues à l'esprit, comme au temps où je conduisais Paule et Baptiste jusqu'à la grande île. Des parfums de feuilles, une certaine saveur de l'air, la couleur du ciel en duvet de pigeon m'ont doucement mais inexorablement renvoyé vers ce temps où nous étions tous réunis.

Vers dix heures, un rayon de soleil a transpercé les nuages bas, et j'ai senti pendant une brève seconde sa caresse sur la peau nue de mes bras. Il m'a semblé que je pouvais vivre ici avec une certaine espérance, que ce monde-là, au contraire de celui que j'avais quitté, pouvait encore me faire ressentir le frisson des premières fois. C'est ce matin-là que j'ai compris que je ne repartirais plus.

Quand je l'ai dit à Charles, sur le chemin de sable, il m'a simplement répondu :

— Je le savais, Bastien. Il suffisait que tu reviennes.

En fait, je venais de comprendre une chose : ce n'est pas la grandeur du monde qui importe, mais l'écho qu'il éveille en nous. Et le monde ne résonnait vraiment en moi que sur les rives de mon enfance. Là, seulement, il réveillait des sensations endormies, celles de sa découverte, les seules qui soient capables de nous faire oublier ce que la vie a parfois d'insupportable.

31

PENDANT les jours qui ont suivi mon retour, Charles s'est mis à se confier. On aurait dit qu'il voulait rattraper le temps perdu, qu'il était pressé.

— Tu sais, Bastien, me disait-il, quand nous étions tous ensemble, nous ne nous sommes pas assez parlé. Enfin, je veux dire : peut-être pas comme il aurait fallu.

— Qu'aurions-nous pu dire que nous ne sachions déjà ?

— Nous aurions dû exprimer davantage ce que nous ressentions les uns pour les autres.

— Tu ne parlais guère, toi.

— Oui, c'est vrai, mais je vous écoutais et cela me suffisait. En fait, je vous parlais lorsque j'étais seul sur la rivière mais vous ne m'entendiez pas.

— Et que nous disais-tu ?

— Je vous parlais de la couleur de l'eau, d'une aile de nuage, d'un oiseau dans le ciel, de ce que vous ne pouviez pas voir, pour vous le faire partager. J'aurais voulu vous donner davantage, mais je n'avais pas assez de mots pour cela. Je n'ai pas été longtemps à l'école, tu le sais, et puis, chez moi, on ne parlait pas. Je ne pouvais pas savoir qu'il est important de nommer les choses et les instants. Je ne l'ai appris qu'après, lorsque je me suis retrouvé seul. Il ne faut pas m'en vouloir.

— Personne ne peut t'en vouloir.

— Tu vois, Bastien, j'avais un peu peur de vous, car je pensais que vous étiez plus grands que moi. Je l'avais appris avec Albine. Dès le début, je m'étais senti petit à côté d'elle. Et vous, mes enfants, vous alliez à l'école, vous racontiez des histoires qui me dépassaient, parfois avec des mots que je ne connaissais pas. Je trouvais que vous étiez trop beaux pour moi. Alors je vous parlais quand vous ne pouviez pas m'entendre, et j'en souffrais. C'est peut-être aussi pour cette raison que je vous ai laissés partir.

— Aujourd'hui, je suis là et je ne repartirai pas.

— Je sais, Bastien.

Cette humilité que je redécouvrais à ce point vivante me foudroyait. Cet homme, mon père, avait eu peur de nous ou plutôt, peur de ne pas pouvoir se hisser à notre hauteur alors qu'il nous dominait de toute sa force. Il disait la vérité, pourtant, même si j'avais du mal à la croire :

— Souvent, la nuit, je venais dans votre chambre pour vous regarder dormir, mais vous ne pouviez pas me voir. Là, j'étais bien. Je vous prenais la main sans vous réveiller, et je la gardais parfois pendant des heures. Surtout celle de Paule, que je n'aurais pas osé toucher dans la journée.

— Peut-être qu'elle aurait aimé que tu le fasses.

— Sans doute, Bastien, mais que veux-tu, il n'y avait pas de femme chez mon père. Déjà, Albine, je ne l'approchais pas sans avoir longtemps hésité et comme si j'avais peur d'être brûlé. J'ai été élevé comme un sauvage, sans mère, toujours sur l'eau, uniquement préoccupé des poissons et mon père lui-même ne disait jamais rien. Comment aurais-je su qu'on peut parler à ses enfants et leur dire simplement qu'on les aime ?

Je me suis efforcé de le rassurer de mon mieux. Il n'avait pas à se justifier. C'étaient justement ce silence, ce mystère que j'avais tellement aimés en lui.

— Tu crois vraiment ? me demandait-il.

— J'en suis sûr.

Il me dévisageait, hochait la tête d'un air dubitatif mais ne répondait pas.

— Il y a autre chose, Bastien, qui me préoccupe. C'est de vous avoir fait vivre dans la pauvreté et le dénuement. Je me demande si ce n'est pas l'envie qui a poussé Paule à partir.

— Non, ce n'est pas l'envie. C'est l'amour. Il y en avait tellement chez nous qu'elle a cru qu'il y en avait partout ailleurs.

— C'est comme ça que tu vois les choses?

— C'est comme ça qu'elles se sont passées.

— J'espère que tu as raison.

Au fil des jours, il s'est apaisé. Il a continué à me parler, certes, mais plus du tout avec la même inquiétude. Il m'a raconté son enfance, son père qui ne le laissait pas aller à l'école, la dureté des hommes d'alors, que ne tempérait même pas la douceur de cette vallée. Il m'a aussi raconté sa rencontre avec Albine, comment il l'avait apprivoisée, chacune de nos naissances, son bonheur sur la rivière, dans la lumière des étés. Il ne me parlait pas de sa maladie, même s'il n'en ignorait rien, car il posait des questions précises au médecin de la ville.

— De ce qui est encore possible aujourd'hui, qu'est-ce qui te ferait vraiment plaisir? lui ai-je demandé un soir.

— Je voudrais revoir Baptiste, m'a-t-il répondu.

Je lui ai promis d'aller le chercher, ce que j'ai fait, dès que les beaux jours sont revenus, après avoir prévenu mon frère par lettre de mon arrivée.

<h2 style="text-align:center">32</h2>

BAPTISTE n'était pas à Cherbourg. Il se trouvait en mer pour trois jours encore. Je l'ai attendu, impatient de le revoir, ne sachant s'il avait changé pendant ces années ou s'il était resté le même, aussi fort, aussi déterminé dans ses pensées comme dans ses actes.

Son bateau s'appelait *Le Kerloc'h*. Il est apparu le soir du troisième jour de mon attente, magnifique dans le soleil couchant, moins grand cependant que je ne l'avais imaginé, sachant qu'il devait affronter les tempêtes de la mer du Nord et de la mer de Barents. Après les formalités d'usage et les manœuvres de déchargement, nous sommes allés dîner dans un restaurant du port, et là, j'ai compris vraiment qui était mon frère. Je me suis rendu compte aussi à quel point il ressemblait à Charles.

Il m'a raconté ses campagnes de pêche à proximité du Spitzberg, entre la mer du Groenland et la mer de Barents, les dépressions terribles au voisinage de la Nouvelle-Zemble, les parages de l'île aux Ours par force 7 ou 8, les flottilles scintillant de gel, les hommes au manteau de pluie glissant sur le pont, l'éclat des nuits interminables avec un baromètre à plus de 900 millibars, la grêle et la neige rendant invisibles les paquets de mer monstrueux où s'enfoncent les chalutiers à la cape en donnant l'impression qu'ils ne remonteront jamais.

— Tu n'as jamais peur? lui ai-je demandé.

— Le jour, parfois, quand les tempêtes se calment, j'aperçois la banquise, m'a-t-il simplement répondu.

Il était tout entier dans cette réponse-là : capable de supporter l'invivable pour atteindre ses rêves. Comme Paule, finalement, mais tellement plus fort.

Et il s'est mis à me parler de la banquise, du ciel de la même couleur, de la pureté de l'eau, de l'air cassant comme du verre, des icebergs dérivant comme des fauves silencieux, de leur clarté magique, de l'attirance qu'il éprouvait pour eux. S'en est-il trop approché un jour? Je n'ai jamais su exactement pourquoi, bien des années plus tard, son bateau avait fait naufrage. La lettre des Affaires maritimes disait simplement « disparu en mer ». Comme au temps où nous faisions naufrage sur la rivière avec Paule, et comme s'il avait voulu par là, à sa manière, la rejoindre sur l'île blanche de notre bonheur.

Ce soir-là, quand je lui ai dit que Charles voulait le voir, il m'a répondu qu'il désirait conserver vivante l'image d'un père fort et en pleine santé.

— Tu lui diras que je viendrai. Comme ça, il se battra pour m'attendre.

— Et tu ne viendras pas?

Baptiste ne m'a pas répondu. Il m'a dit simplement qu'à la limite du Cercle polaire, entre le Groenland et le Spitzberg, il y a des nuits où la lumière est plus vive que le jour. Et il a ajouté, d'une voix qui m'a bouleversé :

— C'est là que je vous vois le mieux.

Je n'ai pas insisté car j'ai compris qu'il vivait avec nous dans une lumière plus belle que celle des simples souvenirs.

À mon retour, j'ai raconté tout cela à Charles et j'ai inventé à Baptiste une grande flottille de pêche.

— Six chalutiers! te rends-tu compte? Il n'a pas une minute à lui, mais il m'a promis qu'il viendrait bientôt.

Charles m'a paru heureux. Souvent, durant les journées qui ont suivi mon retour de Cherbourg, il me disait :

— Six chalutiers! J'ai toujours su qu'il y avait beaucoup de force en lui. Est-ce qu'il a changé?

— Non, pas beaucoup.

— Est-ce qu'il a oublié?

— Non, il n'a rien oublié.

— Même le jour où je lui ai appris à nager?

— Il se souvient de tout.

Charles soupirait, concluait :

— J'espère qu'il ne tardera pas trop longtemps. Je voudrais tant qu'il me parle du Groenland et de ses pêches là-bas.

Et nous avons repris à deux, côte à côte, une vie que le printemps, de nouveau, exaltait sur les arbres de la rive, où les îlots verts des premières feuilles dessinaient des visages aimés.

Ensuite, dans cette solitude à deux, il y a eu un matin de juin avec une douceur ineffable de l'air, l'odeur de l'eau, le choc amorti de la rame contre le bateau, des éclats de lumière exactement semblables à ceux d'alors, mi-argentés mi-dorés, des éclats que je connaissais bien et qui m'ont laissé croire, à peine une seconde, que j'avais dix ans.

Il y a eu aussi ces promesses d'éternité qui jaillissent d'un miroitement de feuilles de tremble dans le soleil, d'un tapis de coquelicots dans le velours des blés, de flocons de neige papillonnant dans la nuit, des parfums de linges chauds, de soupe de pain, de genêt et de chèvrefeuille.

Il y a eu des vents de fer, des tapis de feuilles mouillées, des ciels de soie, des chemins de sable, des après-midi de feu, des soirs immobiles, des odeurs de paille et des éclairs de porte entrouverte sur ces trésors enfouis.

J'ai compris que la véritable permanence était là, dans la beauté du monde, et qu'elle seule était capable de nous rendre le courage de continuer à vivre quand ont disparu ceux que nous avons aimés. Alors, j'ai quitté le parti des hommes pour prendre le parti du monde, et je ne l'ai plus jamais abandonné.

33

I L n'y a rien de pire que de ne pouvoir aider, de ne pouvoir guérir un père qui souffre. Charles était dur au mal, ne se plaignait jamais, mais à la fin il avait beaucoup maigri et sortait beaucoup moins sur la rivière, car il n'avait pas la force de marcher jusqu'à la barque. Je l'aidais, le soutenais par l'épaule, le faisais asseoir sur la planche du milieu et je prenais la rame. Il était assis face à moi, mais son regard portait bien au-delà. C'est là qu'il m'a dit un matin, avec un sourire qui ne s'est jamais effacé de ma mémoire :

— Il ne faut pas t'inquiéter, Bastien : je sais souffrir et je n'ai pas peur. Nous retournons simplement d'où nous venons.

C'était la première fois qu'il me parlait de la mort. Comme j'étais saisi d'effroi et ne savais que répondre, il a ajouté :

— D'ailleurs, je crois que c'est beaucoup plus beau que tout ce que nous pouvons imaginer.

Lors de nos escapades sur la rivière, un rien le comblait : le sang d'une vigne vierge sur un tremble aux feuilles jaunies, le gobage des truites à la surface d'un courant, le vol d'un balbuzard pêcheur au-dessus des falaises, un parfum de regain sur les prairies d'en face – comme si, ayant fait la part des choses, il avait appris à tirer profit de la moindre image de la vie en train de le quitter.

Pendant les mois qui ont suivi, nous n'avons jamais plus reparlé de la mort. Nous avons pu pêcher quelquefois, les jours où il se sentait un peu mieux. Il gardait sa dernière énergie pour se tenir bien droit, même quand la douleur lui arrachait une grimace, et pour me confier tout ce qu'il n'avait pas dit durant ces années-là.

Un jour, il m'a demandé de le conduire à S., et j'ai compris qu'il voulait voir une dernière fois la ville où nous allions jadis, tous ensemble, pour une journée de grand bonheur. Nous sommes partis un matin en voiture. J'ai pris soin d'emporter un panier afin de manger sous les platanes à midi, comme avant. Une fois arrivés, nous avons côte à côte lentement parcouru la grand-rue, puis nous sommes entrés dans le magasin de pêche qui avait changé de propriétaire. J'ai tenté d'expliquer au nouvel occupant ce que nous venions chercher là, mais Charles m'a fait signe que c'était inutile. Il a tenu quand même à acheter des hameçons, dont il ne se servirait plus.

Puis nous sommes remontés vers la place du marché et nous nous sommes assis sous les platanes pour prendre notre repas de midi. Il s'est mis alors à tomber une petite pluie fine qui nous a obligés à manger vite, à peine protégés par les feuilles des arbres.

— Rentrons! a dit Charles en frissonnant.

Sur le chemin du retour, malgré sa tristesse, il n'a pas émis le moindre regret. Je n'ai jamais vu un homme aussi fort, même quand la maladie a affermi sa prise. Jamais une plainte malgré le corps qui se courbe, les traits qui se contractent, la douleur que les médicaments ne calment pas.

— Tu vois, Bastien, me disait-il souvent, quand elles étaient près de nous, je n'ai jamais pensé qu'elles pourraient nous quitter un jour. Jamais. Pas une fois. Je crois que c'est parce que je n'ai jamais réussi à imaginer le malheur.

Je regrette de n'avoir pas su lui dire la seule chose qui eût mérité d'être dite : à savoir que je l'ai aimé, cet homme, bien au-delà de ce qu'il en a compris.

Un peu avant sa mort, je lui ai demandé où il avait rangé la lettre que j'avais placée dans le tiroir de ma table de nuit et que je n'avais pas retrouvée en rentrant du Québec – cette fameuse lettre de Manuel que j'avais attendue si longtemps. Charles a paru très étonné et m'a demandé :

— Quelle lettre?

— Elle était dans une enveloppe bleue. Il y avait aussi des feuilles pliées en quatre à l'intérieur. Cinq ou six.

— Non, m'a-t-il dit, je n'ai jamais trouvé de lettre.

Je me suis demandé s'il ne perdait pas la mémoire, et j'ai regretté de n'en avoir pas parlé avec Baptiste qui m'avait dit un jour à ce sujet :

— On a rêvé.

Avec le temps, j'ai fini par me demander si effectivement Baptiste n'avait pas raison. J'ai interrogé Charles pour savoir s'il se souvenait de ces Gitans qui étaient venus avec nous sur la grande île une année, et il m'a répondu :

— Non. Je ne m'en souviens pas.

J'ai pensé que c'était normal car, avec la maladie, sa perception du temps s'altérait. Il m'a semblé alors que l'essentiel, peut-être, était qu'Esilda vive en moi et je n'ai plus cherché la vérité. Là, au moins, elle ne risquait pas de changer ou de disparaître. Seule, parfois, la douleur de ne l'avoir jamais revue venait me foudroyer, mais je me disais qu'elle avait dû vieillir comme moi, que l'Esilda de treize ans, elle, n'existait plus. Sans doute avait-elle compris cela bien avant moi.

Je me suis alors définitivement tourné vers mon père qui avait tant besoin de moi. Son regard avait un peu pâli, mais il souriait encore, parfois, malgré la douleur. Les derniers temps, il parlait un peu moins, regardait au-dedans de lui. Seule sa dernière nuit d'agonie a creusé ses mâchoires et lui a donné ce masque de cire étrange que dépose la mort sur les visages. Je lui ai fermé les yeux, puis, en pensant à Baptiste, j'ai refusé de le revoir jusqu'au moment où on l'a porté vers Albine, dans le petit cimetière aux marguerites blanches où elle l'attendait depuis si longtemps.

34

AUJOURD'HUI, moi aussi je suis devenu un vieil homme et je vis seul en ces lieux d'où je suis parti à plusieurs reprises sans jamais parvenir à les oublier. Je pêche encore sur la rivière, à la ligne le plus souvent, car cela fait longtemps qu'il n'y a plus de concessions, que les filets sont interdits. Je m'assois à l'arrière de la barque de Charles, du côté gauche, et je rame doucement vers les courants, longeant la rive où, jadis, nous faisions si souvent naufrage avec Baptiste et Paule.

J'ai compris depuis longtemps que le plus tragique, dans nos vies, c'est que les choses n'arrivent jamais deux fois. Lorsque j'étais enfant, déjà, j'essayais de retenir par la pensée le moindre des événements de la veille, même anodin. Ainsi, sur le chemin de l'école, je récapitulais les instants passés près de Charles et d'Albine la veille au soir ou le dimanche. Je tentais de les retenir, de les revivre, et j'ai mis beaucoup de temps à accepter l'évidence d'une perte irrémédiable. Jusqu'à l'âge adulte, en réalité. Alors, seulement, j'ai su qu'il fallait l'admettre ou disparaître soi-même.

J'habite toujours la même maison, dont je suis devenu propriétaire. Charles et Albine, eux, n'avaient jamais pu l'acheter. Moi, j'y suis arrivé et je me félicite de l'avoir fait avant que Charles ne disparaisse, car il en a été heureux. Je monte au village une fois par semaine pour effectuer de menus achats, et chaque fois j'aperçois, devant moi, sur la route, Paule, Baptiste, Esilda et ses frères qui courent en me montrant les fantômes dans les bois. Là-haut, l'école est fermée, beaucoup de maisons gardent leurs volets clos, mais une boulangerie et une épicerie demeurent encore ouvertes. Parfois, fermant les yeux, j'aperçois des roulottes entre les arbres et j'entends une voix qui murmure près de mon oreille : « Bastien… Bastien… Ne m'oublie pas… »

Je ne me suis jamais vraiment fait à l'idée que quelque chose ici a changé. Il n'est pas dans le pouvoir des hommes d'oublier le bonheur véritable quand ils se sont brûlés à son foyer magique. Ainsi, les jours de mes vingt premières années repassent inlassablement dans ma mémoire et je me demande si je pourrai les emporter à l'heure de disparaître. Je le voudrais tant que cette idée me hante et que j'écris chaque jour quelques pages afin de me persuader que je n'en ai rien perdu – rien, vraiment, de ce qui a constitué l'invincible beauté de ma vie.

Souvent, en fin d'après-midi, je me rends en barque près des falaises et je m'arrête à l'endroit où l'eau est de ce vert profond dans lequel semble battre le cœur de la rivière. J'écoute le grand courant qui me parle du temps disparu. Le ciel et l'eau font émerger devant moi la grande île d'une brume légère, dans la nuit qui tombe doucement. Alors, je les aperçois, tous, là-bas, entre les aulnes et les frênes, mais ils ne me voient pas.

J'attends avec impatience le soir où leur regard, enfin, se posera sur moi.

CHRISTIAN SIGNOL

Avec *la Grande île*, Christian Signol retrouve le Quercy où il vécut une enfance heureuse au sein d'une famille aimante. À onze ans, il quitte la chaleur du fournil paternel pour entrer comme pensionnaire au lycée de Brive. Là, il dit que la solitude et l'enfermement ont failli le tuer et que ce sont les livres qui l'aidèrent à survivre. À cet âge, il sait déjà qu'il sera écrivain. Après des études de droit et de lettres modernes, parallèlement à une carrière dans l'Administration, il se met à la tâche, tissant tranquillement une œuvre au rythme d'un livre par an. Depuis 1984, sans grand battage médiatique, chacun de ses romans se vend à près de 200 000 exemplaires. Preuve qu'il a su toucher un public absolument fidèle. Un mot qui le définit bien lui-même. Fidèle à ses origines, aux siens, à une conception de la vie à l'unisson de la nature… Fidèle. Comme dans la chanson de Charles Trenet.

Michael Connelly

WONDERLAND AVENUE

Traduit de l'américain par Robert Pépin

*Même pour un flic aguerri,
il n'y a rien de pire que les meurtres d'enfant.
Ils vous minent. Ils ne cessent de vous hanter.
Alors, il faut bien que justice se fasse.
D'une manière ou d'une autre.*

1

À UN moment donné, la vieille dame n'avait plus voulu mourir, mais il était trop tard. Elle avait griffé le plâtre et la peinture du mur jusqu'à ne plus avoir d'ongles. Elle s'était cassé quatre orteils à force de donner des coups de pied dans les murs. Elle avait tout essayé et montré tant de détermination à rester en vie qu'Harry Bosch se demanda ce qui avait bien pu se produire avant. Où était passée sa volonté de vivre et pourquoi l'avait-elle perdue lorsqu'elle avait noué la rallonge de fil électrique autour de son cou et renversé sa chaise d'un coup de pied? Pourquoi cette volonté s'était-elle dérobée à son esprit?

Ce n'étaient pas les questions qu'il soulèverait dans son constat. Mais c'étaient bien celles auxquelles il ne pouvait s'empêcher de penser lorsqu'il se rassit dans sa voiture garée devant la maison de retraite *Le Splendide*, sise sur Sunset Boulevard, à l'est de l'autoroute de Hollywood. Il était 16 h 20 et c'était le premier jour de l'année. Au tirage au sort, il avait hérité du service de garde pour les vacances.

En un peu plus d'une demi-journée de travail, il avait déjà eu droit à deux suicides – le premier par balle, le second par pendaison. Les deux victimes étaient des femmes. Et dans les deux cas la dépression et le désespoir étaient manifestes. L'isolement aussi. Le premier de l'an est un jour fertile en suicides.

Il entendit sonner son portable. C'était Mankiewicz, le sergent de garde au commissariat de secteur de Hollywood.

— Tu as fini?

— Pas loin. Et toi, tu as autre chose?

— Oui. Et je me suis dit qu'il valait mieux ne pas passer par la radio pour t'avertir. Un type de Laurel Canyon, dans Wonderland Avenue. Il vient d'appeler pour nous dire que son chien est rentré d'une balade dans les bois avec un os dans la gueule. Et d'après lui, ce serait un os humain... d'un bras d'enfant.

Bosch faillit gémir. Des appels de ce genre, ils en recevaient quatre ou cinq par an. Grosse hystérie, puis l'explication simple : ce n'étaient que des os d'animaux.

— Je sais ce que tu penses, Harry : encore une de ces histoires d'os de coyote. Mais ce type-là est médecin. Et d'après lui, il n'y a aucun doute : c'est un humérus. L'os du haut du bras. Et un humérus d'enfant, Harry. Et attends, il dit aussi... que l'os est fracturé juste au-dessus de la zone coroïde, quoi que ça signifie...

Bosch serra les mâchoires et sentit une petite décharge électrique lui descendre le long de la nuque.

— D'accord, Mank. C'est quoi, l'adresse?

Mankiewicz la lui communiqua et ajouta qu'il y avait déjà envoyé une voiture de patrouille.

— Tu as eu raison de ne pas m'annoncer ça par radio, reprit Bosch. Essayons d'empêcher qu'on le crie sur tous les toits.

Mankiewicz le lui promit. Bosch referma son portable et mit le contact. Il démarra et prit la direction de Laurel Canyon.

Il descendit dans le canyon et remonta par Lookout Mountain Road pour rejoindre Wonderland Avenue en écoutant la retransmission du match des Lakers. Si Bosch était seul à travailler ce jour-là, c'était en effet parce qu'Edgar avait réussi à avoir deux bonnes places pour le match. Bosch avait accepté de traiter les appels extérieurs et de ne pas le déranger à moins qu'il n'y eût un homicide ou quelque chose qu'il ne pourrait pas régler sans son aide.

La côte était raide. Laurel Canyon coupait à travers les montagnes de Santa Monica, les routes secondaires grimpant, elles, droit vers le haut du col. Wonderland Avenue se terminait en cul-de-sac dans un endroit reculé où les maisons à un demi-million de dollars étaient entourées par des zones très accidentées et boisées. Bosch savait d'instinct que chercher des ossements dans ce secteur serait un cauchemar logistique. Il s'arrêta derrière une voiture de patrouille déjà sur place et consulta sa montre. 16 h 38. Dans moins d'une heure, il ferait nuit.

Il ne connaissait pas l'agent qui vint lui ouvrir. D'après sa plaque, elle s'appelait Brasher. La jeune femme lui fit traverser la maison et le conduisit jusqu'à un bureau où son coéquipier, un certain Edgewood que, lui, il connaissait, était en train de parler avec un homme aux cheveux blancs assis derrière un bureau encombré. Une boîte à chaussures sans son couvercle y trônait.

Bosch s'avança et se présenta. L'homme aux cheveux blancs lui dit être le Dr Paul Guyot, médecin généraliste. En se penchant, Bosch s'aperçut que la boîte à chaussures contenait l'os qui les avait tous fait venir jusque-là. Il était marron foncé et ressemblait à un morceau de bois flotté très noueux.

Bosch vit aussi un chien couché aux pieds du docteur, un grand chien au pelage jaune.

— Alors, c'est ça, dit-il en regardant de nouveau dans la boîte.

— Oui, inspecteur, voilà votre os, répondit Guyot. Et comme vous pouvez le voir…

Il tendit la main vers une étagère et y préleva le gros volume de l'*Anatomie* de Gray. Puis il l'ouvrit. Sur la page se trouvait la représentation d'un os en vues avant et arrière. Il plongea alors la main dans la boîte à chaussures et en sortit l'os avec précaution. Puis, en le tenant au-dessus de l'illustration, il en fit une description détaillée.

— Épicondyle, trochlée, tout y est. C'est un ossement humain, inspecteur. Ça ne fait aucun doute.

Bosch regarda son visage.

— Êtes-vous à la retraite, docteur?

— Oui, mais je sais encore reconnaître un os…

— Vous me dites que c'est un os humain, je vous crois. D'accord? J'essaie seulement de savoir à quoi nous avons affaire.

Guyot replaça l'os dans la boîte.

— Comment s'appelle votre chien?

— Calamity. C'est une chienne. Elle était insupportable quand elle était petite.

Bosch hocha la tête.

— Bon, si ça ne vous embête pas trop de me répéter ce qui s'est passé...

— Cet après-midi, je l'ai donc emmenée faire un tour. D'habitude, je détache sa laisse en arrivant au cul-de-sac et je la laisse courir dans les bois. Elle adore ça.

— Quel genre de chien est-ce?

— Un labrador jaune, répondit Brasher dans son dos.

Bosch se retourna et regarda la jeune femme. Elle comprit qu'elle avait commis une faute en s'immisçant dans la conversation et recula d'un pas, vers la porte de la pièce où se trouvait son coéquipier.

— Vous pouvez partir tous les deux si vous avez d'autres appels à traiter, lui dit Bosch. Je me charge de celui-ci.

Edgewood acquiesça d'un hochement de tête et fit signe à sa coéquipière de dégager.

Bosch pensa brusquement à quelque chose.

— Hé, vous autres! cria-t-il.

Edgewood et Brasher se retournèrent.

— On ne parle de rien par radio, c'est entendu?

— Pas de problème, répondit Brasher en le fixant jusqu'à ce qu'il détourne les yeux.

Après leur départ, Bosch se retourna vers le médecin.

— Continuez, je vous en prie.

— Bon. Quand je suis arrivé au cul-de-sac, je lui ai enlevé sa laisse. Elle est tout de suite partie dans les bois comme elle aime faire. Elle est bien dressée. Elle revient quand je la siffle.

— Que s'est-il passé quand elle a trouvé l'os?

— Je l'avais sifflée, mais elle ne revenait pas.

— Donc, elle était assez haut dans la colline.

— Exactement. J'ai attendu. Pour finir, elle est ressortie du bois, juste à côté de chez M. Ulrich. Elle avait l'os. Dès qu'elle s'est rapprochée, j'ai reconnu la forme. Je le lui ai pris et j'ai appelé vos services, après l'avoir examiné ici même et m'être assuré que je ne me trompais pas.

— Docteur, ça vous gênerait de mettre la laisse à votre chienne et de monter jusqu'au cul-de-sac avec moi?

— Pas du tout. Il faut juste que je change de chaussures.

— Moi aussi. On se retrouve devant chez vous.

Bosch remit le couvercle sur la boîte à chaussures et prit celle-ci à deux mains, en veillant à ne pas la retourner. Une fois dehors, il s'aperçut que le véhicule de patrouille était toujours garé devant la maison. Il rejoignit sa propre voiture et posa la boîte à chaussures sur le siège passager.

Il ôta sa veste de sport et la posa sur la banquette arrière. Il ouvrit ensuite le coffre afin de sortir ses grosses chaussures de la boîte de matériel pour l'analyse des scènes de crime. Il était en train de les enfiler lorsqu'il vit Brasher descendre de la voiture de patrouille et venir vers lui.

— Ça a l'air vrai, dit-elle.

— Je crois. Mais il faudra une confirmation de la morgue.

— Vous montez voir?

— Je vais essayer. Il n'y a plus beaucoup de lumière.

— À propos... je m'appelle Julia Brasher. Je viens d'être affectée au secteur.

— Moi, c'est Harry Bosch, dit-il.

— Je sais. J'ai beaucoup entendu parler de vous.

— Je nie tout.

Elle sourit de sa repartie.

— Je suis désolée, reprit-elle. Quand j'ai donné la réponse, vous savez... pour la chienne, j'ai tout de suite compris que vous essayiez d'établir des rapports de sympathie avec le docteur. J'ai eu tort et je vous prie de m'excuser.

— Ce n'est pas grave.

Bosch l'étudia un instant. La trentaine, elle avait noué ses cheveux noirs en une courte tresse qui retombait sur son col de chemise. Yeux marron foncé. Elle devait aimer le grand air. Son bronzage était parfaitement régulier.

Bosch vit le docteur sortir de chez lui avec Calamity en laisse. Il chercha sa lampe MagLite dans son nécessaire. Puis il jeta un coup d'œil à la jeune femme, plongea la main dans la boîte et y prit un chiffon graisseux qu'il posa sur sa lampe. Il sortit ensuite un appareil photo Polaroid et un rouleau de ruban jaune pour délimiter le périmètre interdit, avant de refermer le coffre et de se tourner vers Julia Brasher.

— Ça vous ennuierait de me passer votre MagLite? dit-il. J'ai… euh… j'ai dû oublier la mienne.

— Bien sûr que non.

Elle détacha sa lampe du mousqueton de son ceinturon et la lui tendit.

— Nous sommes prêts, fit le médecin.

— Bien, docteur. J'aimerais que vous me conduisiez à l'endroit où vous avez laissé partir Calamity, de façon que nous puissions voir vers où elle file.

— Je ne suis pas sûr que vous puissiez la suivre.

— On verra bien.

— Bon. C'est par là.

Ils montèrent vers le petit rond-point où Wonderland Avenue se terminait en cul-de-sac. Brasher les suivait.

Le Dr Guyot avait laissé la chienne régler l'allure et se retrouva bientôt loin devant Bosch et Brasher.

— Et vous étiez où avant? demanda Bosch.

— À… à l'académie de police.

— Vous n'avez pas l'air d'une bleue.

Il était tout surpris. Il la détailla de nouveau du regard.

— Oui, je sais, dit-elle, je suis vieille. Je ne suis entrée dans la police qu'à trente-quatre ans.

— Vraiment?

— Oui. J'ai attrapé le virus un peu tard.

— Que faisiez-vous avant?

— Oh! des trucs divers. Je voyageais, surtout. Vous voulez savoir ce qui me plairait le plus?

— Oui, quoi?

— Ce que vous faites. Travailler aux Homicides.

— Eh bien, bonne chance!

Il ne savait pas trop s'il fallait l'encourager.

— Vous ne trouvez pas que c'est le boulot le plus satisfaisant qui soit? Pensez à ce que vous faites… retirer les gens les plus dangereux de la société.

— Peut-être… Quand on a de la chance.

Ils rattrapèrent le Dr Guyot qui s'était arrêté au rond-point avec sa chienne.

— C'est là que je l'ai laissée filer. Elle est partie de ce côté-là.

Il montra un terrain vague envahi par la végétation, qui montait vite en pente raide vers le sommet de la colline. Un grand caniveau de drainage en ciment servait à l'écoulement des eaux qui risquaient d'inonder les maisons quand il y avait de l'orage.

Bosch se retourna en entendant une voiture. C'était Edgewood qui arrivait. Il arrêta son véhicule et abaissa la vitre.

— On a un truc sérieux, Brasher. Une DC.

Il montra le siège passager à la jeune femme. Brasher fronça les sourcils et regarda Bosch.

— Les disputes conjugales, je déteste ça, dit-elle.

Bosch sourit. Il n'aimait pas trop ça non plus.

— Tenez, dit Bosch en lui tendant sa MagLite.

— Non, j'en ai une autre dans le coffre, dit-elle. Vous me la rendrez plus tard.

— Vous êtes sûre ?

Il fut tenté de lui demander son numéro de téléphone, mais se ravisa.

— Oui, dit-elle. Bonne chance.

— Vous aussi. Faites attention.

Elle lui sourit, fit rapidement le tour du véhicule et y monta. Puis les deux policiers s'éloignèrent.

— Séduisante, cette dame, fit remarquer le médecin.

Bosch ignora la remarque, se demandant si le médecin l'avait faite au vu de son attitude à l'égard de la jeune femme.

— Bon, docteur, lâchez la chienne.

Guyot détacha la laisse.

— Allez, fifille, dit-il, va chercher le nonos. Allez, va ! Va !

La chienne fila dans le terrain vague et disparut avant même que Bosch ait pu faire un pas. Il en rit presque.

— Vous voulez que je la siffle ?

— Non. Je vais juste entrer là-dedans et jeter un coup d'œil aux alentours, histoire de voir si je ne pourrais pas la rattraper.

Il alluma la torche.

LES bois étaient plongés dans l'obscurité bien avant que le soleil ne se couche. Bosch se servit de sa torche pour grimper la pente vers l'endroit où il avait entendu la chienne courir dans le sous-bois. La progression était lente et difficile. Le sol disparaissait sous une couche d'aiguilles de pin d'une trentaine de centimètres d'épaisseur qui lâchait souvent sous ses chaussures lorsqu'il essayait de trouver une prise sur la pente. Il eut vite les mains collantes de sève à force de se rattraper aux branches.

Il lui fallut presque dix minutes pour faire 30 mètres. Enfin le sol redevint horizontal et la lumière revint un peu au fur et à mesure que les grands arbres s'éclaircissaient. Il chercha la chienne des yeux, mais ne la trouva pas.

Il continua d'avancer en restant en terrain plat : si quelqu'un avait effectivement voulu enterrer ou abandonner un corps dans les environs, il y avait toutes les chances pour qu'il l'eût fait sur le plat plutôt que sur une pente.

Bosch se retrouva bientôt dans un bosquet d'acacias. Et là, il tomba tout de suite sur un endroit où la terre avait été remuée. On aurait dit qu'un outil ou un animal y avait fouillé au hasard. Il écarta un peu de terre et des brindilles du bout du pied et comprit brusquement que ce n'étaient pas des brindilles.

Il s'agenouilla et se servit de sa lampe pour examiner les petits ossements bruns qu'il avait sous les yeux. Éparpillés sur une vingtaine de centimètres carrés, ils formaient comme une main aux doigts disjoints. Petite, cette main. Une main d'enfant.

Il se releva et se rendit compte qu'il n'avait rien emporté pour collecter ces ossements. Les ramasser sans précautions aurait été une violation de toutes les règles de procédure. Il sortit donc son rouleau de ruban jaune pour délimiter le périmètre interdit. Il en attacha une extrémité autour d'un tronc d'acacia et déroula le ruban autour de quatre autres. Il faisait presque nuit lorsqu'il termina son travail. Avec un petit canif, il se mit à couper des bandes de ruban jaune d'un bon mètre vingt de longueur. Puis il redescendit la pente et les attacha à intervalles réguliers à des branches d'arbre et à des buissons.

Il ne lui fallut pas longtemps pour redescendre dans la rue, où le Dr Guyot l'attendait avec sa chienne et un inconnu, qui se présenta :

— Victor Ulrich. J'habite là, dit-il en lui montrant une maison en bordure du terrain vague. Je suis sorti voir ce qui se passait.

— Eh bien… j'ai délimité le lieu d'un crime, là-haut. Nous ne reviendrons sans doute pas y travailler avant demain matin. Mais je ne veux pas que vous y montiez, ni l'un ni l'autre, et j'exige que vous ne parliez de cette histoire à personne. Est-ce bien entendu?

Les deux voisins approuvèrent d'un hochement de tête.

Ulrich rentra chez lui, pendant que Bosch redescendait la rue avec Guyot et la chienne.

— Vous avez dit qu'il y avait une scène de crime là-haut, reprit Guyot.

— Oui. J'ai trouvé d'autres ossements. Il faut que je passe un coup de fil pour voir ce qu'on va faire. Je peux me servir de votre téléphone? Je ne crois pas que mon portable marche par ici.

— Non. Dans le canyon, aucun portable ne fonctionne. Vous n'avez qu'à prendre le téléphone sur mon bureau. Je vous laisserai seul.

Quelques minutes plus tard, Bosch appelait chez elle sa patronne, le lieutenant Grace Billets. Il lui expliqua ce qui s'était passé.

— Harry, lui demanda-t-elle, quel âge ont ces ossements, à ton avis?

— Je ne sais pas, répondit-il. Plusieurs années, au moins.

— Bref, c'est pas du neuf. Donc, on prend note et on se prépare pour demain. Ce que tu as trouvé sur ta colline ne va pas déménager dans la nuit.

— Non, dit Bosch, je ne pense pas.

— Ces affaires-là, reprit-elle, ça coûte des ronds, ça exige beaucoup de personnel… et c'est ce qu'il y a de plus difficile à résoudre… quand on y arrive.

Il garda le silence, la laissant exprimer ses frustrations d'administratrice. Elle se reprit vite. C'était une des qualités qu'il appréciait le plus chez elle.

— Tu attaques à quelle heure demain?

— J'aimerais commencer tôt. Je vais passer quelques coups de fil et voir ce que je peux mettre en route. Et demander une confirmation pour cet os, avant de démarrer quoi que ce soit.

— Tu me tiens au courant?

Il acquiesça et raccrocha. Puis il appela Teresa Corazon, la légiste du comté, là aussi à son domicile. Il connaissait encore son numéro par cœur bien que leurs relations extraprofessionnelles eussent cessé depuis bien des années. Il lui expliqua qu'il lui fallait la confirmation officielle qu'il s'agissait bien d'un os humain. Si c'était le cas, il faudrait faire monter une équipe d'archéologues sur les lieux du crime dès que possible.

Elle le fit patienter pendant cinq minutes.

— Bon, dit-elle en reprenant enfin la ligne. Je n'ai pas réussi à joindre Kathy Kohl. Elle n'est pas chez elle.

Kathy Kohl était l'archéologue du service.

— Je voudrais avoir cette confirmation dès ce soir, insista Bosch.

— Minute, minute, Harry! Tu es toujours d'une impatience! On dirait un chien qui a trouvé un os, sans rigoler.

— C'est un os d'enfant, Teresa. On ne pourrait pas être un peu sérieux?

— Tu n'as qu'à passer. J'y jetterai un coup d'œil. J'ai laissé un message à Kathy. Elle montera là-haut dès le lever du soleil. Après, quand on aura récupéré les ossements, j'appellerai un légiste à l'UCLA[1]. Il est en compte chez nous, je pourrai le faire venir. Et j'y serai, moi aussi. Ça te va?

Cette dernière précision le fit réfléchir.

— Teresa, dit-il, je veux la plus grande discrétion possible.

— Ce qui veut dire?

— Que je ne suis pas très sûr que madame la légiste en chef du comté de Los Angeles ait besoin d'être là. Et que ça fait une paie que je ne t'ai pas vue sur une scène de crime sans un cameraman dans ton sillage…

— Harry, c'est un vidéaste privé, d'accord? Les images qu'il prendra sont pour moi et pour moi seule.

— Comme tu veux. Il s'agit d'un enfant et tu sais très bien comment réagissent les médias dans ce genre d'histoires.

— Ramène-toi avec ton os, c'est tout. Je dois partir dans une heure.

Elle raccrocha sèchement.

1. Université de Californie, Los Angeles.

Il était heureux de s'être fait comprendre. Teresa Corazon était une personnalité qui apparaissait régulièrement comme expert à diverses émissions de télévision. Bosch ne pouvait pas se permettre de la voir parasiter son enquête s'il s'avérait qu'il s'agissait bien du meurtre d'un enfant.

Il décida d'appeler les Services spéciaux et le détachement canin dès qu'il aurait confirmation de la découverte. Puis il se leva et partit à la recherche de Guyot, qu'il trouva à la cuisine.

— Je vais y aller, dit-il. Nous reviendrons demain. En force.

Bosch se dirigea vers la porte, puis se retourna.

— Vous vivez seul, docteur ? demanda-t-il.

— Maintenant, oui. Ma femme est morte il y a deux ans.

— Je suis désolé.

— Ma fille a un mari et des enfants à Seattle. Je ne les vois que dans les grandes occasions.

Bosch le remercia encore une fois.

Il sortit du canyon et se dirigea vers Hancock Park, où habitait Teresa. En lui, il le sentait, une profonde angoisse commençait à monter. Il n'y a pas pire que les affaires d'enfants assassinés. Elles ne cessent de vous hanter. Elles vous minent et vous laissent de terribles cicatrices. Aucun gilet pare-balles n'est assez épais pour vous en protéger.

Teresa Corazon habitait un véritable palace de style méditerranéen avec esplanade ronde pavée et bassin à carpes koïs sur le devant. Huit ans plus tôt, à l'époque où elle était brièvement sortie avec lui, elle avait un studio dans un immeuble en copropriété. C'étaient les bienfaits de la célébrité télévisuelle qui lui permettaient le style de vie qu'elle avait maintenant adopté. Elle ne ressemblait plus, même de loin, à la jeune femme qui débarquait chez lui à minuit sans prévenir, une bouteille de vin bon marché à la main. À cette époque, elle était déjà d'une ambition éhontée, mais elle ne savait pas encore se servir de sa situation pour s'enrichir.

Bosch avait conscience de n'être plus à ses yeux qu'un être qui lui rappelait ce qu'elle avait été – et ce qu'elle avait perdu afin de gagner tout ce qu'elle possédait désormais. Il n'y avait donc rien d'étonnant à ce que leurs rencontres soient rares et, lorsqu'elles étaient inévitables, aussi tendues qu'un rendez-vous chez le dentiste.

Bosch se gara sur le terre-plein et descendit de voiture avec sa boîte à chaussures. Teresa lui ouvrit avant même qu'il ait eu le temps de frapper. Elle portait un pantalon noir et un chemisier de soie crème. Elle allait probablement à un réveillon.

— C'est ce truc-là ? lui demanda-t-elle en montrant la boîte à chaussures.

— Bonsoir, Teresa ! Oui, c'est ce truc-là.

Il se mit en devoir d'ouvrir le couvercle de la boîte. Manifestement, elle n'avait aucune intention de le laisser entrer pour fêter le nouvel an avec un verre de champagne.

— Tu veux faire ça ici ? Dehors ?

— Je n'ai pas beaucoup de temps, répliqua-t-elle. As-tu un gant ?

Il en sortit un de sa veste et le lui tendit. Elle enfila son gant d'un geste expert, plongea la main dans la boîte, en retira l'os et l'examina à la lumière du porche.

Cinq secondes plus tard, Teresa Corazon reposait l'ossement dans sa boîte.

— Humain, dit-elle.

— Tu en es sûre ?

Elle le fusilla du regard en ôtant son gant.

— C'est un humérus. D'un enfant d'une dizaine d'années, à mon avis. On l'examinera plus tard et comme il faut, dans les services du coroner. À présent, il faut vraiment que j'y aille.

— Naturellement, Teresa, dit-il. Amuse-toi bien.

Il remit précautionneusement le couvercle sur la boîte, lui adressa un signe de tête et repartit vers sa voiture. Il rentra chez lui, sa main droite tenant la boîte à chaussures posée sur le siège à côté de lui.

2

IL n'était pas encore 9 heures le lendemain matin que le bout de Wonderland Avenue n'était déjà plus qu'un vaste campement d'officiers de police. Avec Harry Bosch en son centre. C'était lui qui dirigeait les patrouilles, le détachement canin, les Services d'enquête scientifique, les légistes et l'unité des Services spéciaux. Un hélicoptère de la police décrivait des cercles au-dessus de leurs têtes et une douzaine de cadets de l'académie de police tournaient autour de lui, attendant ses ordres.

Un peu plus tôt, les Services spéciaux, remontant la piste délimitée par les rubans jaunes, avaient, avec cordes et marteaux, construit une rampe en bois permettant de rejoindre directement l'endroit où étaient enterrés les ossements. Y accéder et en sortir seraient nettement plus faciles que la veille au soir.

Il était évidemment impossible de tenir secrètes toutes ces activités policières. À 9 heures, tout le quartier était aussi devenu un véritable campement pour les envoyés des médias. Les camions s'alignaient derrière les barrières installées à une rue du rond-point.

Bosch était prêt à mener le premier groupe de policiers jusqu'à la scène de crime. Mais il tint d'abord à consulter son coéquipier, Jerry Edgar, qu'on avait mis au courant de l'affaire la veille au soir.

— Bon, on commence par emmener la légiste et les types des enquêtes scientifiques, dit-il. Après, on fera monter les cadets et les chiens. Je veux que ce soit toi qui t'en charges.

— Pas de problème.

Il rejoignit le premier groupe, à savoir Teresa, son vidéaste et les quatre membres de l'équipe de fouille : l'archéologue Kathy Kohl et les trois inspecteurs qui se taperaient le boulot de creuser. Tous avaient revêtu des combinaisons blanches. Deux criminologues de la police scientifique faisaient eux aussi partie du groupe.

Bosch leur fit signe de se mettre en cercle de façon à pouvoir parler tout bas, sans être entendu par le reste de la foule qui s'agitait dans tous les sens.

— Vous savez tous ce que vous avez à faire, je n'aurai donc pas besoin de vous briefer. Mais il y a une chose que je tiens à vous dire : monter là-haut n'est pas évident.

Tous acquiescèrent en même temps.

Bosch prit la tête du détachement. Arrivé aux acacias, il fit signe à tout le monde d'attendre pendant qu'il se glissait sous le ruban pour aller vérifier. Il retrouva l'endroit où la terre avait été retournée et les petits ossements qu'il avait découverts la veille au soir. Rien n'avait l'air d'avoir été dérangé.

— Bon, vous pouvez venir voir, lança-t-il.

La caméra ayant commencé à tourner, Corazon prit la direction des opérations.

— Bien, dit-elle, la première chose à faire est de reculer et de prendre des photos. Après, on quadrille, et c'est le Dr Kohl qui vous indiquera comment fouiller et récupérer les ossements. Dès que vous trouvez quelque chose, vous le photographiez sous trente-six angles différents avant de le ramasser.

Elle se tourna vers Bosch.

— Inspecteur Bosch, dit-elle, je crois que nous sommes prêts. Moins il y aura de gens ici, mieux ça vaudra.

Bosch acquiesça et lui tendit un émetteur-récepteur radio.

— Je reste dans le coin, dit-il. Si tu as besoin de moi, tu m'appelles avec ça.

En arrivant au niveau de la rue, Bosch s'aperçut que le lieutenant Grace Billets était déjà là avec son supérieur, le capitaine LeValley. Il les rejoignit et les mit au courant des derniers développements de l'affaire.

— Il faut qu'on donne quelque chose aux médias, dit LeValley.

— Capitaine, dit Bosch, c'est que je suis plutôt occupé, vous savez ? Je ne pourrais pas...

— Trouvez le temps de le faire, inspecteur. C'est le meilleur moyen de ne pas les avoir tout le temps sur le dos.

Bosch s'était détourné du capitaine pour regarder les journalistes rassemblés au barrage routier une rue plus bas, lorsqu'il vit Julia Brasher montrer son badge à un officier de patrouille et obtenir la permission de passer.

— Bon, d'accord, dit-il. Je m'en occupe.

Il partit vers la maison du Dr Guyot. Et vers Brasher qui s'approchait en souriant. Elle portait un blue jean délavé et un tee-shirt.

— Vous n'êtes pas en service, n'est-ce pas ?

— Non, je suis de l'équipe de 15 heures à 23 heures. Je me disais que vous auriez peut-être besoin d'une volontaire. J'ai appris que vous aviez fait appel aux cadets.

— Vous voulez aller chercher des ossements là-haut ? C'est ça ?

— Je voudrais apprendre.

Il acquiesça et ils se dirigèrent vers la maison de Guyot. La porte s'ouvrit avant même qu'ils y arrivent et le médecin les invita à entrer.

Bosch lui demanda s'il pouvait encore une fois se servir de son téléphone.

Boch composa de mémoire le numéro des Relations avec les médias et parla de l'affaire en des termes très généraux. Quelques minutes plus tard, il raccrocha.

En quittant la maison, Bosch demanda à Julia Brasher si elle voulait sa lampe torche. Elle lui répondit qu'elle n'avait aucune envie de la trimbaler pendant la fouille.

— Vous n'aurez qu'à me la rendre quand vous voudrez, lui répondit-elle.

Bosch apprécia. Cela voulait dire qu'il avait au moins encore une chance de la revoir.

De retour au rond-point, il trouva Edgar en train de haranguer les cadets. Bosch entra dans le cercle.

— Ils sont prêts, lui signala Edgar.

Tout le monde monta jusqu'à la scène de crime, Bosch en profitant pour présenter Brasher à Edgar avant de laisser celui-ci conduire toute la troupe au poste de contrôle.

— Nous verrons si vous avez toujours envie de travailler aux Homicides ce soir, lança-t-il à la jeune femme.

— Tout vaut mieux que de courir après les appels radio et de laver le vomi sur la banquette arrière à la fin du service.

— Je me souviens bien de cette époque.

Bosch et Edgar répartirent Brasher et les douze cadets dans les zones adjacentes au bosquet d'acacias et leur ordonnèrent de commencer à chercher les uns à côté des autres.

Puis Bosch regagna le bosquet d'acacias. Il y trouva Kohl en train de superviser l'équipe chargée de planter les piquets en bois où seraient attachés les fils pour le quadrillage du terrain.

Ses longs cheveux blonds lui tombaient devant les yeux, tandis que, la tête penchée, elle regardait l'énorme écritoire posée sur ses genoux. Elle y portait des notations sur une feuille de papier quadrillé. Kohl attribuait une lettre à chacun des carrés de la grille, au fur et à mesure que les piquets correspondants étaient plantés dans le sol. En haut de la page, elle avait écrit : « La cité des ossements ».

— Pourquoi ce terme ? demanda Bosch.

— Parce que nous dessinons les rues et les croisements de ce qui, pour nous, va devenir une ville, lui répondit-elle. Tout au moins, c'est l'impression que nous aurons en travaillant. Celle de nous trouver dans une petite ville.

— Dans tout meurtre, une ville se raconte...

Un appel radio l'interrompit. Il décrocha son appareil de sa ceinture.

— Bosch, dit-il.

— Edgar. Tu ferais bien de revenir par ici, Harry.

Edgar se trouvait en terrain pratiquement plat, dans le sous-bois qui s'étendait à une quarantaine de mètres du bosquet d'acacias. Brasher et une demi-douzaine de cadets s'étaient mis en cercle et regardaient quelque chose dans des buissons d'environ 50 centimètres de hauteur.

Bosch se pencha à son tour. À moitié enfoui dans le sol, un crâne d'enfant dépassait de la terre, ses orbites creuses tournées vers lui.

— C'est Julia Brasher qui l'a trouvé, dit Edgar.

Bosch jeta un bref coup d'œil à la jeune femme ; l'humour qui d'habitude semblait briller dans ses yeux et ourler ses lèvres avait complètement disparu. Il reporta son attention sur le crâne et approcha son émetteur radio de ses lèvres.

— Docteur Corazon ? lança-t-il.

— Oui ? Qu'est-ce qu'il y a ?

— Il va falloir élargir le périmètre.

LES ossements sortirent de la terre sans difficulté, comme s'ils attendaient cet instant depuis des éternités. À midi, trois carrés de la grille étaient déjà mis en chantier par l'équipe de Kathy Kohl. Comme leurs collègues archéologues fouillant la terre à la recherche d'objets antiques, son équipe se servait de petits outils pour ramener très doucement ces ossements à la lumière. On utilisait aussi des détecteurs de métaux et des sondes à vapeur. Cela demandait beaucoup d'efforts, mais le travail avançait bien plus vite que Bosch ne l'avait espéré.

C'était la découverte du crâne qui avait donné le rythme, chacun sentant l'urgence qu'il y avait à mener l'opération à bien. L'examen photographique *in situ* effectué par Teresa Corazon permit de découvrir des fractures et des traces d'interventions chirurgicales. À elles seules, les fractures n'auraient pu être une preuve d'homicide, mais, ajoutées à tout ce qui prouvait que le corps avait bien été enterré, elles indiquaient clairement que c'était l'histoire d'un assassinat qui prenait forme sous leurs yeux.

À 14 heures, lorsque les équipes se dispersèrent pour le déjeuner, près de la moitié du squelette avait déjà été retrouvée dans le quadrillage. L'équipe de Kohl avait en outre déterré des fragments d'habits détériorés et des morceaux d'un sac à dos en toile assez petit pour avoir été celui d'un enfant.

À midi, un anthropologue examinait déjà trois boîtes d'ossements à la morgue. Les vêtements et le sac à dos, qu'on n'avait toujours pas ouvert, avaient été transportés au labo de la police scientifique de Los Angeles pour y subir le même genre d'examens.

Un passage au détecteur de métaux de toute la zone quadrillée ne fit découvrir qu'une seule pièce de monnaie – un quart de dollar frappé en 1975 et enfoui à la même profondeur que les ossements, à environ 5 centimètres de la partie gauche du pelvis de l'enfant. On émit aussitôt l'hypothèse que cette pièce se trouvait dans la poche gauche de son pantalon. À supposer que la pièce ait effectivement été enterrée avec l'enfant, sa mort ne pouvait être survenue avant l'année 1975.

Les Services spéciaux avaient fait monter deux camions de restauration jusqu'au site afin que la petite armée qui y travaillait pût se nourrir. Bosch prit la queue avec Julia Brasher. Ils parlèrent surtout des fouilles dans la colline et échangèrent des potins sur leur hiérarchie. Ils cherchaient à faire connaissance. Brasher l'attirait, et plus il l'entendait lui raconter ce qu'elle avait vécu en tant que bleue, plus elle l'intriguait.

Ils emportèrent leurs sandwiches et leurs boissons sur l'une des tables de pique-nique qui avaient été installées sur le rond-point. Edgar y avait déjà pris place avec Kohl. Bosch présenta Brasher et précisa que c'était elle qui avait reçu l'appel fatidique la veille.

— Où est passée la patronne ? demanda-t-il ensuite à Kohl.

— Oh ! elle a déjà mangé. Je crois qu'elle est partie enregistrer une autre auto-interview.

Bosch hocha la tête en souriant.

— Moi, je vais prendre du rab, dit Edgar en passant par-dessus le banc et en s'éloignant avec son assiette.

Bosch mordit dans son sandwich bacon-laitue. Il mourait de faim. Il avait prévu de ne rien faire d'autre que de manger pendant la pause, mais Kohl commença à lui faire part de ses premières conclusions sur la fouille. À son avis, la faible profondeur de la tombe avait permis à des animaux de déterrer les ossements et de les éparpiller – depuis des années, peut-être.

— Nous ne pourrons pas tous les retrouver, dit-elle. Nous allons très vite arriver à un point où les résultats ne seront plus du tout à la hauteur des dépenses engagées et des efforts déployés.

Edgar revint avec une assiette de poulet frit.

— Il y a deux choses auxquelles je vous demande de prêter attention, dit Kohl. La profondeur de la tombe et l'endroit où elle a été creusée. À mon avis, ce sont là deux éléments clefs. Ils ont forcément quelque chose à nous dire sur l'identité de ce gamin et sur ce qui lui est arrivé.

— De ce « gamin » ? répéta Bosch.

— Oui, l'écartement des os du bassin et la ceinture du sous-vêtement.

Elle expliqua que les liquides suintant du cadavre en décomposition avaient provoqué la détérioration des habits. Mais l'élastique de la ceinture était encore pratiquement intact et semblait provenir d'un sous-vêtement masculin.

— Bon, d'accord, dit Bosch. Et la profondeur de la tombe ?

— Nous pensons que l'ensemble formé par les os du bassin et le bas de la colonne vertébrale n'a pas été modifié avant que nous le découvrions. En partant de cette hypothèse, nous pouvons dire que cette tombe n'avait pas plus de 25 à 30 centimètres de profondeur. Et une tombe aussi peu profonde signifie vitesse, panique et tout un tas de choses qui traduisent un manque de préparation certain. Mais l'endroit où on l'a creusée, loin de tout et difficile d'accès, dit exactement le contraire. Il y a eu préparation, et sérieuse. Moi, je vois dans tout ça une énorme contradiction.

Bosch acquiesça.

— C'est bon à savoir, dit-il, on ne l'oubliera pas.

— Parfait. L'autre contradiction, moins importante, c'est le sac à dos. L'enterrer avec le corps était une erreur. Un cadavre se décompose nettement plus vite que le genre de toile dont sont faits ces sacs. Résultat, si on arrive à identifier le sac ou une partie de son contenu, on se retrouve devant une deuxième grosse faute de l'assassin. (Elle sourit à Bosch.) Voilà, je crois que c'est tout. Demain, on fera quelques échantillonnages dans les autres carrés de la grille. Mais on devrait en avoir terminé dès demain, à mon avis.

— Des échantillonnages? répéta-t-il. Vous pensez qu'il y a un autre cadavre enterré ?

— Non, rien ne l'indique. Mais nous devons nous en assurer.

Bosch hocha la tête encore une fois. La perspective d'enquêter sur une affaire impliquant plusieurs victimes était peu encourageante. Il était sur le point d'ajouter quelque chose lorsqu'on entendit des coups sourds monter de la rangée de sanitaires installée dans le camion des Services spéciaux garé de l'autre côté du rond-point. Au bout d'un moment, Bosch entendit nettement une voix de femme. Il la reconnut et bondit de la table.

Il traversa le rond-point à toute allure, gravit les marches du camion, trouva vite de quel cabinet montaient les coups de poing et gagna la porte. Le verrou extérieur – celui qui servait à verrouiller le cabinet pendant le transport – avait été tiré, un os de poulet ayant été glissé dans le crochet pour le maintenir.

— Une minute! hurla Bosch.

Il essaya de retirer l'os, mais celui-ci était couvert de graisse et lui glissait entre les doigts. De l'autre côté de la porte, on continuait de hurler et de donner des coups de poing. Finalement, Bosch sortit son pistolet de son étui, vérifia la sûreté et se servit de sa crosse pour éjecter l'os de poulet.

La porte s'ouvrit d'un coup et Teresa Corazon se rua à l'extérieur.

— C'est toi qui as fait ça! cria-t-elle.

— Quoi? Absolument pas! J'étais là-bas pendant que tu…

— Je veux savoir qui a fait ça!

— Écoute, Teresa, calme-toi. C'était une blague, d'accord? C'est quelqu'un qui aura voulu détendre un peu l'atmosphère et comme tu étais là…

— Ils sont jaloux, c'est pour ça!

— Quoi?

— Ils sont jaloux de ce que je suis, de ma réussite.

Bosch en resta interdit.

— Comme tu voudras, dit-il.

— Je m'en vais, dit-elle. Tu es content maintenant ?

Elle descendit les marches, d'un doigt furibond fit signe à son cameraman de la rejoindre, et se dirigea vers sa voiture officielle.

Lorsque Bosch revint à la table de pique-nique, seuls Edgar et Brasher s'y trouvaient encore. Son coéquipier avait terminé sa deuxième portion de poulet et restait planté là, un sourire satisfait sur la figure. Bosch laissa tomber l'os qu'il avait dégagé du verrou dans son assiette.

— Pour aimer, elle a aimé ! dit-il en lui faisant comprendre d'un regard qu'il savait très bien que c'était lui qui avait fait le coup.

Edgar fit comme si de rien n'était.

— Plus grand est l'ego, dit-il seulement, plus dure est la chute. Je me demande si son cameraman a pu enregistrer la scène.

Edgar ramassa son assiette et eut bien du mal à extraire son grand corps de l'espace compris entre le banc et la table.

— On se revoit dans la colline ? dit-il.

Brasher haussa les sourcils d'un air interrogatif.

— Quoi ? Vous voulez dire que c'était lui ?

Bosch ne répondit pas.

Le travail qu'il y avait à faire dans la cité des ossements ne dura que deux jours. Comme Kohl l'avait prévu, les pièces essentielles du squelette furent repérées et enlevées du bosquet d'acacias dès la fin du premier jour. Les recherches menées le lendemain ne débouchèrent sur aucune autre découverte. Les travaux de fouille furent donc suspendus jusqu'à plus ample informé.

Le samedi matin, Bosch et Edgar se retrouvèrent dans l'entrée de la morgue et informèrent la réceptionniste qu'ils avaient rendez-vous avec le Dr William Golliher, l'anthropologue détaché de l'UCLA auprès de la police.

— Il vous attend dans la salle A, leur répondit-elle.

Ils prirent un ascenseur qui les conduisit au sous-sol ; l'odeur des salles d'autopsie les assaillit dès qu'ils sortirent de la cabine. Produits chimiques et corps en décomposition, elle est unique au monde. Edgar prit vite un masque en papier au distributeur et se l'appliqua sur la figure. Bosch ne s'en donna pas la peine.

Ils durent s'arrêter pour laisser passer une civière qu'on sortait d'une salle d'autopsie. Avec un corps dessus. Enveloppé dans du plastique.

— Hé! Harry! t'as déjà remarqué qu'ils les emballent comme les burritos chez *Taco Bell*?

— C'est pour ça que je ne mange pas de burritos.

Ils poussèrent les doubles portes en acier de la salle A et y furent accueillis par un homme en jean et chemise hawaïenne.

— Appelez-moi Bill, leur lança Golliher.

La cinquantaine, il avait les cheveux noirs et des manières agréables. Il leur indiqua la table d'autopsie au milieu de la pièce. Tous les ossements récupérés sous les acacias s'étalaient maintenant sur son plateau en acier inoxydable.

— Bien, reprit-il, permettez que je vous dise où nous en sommes. Nous avons examiné ces ossements, fait des radiographies et tenté de reconstituer le puzzle.

Bosch s'approcha de la table. Disposés comme ils étaient, les os formaient un squelette incomplet. Chacun des ossements était coté, les plus gros à l'aide d'un autocollant, les plus petits avec une étiquette attachée au bout d'une ficelle. Bosch savait que les annotations renvoyaient aux emplacements où chacun d'entre eux figurait sur la grille que Kohl avait dessinée le premier jour.

— Les ossements nous apprennent toujours beaucoup de choses sur la façon dont quelqu'un est mort et a vécu, reprit sombrement Golliher. Dans les cas de mauvais traitements subis par des enfants, ils nous donnent toujours des preuves irréfutables. J'ai déjà été appelé comme expert dans pas mal d'histoires horribles, et celle-là les dépasse toutes. J'ai commencé à prendre des notes et tout d'un coup je me suis aperçu qu'il y avait des taches d'encre sur ma feuille de papier. Je m'étais mis à pleurer. Sans même m'en rendre compte…

Il regarda les ossements avec un mélange de tendresse et de pitié. Bosch comprit qu'il voyait celui auquel ils avaient appartenu.

— Cette affaire-là est ignoble, les gars. Vraiment ignoble.

— Bon, d'accord, dit Bosch dans une sorte de murmure plein de respect, vous nous donnez ce que vous avez, qu'on puisse aller vite faire notre boulot ?

Golliher acquiesça et ouvrit un carnet à spirale.

— Commençons par les trucs de base. Vous avez devant vous les restes d'un jeune enfant de type caucasien, âgé d'environ dix ans. Cet enfant a été victime de mauvais traitements répétés. Et d'un point de vue histologique, les victimes de mauvais traitements à répétition souffrent de troubles de la croissance qui nous induisent presque toujours en erreur quant à l'évaluation de leur âge. On a ainsi très souvent affaire à des squelettes qui ont l'air plus jeunes que ce qu'ils sont en réalité. Bref, ce que je suis en train de vous dire, c'est que ce garçon semble avoir dix ans, mais qu'il en avait probablement douze ou treize.

Bosch jeta un coup d'œil à Edgar. Celui-ci se tenait les bras croisés sur la poitrine, comme s'il rassemblait ses forces pour la suite.

— Année du décès, poursuivit Golliher. Pas facile à dire. Les examens radiologiques sont loin d'être précis sur ce point. Mais nous avons la pièce de monnaie qui nous assure que rien de tout cela ne s'est passé avant 1975, et ça aide. Pour moi, ce gamin est resté enterré entre vingt et vingt-cinq ans.

Il était d'une importance vitale de pouvoir situer le décès dans le temps. D'après Golliher, la mort remontait à la fin des années 1970 ou au début des années 1980. Un instant, Bosch songea à ce qu'était Laurel Canyon à cette époque. Enclave rustique passablement funky, on y trouvait tout à la fois des bohèmes et des gens huppés, avec dealers et consommateurs de cocaïne à tous les coins de rue, sans parler des pourvoyeurs de cassettes porno, des jouisseurs en tout genre et des stars du rock sur le déclin. L'assassin aurait-il fait partie de ce milieu ?

— Cause du décès, enchaîna Golliher. Bon... Je préfère commencer par le torse et les extrémités afin de vous donner une idée de ce que ce gamin a enduré pendant sa courte vie.

Bosch savait qu'il allait entendre confirmées ses pires craintes. Dès le début, il avait compris qu'une histoire horrible allait sortir de ce carré de terre retournée.

— Première chose à noter, poursuivit Golliher, nous n'avons qu'environ 60 % du squelette, et cependant... nous avons déjà la preuve irréfutable d'un énorme traumatisme crânien et de violences répétées. Il y a là des fractures récentes et anciennes. Pas moins de quarante-quatre endroits où on remarque des traces de traumatisme à divers stades de guérison. Et il ne s'agit là que de ses os, inspecteurs. Bref, il ne fait aucun doute que ce garçon n'a pas cessé de souffrir jour après jour. Regardez ça, ajouta Golliher en allumant une boîte lumineuse accrochée au mur.

Une radiographie s'y trouvait déjà, où l'on voyait un os long et mince.

— Ceci est le seul fémur que nous ayons retrouvé, dit-il. Et seulement sa partie supérieure. Mais cette ligne, là, à l'endroit où il y a une modification de la couleur, indique une lésion. Cela signifie que cette zone a reçu un coup très violent quelques semaines avant la mort. Il n'a pas cassé l'os, mais il l'a fortement endommagé.

Golliher marqua une pause, puis il s'empara d'un os long d'avant-bras.

— Ce cubitus présente lui aussi une fracture longitudinale réparée. La fracture a causé une légère déviation dans l'alignement de l'os. Cela est dû au fait que celui-ci s'est réparé tout seul.

— Comment ça ? demanda Edgar, l'enfant n'a pas été plâtré ?

— Exactement.

Il remit l'os à sa place et se pencha sur la table pour examiner la cage thoracique de l'enfant.

— Les côtes, reprit-il. Presque deux douzaines de fractures à divers stades de réparation. La fracture de la douzième côte remonte sans doute à la toute petite enfance. La neuvième côte, elle, montre un cal traumatique qui s'est formé à peine quelques semaines avant la mort. Ces fractures sont souvent consolidées près des angles, ce qui signifie que l'enfant a été violemment secoué lorsqu'il n'était encore qu'un nourrisson. Chez les enfants plus âgés, ces fractures indiquent des coups portés dans le dos.

Bosch avait la nausée. « Je vais le coincer, ce type », se dit-il presque à haute voix.

Golliher hocha la tête.

— C'est le genre d'affaire où on ne peut pas ne pas se dire que le gamin est mieux là où il est. Enfin… si l'on croit en Dieu et si l'on pense que c'est mieux de l'autre côté.

— Et si ce n'est pas le cas ? demanda Bosch.

Golliher le considéra.

— Eh bien… c'est justement pour ça qu'il vaut mieux croire. Si cet enfant n'a pas trouvé mieux là-haut, alors… alors je crois que nous sommes tous perdus.

— Et la cause de la mort ? demanda Bosch en revenant à ce qui les occupait.

Golliher prit le crâne.

— Dans ce crâne, nous avons le pire… et peut-être le meilleur, dit-il. On y décèle trois fractures distinctes à diverses étapes de guérison. Voici la première. (Il indiqua une zone située dans la partie inférieure du crâne, à l'arrière.) Celle-ci est petite et réparée. Plus loin, sur le pariétal droit et débordant sur le frontal, nous avons un traumatisme nettement plus important. Il a nécessité une intervention chirurgicale, à peu près sûrement à cause de la formation d'un hématome hypodural.

D'un doigt, il délimita la zone du traumatisme. Puis il désigna cinq petits trous à bords lisses qui formaient un cercle.

— Ça, c'est une marque de trépan. Le trépan est une sorte de scie de chirurgien avec laquelle on ouvre le crâne pour procéder à une opération sur le cerveau ou réduire la pression lorsqu'il y a gonflement de ce dernier. Dans le cas qui nous occupe, on s'en est sans doute servi pour réduire l'enflure due à l'hématome. À mon avis, la blessure et l'intervention chirurgicale qui s'est ensuivie se sont produites environ six mois avant la mort du gamin.

— Quoi ? Ce n'est pas la blessure fatale ? demanda Bosch.

— Non. La blessure fatale, c'est celle-ci.

Golliher retourna encore une fois le crâne de l'enfant dans sa main et leur montra une autre fracture, cette fois dans la zone arrière gauche.

— C'est cette blessure-là qui a causé la mort. Son caractère restreint indique un coup très violent porté avec un objet dur. Une batte de base-ball, ce n'est pas impossible. Ou quelque chose de ce genre.

Golliher regagna la table d'autopsie et y reposa doucement le crâne du gamin.

— En gros, enchaîna-t-il, quelqu'un rossait cet enfant systématiquement. Et pour finir, ce quelqu'un est allé trop loin. Vous trouverez tous les détails dans mon rapport.

Il se détourna de la table et regarda les deux inspecteurs.

— Il y a une vague lueur d'espoir dans tout ça, vous savez. Quelque chose qui pourrait vous aider.

— L'intervention chirurgicale, dit Bosch.

— Exactement. Ouvrir un crâne est une opération sérieuse. Il y en a forcément des traces quelque part. Sans compter que la cicatrice nous aide à dater les ossements. Ces trous de trépan sont bien trop grands pour être récents. Au milieu des années 1980, les instruments de chirurgie étaient déjà bien plus modernes que ça. Bien plus fins. Et les perforations nettement plus petites. J'espère que ça vous aidera.

Bosch acquiesça, puis il lui demanda :

— Et les dents ? Quelque chose de ce côté-là ?

— Non. La mandibule manque. Les dents présentes sur le maxillaire supérieur n'indiquent pas qu'on aurait administré des soins dentaires, alors même que leur pourrissement était déjà engagé avant la mort.

Edgar avait baissé son masque autour de son cou. Il avait l'air de souffrir.

— Et cet enfant ne pouvait pas dire aux médecins ce qu'on lui faisait quand il est entré à l'hôpital pour son traumatisme ?

— Vous connaissez sans doute aussi bien que moi la réponse à cette question, inspecteur, lui renvoya Golliher. Les enfants s'en remettent à leurs parents. Ils les craignent et les aiment. Il n'y a pas d'autre explication au fait que certains enfants battus n'appellent jamais au secours.

— Rien d'autre, docteur ? demanda Bosch.

— Non, c'est tout du côté scientifique… Mais sur un plan purement personnel, j'espère vraiment que vous retrouverez le type qui a fait ça.

— On l'aura ! s'écria Edgar. Ne vous inquiétez pas pour ça !

De retour à la voiture, Bosch resta assis un moment sans bouger avant de mettre le contact. Pour finir, il aplatit violemment la paume de la main sur le volant.

— J'ai besoin de boire un coup, déclara-t-il.

— Ben pas moi, mec, lui répondit Edgar. Moi, j'ai juste envie d'aller voir mon gamin et de le serrer très fort jusqu'à ce que je me sente un peu mieux.

Ils ne se dirent plus un mot avant d'arriver à Parker Center.

EDGAR et Bosch gagnèrent le labo de la police scientifique où ils avaient rendez-vous avec Antoine Jesper, le criminologue chargé de l'affaire. Celui-ci les retrouva au portail de sécurité et les conduisit dans son bureau. C'était un jeune Noir aux yeux gris et à la peau lisse.

— Par ici, les gars, dit-il.

Il leur fit traverser le labo principal, où seule une poignée de criminologues travaillaient à cette heure, puis entrer dans la salle de séchage, un grand local climatisé où les vêtements et toutes les autres pièces à conviction étaient étalés sur des tables en acier inoxydable afin d'y être examinés.

Bosch reconnut le sac à dos ouvert, ainsi que plusieurs morceaux de tissu noirs de terre et de champignons. S'y trouvait également un sac à sandwich en plastique où pourrissait aussi quelque chose de noir et de parfaitement méconnaissable.

— On a donc un sac à dos courant contenant des vêtements de rechange et ce qui, à un moment donné, a dû être un sandwich. Pour être plus précis, nous dirons : trois tee-shirts, trois sous-vêtements, trois paires de chaussettes.

— Rien qui identifierait des…

— Non, rien de personnel sur les vêtements ni dans le sac. Mais il y a deux choses à remarquer. D'abord, ce tee-shirt porte une marque : SOLID SURF. Vous ne pouvez pas la voir, mais je l'ai repérée en lumière noire. Sachez que cette expression fait partie du vocabulaire des skateurs.

— C'est enregistré, dit Bosch.

— Ensuite, le rabat du sac.

Bosch se pencha au-dessus de la table. Le sac était en toile bleue. Sur le rabat, une décoloration dans le tissu formait un grand B au milieu.

Bosch s'écarta de la table et inscrivit quelques mots dans son carnet. Puis il leva de nouveau les yeux sur Jesper.

— Très bien, tout ça, Antoine.

3

À L'ARRIÈRE du commissariat du secteur de Hollywood, près de l'entrée, se trouve un banc au pied duquel on a installé, de chaque côté, un grand cendrier rempli de sable. Il a été baptisé « Code 7 », du nom de la réponse radio donnée en cas d'absence ou de repos momentané de l'officier appelé. À 23 h 15, ce samedi soir-là, Bosch était le seul occupant du Code 7. Il attendait. Le banc donnait sur le parking que se partageaient le commissariat et le poste de pompiers.

Bosch regardait les patrouilles rentrer au poste à la fin du service de 15 à 23 heures et les policiers pénétrer dans le bâtiment pour se doucher, se remettre en civil et se tirer. Il baissa les yeux sur la MagLite qu'il tenait dans les mains et frotta son pouce sur l'embout de la torche.

Il regarda une voiture de patrouille entrer dans le parking et s'arrêter près du garage. Un flic, en qui il reconnut le coéquipier de Julia Brasher, Edgewood, en descendit et se dirigea vers la bâtisse. Brasher descendit à son tour de la voiture. Elle avançait tête baissée, comme quelqu'un qui n'en peut plus après une longue journée de travail. Bosch connaissait ça. Elle était presque arrivée à la porte du commissariat lorsqu'il l'appela.

— Je vous ai rapporté quelque chose.

Il lui tendit la torche. Elle la reprit en lui souriant d'un air las.

— Merci, Harry. C'était pas la peine d'attendre ici pour me…

— J'en avais envie.

Il s'ensuivit un silence embarrassé.

— Vous bossez toujours sur l'affaire du gamin ? lui demanda-t-elle enfin.

— Plus ou moins. J'ai commencé la paperasse. Et nous avons eu les résultats de l'autopsie. Enfin… si on peut parler d'autopsie.

— À voir votre tête, ça ne doit pas être beau.

— Et moi, rien qu'à voir la vôtre, je sais que la journée n'a pas dû être facile.

— C'est toujours comme ça, non ?

Avant qu'il ait pu lui répondre, deux flics qui sortaient de la douche et venaient de se remettre en civil sortirent du commissariat pour rejoindre leurs voitures.

— Courage, Julia! lui lança l'un d'eux.

— Merci, Kiko, lui répondit-elle.

Puis elle se retourna et regarda Bosch. Elle souriait.

Il consulta sa montre. Il était 23 h 30.

— On pourrait peut-être attraper la dernière tournée de Martini chez *Musso.*

Cette fois, elle eut un large sourire.

— J'adore cet endroit, dit-elle. Donnez-moi un quart d'heure.

Elle gagna l'entrée du bâtiment sans attendre sa réponse.

— Je ne bouge pas d'ici, lui cria-t-il.

Chez Musso et Frank était une véritable institution, où depuis plus d'un siècle on servait des Martini aux citoyens de Hollywood. Dans la salle de devant, tout en boxes de cuir rouge, les conversations se devaient d'être discrètes. Dans l'arrière-salle se trouvait le bar où il n'y avait pratiquement jamais de place assise. Bosch et Brasher venaient juste d'entrer dans la partie bar lorsque deux clients descendirent de leurs tabourets pour partir. Ils s'y installèrent sans attendre. Ils commandèrent tous les deux un Martini vodka plutôt costaud.

Bosch se sentait déjà à l'aise avec la jeune femme. Lorsque le barman posa devant eux les Martini, il avait déjà envie d'oublier tout ce qui touchait aux ossements.

Ils trinquèrent, et Brasher s'écria :

— À la vie!

— C'est ça! dit-il. À la journée dont on vient de réchapper!

— À peine, précisa-t-elle.

— Le type, là-bas, dans le parking de derrière… pourquoi vous a-t-il souhaité bon courage?

Elle se tassa un peu et ne lui répondit pas tout de suite.

— Si vous ne voulez pas en parler…

— Non, ce n'est pas ça. Mon coéquipier a décidé de me coller un rapport.

— Pour quelle raison?

— Franchissement de la ligne.

L'expression fait partie du vocabulaire tactique et désigne la faute qui consiste à passer dans la ligne de mire d'une carabine ou d'une arme quelconque tenue par un collègue policier.

— Que s'est-il passé ?

— Oh ! on avait été appelés pour une bagarre conjugale… je déteste ça… et le type s'était enfermé dans sa chambre avec un flingue. On ne savait pas s'il allait s'en servir pour se suicider, tuer sa femme ou nous flinguer.

L'émotion qu'elle éprouvait se lisait dans ses yeux.

— Edgewood avait la carabine, Kiko le bélier. Fernel, le coéquipier de Kiko, et moi, nous tenions la porte. Et nous y sommes allés. Kiko est un grand costaud. Il a ouvert la porte d'un seul coup de pied. Fernel et moi sommes entrés. Le type s'était évanoui sur son lit. Ça n'a pas posé de problèmes, sauf pour Edgewood qui semble en avoir un gros avec moi. D'après lui, j'aurais franchi la ligne.

— Et c'est vrai ?

— Je ne crois pas. Mais si je l'ai fait, Fernel lui aussi l'a fait et il ne lui a rien dit.

— Peut-être, mais c'est vous le bleu. C'est vous qui devez faire vos preuves.

— Oui, et je commence à en avoir ma claque. Parce que… comment est-ce que je vais y arriver, Harry ? Vous, vous avez un boulot qui change des trucs. Moi, je passe mon temps à courir après les appels radio et j'ai l'impression de chercher à éteindre un incendie en crachant dessus.

Bosch savait ce qu'elle éprouvait. Tous les flics en tenue en passaient par là.

— Les premières années sont dures. Mais en s'accrochant, on commence à prendre du recul. On choisit ses batailles et son chemin. Vous vous en sortirez très bien.

— Parlons d'autre chose, dit-elle.

— Ça ne me déplairait pas. Donc, vous étiez en train de randonner dans les Andes et vous vous êtes dit : « Nom de Dieu, c'est flic que je veux être. »

Elle rit et sembla oublier son cafard.

— Non, sérieusement… que faisiez-vous ?

Elle se retourna sur son tabouret, et ils se retrouvèrent épaule contre épaule.

— Oh! j'ai été avocate pendant un temps… Je travaillais au civil. Jusqu'au jour où j'ai compris que tout ça, c'était des conneries et où j'ai tout lâché pour voyager. Je bossais quand c'était nécessaire. J'ai fait de la poterie à Venise. J'ai été guide à cheval dans les Alpes suisses. J'ai aussi fait la cuisine sur un bateau de croisières à Hawaï. J'ai vu pas mal de pays… sauf les Andes. Et je suis rentrée à la maison.

— À Los Angeles?

— C'est là que je suis née. Et que j'ai été élevée. Et vous?

— Même chose.

Elle leva son verre, ils trinquèrent.

— Quel quartier?

— Ne riez pas. À Bel-Air.

— À Bel-Air? Il y a donc un papa qui n'est pas très heureux que sa fille soit entrée dans la police.

— Surtout que c'est son cabinet d'avocats que la fille en question a laissé tomber. Bon, on arrête de poser des questions.

— D'accord… Et on fait quoi?

— Tu me ramènes à la maison, Harry. Chez toi.

Il regarda ses yeux sombres qui brillaient. Les choses avançaient à la vitesse de l'éclair, l'alcool ne faisant que les accélérer encore. Mais c'était souvent comme ça que ça se passait entre flics, entre gens qui avaient l'impression de faire partie d'une société fermée, qui vivaient à l'instinct et partaient tous les jours au boulot en sachant que ce qu'ils faisaient pouvait les tuer.

— Oui, répondit-il enfin. C'est justement ce que j'étais en train de me dire.

Il se pencha en avant et l'embrassa sur la bouche.

Debout dans le living de Bosch, Julia regardait les CD rangés dans un casier près de la chaîne stéréo.

— J'adore le jazz, dit-elle.

Il était à la cuisine. Il finit de secouer le shaker, versa les Martini et passa dans le living.

— Qui aimes-tu?

— Hmmm… depuis quelque temps Bill Evans.

Il acquiesça, s'approcha du casier à CD, en sortit *Kind of Blue* et le glissa dans le lecteur. La musique ayant démarré, ils s'embrassèrent. Elle se mit à rire au milieu du baiser.

— Quoi? dit-il.

— Rien. C'est juste que je me sens plutôt téméraire. Et heureuse.

— Oui, moi aussi.

Plus tard – elle était couchée sur le ventre dans son lit –, il se mit à suivre du doigt les contours du soleil flamboyant tatoué au creux de ses reins et se dit qu'il était décidément bien avec elle, mais qu'elle n'en restait pas moins une énigme. Il ne savait pratiquement rien d'elle.

— À quoi penses-tu? lui demanda-t-elle.

— À rien. Je me posais seulement des questions sur le type qui t'a tatoué ce truc dans le dos. Je regrette que ce n'ait pas été moi.

— Comment ça?

— Parce que tu l'auras toujours un peu dans la peau.

Elle se tourna de côté, révélant ses seins et son sourire. Ses cheveux s'étaient dénoués et lui tombaient sur les épaules. Elle l'attira et l'embrassa longuement.

— C'est la chose la plus gentille qu'on m'ait dite depuis bien longtemps.

— Tu peux rester jusqu'au matin?

— Mon mari va sans doute se demander où je suis, mais bon, je peux peut-être l'appeler.

Il se figea. Elle se mit à rire.

— Ne me fous pas des trouilles pareilles, dit-il.

— Tu ne m'as même pas demandé si j'étais avec quelqu'un.

— Toi non plus.

— Toi, ça se voyait comme le nez au milieu de la figure. L'inspecteur solitaire, tu sais… (Elle prit une voix d'homme et ajouta :) Rien que les faits, madame. Je ne rigole pas avec les femmes, moi. Je ne m'occupe que de meurtres. J'ai un boulot à faire et je ne…

— C'est toi qui me l'avais prêtée, cette torche, dit-il. Une femme qui fréquente quelqu'un n'aurait jamais fait un truc pareil.

— Sauf que j'ai quand même une petite nouvelle à t'annoncer, monsieur le gros dur. Ta torche, je l'ai vue dans ton coffre. Juste avant que tu la planques sous un chiffon…

Il se sentit rougir et leva les mains pour se cacher le visage.

Elle lui écarta les mains et l'embrassa sur le menton.

— J'ai trouvé ça plutôt bien, dit-elle. Ç'a été le meilleur moment de la journée et ça m'a donné un petit espoir… qui sait?

Elle lui retourna les mains et découvrit les cicatrices qu'il avait en travers des phalanges.

— Eh mais… c'est quoi?

— Moi aussi, j'avais des tatouages. J'ai été obligé de les faire disparaître en entrant dans l'armée.

— Pourquoi? Qu'est-ce qu'ils disaient?

— « T-I-E-N-S » sur une main et « F-E-R-M-E » sur l'autre.

— « Tiens ferme »? Pourquoi?

— Une des fois où je me suis barré quand j'étais jeune, j'ai atterri à San Pedro. Du côté du port de pêche. Et beaucoup de types de là-bas, des pêcheurs, ceux qui bossaient sur les thoniers, avaient ce truc-là sur les mains : « Tiens ferme ». Je leur ai demandé ce que c'était et l'un d'eux m'a dit que c'était leur devise, leur philosophie. Quand ils étaient au large sur ces bateaux et que pendant des semaines et des semaines les vagues étaient si énormes que ça commençait à leur flanquer la trouille, il fallait s'accrocher à quelque chose et « tenir ferme ».

Bosch serra les poings et les tint en l'air.

Tenir ferme… à la vie, à tout ce qu'on a.

— Quel âge avais-tu?

— Je ne sais pas… seize ans. Ce que j'ignorais, c'est que ça leur venait de la marine de guerre. Et donc, un an plus tard, voilà que je débarque à l'armée avec « Tiens ferme » sur les mains! La première chose que m'a dite le sergent a été de me débarrasser de ce truc-là. Il n'était pas question d'avoir un tatouage de la marine quand on était sous ses ordres.

Elle lui prit les mains et examina ses phalanges de près.

— Ça n'a pas l'air d'avoir été enlevé au laser.

— Mon sergent m'a fait sortir de la caserne et m'a conduit derrière le bâtiment de l'administration. Il y avait un mur en brique, il m'a ordonné d'y flanquer des coups de poing. Jusqu'à ce que j'aie toutes les phalanges ouvertes. Une semaine plus tard, quand tout avait cicatrisé, il m'a ordonné de recommencer.

— Mais c'est barbare !

— Non, c'est l'armée.

Il sourit en repensant à cet épisode.

— Laisse-moi te regarder, dit-elle. Et ces autres cicatrices… tu m'en parles ?

Bosch prit conscience de sa nudité. Il était en bonne forme, mais il avait quand même quinze ans de plus qu'elle.

Il effleura l'épais renflement de peau qu'il avait à la hanche gauche.

— Ça ? dit-il. C'est un coup de couteau.

— Où ça t'est arrivé ?

— Dans un tunnel.

— Et celle à l'épaule ?

— Une balle.

Elle passa son pouce sur le renflement de sa peau.

— En plein dans l'os, dit-elle.

— Oui, j'ai eu de la chance. Il n'y a pas eu de dégâts permanents.

— Ça t'a fait quoi comme impression ? De te faire tirer dessus, je veux dire ?

— Ça m'a fait un mal de chien jusqu'au moment où tout a paru s'engourdir. J'ai mis trois mois à m'en remettre.

— Ça ne te permettait pas de partir avec une pension d'invalidité ?

— On me l'a offert. J'ai refusé.

— Pourquoi ?

— Je dois trop aimer le boulot. Et je me suis dit que si je tenais bon, un jour je rencontrerais sûrement une belle jeune femme que toutes ces cicatrices impressionneraient beaucoup.

— Oh ! mon pauvre mignon ! minauda-t-elle.

Elle effleura le tatouage qu'il avait à l'épaule.

— Et là, qu'est-ce que c'est supposé être ? Mickey Mouse pété à l'acide ?

— À peu près. C'est un rat de tunnel.

Elle perdit jusqu'à la moindre trace d'humour.

— Qu'est-ce qu'il y a ? lui demanda-t-il.

— Tu as fait le Vietnam, dit-elle en comprenant brusquement. J'y suis allée, moi, dans ces tunnels.

— Qu'est-ce que tu veux dire ?

— Quand je voyageais… J'ai passé six semaines au Vietnam. Ces tunnels, c'est devenu une espèce d'attraction touristique. On peut y descendre. Ils les ont entourés de cordages pour qu'on sache à peu près où on va. Mais personne ne surveille vraiment. Ce qui fait qu'un jour je suis passée sous une corde et j'ai continué à descendre. Qu'est-ce qu'il pouvait faire noir là-dedans !

Bosch scruta ses yeux.

— Et tu l'as vue ? lui demanda-t-il. Tu sais… la lumière perdue ?

Elle soutint son regard un instant et acquiesça de la tête.

— Oui, je l'ai vue, dit-elle. Mes yeux avaient accommodé et oui, il y avait de la lumière. On aurait dit un murmure. Mais ça m'a suffi pour retrouver mon chemin.

— La lumière « perdue ». C'était comme ça qu'on l'appelait. On ne savait jamais d'où elle venait. Mais elle y était. C'était comme de la fumée en suspension dans le noir. Certains disaient que ce n'était pas de la lumière. Pour eux, c'étaient les fantômes de tous ceux qui y étaient restés. Chez nous comme chez eux.

Ils ne dirent plus un mot après ça. Ils se serrèrent l'un contre l'autre et bientôt elle s'endormit.

Bosch s'aperçut que ça faisait plus de trois heures qu'il n'avait pas pensé à l'affaire. Au début, il se sentit coupable, mais il laissa filer et bientôt lui aussi s'endormit. Il rêva qu'il avançait dans un tunnel. C'était comme s'il avait plongé sous l'eau et progressait dans le labyrinthe à la manière d'une anguille. Jusqu'au moment où il arrivait dans un cul-de-sac et là, il y avait un enfant assis dans la courbe du boyau. Il avait remonté les genoux, s'était croisé les bras et y avait enfoui son visage. « Viens avec moi », disait-il à l'enfant. Le gamin levait la tête vers lui. Une bulle d'air lui montait de la bouche, une seule. Puis il regardait derrière Bosch, comme si quelque chose venait sur lui. Bosch se retournait, mais il n'y avait que les ténèbres du tunnel dans son dos.

Et quand il se retournait pour le regarder de nouveau, l'enfant avait disparu.

Tard le lendemain matin, Bosch reconduisit Julia au commissariat de Hollywood pour qu'elle pût y prendre sa voiture et lui son travail. Elle n'était pas de service le dimanche et le lundi. Ils décidèrent de se retrouver chez elle, à Venice, pour dîner. Il y avait plusieurs officiers dans le parking lorsqu'il la déposa à côté de sa voiture. Il savait que la rumeur selon laquelle ils avaient couché ensemble ne mettrait pas longtemps à se répandre.

— Excuse-moi, lui dit-il. J'aurais dû mieux réfléchir hier soir.

— Ça m'est assez égal, Harry. À ce soir.

Bosch alla se garer et gagna le bureau des inspecteurs en essayant de ne pas penser aux complications qu'il venait de se créer.

La salle des inspecteurs était déserte, comme il l'espérait. Il voulait être seul pour réfléchir à l'affaire.

La première chose à faire était de dresser la liste des tâches à exécuter. Le « livre du meurtre », un classeur bleu contenant tous les rapports écrits ayant trait à l'affaire, devait être complété. Il allait falloir envoyer des demandes de mandats pour récupérer des archives d'opérations du cerveau dans tous les hôpitaux du coin. Ordinateur aidant, il allait mener des vérifications de routine sur tous les gens de Wonderland Avenue qui habitaient autour de la scène de crime. Il allait aussi devoir éplucher tous les appels reçus à la suite de la couverture de l'affaire dans les médias et commencer à collationner les signalements de personnes disparues et autres procès-verbaux de fugue, au cas où l'un d'entre eux aurait collé avec la victime.

Il savait qu'il en avait pour bien plus d'un jour de travail s'il s'y attaquait seul, mais il refusa de revenir sur la décision qu'il avait prise de laisser sa journée à Edgar. Celui-ci – il était père d'un enfant de treize ans – avait été bouleversé par le rapport de Golliher, et Bosch voulait qu'il se repose.

Une fois la liste dressée, Bosch laissa les détails de l'affaire lui revenir en mémoire. Il y avait des anomalies. Comme la contradiction, remarquée par Kathy Kohl, entre le choix du lieu et la façon dont on avait enterré la victime. Golliher y voyait un cas de maltraitance d'enfant. Mais le sac à dos rempli de vêtements indiquait que la victime était peut-être un fugueur. Edgar n'était pas aussi sûr qu'il y ait contradiction et il envisageait une autre théorie : l'enfant avait peut-être été tout à la fois victime de mauvais traitements de la part de ses parents et assassiné par quelqu'un qui n'avait rien à voir avec tout ça.

C'étaient les vérifications par ordinateur qui l'assommaient le plus. Chaque fois qu'il le pouvait, il confiait cette tâche à ses coéquipiers. Il décida de remettre ce travail à plus tard et de consulter les « avis de tuyaux » qui s'accumulaient devant lui. Mais aucun d'entre eux ne contenait de renseignement valant la peine d'être examiné séance tenante.

Il pensa brusquement à quelque chose et roula dans son fauteuil jusqu'à une antique IBM Selectrics. Il y glissa une feuille de papier et tapa quatre questions :

> Savez-vous si l'être cher qui a disparu de votre vie avait subi une intervention chirurgicale quelle qu'elle soit avant sa disparition ?
> Si oui, à quel hôpital a-t-il été soigné ?
> Pour quelle blessure ?
> Comment s'appelait son médecin traitant ?

Il sortit la feuille du chariot, la porta au poste de garde et la confia à Mankiewicz afin qu'on s'en servît comme d'une grille de questions à poser à tous ceux et toutes celles qui téléphoneraient pour l'affaire des ossements retrouvés.

Il passa ensuite aux demandes de mandats. Il était de pure routine d'avoir besoin de dossiers médicaux dans une enquête portant sur un homicide. Bosch avait donc un classeur rempli de demandes de mandats pour les hôpitaux, ainsi que la liste des vingt-neuf établissements de la région de Los Angeles et de tous les conseillers juridiques qui géraient ces demandes. Cela lui permit d'arriver au bout de sa tâche en un peu plus d'une heure. Ses demandes concernaient tous les enfants de moins de seize ans ayant subi une opération du cerveau nécessitant l'emploi d'un trépan entre les années 1975 et 1985.

Son intention était de les faire signer par un juge dès le lendemain matin, de se les partager avec Edgar et de les apporter personnellement aux hôpitaux afin que tout soit réglé en première urgence.

Bosch tapa ensuite un résumé des actes du jour et y ajouta un récapitulatif des renseignements anthropométriques que leur avait fournis Golliher. Il mit tout cela dans le dossier qu'il glissa dans sa mallette, avant de quitter le commissariat.

Les sous-sols de Parker Center – le quartier général de la police de Los Angeles – servent de centre des archives pour toutes les affaires récentes. Bosch arriva au comptoir à 13 heures. Il sourit à l'employé.

— Vous me croirez si vous voulez, lança-t-il, mais j'ai besoin des dossiers « Personnes disparues » de 1975 à 1985.

L'employé siffla un grand coup.

— Vous voulez les dossiers adultes ou les dossiers mineurs?

— Les mineurs.

— Ça en fait un peu moins.

L'employé disparut. Quatre minutes plus tard, le bonhomme était de retour avec dix petites enveloppes contenant les microfiches des années demandées. Le tout faisait au moins 10 centimètres d'épaisseur.

Bosch se dirigea vers un lecteur copieur et se mit au travail. Il cherchait des procès-verbaux signalant les disparitions et fugues d'adolescents ayant à peu près le même âge que la victime. Lorsque les éléments correspondaient, il lisait le résumé de l'affaire et appuyait sur le bouton « copie » pour en emporter un fac-similé. Il lui fallut plus de trois heures pour éplucher tous les dossiers des dix années qu'il avait demandées. Il se retrouva ainsi à la tête de plus de trois cents copies.

Il rendit les microfiches à l'employé et décida de travailler sur ordinateur à Parker Center plutôt que de retourner à Hollywood. De Parker Center, il pourrait prendre la 10 et foncer jusqu'à Venice pour y dîner avec Julia. Ce serait plus facile.

La grande salle de la section Vols et Homicides était vide. Seuls deux inspecteurs de service s'y étaient installés devant une télé pour regarder un match de football. L'un d'eux n'était autre que son ancienne coéquipière, Kizmin Rider. Il ne reconnut pas l'autre. Kizmin se leva en souriant dès qu'elle le vit.

— Harry! s'écria-t-elle, qu'est-ce que tu fais là?

— Je bosse sur une affaire. J'aimerais me servir d'un ordinateur.

— C'est l'histoire des ossements?

Il acquiesça d'un signe de tête.

— J'en ai entendu parler aux nouvelles, reprit-elle. Harry, je te présente Rick Thornton, mon coéquipier.

Bosch lui serra la main et se présenta à son tour.

— Viens, dit-elle. Tu pourras te servir de mon ordinateur.

Une fois installé, Bosch prit sa mallette et en sortit le classeur. Il l'ouvrit à la page où il avait établi, avec adresses et dates de naissance, la liste des habitants de Wonderland Avenue interrogés au cours de l'enquête de voisinage. Contrôler au fichier le nom de tous les individus qu'on rencontrait pendant une enquête faisait partie de la procédure nécessaire.

Puis il commença à taper les commandes de connexion avec le Fichier central. Aussitôt, Rider se moqua de lui.

— Mais Harry! s'exclama-t-elle. Tu tapes toujours avec deux doigts?

— C'est comme ça, Kiz. Je n'ai pas changé de méthode depuis quasiment trente ans et tu voudrais que tout d'un coup je sache taper avec mes dix doigts? Je ne parle toujours pas couramment l'espagnol, Kiz, et je ne sais toujours pas danser non plus. Ça ne fait quand même qu'un an que tu es partie.

— Debout, espèce de dinosaure! Laisse-moi faire, sinon tu vas y passer la nuit.

Il leva les mains en l'air en signe de reddition et lui abandonna son siège. Elle s'y assit et se mit au travail. Dans son dos, il sourit en secret.

— Comme au bon vieux temps, dit-il.

— Inutile de me le rappeler. Parle-moi plutôt de la jeunesse que tu, euh… fréquentes.

— Comment se fait-il que tu sois déjà au courant?

— Je suis très douée dans la collecte du renseignement, Harry. Alors? Elle est bien? C'est tout ce que je veux savoir.

— Oui, elle est bien, dit-il, mais je la connais à peine.

— Tu dînes avec elle ce soir?

— Oui, je dîne avec elle ce soir.

— Hé, Harry!

Il n'y avait plus aucune trace d'humour dans sa voix.

— Quoi?

— T'as décroché le gros lot.

Il se pencha en avant, contempla l'écran et dit :

— Avec ça, je n'arriverai pas à l'heure pour le dîner.

4

Il s'arrêta devant la maison et étudia les fenêtres et la véranda plongées dans l'obscurité.

— Pas étonnant, dit Edgar. Le mec ne sera même pas chez lui.

Il était en colère contre Bosch qui l'avait obligé à sortir. Dans son idée, ça faisait trente ans que ces ossements étaient enterrés, qu'est-ce qu'il pouvait donc y avoir de mal à attendre lundi matin pour parler à ce type? Bosch lui avait répondu que, s'il ne venait pas, il irait tout seul. Edgar était donc venu.

— Allons-y, dit Bosch. C'est toi qui lui as parlé la première fois, c'est toi qui prends le commandement des opérations. Je ne m'en mêlerai que lorsque je sentirai que c'est le moment.

Ils remontèrent l'allée jusqu'à la maison. L'homme auquel ils allaient rendre visite s'appelait Nicholas Trent. Il vivait seul dans la maison de l'autre côté de la rue, à deux portes du bas de la colline où les ossements avaient été découverts. Trent était âgé de cinquante-sept ans. Lors de son premier entretien avec Edgar, il avait déclaré être décorateur pour un studio de tournage de Burbank. Il n'avait ni femme ni enfants. Il ignorait tout des ossements enterrés dans la colline et n'avait aucune idée susceptible d'aider l'enquête.

Edgar ayant frappé fort à la porte de devant, ils attendirent.

— Monsieur Trent? C'est la police, cria Edgar.

La lumière de la véranda s'alluma. La porte s'ouvrit, un Blanc au crâne rasé s'y encadrant à contre-jour.

— Monsieur Trent, je suis l'inspecteur Edgar. Je vous présente mon coéquipier, l'inspecteur Bosch. Nous avons quelques questions à reprendre avec vous. Ça vous ennuie que nous entrions?

— Oui, ça m'ennuie, dit Trent. Nous savons tous très bien ce qui est en train de se tramer ici. Et d'ailleurs, j'en ai déjà parlé à mon avocat.

Bosch s'avança et tira Edgar par le bras.

— Monsieur Trent, dit-il, si vous saviez que nous allions revenir, vous saviez aussi que nous découvririons votre passé. Pourquoi n'en avez-vous pas parlé à l'inspecteur Edgar avant ? Vous auriez pu nous faire gagner du temps. Là, ça ne fait que susciter nos soupçons. Je suis sûr que vous me comprenez.

— Pourquoi je n'en ai pas parlé ? Le passé est le passé…

— Pas quand on y trouve des ossements, fit Edgar.

Bosch se retourna vers Edgar et d'un coup d'œil lui signifia d'y aller plus finement.

— Vous voyez ! s'exclama Trent. C'est de ça que je parle. Allez-vous-en. Je n'ai rien à vous dire. Rien.

— Monsieur Trent, vous vous en êtes pris à un enfant de neuf ans.

— C'était en 1966 et j'ai été puni. Sévèrement. Depuis, je suis un citoyen modèle.

— Si ce que vous dites est vrai, je ne vois pas pourquoi vous ne voulez pas nous laisser entrer pour vous poser quelques questions. Plus vite vous serez innocenté, plus vite nous pourrons passer à d'autres hypothèses. Cela dit, il faut que vous compreniez bien une chose. Le squelette d'un jeune garçon vient d'être retrouvé à une centaine de mètres de la maison d'un monsieur qui a commis un attentat à la pudeur contre un enfant en 1966. Je me fous complètement de savoir le genre de citoyen qu'il est devenu. Mais ces questions, sachez-le, nous les lui poserons. Que nous le fassions chez vous tout de suite ou au commissariat, certes en présence de votre avocat mais avec toutes les caméras des chaînes de télévision à l'extérieur, c'est à vous de décider.

Trent secoua la tête comme s'il savait que, quoi qu'il fît, la vie qu'il s'était refaite était compromise, sinon bousillée pour de bon. Il finit par reculer d'un pas et leur fit signe d'entrer.

Il était pieds nus, portait un short ample et une chemise en soie. Il était bâti comme une échelle, tout en angles droits. Il les conduisit à une salle de séjour encombrée d'antiquités et s'assit au milieu d'un canapé. Edgar et Bosch s'installèrent dans les deux fauteuils club en cuir disposés en face de lui.

— Je vais vous lire vos droits constitutionnels, dit Bosch. Après quoi, je vous demanderai de nous signer une décharge. Comme ça, nous serons tous protégés. Je vais aussi enregistrer cette conversation. Si vous désirez une copie de cet enregistrement, j'en ferai mettre une à votre disposition.

La décharge ayant été signée, Bosch la glissa dans sa mallette, d'où il sortit un petit magnétophone. Il le mit en route et fit signe à Edgar de reprendre la direction des opérations.

— Monsieur Trent, dit Edgar, depuis combien de temps vivez-vous dans cette maison?

— Depuis 1984.

— Et vous construisez des décors pour le cinéma.

— Non, je suis décorateur. Ce n'est pas pareil. Je ne fais que les décorer et y ajouter des détails. Je m'occupe des objets et des choses appartenant aux personnages.

— Et vous faites ça depuis combien de temps?

— Vingt-six ans.

— Avez-vous enterré ce gamin dans la colline?

— Absolument pas! s'écria Trent en se levant d'un air indigné. Je n'y ai même jamais foutu les pieds, dans cette colline.

La ferveur avec laquelle Trent avait nié l'accusation donnait à penser soit qu'il était innocent, soit qu'il était le comédien le plus doué que Bosch ait jamais rencontré.

— Vous n'êtes pas bête, reprit celui-ci, décidant d'entrer dans la danse. Vous savez exactement ce que nous sommes en train de faire. Nous devons vous coincer ou vous innocenter. C'est aussi simple que ça. Alors pourquoi ne pas nous aider?

— Comment voulez-vous que je vous aide alors que je ne connais strictement rien à cette affaire?

— Eh bien, pour commencer… vous pourriez nous laisser jeter un coup d'œil chez vous.

— Allez-y! Cherchez tout ce que vous voudrez.

Bosch regarda Edgar et hocha la tête pour lui demander d'occuper Trent pendant qu'il allait faire un tour dans la maison.

— Merci, monsieur Trent, dit-il en se levant.

Il s'était engagé dans un couloir qui conduisait à l'arrière de la maison lorsqu'il entendit Edgar demander à Trent s'il avait remarqué des allées et venues inhabituelles sur la colline le jour où on avait découvert les ossements.

— Je me rappelle seulement que des enfants avaient l'habitude de jouer là-haut et que...

Il s'arrêta en comprenant que parler d'enfants ne ferait qu'attirer d'autres soupçons sur lui.

— Ça vous plaisait de regarder les enfants jouer sur cette colline, monsieur Trent? insista Edgar.

Bosch resta dans le couloir, hors de vue mais l'oreille tendue pour entendre la réponse de Trent.

— Je ne pouvais pas les voir quand ils montaient dans les bois. De temps en temps, quand j'étais en voiture ou que je promenais le chien – à l'époque où il vivait encore –, je les voyais y grimper. Il y avait la fille d'en face. Les Foster à côté.

Bosch se remit à marcher dans le couloir. La maison était petite. Le couloir aboutissait à trois portes qui ouvraient sur deux chambres et un placard à linge entre les deux. Il commença par ce dernier, puis passa à la chambre de Trent.

Il examina la penderie et découvrit plusieurs boîtes à chaussures sur l'étagère du haut. Dans une de ces boîtes, Bosch tomba sur une paire de gros godillots et remarqua que de la boue avait durci dans les rainures des semelles. Il songea à la terre sombre dans laquelle on avait retrouvé les ossements.

Il remit les godillots à leur place et se rappela de les inclure dans sa demande de mandat de perquisition. Pour l'heure, il ne faisait que jeter un bref coup d'œil. Si jamais Trent devenait un suspect à part entière, Bosch devrait revenir avec un mandat de perquisition et tout foutre en l'air. Commencer par ces godillots ne serait pas une mauvaise idée. L'enregistrement contenait déjà une déclaration où Trent affirmait n'être jamais monté sur la colline. Si la terre collée aux semelles cadrait avec les échantillons prélevés, ils pourraient le tenir par ce mensonge.

La penderie ne contenait rien d'autre qui aurait pu retenir son attention. Même chose pour l'autre chambre qui servait de bureau. Bosch traversa la cuisine qui menait au garage. Il y avait deux places, l'une d'entre elles étant occupée par le mini van de Trent. L'autre était encombrée de caisses portant des indications qui renvoyaient aux diverses pièces d'une maison. Bosch comprit que ces caisses avaient un rapport avec le travail de Trent et qu'il se servait de leur contenu pour ses décors.

Bosch se retourna et se trouva devant un mur entier de trophées d'animaux sauvages, dont les yeux noirs le fixaient. Il en eut un frisson qui courut tout le long de son échine. Depuis toujours, il détestait voir des trucs de ce genre. Il ne savait pas trop pourquoi.

Il passa encore quelques minutes dans le garage, à fouiller une caisse où était indiqué : CHAMBRE DE GARÇONNET, 9-12 ANS. Il y trouva des jouets, des modèles réduits d'avion, un skate et un ballon de football américain. Il en sortit le skate et l'examina un instant en songeant au tee-shirt « Solid Surf » qu'on avait découvert dans le sac à dos.

Vingt minutes s'étaient écoulées lorsqu'il revint, bredouille, dans la salle de séjour.

— Alors, dit Trent, satisfait ?

— Pour l'instant, oui, monsieur Trent. Je vous remercie de votre...

— Vous voyez ? Ça n'arrête jamais. « Pour l'instant. » Vous ne me lâcherez jamais, c'est ça ? Si j'étais un dealer ou un braqueur de banques, il y a longtemps que je n'aurais plus de dette envers la société et vous me foutriez la paix. Mais là, parce qu'il y a trente-quatre ans de ça j'ai touché un petit garçon, je suis coupable à vie.

— Je crois que vous avez fait plus que le toucher, lui lança Edgar, mais ne vous inquiétez pas : on verra ça aux archives.

Trent enfouit son visage dans ses mains et marmonna quelque chose, comme quoi il aurait commis une bêtise en acceptant de coopérer. Bosch regarda Edgar, qui lui fit signe qu'il avait fini et qu'il était prêt à partir. Bosch s'approcha et reprit le magnéto. Il le glissa dans la poche de poitrine de sa veste, mais sans l'éteindre. Il n'est pas rare que les choses les plus importantes soient dites alors qu'un interrogatoire est supposé terminé.

— Monsieur Trent, reprit-il, je vous remercie de votre coopération. Nous allons partir. Mais il se pourrait que nous ayons besoin de vous reparler demain. Vous travaillez ?

— Je vous en prie, ne m'appelez pas au bureau!

Il lui donna son numéro de biper. Bosch le nota, puis ils regagnèrent la porte, Trent la refermant violemment derrière eux.

Aussitôt une forte lumière leur explosa dans la figure. Une journaliste accompagnée d'un cameraman se rua sur eux.

— Bonjour, messieurs! lança-t-elle. Judy Surtain, de la 4. Y a-t-il du nouveau dans l'affaire des ossements?

— Non, fit Bosch, on n'a rien de neuf. On s'en tient aux procédures de routine. Je n'avais pas pu m'entretenir avec ce riverain jusqu'à présent.

Il parlait comme si tout cela le barbait, en espérant qu'elle voulût bien mordre à l'hameçon.

— Désolé, enchaîna-t-il. La grande nouvelle n'est pas pour ce soir.

— Bien, bien, mais... ce riverain-ci vous a-t-il donné des renseignements intéressants?

— Tout le monde s'est montré très coopératif, mais, côté pistes à explorer, c'est plutôt maigre. Prenez ce monsieur, par exemple. Nous venons de nous apercevoir qu'il n'a acheté sa maison qu'en 1984 et nous sommes à peu près certains que les ossements étaient déjà enterrés dans la colline à ce moment-là.

Il passa devant elle pour regagner sa voiture.

— Inspecteur? On aurait besoin d'avoir votre nom.

Bosch ouvrit son portefeuille et en sortit sa carte professionnelle qu'il lui tendit.

— Écoutez, insista-t-elle, si jamais vous aviez des choses à me dire, vous voyez... à titre purement confidentiel, je saurais protéger mes sources...

— Non, je n'ai rien de neuf, répéta-t-il. Bonne nuit.

Bosch mit la voiture en route, fit demi-tour et repartit vers le commissariat en redescendant par le canyon.

— Bon, et maintenant? demanda Edgar.

— Il faut ressortir les minutes de son procès, voir de quoi il était question exactement.

— Je m'en occupe tout de suite.

— Non. La première chose que je veux faire, c'est distribuer les mandats de perquisition aux hôpitaux. Que Trent cadre ou non avec notre histoire, nous devons absolument avoir l'identité du gamin pour voir s'il y a un lien possible avec lui. On se retrouve au palais de justice de Van Nuys à 8 heures.

— T'as repéré des trucs intéressants ? demanda Edgar.

— Pas grand-chose, non. Il a un skate rangé dans une caisse au garage. Tu vois... avec ses affaires de boulot. Pour un décor. En le voyant, j'ai pensé au tee-shirt du gamin. Il y avait aussi de grosses chaussures avec de la terre dans les rainures des semelles. Ça pourrait coller avec les échantillons prélevés sur la colline. Cela dit, le type a quand même eu vingt ans pour se mettre à l'abri. Si c'est lui.

— Quoi ? Tu en doutes ?

— La chronologie ne cadre pas. 1984, c'est un peu tard.

— Et s'il avait emménagé ici à cause des ossements ? Il enterre le gamin et comme il veut être tout près, il s'installe dans le quartier. Je veux dire que ces mecs-là, Harry, ils sont malades.

— Ce n'est pas impossible. Sauf que je n'ai pas senti ça chez lui. Je le crois, moi, ce type.

— Harry ! Ça ne serait pas la première fois que ton pifomètre déconne.

— Ça...

— Moi, je suis sûr que c'est lui. C'est lui qui l'a tué. Tu l'as entendu quand il disait : « Juste parce que j'ai touché un petit garçon » ? Sans doute que, pour lui, sodomiser un gamin de neuf ans, c'est la même chose que lui tendre la main pour l'aider !

Edgar sombrait dans le réactionnaire, mais Bosch ne le rappela pas à l'ordre. Edgar était père, pas lui.

— Bon, on ouvre les archives et on voit, dit-il. Il faudra aussi qu'on aille voir les inverses aux Archives, histoire de savoir qui habitait dans la rue à cette époque-là.

Les « inverses » sont des annuaires téléphoniques donnant la liste des habitants d'un quartier par adresses plutôt que par noms.

— Qu'est-ce qu'on va se marrer ! s'écria Edgar.

— Ouais, dit Bosch. Je meurs d'envie de commencer.

Ils firent le reste du trajet en silence.

BOSCH buvait une bière sur la terrasse de derrière. Il avait laissé la porte coulissante ouverte afin de pouvoir entendre la trompette de

Clifford Brown. Cela faisait presque cinquante ans que le jazzman avait disparu dans un accident de voiture après quelques enregistrements. Bosch pensa à toute la musique qu'on y avait perdue. Il pensa aux ossements d'enfant enfouis dans la terre et à tout ce qui, là aussi, avait été perdu. Puis il pensa à lui-même et à ce qu'il avait perdu. Il se sentait nerveux, comme s'il était en train de rater quelque chose qu'il avait pourtant sous le nez. Pour un inspecteur de police, il n'y avait rien de pire.

À 23 heures, il rentra pour regarder les infos sur la 4. Judy Surtain apparut à l'écran devant une maison qu'il reconnut tout de suite.

« Je me trouve en ce moment même à Laurel Canyon, déclarat-elle, dans Wonderland Avenue, à l'endroit même où, il y a quatre jours, un chien a retrouvé un os depuis lors certifié humain par les autorités compétentes. C'est cette découverte qui a conduit à la mise au jour d'un squelette d'enfant qui, toujours d'après la police, aurait été assassiné il y a plus de vingt ans. »

Le téléphone sonna sur le bras du fauteuil de Bosch. Il décrocha.

— Si vous voulez bien patienter, dit-il, et il reposa l'appareil.

« Ce soir, continuait Surtain, les inspecteurs chargés de l'affaire sont revenus sur les lieux pour s'entretenir avec un riverain qui habite à moins de 100 mètres de l'endroit où l'enfant a été enterré. Il s'agit de Nicholas Trent, cinquante-sept ans, décorateur de cinéma. »

La caméra montra Bosch interrogé par Judy Surtain. Mais les images n'étaient qu'une sorte d'arrière-plan aux propos de la journaliste en voix off : « Les inspecteurs refusent de nous dire ce qu'ils ont demandé à Trent, mais nous venons d'apprendre que celui-ci a été condamné pour attentat à la pudeur sur enfant. »

Le son monta et on vit Bosch lancer : « C'est tout ce que je peux dire pour l'instant. »

Puis la caméra revint sur Trent, debout devant chez lui, faisant signe à la journaliste de s'en aller et refermant sa porte.

« Trent refuse de nous dire quoi que ce soit, mais certains de ses voisins se sont montrés très choqués en découvrant son passé. »

Bosch appuya sur le bouton SOURDINE et reprit le téléphone. C'était Edgar.

— On a l'air fin! On a l'impression que c'est nous qui le lui avons dit.

— C'est pas toi qui le lui as dit?

— Non.

— Et moi non plus. Donc, on a le nez propre.

— Mais alors… qui d'autre était au courant? Je doute fort que ce soit Trent qui le lui ait dit.

Bosch comprit soudain que les seules personnes à être au courant étaient Kiz, qui avait découvert l'existence d'un casier judiciaire en appelant le Fichier central, et Julia Brasher à qui il l'avait dit en s'excusant de ne pas pouvoir dîner avec elle. Était-ce elle, la fuite?

— D'ailleurs, il n'y a même pas besoin de fuite, fit-il remarquer à Edgar. Surtain n'avait qu'à apprendre le nom de Trent. Elle demande à n'importe quel flic de vérifier au fichier pour elle et le tour est joué. Elle aurait même pu se contenter d'aller vérifier sur le CD des condamnés pour violences sexuelles. C'est dans le domaine public. Tu patientes un instant?

Il avait entendu un bip d'appel. Il bascula sur l'autre ligne, c'était le lieutenant Billets. Il lui demanda de patienter un instant et repassa sur la première.

— Jerry, dit-il, c'est Billets. On se retrouve à Van Nuys à 8 heures.

Et il revint à Billets qui lui demanda d'emblée :

— J'imagine que tu as regardé la 4?

— Oui, j'ai vu. Et tout ce que je peux te dire, c'est que ce n'est ni moi ni Edgar. Je lui ai dit que nous finissions l'enquête de voisinage et que nous n'avions pas encore eu le temps de parler avec Trent.

— Et c'est vrai?

— Pas trop, non, mais je n'allais pas lui dire que nous étions revenus parce que Trent est un violeur d'enfant. Écoute… elle ne savait rien sur lui. Sinon, elle m'aurait posé des questions. Elle a trouvé l'info après – comment, je n'en sais rien. C'est de ça que je parlais avec Jerry quand tu as appelé.

— Bon, vaudrait mieux être bien clair dans sa tête sur ce point demain. Judy Surtain n'avait même pas fini de parler que j'avais un appel du capitaine LeValley, qui en avait elle-même reçu un du chef adjoint Irving.

— Oui, le coup classique : on redescend tout le long de la chaîne.

— Écoute, tu sais qu'indiquer l'existence du casier judiciaire d'une personne à la presse est contraire au règlement, qu'elle soit ou non soupçonnée de quoi que ce soit. Je n'ai pas besoin de te dire qu'il y a pas mal de gens qui n'attendent qu'une erreur de ta part pour te planter leurs crocs dans les fesses.

— Écoute, c'est quand même un assassinat que j'essaie de résoudre et maintenant, ça me fait un obstacle de plus au milieu. C'est le coup classique. Il y a toujours quelque chose qu'on nous jette en travers du chemin.

— Ne t'occupe pas de ça pour l'instant. Parle-moi de Trent.

Il était minuit passé lorsqu'il arriva à Venice. Venice fut créée il y a cent ans par un certain Abbot Kinney. Hollywood et l'industrie cinématographique commençaient à peine à exister lorsqu'il vint s'installer dans les marécages en bordure de l'océan Pacifique. Visionnaire, il imagina une cité construite sur un réseau de canaux avec ponts en dos d'âne et centre-ville à l'italienne. La « Venise d'Amérique ». Un siècle plus tard, nombre de canaux et de ponts se reflétant dans leurs eaux sont toujours là.

Julia Brasher habitait un petit bungalow en bardeaux blancs, avec une véranda ouverte donnant sur la jonction de deux canaux.

Bosch entra dans la véranda, mais hésita à frapper. Jusqu'à ce qu'il commence à douter d'elle, il n'avait eu que de bonnes impressions sur la jeune femme. Il savait maintenant qu'il allait devoir faire attention. Mais il pouvait aussi tout gâcher en faisant un faux pas.

Il finit par lever le bras et frapper. Elle lui ouvrit tout de suite.

— Je me demandais si tu allais le faire ou rester planté là toute la nuit.

— Tu savais que j'étais là ?

— Le plancher est vieux, Harry. Il grince.

— Je... je pensais qu'il était trop tard.

— Entre. Quelque chose ne va pas ?

Bosch entra, regarda autour de lui, mais ne lui répondit pas. Mobilier en bambou et rotin, planche de surf appuyée contre un mur : la salle de séjour sentait indubitablement la plage.

— Assieds-toi, reprit-elle. J'ai une bouteille de vin ouverte.

Elle partit à la cuisine pendant qu'il s'installait sur le canapé. Il regarda autour de lui et vit un poisson naturalisé avec un long rostre pointu au-dessus de la cheminée. D'un bleu étincelant tirant sur le noir, l'animal avait le ventre blanc et jaune. Ce type de trophée lui déplaisait moins que les têtes de gros gibier, mais il n'empêche : il n'aimait pas cet œil qui le fixait avec insistance.

— C'est toi qui as attrapé ce truc ? cria-t-il.

— Oui. Au large de Cabo. J'ai mis trois heures et demie à le ramener.

Elle reparut avec deux verres de vin.

— Fil de 25 kg. Tu parles d'une suée !

— Qu'est-ce que c'est ?

— Un marlin noir.

Elle leva son verre en l'honneur du poisson, puis de Bosch, et s'assit dans le fauteuil le plus proche de lui.

— J'ai pêché toute la journée et je n'ai rien attrapé, dit-il. À part des microfiches.

— Je t'ai vu aux nouvelles, ce soir. Tu veux lui mettre la pression ? Au violeur d'enfant, je veux dire ?

Elle lui avait ouvert la voie, il n'avait plus qu'à avancer prudemment.

— Comment ça ? dit-il.

— Ce n'est pas anodin d'informer un journaliste de l'existence d'un casier judiciaire… Je me suis dit que tu devais mijoter quelque chose. Du genre lui chauffer les fesses. Pour qu'il parle. Mais ça me paraît risqué.

— Pourquoi ?

— D'abord, faire confiance à un journaliste, ça l'est toujours. C'est ce que j'ai appris quand j'étais avocate, et puis on ne sait jamais comment les gens vont réagir quand on étale leurs secrets au grand jour.

Il l'examina un instant, puis secoua la tête.

— Ce n'est pas moi qui lui ai parlé du casier, dit-il. C'est quelqu'un d'autre.

Il scruta son visage, mais non, rien.

— Ça va faire du vilain, ajouta-t-il.

Elle haussa les sourcils de surprise.

— Pourquoi? dit-elle. Si tu ne lui as rien dit, pourquoi faudrait-il que…

Elle s'arrêta, il vit qu'elle commençait à comprendre. La déception se lut dans ses yeux.

— Oh! Harry! dit-elle. Ce n'est pas moi, Harry. C'est pour ça que tu es venu? Tu es venu voir si c'est moi qui suis à l'origine de la fuite?

Bosch comprit qu'il ne servait plus à rien de chercher à éviter la collision. Il avait gaffé.

— Écoute, seules quatre personnes étaient au courant…

— Et j'en faisais partie. Donc, tu t'es dit que tu allais venir ici en civil et tenter de savoir si c'était moi.

Il ne put qu'acquiescer de la tête.

— Eh bien non, Harry, ce n'est pas moi. Et maintenant, je crois que tu devrais partir.

Il reposa son verre et se leva.

— Écoute-moi, dit-il, je suis navré. Mais il fallait que je sache. Merci pour le verre…

Il fit un geste d'impuissance avec les mains et se dirigea vers la porte.

— Harry…

Il fit demi-tour. Elle s'approcha de lui et l'attrapa par les revers de son veston. Elle baissa les yeux sur sa poitrine, puis elle prit une décision.

— Je n'en mourrai pas… je crois, dit-elle. Enfin… j'espère. Appelle-moi demain.

Elle le lâcha et attendit. Il ne savait pas très bien comment dire ce qu'il voulait lui dire. Finalement, il se lança.

— Un jour que j'étais dans un de ces tunnels dont on parlait hier soir, je me suis retrouvé nez à nez avec un type. Un Vietcong. Pyjama noir, visage passé au noir. On s'est regardés un millième de seconde et je crois que c'est l'instinct qui a parlé. On a levé tous les deux notre arme et on a tiré en même temps. Et tout de suite après, on a filé à l'opposé l'un de l'autre à toute allure. On hurlait comme des possédés dans le noir, tous les deux.

Il marqua une pause en songeant à la scène – c'était une vision plus qu'un souvenir.

— J'étais sûr qu'il m'avait touché. On s'était tiré dessus à bout portant, bien trop près pour se rater. J'ai cru que mon flingue s'était enrayé. Le recul m'avait paru bizarre. Dès que je me suis retrouvé à l'air libre, je me suis tâté. Pas de sang qui coule, aucune douleur. J'ai ôté tous mes habits et je me suis examiné. Rien. Il m'avait raté. À bout portant et va savoir ce qui avait bien pu se passer, mais il m'avait raté.

Elle s'adossa au mur, sous la lumière de l'entrée. Comme elle gardait le silence, il reprit son histoire.

— Toujours est-il qu'en vérifiant mon flingue pour voir s'il ne s'était pas enrayé, j'ai compris pourquoi il ne m'avait pas touché. Sa balle était entrée dans le canon de mon arme. On s'était tous les deux mis en joue et son projectile était entré droit dans le canon de mon flingue. Ça donne quoi, ça, côté probabilités? Une chance sur un million?

Il avait tendu la main devant lui en parlant, comme s'il pointait son arme sur elle. La balle, ce jour-là, était censée trouver son cœur.

— Je voulais juste que tu saches la chance que j'ai eue ce soir avec toi.

Il hocha la tête, fit demi-tour et redescendit les marches.

5

L A brigade des Homicides occupait le fond du bureau des inspecteurs et se composait de trois équipes de trois membres. Chaque équipe disposait d'une table faite de trois bureaux poussés les uns contre les autres. Le lundi, Bosch trouva une jeune femme en tailleur, aux cheveux noirs et aux yeux qui l'étaient plus encore, qui l'attendait à sa table.

— Harry Bosch?

— Lui-même.

— Inspectrice Carol Bradley, police des polices. Je dois recueillir votre déposition.

— Une déposition? À quel sujet?

— Le chef adjoint Irving nous a chargés de savoir si le casier judiciaire de Nicholas Trent a été communiqué aux médias de manière abusive.

Bosch secoua la tête.

— Il n'y a guère de danger à l'affirmer, dit-il.

— Dans ce cas, je dois savoir qui a commis ce délit.

— Écoutez, dit Bosch. J'essaie d'enquêter sur un meurtre, moi, et tout ce dont on se soucie, ce serait...

— Je sais que pour vous, tout ça, c'est des conneries. Cela dit, j'ai des ordres. Donc, on se prend une salle d'interrogatoire et on enregistre votre version sur magnéto. Ça ne prendra pas longtemps.

Bosch posa sa mallette sur le bureau, l'ouvrit et en sortit son magnétophone.

— À propos de magnétos, dit-il, pourquoi ne pas prendre celui-ci avec vous et commencer par écouter ce que j'y ai enregistré hier soir ? Ça devrait me mettre très vite à l'abri de tout soupçon.

Elle prit l'appareil en hésitant.

— Il va quand même me falloir une dépo...

— Pas de problème. Vous écoutez la bande et on cause après.

Elle s'empara du magnéto et passa dans le couloir. Bosch finit par s'asseoir.

Il n'était pas encore midi et il se sentait déjà épuisé. Il avait passé sa matinée à attendre qu'un juge de Van Nuys veuille bien lui signer ses mandats de perquisition, puis à les apporter aux services juridiques de dix-neuf hôpitaux différents. Edgar, lui, n'en avait que dix à distribuer, mais il devait aussi aller aux Archives pour connaître le détail du passé criminel de Nicholas Trent, et chercher dans les inverses et au cadastre tout ce qui concernait les titres de propriété de Wonderland Avenue.

Bosch remarqua une pile d'avis de messages qui l'attendait sur son bureau, ainsi que la dernière livraison de tuyaux venant du standard. Il commença par les messages téléphonés. Neuf sur douze provenaient de journalistes. Les trois autres émanaient d'Edward Morton, l'avocat de Trent.

Bosch doutait que Morton le crût, mais n'en décrocha pas moins son téléphone pour l'appeler. Une secrétaire l'informa que l'avocat s'était rendu au palais pour une audience.

Après avoir raccroché, Bosch jeta tous les avis roses avec les numéros des journalistes dans la corbeille à papier posée à côté de la table. Puis il commença à éplucher les feuilles d'appels.

Le onzième appel était le bon. Une certaine Sheila Delacroix avait téléphoné à 8 h 41 pour dire qu'elle avait vu les infos de la 4 ce matin-là et que son frère, Arthur Delacroix, avait disparu de Los Angeles en 1980. Il avait douze ans à l'époque et l'on n'avait plus jamais entendu parler de lui depuis lors.

En réponse aux questions d'ordre médical, elle précisait qu'Arthur s'était blessé en faisant une chute de skate quelques mois avant sa disparition. Il avait subi un traumatisme crânien qui avait nécessité son hospitalisation, puis une intervention de neurochirurgie. Elle se rappelait que l'opération avait eu lieu à l'hôpital Queen of Angels.

Bosch entoura d'un rond le mot « skate », et appela Bill Golliher au service d'anthropologie de l'université de Californie.

— Juste une petite question, dit-il. La blessure qui a nécessité l'opération, est-ce qu'une chute de skate aurait pu la causer ?

— Ce n'est pas impossible, tout dépend de l'obstacle qu'il a rencontré. Mais s'il n'a fait que tomber par terre, je dirais que c'est peu probable. La zone de fracture est très resserrée, ce qui indique une surface de contact assez réduite. De plus, la fracture se trouve haut sur le crâne. Il ne s'est pas blessé à l'arrière de la tête, ce qui est généralement le cas lorsqu'on fait une chute.

Bosch sentit faiblir son enthousiasme.

— Et les autres blessures ? Elles pourraient provenir d'accidents de skate ?

— Certaines, oui. Mais pas toutes, c'est clair. Les blessures aux côtes, les fractures des poignets et quelques autres sont des traumatismes remontant à la toute petite enfance, inspecteur. Les bambins de deux ans qui font du skate ne courent pas les rues. Savez-vous que dans les affaires de mauvais traitements sur enfant, il est rare que la cause donnée pour la blessure corresponde à la vérité ?

— Ça, je le comprends. Je ne vois pas quelqu'un amener son gamin aux urgences et déclarer que c'est lui qui l'a rossé à coups de torche électrique.

— Donc, on invente une histoire. Et l'enfant la confirme.

— Accident de skate.

— Ce n'est pas impossible.

— Bien, docteur. Il faut que j'y aille. Merci.

Il appuya sur la touche de la deux qui clignotait.

— Salut, Harry. Comment va ? demanda Kiz Rider.

— Occupé. Qu'est-ce qu'il y a ?

— Je me sens mal, dit-elle. Je crois que j'ai merdé.

Il se renversa dans son fauteuil. Jamais il n'aurait cru que ce pouvait être elle.

— Quoi ? Pour la 4 ? demanda-t-il.

— Oui. Euh… hier, après ton départ… mon coéquipier m'a demandé ce que tu faisais ici et je lui ai dit qu'un des voisins avait été condamné pour attentat à la pudeur. C'est tout ce que je lui ai dit, Harry, je te jure.

— Kiz, dit-il, j'ai une nana des bœufs-carottes qui attend que je lui parle de tout ça. Comment sais-tu que c'est Thornton qui a donné le renseignement à la 4 ?

— J'ai regardé les nouvelles ce matin. Je sais que Thornton connaît cette… Surtain, la journaliste. Hier, dès que je lui ai dit ce qu'on avait trouvé, il a eu envie d'aller aux chiottes. Juste à ce moment-là, on a reçu un appel d'urgence et je suis allée taper à la porte pour lui dire qu'on devait foncer. Et je n'ai pas eu de réponse. Je n'y avais pas vraiment pensé jusqu'au moment où j'ai vu les nouvelles ce matin. Je suis sûre qu'il n'est pas allé aux chiottes, mais qu'il a filé dans un autre bureau pour lui passer un coup de fil.

— Ça expliquerait pas mal de choses.

— Je suis vraiment navrée, Harry. Faut que j'y aille. Le voilà qui arrive.

— Bon, salut.

Il raccrocha en réfléchissant à la manière de procéder avec Thornton. Il ne se sentirait prêt à parler à la police des polices que lorsqu'il n'y aurait plus aucun doute possible. L'idée même d'aller les voir lui répugnait, mais dans le cas présent il y avait bel et bien quelqu'un qui lui bousillait son enquête.

Au bout de quelques minutes, il trouva une idée et consulta sa montre. Il était 11 h 58.

Il rappela Kiz Rider.

— C'est encore moi, dit-il. Il est toujours là ?

— Oui, pourquoi?

— Tu répètes après moi, mais tu fais comme si ça t'excitait vraiment. « C'est vrai, Harry? Génial!… Qui c'était? »

— C'est vrai, Harry? Génial!… Qui c'était?

— Bon, et maintenant tu dis : « Quoi? Un gamin de dix ans venu de La Nouvelle-Orléans? Mais… comment a-t-il fait? »

— Quoi? Un gamin de dix ans venu de La Nouvelle-Orléans? Mais… comment a-t-il fait?

— Parfait. Et maintenant tu raccroches. Si Thornton te demande, tu lui dis que j'ai identifié le gamin grâce à son dossier dentaire. C'était un fugueur d'une dizaine d'années, originaire de La Nouvelle-Orléans et vu pour la dernière fois en 1975. Ses parents ont pris l'avion et arrivent tout de suite. Et le grand chef va donner une conférence de presse aujourd'hui même à 16 heures.

— Bon, bon, Harry, bonne chance.

— Toi aussi.

Il raccrocha et leva la tête. Edgar se tenait en face de lui. Il avait entendu la fin de la conversation et haussait les sourcils d'étonnement.

— Je suis en train de piéger la source.

— La source de la fuite? Qui c'est?

— Le nouveau coéquipier de Kiz. Enfin… on le pense.

Edgar se glissa dans son fauteuil et hocha la tête.

— Mais on a peut-être réussi à identifier les ossements, reprit Bosch.

Il l'informa de l'appel de la sœur d'Arthur Delacroix.

— 1980? dit Edgar. Ça ne va pas coller avec Trent. J'ai vérifié au cadastre et dans les inverses. Trent n'apparaît qu'en 1984. Exactement comme il l'a dit hier soir.

— Quelque chose me dit que ce n'est pas notre bonhomme.

Le téléphone sonna. C'était Kiz.

— Il vient de filer aux chiottes.

— Tu lui as parlé de la conférence de presse?

— Je lui ai tout dit. Ce petit con ne voulait plus me lâcher.

— Bien, bien. Qu'il lui raconte notre histoire, et au bulletin de midi, on aura droit à un reportage en exclusivité!

— Tiens-moi au courant.

Il raccrocha et regarda Edgar.

— À propos… y a quelqu'un de la police des polices dans une des salles du fond. On est sur la sellette.

Edgar en ouvrit grande la bouche. Comme les trois quarts des flics, il craignait les bœufs-carottes.

— Calme-toi. C'est pour le truc de la 4. On devrait être tranquilles dans quelques minutes. Allez, viens avec moi.

Ils gagnèrent le bureau de Billets, où un petit téléviseur était posé sur un trépied. Le lieutenant faisait de la paperasse.

— Ça te gêne qu'on regarde les nouvelles de midi ? lui demanda Bosch.

— Non, non, installez-vous.

Le bulletin s'ouvrit sur un carambolage de seize voitures dû au brouillard qui recouvrait l'autoroute de Santa Monica. Puis le présentateur annonça qu'on allait rejoindre Judy Surtain qui avait encore une nouvelle en exclusivité.

Gros plan sur la journaliste assise au bureau de la chaîne.

« La 4 vient d'apprendre que les ossements retrouvés dans Laurel Canyon ont été identifiés. La victime serait un jeune fugueur de La Nouvelle-Orléans âgé de dix ans. Les parents de l'enfant, qui l'avaient porté disparu il y a plus de vingt-cinq ans, sont actuellement en route pour Los Angeles, où ils doivent rencontrer la police. Les restes de la victime ont été identifiés grâce à son fichier dentaire. Le chef de la police doit donner une conférence de presse dans le courant de la journée. Il devrait y identifier formellement l'enfant et nous fournir de plus amples détails sur les progrès de l'enquête. Comme nous le disions hier soir sur cette chaîne, la police se concentre sur… »

Bosch éteignit la télé.

— Harry ? Jerry ? Qu'est-ce que c'est que cette histoire ? demanda tout de suite Billets.

— Du vent. Je suis en train de piéger la source de la fuite.

— Qui serait ?

— Le nouveau coéquipier de Kiz. Un certain Rick Thornton.

Il lui rapporta ce que Rider lui avait dit. Puis il lui détailla le coup qu'il venait de monter.

— Où est l'inspectrice de la police des polices ? demanda-t-elle.

— Dans une des salles d'interrogatoire. Elle écoute l'enregistrement de mon entretien avec la journaliste.

— Tu avais une bande? s'écria Billets. Pourquoi ne m'en as-tu pas parlé hier soir?

— J'avais oublié.

— Bon, à partir de maintenant, je m'occupe de ça. À ton avis, Kiz est hors de cause?

Bosch acquiesça.

— Elle doit pouvoir faire suffisamment confiance à son coéquipier pour tout lui dire. Et cette confiance, il en a abusé pour aller raconter des trucs à la 4. Avec ça, il est en train de me bousiller mon enquête.

— Du calme, Harry. Je t'ai dit que je m'en occupais. Des trucs nouveaux que je devrais savoir?

— On a peut-être identifié le gamin... c'est sérieux.

— Et Trent?

— On laisse ça de côté jusqu'à ce qu'on sache si c'est vraiment le gamin qu'on croit. Si ça l'est, l'époque ne colle plus avec Trent.

— Parfait! fit-elle en décrochant son téléphone.

En revenant au bureau des Homicides, Bosch demanda à Edgar s'il avait sorti le dossier Trent des archives.

— Oui, je l'ai. L'accusation n'avait pas grand-chose.

Ils gagnèrent leurs places respectives et Bosch découvrit qu'il avait raté un appel de l'avocat de Trent. Il décida d'attendre qu'Edgar ait fini son rapport pour le rappeler.

— Trent était instituteur à Santa Monica. C'est un de ses collègues qui l'a surpris aux chiottes, en train de tenir le zizi d'un gamin de huit ans qui faisait pipi. Trent a affirmé qu'il ne faisait que lui apprendre à viser parce que le môme n'arrêtait pas de pisser partout par terre. Le problème, c'est que le gamin avait une version qui ne correspondait pas du tout à celle de l'instit. Trent a été déclaré coupable.

Bosch réfléchit.

— On est assez loin du type qui tue un enfant à coups de batte de base-ball.

Puis il composa le numéro de l'avocat.

— Inspecteur Bosch à l'appareil.

— Bosch, oui, oui. J'exige de savoir où il est.

— Je suppose que vous parlez de Nicholas Trent. Vous avez essayé à son boulot ?

— À son boulot et chez lui, et ça ne répond pas. J'ai aussi appelé son biper. Si c'est vous qui le détenez, sachez qu'il a le droit d'être représenté.

— Nous n'avons pas votre client, maître. Je ne l'ai pas revu depuis hier soir.

— Oui, il m'a appelé après votre départ. Et une deuxième fois après avoir vu les nouvelles. Vous devriez avoir honte.

Bosch rougit sous le reproche, puis un horrible pressentiment le saisit. Il raccrocha et dit à Edgar que c'était l'heure d'y aller. Il lui expliquerait en route.

UN petit groupe de journalistes de la télé s'était rassemblé devant la maison de Nicholas Trent. Bosch se gara derrière le van de la 4. Avant de descendre de la voiture, Bosch dit à Edgar :

— Si jamais il faut entrer, on passe par-derrière… sans personne avec nous.

— C'est noté.

Ils gagnèrent l'allée et furent immédiatement accostés par les équipes de télé. Bosch écarta les journalistes et, une fois dans l'allée, se retourna brusquement pour leur faire face. Il hésita un instant, comme s'il mettait de l'ordre dans ses pensées. En réalité, il ne faisait que leur laisser le temps de se préparer. Il ne voulait surtout pas qu'ils ratent ce qu'il allait leur dire.

— Les ossements ne sont toujours pas identifiés, lâcha-t-il enfin. L'homme qui habite dans cette maison a été interrogé hier soir, comme tous les autres résidents du quartier. À aucun moment la police ne l'a considéré comme suspect. Les renseignements donnés à la presse par quelqu'un qui n'a rien à voir avec l'enquête et qui ont été ensuite retransmis à la télé sont entièrement faux et perturbent gravement nos recherches. Voilà, c'est tout.

Arrivé à la porte, il frappa fort et appela Trent, précisant que c'était la police. Il recommença, mais rien ne se produisit.

Ils longèrent le côté de la maison, dépassèrent le garage et arrivèrent devant la porte de la cuisine. Bosch tourna la poignée de la porte, celle-ci s'ouvrit. Il sut tout de suite qu'ils allaient trouver le cadavre de Nicholas Trent dans la maison. Un suicide sans problème – celui du monsieur qui laisse la porte ouverte afin que personne ne soit obligé d'entrer par effraction.

— Monsieur Trent? cria Edgar. Police! C'est la police qui est chez vous! Où êtes-vous, monsieur Trent?

— Tu t'occupes de l'avant, dit Bosch.

Ils se séparèrent. Bosch descendit le petit couloir qui conduisait aux chambres de derrière et trouva Trent dans la douche de la grande salle de bains. Il s'était confectionné un nœud coulant avec deux cintres en fil de fer et l'avait attaché à la canalisation d'eau.

Trent était mort au moins depuis douze heures. Soit au début de la matinée, peu après que la 4 avait dévoilé son passé au monde entier et fait de lui un suspect dans l'affaire.

— Harry?

Bosch faillit sursauter. Il se retourna et regarda Edgar.

— Il a laissé une lettre de trois pages sur la table basse. Il dit que ce n'est pas lui qui a tué le gamin.

Bosch se rendit dans la salle de séjour, s'assit sur le canapé et commença à lire. Dans ce qui constituait sans doute son dernier message, Trent niait catégoriquement avoir tué l'enfant et laissait éclater sa rage contre tout ce qu'on lui avait fait. Tout à la fin du document, Trent énonçait une requête.

Mon seul regret est pour mes enfants. Qui s'occupera d'eux? Ils ont besoin de nourriture et de vêtements. J'ai de l'argent. C'est à eux qu'il doit aller. Tout ce que j'ai. Ceci est ma dernière volonté, ceci est le testament que je fais et que je signe. Faites que Morton l'exécute. Faites-le pour les enfants.

— Ses enfants? demanda Bosch.

— Ouais, je sais, dit Edgar. C'est bizarre.

Ils retrouvèrent les enfants de Trent en fouillant la maison après l'enlèvement du corps. Les deux tiroirs d'un petit bureau de la salle de séjour, que Bosch n'avait pas ouverts la veille au soir, étaient bourrés de chemises, de photographies et de dossiers financiers comprenant plusieurs grosses enveloppes remplies de talons de chèques. Trent envoyait tous les mois de petites sommes à un certain nombre d'associations charitables qui se chargeaient de nourrir et d'habiller des enfants aux quatre coins du monde. Des Appalaches aux forêts tropicales du Brésil en passant par le Kosovo, Trent avait ainsi aidé des enfants pendant des années. Bosch trouva des dizaines et des dizaines de photos des enfants qu'il aidait, ainsi que des petits mots que ceux-ci lui avaient envoyés.

Bosch examina quelques-unes des photos qu'il avait étalées sur le dessus du bureau. Il prit la photo d'un jeune enfant blanc et la retourna. D'après les renseignements donnés au dos du cliché, celui-ci avait perdu ses parents pendant les combats du Kosovo. Il avait été blessé dans l'explosion de l'obus de mortier qui les avait tués. Il était âgé de dix ans et s'appelait Milos Fidor.

Bosch s'était retrouvé orphelin à onze ans. Il scruta le regard de l'enfant et y reconnut le sien.

À 16 heures, ils fermèrent la maison de Trent et apportèrent à la voiture trois caisses pleines d'objets qu'ils avaient saisis. Puis ils rejoignirent le centre-ville.

— D'instinct, qu'est-ce que tu penses de ce type? demanda Bosch à Edgar.

— S'il a zigouillé le gamin? Je ne sais pas. Faudrait savoir ce que le labo aura à dire sur les godasses et la sœur sur le skate. À condition que ce soit la sœur et qu'on ait bien identifié le gamin.

Bosch songea aux photos de tous les enfants que Trent croyait aider. Son acte de contrition. Sa chance de rédemption.

— Je crois qu'on se plante, dit-il. Ce n'est pas notre client.

AVANT de ramener Edgar au commissariat et de repartir pour Venice, Bosch sortit du coffre la caisse qui contenait le skate et l'apporta au labo de la police scientifique. À la réception, il demanda à voir Antoine Jespe et examina le skate en l'attendant. Sur la laque, diverses décalcomanies avaient été collées, dont une tête de mort avec tibias croisés au milieu de la planche.

Lorsque Jesper le rejoignit, Bosch lui présenta l'objet.

— Je veux savoir qui a fabriqué ce truc, à quelle date et où ç'a été vendu, dit-il. Priorité numéro un.

— Pas de problème. Je peux même vous dire la marque tout de suite. C'est un Boney. On n'en fait plus.

— Je veux tout ce que vous pourrez me trouver là-dessus dès demain.

— Laissez-moi au moins la matinée.

— La matinée? C'est d'accord.

En regagnant sa voiture, Bosch confia le volant à Edgar afin de joindre Sheila Delacroix sur son portable.

Elle décrocha tout de suite.

— C'est Arthur? lui demanda-t-elle sur un ton d'urgence.

— Nous ne le savons pas encore, madame. C'est pour ça que je vous appelle.

— Oh!

— Est-ce que je pourrais venir vous voir demain matin avec mon coéquipier pour parler d'Arthur et vous poser quelques questions?

— Euh… oui. Vous pouvez passer, si ça ne vous gêne pas.

— Où êtes-vous?

— À Miracle Mile. Du côté de l'orangeraie.

— Est-ce que 8 h 30 vous convient?

— Ça sera très bien. J'ai envie de vous aider. Si c'est Arthur, je veux savoir. Il y a une partie de moi qui le souhaite pour pouvoir mettre fin à cette histoire. Mais il y en a une autre qui veut absolument que ce soit quelqu'un d'autre. Comme ça, je pourrai continuer à me dire qu'il est ailleurs, qu'il…

— Je comprends, dit Bosch. On se retrouve demain matin.

6

BOSCH arriva à Venice avec une demi-heure de retard. Julia Brasher lui demanda d'aller mettre de la musique et de lui verser un verre. Sa façon d'être avec lui était parfaitement chaleureuse. Bosch se dit qu'il avait peut-être réussi à mettre la gaffe de la veille derrière lui.

Il choisit un enregistrement live du trio de Bill Evans au Village

Vanguard de New York. Puis il se versa un verre de vin rouge et regarda autour de lui.

Le dessus de la cheminée en brique était couvert de petites photos encadrées. Prise au ras du sol, l'une d'entre elles représentait un volcan en éruption qui crachait des montagnes de fumée et de débris dans les airs. Une autre avait été prise sous l'eau et montrait la gueule grande ouverte et les dents acérées d'un requin. Le poisson tueur donnait l'impression de se ruer sur l'appareil. Au bord du cliché, Bosch remarqua un des barreaux de la cage dans laquelle le photographe – Julia, sans doute – s'était enfermé pour se protéger.

Il vit aussi une photo d'elle debout entre deux Aborigènes d'Australie. Il y avait encore d'autres clichés où on la voyait en compagnie de randonneurs en divers endroits de la planète. Sur aucune de ses photos Julia ne regardait l'appareil. Elle avait toujours le regard perdu dans le lointain.

La dernière, qui était comme cachée derrière les autres, montrait une Julia Brasher nettement plus jeune, avec un homme légèrement plus âgé qu'elle. Bosch la sortit de l'ombre pour mieux la voir. Puis il la reposa et entra dans la cuisine.

Il eut l'impression qu'elle faisait un risotto de poulet aux asperges.

— Ça sent bon, dit-il.

— Merci. J'espère que ça le sera.

— Et donc, qu'est-ce que tu croyais fuir en courant partout comme ça ?

Elle leva les yeux de son travail. Elle tenait fermement une cuillère dans sa main.

— Quoi ? dit-elle.

— Eh bien, tous ces voyages… On lâche la firme de Papa pour aller faire cul-cul trempette avec des requins et plonger dans des volcans. C'était Papa ou bien la boîte qu'il dirigeait ?

— D'autres y verraient plutôt une façon de chercher autre chose. (Elle leva son verre.) Que ce soit pour fuir ou chercher quelque chose, je porte un toast à la cavale. Juste ça : la cavale.

— On a oublié « Tenir ferme » ?

— Non, non. À ça aussi.

Il passa derrière elle et se mit à lui caresser le cou.

— Tu sais, ce n'est pas bon d'être trop téméraire. Il y a toujours un moment où on finit par passer devant la ligne de mire.

— Dis donc, Harry, tu ne serais pas en train de me faire la morale ? Tu as envie d'être mon officier instructeur ?

— Non. J'ai déposé mon flingue et mon badge à la porte, tu te rappelles ?

Elle se retourna et l'embrassa.

— Tu sais ce qu'il y a de génial avec ce risotto ? On peut le garder au chaud dans le four aussi longtemps qu'on veut.

Il sourit.

Plus tard, après qu'ils eurent fait l'amour, il se leva et gagna la salle de séjour.

— Où vas-tu ? lui demanda-t-elle.

Comme il ne lui répondait pas, elle lui demanda d'augmenter la chaleur du four. Il revint dans la chambre avec la photo dans son cadre doré. Il remonta dans le lit et alluma la lampe de chevet.

— Harry ? Qu'est-ce que tu fais ? Tu as monté le four ?

— Oui, il est à deux cents. Tu me parles de ce mec ? C'est lui qui t'a brisé le cœur et t'a poussée à fuir ?

— Harry ? Tu ne m'as pas dit que tu avais ôté ton badge ?

— Si. Mon badge et mes habits. Tout.

Il posa la photo sur la table de nuit, se glissa à côté d'elle et la serra fort contre lui.

— Dis, on s'échange nos cicatrices ? Moi, j'ai eu deux fois le cœur brisé par la même femme. Et tu sais quoi ? J'ai gardé sa photo sur une étagère de ma chambre pendant un temps infini. Jusqu'au premier de l'an de l'année dernière, où j'ai décidé que ça suffisait et où j'ai rangé sa photo. Juste après, on m'a appelé au boulot et je t'ai rencontrée.

Elle scruta longuement son visage.

— Oui, dit-elle enfin. Il m'a brisé le cœur. Tu es content ?

— Non, je ne suis pas content. Qui c'est, ce fumier ?

Elle se mit à rire.

— Il travaillait dans le cabinet de mon père. Je suis vraiment tombée amoureuse... à en perdre les pédales. Et un jour... un jour, il a décidé que c'était fini.

Bosch se pencha en avant et lui embrassa les cheveux.

— Je ne pouvais plus rester tant qu'il serait là. J'ai dit que je voulais voyager. Mon père a pris ça pour une crise de vague à l'âme parce que je venais d'avoir trente ans. Je n'ai pas cherché à le détromper. Mais j'ai bien été obligée de faire ce dont j'avais dit avoir envie – voyager. J'ai mis presque quatre ans avant de revenir à la maison. Et c'est là que je suis entrée à l'académie de police. Je me baladais le long de la plage à Venice quand j'ai vu le petit bureau des services de police. Je suis entrée et j'ai pris une brochure. Tout s'est passé assez vite après ça.

— Ton histoire révèle quelqu'un d'impulsif et tiens, même, d'enclin à prendre des décisions dangereuses. Comment tes examinateurs ont-ils fait leur compte pour ne pas le voir?

Elle rit.

— Vous autres, les anciens, vous savez sans doute tous que la direction pousse très fort au recrutement de ce qu'elle appelle des « femmes matures ». Pour émousser un peu la testostérone de ces messieurs, j'imagine.

Il sentit son corps se tendre de nouveau tandis que ses pensées sur l'affaire recommençaient à envahir ce qui avait été une oasis de paix à cent lieues de l'enquête.

Elle le perçut.

— Qu'est-ce qu'il y a?

— Rien.

— Tu es tout tendu.

— Oh! c'est cette affaire.

Elle garda le silence un instant.

— Moi, je trouve ça assez étonnant, dit-elle enfin. Ces ossements qui restent enterrés là-haut pendant des années et qui tout d'un coup resurgissent...

— Cette ville est pleine d'ossements qui dorment, et tous attendent de refaire surface.

Il marqua une pause.

— Mais je n'ai pas vraiment envie d'en parler...

— Alors, qu'est-ce que tu veux?

Il ne lui répondit pas. Elle se tourna vers lui.

— Que dirais-tu d'une « femme mature » qui t'émousse un peu la testostérone, hein?

AVANT l'aube, Bosch était sur la route.

Une fois chez lui, il se doucha et enfila des vêtements propres. Puis il reprit sa voiture et descendit jusqu'au commissariat de Hollywood Division. Il était 7 h 30 lorsqu'il y arriva. Chose étrange, quelques inspecteurs étaient déjà arrivés, mais Edgar ne se trouvait pas parmi eux. Bosch posa sa mallette et se rendit au poste de garde pour prendre un café.

Edgar n'était toujours pas à leur table lorsqu'il revint dans la salle des inspecteurs. Il posa son café à côté d'une Selectrics et s'en alla chercher une demande de mandat de perquisition. Pendant le quart d'heure qui suivit, il tapa un additif au mandat qu'il avait déjà remis au directeur des Archives de l'hôpital Queen of Angels, pour lui demander tous les dossiers médicaux d'Arthur Delacroix de 1975 à 1985.

Cela fait, il emporta sa demande au fax et l'expédia au bureau du juge John A. Houghton, qui lui avait déjà signé les mandats de la veille.

Puis il revint à sa table et sortit d'un tiroir la pile de demandes de recherches de disparus qu'il avait constituée en allant à la pêche aux fiches au service des archives. Il commença à les examiner rapidement, mais personne n'avait cherché à savoir ce qu'il était advenu d'Arthur Delacroix. Il ne savait pas ce que cela voulait dire, mais décida de poser la question à la sœur du gamin.

Il était maintenant 8 heures et il était prêt à aller lui rendre visite. Mais toujours pas d'Edgar. Il allait partir seul, lorsqu'il vit Edgar qui traversait la salle. Il se leva et lui demanda :

— Tu es prêt ?

— Ouais. J'allais juste me chercher un…

— On y va, Edgar. Je ne veux pas faire attendre cette dame.

En sortant, Bosch jeta un coup d'œil à la corbeille de réception des fax. Le juge Houghton lui avait signé son complément de mandat.

— C'est parti ! lança-t-il à Edgar en le lui montrant tandis qu'ils gagnaient la voiture. Tu vois ?

— Moi, je ne vois rien. Tout ce que je veux, c'est du café.

SHEILA DELACROIX vivait à Miracle Mile, un quartier constitué de maisons bien entretenues. Elle invita très aimablement les deux inspecteurs à entrer, mais Edgar ne lui eut pas plus tôt parlé de café qu'elle lui fit savoir que c'était contre sa religion. À la place, elle lui proposa du thé, qu'il accepta à contrecœur. Bosch préféra laisser courir, mais se demanda quelle était la religion qui interdisait à ses fidèles de boire du café.

Ils s'assirent dans la salle de séjour pendant qu'elle allait préparer le thé d'Edgar à la cuisine. Puis elle leur cria qu'elle n'avait qu'une heure à leur consacrer avant de partir travailler.

— Qu'est-ce que vous faites, madame Delacroix? lui demanda Bosch lorsqu'elle revint avec une tasse de thé brûlant.

Elle la posa sur la petite table basse à côté d'Edgar. Sheila Delacroix était grande. Blonde, les cheveux coupés court, un léger embonpoint, un peu trop maquillée.

— Je vous en prie, dit-elle, appelez-moi Sheila. Je travaille dans le casting. Surtout pour des films indépendants. Justement, cette semaine, je cherche des acteurs pour un film policier.

— Commençons par votre frère. Vous avez une photo?

— Oui, répondit-elle.

Elle gagna un meuble de rangement derrière Bosch, choisit l'un des cadres posés sur le dessus et le lui tendit.

Dans le cadre se trouvait la photo d'un garçon et d'une fille assis sur des marches qu'il reconnut tout de suite – c'étaient celles qu'ils avaient dû grimper pour frapper à la porte. Le garçon était beaucoup plus petit que la fille.

— Les marches... la photo a été prise ici?

— Oui, c'est la maison où nous avons grandi.

Edgar posa la photo encadrée près de sa tasse de thé.

— Vous avez d'autres photos de lui? demanda-t-il.

— Évidemment. J'en ai une pleine boîte.

— On peut les regarder?

Elle haussa les sourcils d'étonnement.

— Sheila, dit Bosch. Nous avons retrouvé des habits avec les ossements. Nous aimerions regarder ces photos pour voir si l'un de ces vêtements ne correspondrait pas.

— Je vois, dit-elle. Bon... je reviens tout de suite.

Deux minutes plus tard, elle leur apportait une vieille boîte à chaussures pleine de photos en vrac.

— Pendant que mon coéquipier regarde ces clichés, j'aimerais que vous me parliez de votre frère. Quand a-t-il disparu?

— Le 4 mai 1980. Il n'est pas revenu de l'école. Mon père a vu qu'il avait emporté quelques affaires et on a tous cru qu'il avait fait une fugue.

— Vous dites qu'il s'était blessé en tombant de son skate quelques mois plus tôt…

— Oui, il s'était cogné la tête et il avait fallu l'opérer.

— Avait-il son skate le jour où il a disparu?

— Ça remonte à tellement loin… Tout ce que je sais, c'est qu'il adorait sa planche à roulettes. Et donc oui, il avait dû l'emporter.

— Avez-vous déclaré sa disparition?

— J'avais seize ans à l'époque et je n'ai donc rien fait. Mais mon père en a parlé à la police. J'en suis sûre.

— Je n'ai trouvé aucun rapport signalant sa disparition. Sheila, où est votre père? Il est toujours en vie?

— Oui, il est toujours vivant. Il habite à Van Nuys. Au caravaning de Manchester.

Bosch nota l'information.

— Il boit… depuis qu'Arthur…

Bosch lui fit signe qu'il comprenait. Edgar se pencha vers son partenaire et lui tendit une photo, sur laquelle on voyait un jeune garçon filer en skate sur un trottoir, les bras levés en l'air pour ne pas perdre l'équilibre. Le gamin portait un tee-shirt avec les mots « SOLID SURF » imprimés.

Bosch montra le cliché à Sheila.

— Le tee-shirt qu'il porte, là… vous rappelez-vous s'il faisait partie des habits dont votre père avait noté l'absence?

— Je ne me souviens plus. Ça fait si… Je me rappelle seulement qu'il adorait ce tee-shirt.

Bosch acquiesça et rendit la photo à Edgar. La confirmation n'était pas aussi solide que celles données par une radiographie et une comparaison des ossements, mais on avait manifestement avancé d'un cran. Bosch regarda Edgar remettre le cliché sur un petit tas de photos qu'il avait l'intention d'emprunter à Sheila.

Puis il se tourna vers la jeune femme.

— Et votre mère? lui demanda-t-il.

— Elle avait disparu depuis longtemps lorsque tout ça s'est passé.

— Vous voulez dire qu'elle est morte?

— Non. Ce que je veux dire, c'est qu'elle a filé. Arthur était un enfant difficile. Il avait besoin de beaucoup d'attention et c'était à ma mère de s'en occuper. Au bout d'un certain temps, elle n'a plus supporté. Un soir, elle est allée chercher des médicaments à la pharmacie et elle n'est jamais revenue. Nous avons trouvé des petits mots d'adieu sous nos oreillers.

— Quel âge aviez-vous? lui demanda-t-il. Et votre frère?

— J'avais six ans et donc... Artie devait en avoir deux.

— Savez-vous ce qu'est devenue votre mère? Est-elle encore vivante?

— Je n'en ai pas la moindre idée. Et à dire vrai je m'en fous complètement.

— Comment s'appelle-t-elle?

— Christine Dorsett Delacroix. Dorsett est son nom de jeune fille.

— Connaissez-vous sa date de naissance ou son numéro de Sécurité sociale?

De la tête, elle fit signe que non.

— Avez-vous un extrait d'acte de naissance?

— J'en ai un quelque part dans mes archives. Si vous voulez, je peux aller vous le chercher.

— Non, attendez. On verra ça plus tard. J'aimerais qu'on continue à parler.

— Bien.

— Après le départ de votre mère... votre père s'est-il remarié?

— Non, jamais. Il vit seul.

— A-t-il jamais eu une amie, une femme qui aurait pu habiter chez vous?

— Non, dit-elle. Jamais.

— À quelle école allait votre frère?

— À la fin, il allait à l'école des Brethren.

Bosch garda le silence. Il inscrivit le nom de l'école dans son carnet, puis il écrivit un grand B majuscule juste en dessous. Et il entoura ce B d'un rond en pensant au sac à dos.

— C'était une école privée pour enfants en difficulté, précisa Sheila. Mon père a payé pas mal d'argent pour l'y envoyer.

— Pourquoi pensait-on qu'il était en difficulté ?

— Parce qu'il s'était fait virer de toutes les autres écoles. Il se battait sans arrêt.

— Il se battait ? répéta Edgar.

— C'est ça. Il se battait.

Edgar prit la première photo du tas qu'il avait l'intention de garder et l'examina un instant.

— Ce gamin me paraît plutôt du genre poids plume. Et c'était lui qui commençait ?

— Le plus souvent, oui. Il avait du mal à s'entendre avec les gens. Tout ce qu'il voulait, c'était se balader sur sa planche. J'ai dans l'idée qu'aujourd'hui on lui trouverait un déficit d'attention.

— Et il était souvent blessé dans ces bagarres ? demanda Bosch.

— Des fois, oui. Il revenait surtout avec des bleus.

— Des os cassés ?

— Pas que je me rappelle. Non, c'étaient des bagarres dans la cour de l'école.

— Vous dites que votre père a constaté qu'il manquait des vêtements.

— Oui. Pas beaucoup. Juste quelques affaires.

— Dans quoi votre frère avait-il emporté ces habits ? Une valise ? Un sac ?

— Son sac d'école, j'imagine.

— Vous rappelez-vous à quoi il ressemblait ?

— Non. C'était juste un sac à dos. Tout le monde devait avoir le même aux Brethren. Je vois encore des gamins en porter… des sacs à dos avec un grand B dessus.

Bosch décida de mettre fin à l'entretien et de se concentrer sur l'identification. Il repensa à l'opinion de Golliher sur les dommages subis par les os de l'enfant. Tous indiquaient des mauvais traitements de type chronique. Se pouvait-il qu'il ne se soit agi que de blessures faisant suite à des bagarres d'écoliers et à des chutes de skate ? Il savait bien qu'il faudrait aborder la question des mauvais traitements, mais il sentait que ce n'était pas le moment. Il ne voulait pas éveiller les soupçons de Sheila Delacroix pour que, faisant brusquement volte-face, elle s'en aille tout raconter à son père. Ce qu'il voulait, c'était arrêter les frais pour l'instant et reprendre tout ça plus tard, quand il aurait une compréhension plus vaste de l'affaire.

— Bien, dit-il, encore quelques petites questions. Arthur avait-il des copains ? Quelqu'un à qui il pouvait se confier ?

— Pas vraiment, non. Mais il avait un copain avec lequel il allait faire du skate. Il s'appelait Johnny Stokes. Il était plus grand et un peu plus âgé qu'Arthur, mais ils étaient dans la même classe aux Brethren.

— Avez-vous parlé avec ce Johnny Stokes après la disparition d'Arthur ?

— Oui. Le soir où Arthur n'est pas rentré, mon père l'a appelé, mais Johnny lui a dit ne pas l'avoir vu.

Bosch inscrivit le nom dans son carnet et le souligna.

— Quel est le prénom de votre père ?

— Samuel. Vous allez lui parler ?

— Probablement. Ça vous pose un problème ?

— Si jamais il s'avérait que ces ossements sont ceux de mon frère... Je me disais qu'il vaudrait peut-être mieux qu'il ne l'apprenne pas.

— Nous ne l'oublierons pas lorsque nous lui parlerons. De toute façon, nous ne le ferons pas avant qu'il y ait identification définitive.

— Sauf que, si vous lui parlez, il comprendra tout de suite.

— Il se peut que ce soit difficile à éviter, Sheila.

Edgar tendit une autre photo à Bosch. On y voyait Arthur debout à côté d'un type blond que Bosch eut l'impression de reconnaître. Il montra la photo à Sheila.

— C'est votre père ? Son visage me dit quelque chose.

— C'est un acteur. Enfin... c'était. Il a travaillé dans diverses émissions de télé dans les années 1960. Il a encore fait quelques trucs après ça, des rôles dans des films.

— Vous voulez bien aller chercher votre extrait de naissance ?

— J'y vais. Vous pouvez rester ici.

Elle se leva et quitta la pièce.

— C'est lui, murmura Edgar, j'en suis sûr.

Il lui montra une photo d'Arthur qu'on avait dû prendre pour l'école. Les cheveux bien peignés, l'enfant portait un blazer bleu et une cravate. Bosch regarda ses yeux de près. Ils lui rappelèrent ceux de l'enfant du Kosovo dont il avait vu la photo chez Nicholas Trent. L'enfant au regard creux.

— Je l'ai retrouvé, dit-elle.

Sheila Delacroix était revenue dans la pièce, un document jauni à la main. Bosch l'examina un instant, puis il recopia les noms, dates de naissance et numéros de Sécurité sociale des parents de la jeune femme.

— Bon, merci, dit-il. Arthur et vous aviez bien le même père et la même mère, n'est-ce pas ?

— Évidemment.

— Bon, Sheila. Nous vous appellerons dès que nous aurons quelque chose de sûr.

— On peut emporter ces photos ? demanda Edgar.

— Si vous en avez besoin...

Bosch posa une dernière question :

— Sheila, vous avez toujours habité ici ?

— Oui, dit-elle, toute ma vie. Je suis restée ici au cas où il reviendrait.

7

BOSCH s'approcha du guichet du musée et informa l'employée qu'il avait rendez-vous avec le Dr William Golliher, du laboratoire d'anthropologie. Quelques minutes plus tard, un gardien l'accompagna jusqu'au labo. Bosch n'avait jamais pénétré dans le bâtiment, bien qu'il fût souvent allé voir les Fosses à bitume de La Brea avec sa classe quand il était enfant. Le musée avait été construit après, afin d'abriter tout ce qui remontait des entrailles de la terre en faisant des bulles.

Lorsque Bosch avait appelé Golliher après avoir récupéré les dossiers médicaux d'Arthur, celui-ci l'avait informé qu'il avait reçu des copies des radios et des photos du dossier Wonderland. Si Bosch voulait bien passer le voir, il pourrait effectuer les comparaisons voulues.

Bosch s'était mis en route pour les Fosses à bitume, tandis qu'Edgar restait au commissariat de Hollywood Division pour voir s'il ne pourrait pas retrouver la trace de la mère d'Arthur et de Sheila ainsi que l'adresse de Johnny Stokes.

Bosch était curieux de savoir sur quoi Golliher était en train de travailler. Les Fosses à bitume étaient un ancien trou noir où pendant des siècles et des siècles des bêtes sauvages étaient allées à la mort. Réaction en chaîne des plus sinistres, les animaux pris dans la glu du bitume devenaient la proie d'autres animaux, qui à leur tour étaient pris au piège des fosses où ils finissaient par être complètement aspirés. Par une sorte d'équilibre naturel, leurs ossements remontaient maintenant des ténèbres et, aussitôt collectés, fournissaient matière à étude. Et tout cela se déroulait à côté d'une des rues les plus animées de Los Angeles, rappelant à tout un chacun combien est cruel le passage du temps.

Bosch fut conduit au labo où l'on identifiait, classait, datait et nettoyait les ossements. Une demi-douzaine de personnes en blouse blanche y travaillaient.

Golliher était le seul à ne pas porter de blouse. Il arborait une chemise hawaïenne ornée de perroquets et travaillait à une table dans le coin le plus éloigné. En s'approchant, Bosch découvrit deux boîtes en bois remplies d'ossements posées devant lui. Dans l'une se trouvait un crâne.

— Comment allez-vous, inspecteur Bosch ?

— Bien, bien. Qu'est-ce que c'est que ça ?

— Ceci, je suis sûr que vous le savez, est un crâne humain. Ce crâne et d'autres restes humains ont été retrouvés il y a deux jours dans du bitume qu'on avait creusé il y a trente ans de ça pour faire de la place pour ce musée.

— Je ne comprends pas. C'est... c'est vieux ?

— La datation au carbone 14 nous donne dans les neuf mille ans. Regardez, fit Golliher en sortant le crâne de sa boîte.

Il le tourna de façon que Bosch pût en voir l'arrière. Puis il dessina un rond avec son doigt, tout autour d'une fracture en étoile près du sommet du crâne.

— Ça vous dit quelque chose ?

— Fracture à force ouverte ?

— Exactement. Tout à fait comme dans notre histoire. Ce qui montre... (Il replaça doucement le crâne dans sa boîte.) qu'il n'y a rien de bien nouveau sous le soleil. Cette femme a été assassinée il y a neuf mille ans, et son corps probablement jeté dans les Fosses à bitume pour qu'on ne s'aperçoive de rien. Ah, la nature humaine ! Vous avez le dossier de l'hôpital ?

Bosch ouvrit sa mallette et tendit une chemise à Golliher, ainsi que les photos empruntées à Sheila Delacroix.

— Je ne sais pas si ça va nous aider, dit-il, mais c'est le gamin.

Golliher s'empara des clichés. Il les examina tous rapidement, puis ouvrit son propre dossier et en sortit un cliché du crâne retrouvé dans Wonderland Avenue. Et il le compara longuement avec les photos d'Arthur Delacroix.

— Le zygoma et le bord de l'orbite, dit-il. Ils sont plus larges que d'habitude sur le spécimen retrouvé. En regardant cette photo, on s'aperçoit que la structure du visage correspond bien à ce que nous voyons ici. Passons aux radios.

Il ramassa les dossiers et conduisit Bosch vers une autre table de travail, équipée d'une boîte lumineuse encastrée. Il ouvrit le dossier de l'hôpital, y prit les radiographies et commença à lire l'historique du patient.

Bosch l'avait déjà parcouru. On y signalait qu'Arthur Delacroix avait été amené aux urgences à 17 h 40, le 11 février 1980 ; son père déclarait l'avoir trouvé dans un état comateux à la suite d'une chute de skate où il s'était cogné violemment la tête. Une intervention de neurochirurgie avait été pratiquée afin de diminuer la pression exercée par le gonflement du cerveau à l'intérieur du crâne. L'enfant était resté dix jours en observation avant d'être rendu à son père. Quinze jours plus tard, il était réadmis à l'hôpital afin de procéder au retrait des agrafes qui avaient servi à refermer son crâne durant la première opération. Nulle part il n'était signalé que l'enfant se serait plaint de mauvais traitements.

Golliher lâcha le rapport et posa les radios sur la plaque lumineuse. Puis il prit son dossier et en sortit les clichés qu'il avait faits du crâne de Wonderland Avenue. Il se pencha au-dessus de la boîte lumineuse et attrapa un petit oculaire rangé sur une étagère proche. Il en porta un bout à son œil et l'autre sur l'un des clichés. Quelques instants plus tard, il passa à une des radios de l'hôpital et posa son oculaire au même endroit du crâne. Une comparaison après l'autre, il effectua de nombreuses fois cette manœuvre. Sa tâche accomplie, il se redressa et désigna les radios sur la boîte lumineuse.

— Il s'agit bien d'Arthur Delacroix. Ça ne fait aucun doute.

Bosch acquiesça. Golliher remit les deux radios dans la chemise et la referma. Bosch la rangea dans sa mallette.

— Eh bien, je vous remercie, docteur. Merci d'avoir pris le temps de me voir. Je pense…

— Inspecteur Bosch ?

— Oui ?

— L'autre jour, vous m'avez paru très mal à l'aise quand je vous ai parlé de la nécessité d'avoir foi en ce qu'on fait.

— Ce n'est pas mon sujet de prédilection. Pourquoi vous souciez-vous autant de ce que je crois ou ne crois pas ?

— Parce que, pour moi, c'est important. J'étudie des bouts de squelettes. L'ossature même de la vie. Et j'en suis venu à penser qu'il y a plus que le sang, les tissus et les os. Il y autre chose qui nous cimente. C'est pour ça que, lorsque je rencontre quelqu'un qui, lui, a un vide à l'endroit même où se trouve ma foi, j'ai peur pour lui.

Bosch le regarda longuement.

— Vous vous trompez sur moi, dit-il. J'ai la foi et oui, j'ai une mission. Appelez ça du manque de réalisme, ou comme vous voudrez. C'est seulement l'idée que cette affaire ne passera pas par profits et pertes. Qu'il y a une raison au fait que ces ossements ont refait surface. Que c'est pour moi qu'ils sont ressortis de terre et que c'est à moi de faire quelque chose. Voilà ce qui me donne mon intégrité et m'aide à continuer. Ça vous va ?

Il attendit une réponse, mais l'anthropologue garda le silence.

— Bon, docteur, il faut que j'y aille. Merci de votre aide. Vous m'avez rendu les choses parfaitement claires.

Et il le laissa planté là, parmi les sombres ossements sur lesquels la ville s'était édifiée.

EDGAR n'était pas à sa place au bureau des Homicides lorsqu'il revint dans la grande salle.

— Harry ?

Il leva la tête : le lieutenant Billets se tenait debout sur le seuil de son bureau. Par la fenêtre vitrée, il vit aussi qu'Edgar était assis à l'intérieur. Il posa sa mallette et s'approcha de la porte.

— Les ossements sont identifiés ? demanda Billets en fermant la porte.

Elle s'assit derrière son bureau, tandis que Bosch s'installait à côté d'Edgar.

— Oui, dit-il. Il s'agit bien d'Arthur Delacroix, disparu le 4 mai 1980.

— Le légiste en est certain ?

— D'après leur spécialiste des os, ça ne fait aucun doute.

— Et pour l'époque du décès ? C'est quoi, le créneau ?

— Ça se resserre. Le type des os estime que le coup fatal a été porté à l'enfant environ trois mois après que celui-ci eut subi sa première fracture, suivie de sa première intervention chirurgicale. Et maintenant on a le dossier de l'intervention. Elle a eu lieu le 11 février 1980, à l'hôpital Queen of Angels. Mais l'important là-dedans, c'est qu'Arthur Delacroix est mort quatre ans avant que Nicholas Trent emménage dans Wonderland Avenue. Pour moi, Nicholas Trent est au-dessus de tout soupçon.

— J'ai eu le bureau d'Irving et les Relations avec les médias sur le dos toute la journée, dit Billets. Ils ne vont pas du tout aimer que je les rappelle pour leur annoncer ça.

— C'est bien dommage, dit Bosch, mais c'est comme ça.

— Bon, Trent n'était donc pas dans le quartier en 1980. Sait-on où il était ?

Bosch secoua la tête.

— Tu ne lâches pas, hein ? dit-il.

— Si je ne lâche pas, c'est parce qu'eux non plus ne veulent pas lâcher. Irving en personne m'a appelée ce matin. Il s'est montré très clair : s'il s'avère qu'un innocent s'est suicidé parce qu'un flic a filé des renseignements qui ont permis aux médias de le ridiculiser, ça nous fait un œil au beurre noir de plus pour la police.

— Mais la solution n'est pas de truquer les faits pour qu'ils collent avec nos besoins.

— Je le sais, Harry. Et je n'ai jamais dit de truquer quoi que ce soit. Ce que je dis, c'est qu'il faut être sûr de ce qu'on raconte.

— J'en suis sûr.

— Donc, voici ce que je vais faire. Je vais le mettre au courant de l'identification et de tout le reste. Je vais lui dire que vous continuez à enquêter. Et je vais l'inviter à coller la police des polices sur la recherche des antécédents judiciaires de Trent. En d'autres termes, s'il n'est toujours pas convaincu par la manière dont l'identification a été faite, il peut leur demander d'enquêter sur Trent pour savoir s'il était là en 1980.

Bosch se contenta de la regarder, sans rien laisser paraître de son approbation ou de sa désapprobation.

— Bon, on peut partir ? demanda-t-il enfin.

— Oui, vous pouvez y aller.

Dès qu'ils furent revenus à leur table, Bosch demanda à Edgar s'il avait trouvé quelque chose sur l'ordinateur.

— Oui. J'ai la confirmation que Samuel Delacroix habite bien au caravaning de Manchester. Il a eu droit à deux arrestations pour conduite en état d'ivresse en dix ans. Pour l'instant, il a un permis de conduire restreint.

— Bon.

— Après, j'ai vérifié pour Sally Dorsett Delacroix. Côté Sécu, ça m'a effectivement donné une certaine Sally Dorsett Waters. Adresse à Palm Springs. Elle a dû s'y installer pour se refaire une existence. Nouveau nom, nouvelle vie.

— Et le divorce ?

— J'ai. Elle a demandé le divorce en 1973. Le gamin devait avoir cinq ans. Elle parle de mauvais traitements autant physiques que psychologiques. Mais pas de détails. On dirait qu'il y a eu accord à l'amiable. Le père a obtenu la garde des deux enfants et ne s'est pas opposé au divorce.

— Et le copain au skate ?

— Lui aussi, je l'ai retrouvé. Il est toujours en vie, et toujours dans le coin. Nombreuses arrestations pour petits délits, vols de voitures, cambriolages et possession de drogue, tout ça commençant dès l'adolescence. Pour finir, il y a cinq ans, il a épuisé toutes ses deuxièmes chances et s'est fait expédier à la prison de Corcoran pour cinq ans. Il en a tiré deux et demi et a obtenu la conditionnelle.

— As-tu eu son contrôleur ? Stokes est encore dans le système ?

— Oui, j'ai parlé avec son contrôleur, mais Stokes a décroché. Il a disparu il y a deux mois.

— Merde. Le contrôleur pense qu'il est toujours à Los Angeles ?

Edgar acquiesça d'un signe de tête.

— J'ai tapé une note d'avis de recherche et je l'ai passée à Mankiewicz tout à l'heure. Et j'ai fait faire un jeu de photos pour les voitures.

— Bien.

Bosch était impressionné. Faire faire des photos de Stokes pour qu'on puisse les accrocher aux pare-soleil de toutes les voitures de patrouille était le genre de petit supplément de boulot qu'Edgar se donnait rarement la peine de faire.

— On va le coincer, Harry. Je ne sais pas trop à quoi ça va nous servir, mais on l'aura.

— Il pourrait devenir un témoin clef. Si jamais Arthur, enfin je veux dire... si jamais la victime lui a dit que son père la battait, on tiendra quelque chose de capital.

Bosch consulta sa montre. Il était presque 14 heures.

— Qu'est-ce que tu as prévu pour ce soir ? demanda-t-il à Edgar.

— Ce soir ? Pas grand-chose.

— Je me disais qu'on pourrait aller à Palm Springs.

— Maintenant ?

— Oui. Pour parler à l'ex.

Il vit Edgar jeter un coup d'œil à sa montre. Il savait que même en partant tout de suite ils ne pourraient pas rentrer tôt.

— Bon, ne t'inquiète pas, dit-il. Je peux y aller tout seul. Donne-moi juste l'adresse.

— Non, j'y vais avec toi.

— Tu es sûr ? Tu n'es pas obligé de m'accompagner. C'est seulement que je n'aime pas trop attendre, tu comprends ?

— Oui, Harry, je sais.

Ils n'échangèrent pas un seul mot avant d'avoir parcouru plus de la moitié du chemin par le désert.

— Harry, lança enfin Edgar, tu ne dis rien.

— Non, je sais.

S'il y avait une chose qu'ils avaient depuis toujours en commun, c'était bien la capacité à partager de longs moments de silence. Bosch savait qu'Edgar n'éprouvait le besoin de parler que lorsqu'il avait quelque chose d'important à dire.

— Qu'est-ce qu'il y a, Edgar ? lui demanda-t-il.

— Harry, j'ai appris ton truc avec la bleue. On commence à jaser.

Bosch hocha la tête.

— Moi, tout ce que je te dis, c'est de faire gaffe, continua Edgar. Tu es bien plus haut dans la hiérarchie qu'elle.

— Je sais. Je trouverai bien une solution.

— D'après ce que j'ai entendu dire et d'après ce que j'ai vu, elle vaut le coup de prendre des risques. Mais quand même, Harry : fais attention.

Bosch garda le silence. Palm Springs n'était plus qu'à 13 kilomètres. Le crépuscule approchait.

La rue dans laquelle habitait Sally Waters se trouvait à l'intérieur d'une résidence gardée. Un vigile en tenue sortit du pavillon et regarda leur voiture en souriant.

— Vous êtes un peu loin de votre juridiction, les mecs ! leur lança-t-il.

Bosch acquiesça d'un signe de tête.

— Assez, oui, dit-il.

— C'est quoi, le problème ?

— On veut parler à Sally Waters, 312 Deep Waters Drive.

L'homme regagna le pavillon, où Bosch le vit décrocher un téléphone. Puis il ressortit, posa les deux mains sur le rebord de la vitre et se pencha pour regarder Bosch.

— Elle veut savoir de quoi il s'agit.

— Dites-lui qu'on en parlera avec elle. En privé.

Le gardien haussa les épaules avant de réintégrer son pavillon. Bosch le regarda discuter au téléphone pendant encore quelques instants. Enfin il raccrocha et la barrière commença à s'ouvrir doucement. Il leur fit signe d'y aller.

— Comment peut-on appeler une rue Deep Waters Drive en plein désert ! s'exclama Edgar.

— Et si ce « on » s'appelait Waters, hein ?

— Putain, non ! Tu crois ? Elle est montée en grade...

À l'adresse qu'Edgar avait trouvée, ils tombèrent sur un manoir de style espagnol contemporain, avec vue sur toutes les autres maisons du domaine et sur le golf qui l'entourait.

Ils descendirent de voiture et passèrent sous un porche donnant sur une porte d'entrée à double battant. Celle-ci leur fut ouverte par une bonne en tenue noir et blanc avant même qu'ils y arrivent. La jeune femme leur annonça avec un fort accent espagnol que Mme Waters les attendait dans la salle de séjour.

La pièce avait la taille et l'allure d'une nef de petite cathédrale, avec poutres apparentes et plafonds à 7 mètres. Assise sur un canapé couleur crème se trouvait une blonde à la peau retendue.

— Madame Waters? Inspecteur Bosch. Je vous présente l'inspecteur Edgar. Nous sommes de la police de Los Angeles.

— Je vous en prie, asseyez-vous, dit-elle. De quoi s'agit-il, messieurs?

Bosch s'assit sur un canapé juste en face d'elle.

— Nous avons des questions à vous poser sur votre mari.

— Cela fait cinq ans qu'il est mort. De plus, il allait rarement à Los Angeles. Que peut-il donc bien avoir…

— Sur votre premier mari, madame Waters. M. Samuel Delacroix. Et nous avons aussi des questions à vous poser sur vos enfants.

Il vit tout de suite la méfiance apparaître dans son regard.

— Je… ça fait des années que je ne les vois plus. Quant à leur parler… Presque trente ans, de fait.

— Vous voulez dire… depuis le soir où vous êtes allée chercher des médicaments et où vous avez oublié de rentrer chez vous?

Elle regarda Edgar comme s'il venait de la gifler.

— Je ne comprends pas. Comment m'avez-vous trouvée? Qu'est-ce que vous êtes en train de faire? Pourquoi êtes-vous ici?

De question en question, sa voix se durcissait. Une vie qu'elle avait mise de côté trente ans plus tôt revenait troubler sa nouvelle existence bien ordonnée.

— Nous travaillons à la brigade des Homicides, madame. Nous sommes actuellement sur une affaire dans laquelle votre mari…

— Ce n'est plus mon mari. J'ai divorcé d'avec lui il y a vingt-cinq ans. Je crois que vous devriez partir.

— Votre fils est mort, ma petite dame! aboya Edgar. Vous

savez… celui que vous avez abandonné il y a trente ans de ça. Alors, vous répondez à nos questions, vu?

— Arthur…

Ses yeux se perdaient dans le lointain.

— C'est ça, madame, dit Edgar, Arthur.

Ils la regardèrent sans rien dire pendant un instant. La nouvelle lui faisait mal. Très mal. Ce n'était pas la première fois que Bosch voyait ce genre de choses. Le passé a de bien étranges façons de resurgir. Et de vous bousculer.

Il sortit son carnet de notes de sa poche et l'ouvrit à une page blanche. Il y écrivit les mots « du calme » et le tendit à Edgar.

— Jerry, dit-il, tu veux bien prendre des notes? Je crois que Mme Waters a décidé de coopérer.

Ses paroles la sortirent de sa lugubre rêverie. Elle regarda Bosch.

— Qu'est-ce qui s'est passé? C'est Sam?

— Nous ne le savons pas. C'est pour ça que nous sommes venus vous voir. Arthur est mort depuis longtemps. Ses restes viennent juste d'être retrouvés. La semaine dernière.

Elle approcha lentement un poing de sa bouche, et commença à s'en frapper légèrement les lèvres.

— Depuis quand est-il mort?

— Il a été enterré il y a vingt ans de ça. C'est un appel de votre fille qui nous a aidés à identifier ses restes.

— Sheila.

On aurait dit qu'elle n'avait pas prononcé ce nom depuis si longtemps qu'elle se devait d'essayer pour voir si elle y arrivait encore.

— Madame Waters, reprit Bosch, Arthur a disparu en 1980. Le saviez-vous?

— Non, dit-elle, j'étais déjà partie. Ça faisait presque dix ans que je les avais quittés. Je ne pouvais pas les prendre avec moi. J'étais jeune et je n'en pouvais plus de… cette responsabilité. Je me suis sauvée. Je le reconnais. J'ai fui.

Bosch hocha la tête en espérant qu'elle y verrait de la compréhension. Que ce ne soit pas du tout le cas n'avait aucune importance. Sa propre mère avait fait face aux mêmes problèmes, ayant eu son fils trop tôt, mais elle s'était battue et l'avait protégé farouchement.

— Dans la demande de divorce, vous parlez de mauvais traitements. J'aimerais que vous précisiez. En quoi consistaient ces mauvais traitements ?

— Qu'est-ce que vous croyez ? Sam aimait bien me flanquer des tournées. Dès qu'il se saoulait, il fallait marcher sur des œufs. Et c'était toujours moi qui écopais. C'était devenu un monstre.

— Et vous avez laissé vos enfants avec ce monstre, dit Edgar.

Elle se tourna vers lui et lui coula un regard tellement meurtrier qu'il dut se détourner.

— Qui êtes-vous donc pour me juger ? Il fallait que j'en réchappe et je ne pouvais pas les emmener. Si j'avais essayé, tout le monde y serait passé.

Elle se tourna vers Bosch :

— Je ne parlerai qu'à vous.

— Très bien. Vous voulez que nous retrouvions l'assassin de votre fils, je le sais, enchaîna Bosch. Nous ferons tout ce qui est en notre pouvoir pour aller vite. Parlez-nous de votre ex-mari.

— Je l'ai rencontré dans un cours de théâtre. J'avais dix-huit ans. Il en avait sept de plus que moi, il avait déjà travaillé dans le cinéma et, pour couronner le tout, il était très beau. Disons que je suis vite tombée sous son charme. Et que je n'avais pas encore dix-neuf ans lorsque je me suis retrouvée enceinte. Nous nous sommes mariés et Sheila est née. J'ai renoncé à ma carrière d'actrice. J'aimais rester à la maison.

— Et votre mari ? Côté carrière ?

— Au début, ça a très bien marché. Il a décroché un rôle dans *Premier Bataillon d'infanterie*. Vous connaissez ?

Bosch acquiesça d'un signe de tête. Portant sur la Seconde Guerre mondiale, cette série télévisée avait commencé au milieu des années 1960. Elle avait beaucoup plu à Bosch, enfant.

— Sam jouait un des Allemands, reprit-elle. À cause de ses cheveux blonds et de son physique aryen. Il y a travaillé les deux dernières années. Jusqu'au moment où je suis tombée enceinte d'Arthur. Et puis la série a été annulée à cause de cette stupide guerre au Vietnam. Il passait ses journées dans les agences et il ne trouvait jamais rien. Le soir, il buvait et s'en prenait à moi.

— L'avez-vous jamais vu frapper les enfants ?

C'était la question clef qu'ils étaient venus lui poser. Tout le reste n'était qu'amuse-gueule.

— Non, répondit-elle. Mais il m'a frappée quand j'étais enceinte d'Arthur. Au ventre. La poche des eaux s'est rompue et j'ai accouché environ six semaines avant la date prévue. Arthur ne pesait même pas deux kilos et demi quand il est né.

— Vous ne l'avez jamais vu frapper Arthur ou Sheila ?

— Non. J'étais là pour recevoir les coups.

Bosch hocha la tête : une fois Sally partie, Dieu seul sait qui avait été la cible de ses violences.

— Est-ce que mon ma… Sam est-il arrêté ?

— Non. Nous n'en sommes encore qu'à la phase de recherche des faits. Les restes qu'on a retrouvés témoignent clairement de mauvais traitements de type chronique. Nous essayons seulement d'établir ce qui s'est passé.

— Et Sheila. Il la ?…

— Nous ne l'avons pas demandé carrément à votre fille. Mais nous le ferons. Madame Waters… quand il vous frappait, votre mari se servait-il toujours de ses mains ou bien utilisait-il…

— Il lui arrivait de me frapper avec quelque chose. Une fois, je m'en souviens, il m'a cognée avec une chaussure.

L'amertume brûlait dans sa voix, même après toutes ces années.

— Avez-vous jamais dû vous rendre à l'hôpital ou dans un service d'urgence ? Y a-t-il trace des mauvais traitements qu'il vous infligeait ?

— Il ne m'a jamais cognée assez fort pour que je sois hospitalisée. Sauf quand j'ai accouché d'Arthur, et là, j'ai menti.

— Quand vous êtes partie… c'était prémédité ou bien vous êtes partie comme ça ?

Elle garda longtemps le silence.

— Ce soir-là, je suis partie avec seulement mon sac à main et les habits que j'avais sur le dos. Et la voiture que mon père nous avait donnée quand nous nous sommes mariés. Je n'en pouvais plus. Je lui ai dit que nous avions besoin de médicaments pour Arthur. Il avait bu. Il m'a dit d'aller les chercher.

— Et vous n'êtes jamais revenue.

— Jamais, non.

Bosch hocha la tête. Il n'avait rien d'autre à lui demander.

— Quand Arthur sera-t-il enterré ?

— Je ne sais pas. Il faudrait que vous appeliez la morgue. Merci de votre coopération.

ILS se garèrent dans le parking du commissariat un peu avant 23 heures. Ils avaient travaillé seize heures d'affilée, et la journée ne leur avait pas rapporté grand-chose en termes de preuves susceptibles de faire inculper quiconque. Pourtant, Bosch était satisfait. Ils avaient l'identité de la victime et tout allait s'organiser autour de ça. De fait, tout en découlait.

Edgar lui dit bonsoir et fila droit à sa voiture. Bosch, lui, voulait demander au sergent de garde si on avait du nouveau côté Johnny Stokes. Il désirait aussi savoir s'il avait reçu des messages et pensait qu'en traînant jusqu'à 23 heures il aurait peut-être la chance de voir Julia lorsqu'elle finirait son service. Il fallait qu'il lui parle.

Tout était calme dans le commissariat. Bosch alluma la rangée de néons installée dans le bureau des Homicides et gagna sa place.

Deux enveloppes de courrier interne l'attendaient. La première contenait le rapport de Golliher. Il la mit de côté. Il prit la seconde, vit qu'elle venait du laboratoire de la police scientifique et s'aperçut qu'il avait oublié de rappeler Antoine Jesper au sujet du skate.

Il était sur le point d'ouvrir l'enveloppe lorsqu'il remarqua qu'on l'avait jetée par-dessus une feuille de papier pliée sur son sous-main. Il déplia la note et sut tout de suite qu'elle venait de Julia. « Où es-tu, gros dur ? »

Il avait oublié qu'il lui avait dit de passer avant de reprendre son service. Il sourit en regardant son mot, mais se sentit coupable d'avoir oublié. Il replia le mot et le glissa dans son tiroir. Il se demanda comment elle allait réagir à ce qu'il voulait lui dire.

L'enveloppe des services scientifiques contenait un rapport d'analyse d'une page signé par Jesper qui confirmait que la planche sortait bien des ateliers de la Boneyard Boards Inc., maison dont le siège se trouvait à Huntington Beach. Il s'agissait d'une « Boney Board ». Ce modèle avait été fabriqué de février 1978 à juin 1986, après quoi des modifications avaient été apportées à l'avant de la planche.

Avant de s'exciter à l'idée d'une correspondance entre la planche et la date de l'affaire, Bosch lut le dernier paragraphe du rapport et tout devint plus que douteux.

Les *trucks* (roues et supports) sont d'un modèle auquel la Boneyard a eu pour la première fois recours en mai 1984. Le fait que les roues soient en graphite indique aussi une fabrication plus tardive. Les roues en graphite ne sont devenues courantes que vers le milieu des années 1980. Cela dit, étant donné que les *trucks* et les roues sont interchangeables et très souvent échangés ou remplacés par les skateurs, il est impossible de déterminer exactement la date de fabrication de la planche. À moins qu'il n'y ait d'autres éléments de preuve, je dirais entre février 1978 et juin 1986.

Bosch remit le rapport dans son enveloppe. La conclusion n'était certes pas définitive, mais les faits soulignés par Jesper laissaient penser que la planche n'appartenait pas à Arthur Delacroix. Dans son esprit, cela contribuait plus à innocenter qu'à accuser Nicholas Trent de la mort du gamin. Dès le lendemain matin, il taperait une note avec ses conclusions et la donnerait au lieutenant Billets afin que celle-ci la transmît au chef adjoint de la police.

Bosch éteignit la lumière, sortit par la porte de derrière et se retrouva dans le parking, où il aperçut la voiture de Julia. Il rentra dans le commissariat pour aller s'asseoir sur le Code 7. Il y trouva Julia en arrivant. Elle avait les cheveux encore un peu mouillés après sa douche.

— On m'a dit que tu étais dans la maison, dit-elle. J'ai vérifié et j'ai vu qu'il n'y avait plus de lumière. Je croyais t'avoir loupé.

Il avait envie de la toucher, mais n'en fit rien.

— Évidemment, il y a beaucoup de gens au courant pour nous, non ?

— Oui, et justement je voulais t'en parler. Tu veux aller prendre un verre quelque part ?

— Bien sûr.

— Marchons jusqu'au *Cat and Fiddle*.

Arrivés au pub, ils se glissèrent dans un box et commandèrent tous deux une Guinness, puis elle croisa les bras sur la table et le regarda droit dans les yeux.

— Bon, Harry, tu peux y aller. Mais je t'avertis : si jamais tu as envie de me dire que tu veux être seulement ami avec moi, sache que des amis, j'en ai déjà plus qu'il ne m'en faut.

Il ne put s'empêcher de sourire jusqu'aux oreilles. Il adorait son audace et sa franchise.

— Non, ce que je veux, dit-il, c'est être avec toi. Mais il faut faire attention. On n'aurait jamais dû laisser ta voiture là le premier soir.

Il attendit que la serveuse ait posé leurs bières.

— Il va falloir se cacher, reprit-il. Plus question de se retrouver au banc, de se laisser des petits mots. Nous ne pourrons même plus venir ici parce que c'est plein de flics.

— À t'entendre, on pourrait croire qu'on est des espions !

Il prit son verre et but à grandes gorgées.

— Des espions ? répéta-t-il. On n'en est pas loin. N'oublie pas que la police de Los Angeles, je la pratique depuis plus de vingt-cinq ans. Toi, tu commences à peine. J'ai bien plus d'ennemis chez les flics que tu n'as d'arrestations à ton palmarès. S'il leur faut faire tomber une bleue pour m'avoir, ils le feront sans hésiter. Et je ne plaisante pas, Julia.

Elle baissa la tête à la manière d'une tortue et regarda à droite, puis à gauche.

— D'accord, agent 0045.

— Ouais, ouais, tu peux rigoler !

— Allons, Harry.

— J'essaie seulement de te protéger, dit-il. Avec plus vingt-cinq, c'est moins important pour moi.

— Comment ça ?

— Quand on a plus de vingt-cinq ans de carrière, on a la retraite maximale. Partir après vingt-cinq ou trente-cinq ans de boulot ne change rien à l'affaire. Bref, avoir « plus vingt-cinq », c'est pouvoir dire merde à certains. Si tu n'aimes pas ce qu'on te fait subir, tu peux toujours tirer ta révérence. Parce que le pognon et la gloire, ce n'est plus tellement ce que tu cherches.

— Alors, qu'est-ce que tu cherches ?

Il haussa les épaules et regarda sa bière.

— Le boulot… Rien de fabuleux ni d'héroïque. Juste la possibilité de remettre de temps en temps les choses d'aplomb dans un monde complètement foutu. Tiens, dans cette affaire, par exemple…

— Quoi, dans cette affaire ?

— Si on réussissait à comprendre ce qui s'est passé, on pourrait espérer compenser un peu ce qui est arrivé au gamin. Ça pourrait faire un peu de bien au monde… Je ne sais pas, peut-être que, sur la distance, ça ne veut rien dire. Des kamikazes frappent New York et trois mille personnes en meurent avant même d'avoir fini leur première tasse de café. Qu'est-ce que peut bien faire un petit tas d'ossements qui remonte à on ne sait combien d'années, hein ?

Elle eut un doux sourire.

— Ce qu'il y a d'important, c'est que, pour toi, tout ça ait un sens. Et si c'est le cas, alors oui, il est important que tu fasses de ton mieux. Quoi qu'il arrive dans le monde, des héros, on en aura toujours besoin. J'espère avoir la chance de compter parmi eux un jour.

Il hocha la tête.

— Tu te rappelles la pub où on voyait une vieille femme assise par terre et qui disait : « Je suis tombée et je ne peux plus me relever » ? Et tout le monde se foutait d'elle ?

— Oui, je me rappelle.

— Oui… Eh bien moi, il y a des moments où c'est ça que je ressens. On tombe sur une affaire et on se dit que ce coup-là, ça y est. On sent qu'avec ce dossier-là, on va pouvoir se relever.

— Ça s'appelle la rédemption, Harry. Et cette affaire, c'est ta chance ?

— Je crois, oui. Enfin… j'espère.

— Bon, eh bien, à la rédemption !

Elle prit son verre pour porter un toast.

— Alors, tu rentres à la maison avec moi ? lui demanda-t-il.

Elle secoua la tête.

— Non, je ne vais pas avec toi.

Il fronça les sourcils.

— Non, ce soir, dit-elle, je te suis jusque chez toi. Tu as oublié ? On ne peut pas laisser la voiture au parking.

Il sourit. La bière et le sourire de la jeune femme faisaient merveille sur lui.

8

EDGAR et Bosch passèrent la matinée à mettre à jour le dossier de l'affaire. Au début de l'après-midi, le téléphone se mit à sonner. C'était Mankiewicz, le sergent de jour.

— Hé! Bosch, qu'est-ce que tu fous?

— Pas grand-chose…

— Ben tiens! Vous autres n'arrêtez pas de rien foutre pendant que nous, on n'arrête pas de bosser.

— Vous m'avez trouvé John Stokes?

— On le pense.

— Où ça?

— Il bosse à la *Washateria.*

La *Washateria* était une station de lavage de voitures dans La Brea Avenue.

— Qui l'a repéré?

— Des types de la mondaine. Ils aimeraient savoir si tu veux qu'ils l'arrêtent ou si tu préfères être là.

— Dis-leur de patienter un peu. On arrive. T'aurais pas une équipe de rab qu'on pourrait utiliser s'il essaie de filer?

— Tu as de la chance. J'ai deux équipes de 3 à 11 heures qui devraient quitter assez tôt. Ils pourraient être libres dans un quart d'heure. Ça t'irait?

— C'est parfait. Dis-leur de nous retrouver au parking des Checkers, au croisement de La Brea Avenue et de Sunset Boulevard. Et tu dis aux mecs de la mondaine de nous y retrouver, eux aussi.

— Euh… encore un truc, dit Mankiewicz.

— Oui, quoi?

— Dans l'équipe de soutien, y aura Brasher. Ça te pose un problème?

Bosch garda le silence un instant. Il avait envie de lui dire de trouver quelqu'un d'autre, mais il savait que s'il essayait de modifier le planning, il risquait de faire l'objet d'une enquête des bœufs-carottes.

— Non, il n'y a pas de problème, dit-il enfin.

— Écoute...

— Je t'ai dit que ça ne posait pas de problème.

La station de lavage était entourée par des murs en béton sur trois côtés. La partie qui donnait sur La Brea faisait dans les 50 mètres de long, avec, d'un bout à l'autre, un mur d'entrée et de sortie à chaque extrémité.

Le plan était simple. Eyman et Leiby couvriraient l'entrée, Brasher et son coéquipier Edgewood se chargeant de la sortie. Bosch et Edgar entreraient en voiture comme n'importe quel client et sauteraient sur Stokes. Ils passèrent leurs émetteurs radio en fréquence tactique et convinrent d'un code : rouge, Stokes avait filé; vert, il s'était laissé prendre sans opposer de résistance.

Ils gagnèrent la station de lavage en silence. En arrivant, Bosch vit que les flics de la mondaine s'étaient garés le long du trottoir, à quelques voitures de l'entrée. Plus bas dans la rue, de l'autre côté de la station, la voiture de patrouille s'était rangée dans une file de véhicules en stationnement. Bosch décrocha sa radio.

— Bien. On y va.

Edgar s'engagea dans l'allée où les clients abandonnaient leurs voitures au poste de nettoyage. Bosch scruta aussitôt la rangée d'employés. Ils portaient tous une combinaison orange identique et une casquette, mais il ne tarda pas à repérer Johnny Stokes.

— Il est là-bas, souffla-t-il à Edgar.

— Prêt?

— Allons-y.

Ils ouvrirent leurs portières en même temps. Bosch descendit de la voiture et se dirigea vers Stokes qui se trouvait à 25 mètres de là et lui tournait le dos. Accroupi, celui-ci était en train de vaporiser un produit sur les roues d'une BMW.

Ils avaient fait la moitié du chemin qui les séparait de Stokes lorsqu'ils furent reconnus par d'autres ouvriers. Quelque part dans son dos, Bosch entendit une voix qui criait :

— Les flics!

Aussitôt en alerte, Stokes se releva et Bosch s'élança. Il était à 5 mètres de Stokes lorsque celui-ci comprit que c'était à lui qu'on en voulait. Filer à gauche et prendre par l'entrée de la station était la solution la plus évidente, mais la BMW lui bouchait le passage. Il voulut partir sur la droite, mais s'arrêta en découvrant qu'il n'y avait pas d'issue.

— Non! lui cria Bosch. On veut juste vous parler! C'est tout!

Stokes se tassa, visiblement. Bosch fonça vers lui tandis qu'Edgar prenait par la droite, au cas où l'ancien taulard aurait voulu forcer le passage. Bosch ralentit l'allure et ouvrit grandes les mains en se rapprochant.

— Police, dit-il. On veut juste vous poser quelques questions.

Stokes leva brusquement le bras et aspergea Bosch de nettoyant pour les pneus. Puis il bondit sur sa gauche, vers le cul-de-sac où le mur arrière de la station venait buter sur celui d'un immeuble de location de trois étages.

Bosch entendit Edgar crier après Stokes. Il ne pouvait plus ouvrir les yeux. Il approcha sa radio de sa bouche et hurla :

— Rouge! Rouge! Rouge! Il file par-derrière.

Puis il laissa tomber sa radio par terre et se frotta les yeux avec les manches de sa veste. Enfin il put les ouvrir quelques secondes. Il repéra un tuyau raccordé à un robinet, qu'il actionna, et s'aspergea le visage et les yeux. Bientôt il vit assez clair pour pouvoir se déplacer. Il ramassa la radio et passa sur la fréquence de la patrouille de Hollywood.

— À toutes les unités de Hollywood! lança-t-il. Officiers en poursuite. Agresseur au croisement de La Brea Avenue et de Santa Monica Boulevard. Blanc, trente-trois ans, cheveux noirs, combinaison orange. Aux environs de la *Washateria* de Hollywood.

Il revint sur la fréquence tactique et demanda où tout le monde se trouvait. Seul Edgar lui répondit par radio.

— Il y avait un trou au coin du mur, dit-il. Il a réussi à passer dans l'allée. Il est dans un immeuble de location, au nord de la station.

— Et les autres? Où sont les autres?

La voix d'Edgar lui revint avec des blancs. Son coéquipier était entré dans une zone de silence radio.

— Ils sont derrière… déployés… je crois… garage… ça va, Harry?

— Je m'en sortirai. Les renforts arrivent.

Il repéra le trou par lequel Stokes avait filé et s'y glissa. De l'autre côté, il se retrouva dans une allée qui longeait l'arrière d'immeubles de rapport. La voiture de patrouille était garée devant une rampe d'accès qui s'enfonçait dans les profondeurs du garage situé sous le plus grand des immeubles. Bosch se rappela que le vol de voitures faisait partie des délits portés au passif de Stokes et comprit tout de suite que celui-ci avait décidé de descendre au garage. Sa seule façon d'en sortir était de piquer une voiture.

Bosch s'enfonça dans l'obscurité et sortit son arme pour la première fois depuis le début de l'intervention. Soudain il entendit des bruits de pas monter en écho du niveau inférieur. Il courut vers la rampe et commença à la descendre lorsqu'il entendit une voix suraiguë tout au bout du parking. C'était Julia Brasher.

— Là! Là! On ne bouge plus!

Bosch localisa la voix. Toute son expérience lui disait de crier afin d'avertir sa collègue de sa présence. Mais il savait aussi que si Julia était seule avec Stokes, son cri risquait de la déconcentrer et d'offrir à Stokes une occasion de filer ou de s'en prendre à elle.

Il avait coupé par-dessous la rampe lorsqu'il les vit tous les deux près du mur du fond, à moins de 15 mètres de distance. Julia avait coincé Stokes contre le mur, jambes et bras écartés. Elle l'immobilisait d'une main appuyée dans son dos. Posée par terre, juste à côté de son pied droit, sa lampe torche éclairait le mur contre lequel Stokes était plaqué.

La manœuvre était impeccable. Bosch sentit le soulagement l'envahir et comprit presque aussitôt que c'était de voir qu'il ne lui était rien arrivé. Il se redressa et s'approcha, son arme baissée. Il était juste derrière eux et n'avait fait que quelques mètres lorsqu'il vit Julia retirer sa main du dos de Stokes et reculer d'un pas pour regarder à droite et à gauche. Il sentit tout de suite que c'était ce qu'il ne fallait surtout pas faire. Stokes allait pouvoir se remettre à courir s'il en avait envie.

Alors, tout parut ralentir. Bosch avait commencé à crier lorsque le garage fut soudain envahi par l'éclair et la détonation d'un coup de feu. Julia s'affaissa, Stokes restant debout.

Bosch ne pensa plus qu'à une chose : où était le tireur ?

Il leva son arme et s'accroupit dans la position de tir. Puis il commença à tourner la tête pour repérer l'agresseur, mais il s'aperçut que Stokes commençait à se détacher du mur. Par terre, Julia leva le bras, son arme pointée sur Stokes.

Bosch braqua son Glock sur Stokes.

— Pas un geste ! hurla-t-il. On ne bouge plus.

— Tire pas, mec ! cria Stokes. Tire pas !

— À terre ! hurla Bosch. À terre ! Tout de suite !

Stokes s'allongea sur le ventre, les bras écartés à angle droit de son corps. Bosch l'enjamba et, d'un geste qu'il avait accompli des milliers de fois, il menotta Stokes dans le dos. Il remit ensuite son arme dans son étui et se tourna vers Julia. Elle avait les yeux grands ouverts et ceux-ci n'arrêtaient pas de bouger. Du sang trempait déjà le devant de son uniforme. Il s'agenouilla devant elle et déchira sa chemise, mais il y avait tellement de sang qu'il lui fallut un petit moment pour localiser la blessure. La balle était entrée dans l'épaule gauche, à 2 ou 3 centimètres de la bretelle en Velcro de son gilet pare-balles.

Bosch vit qu'elle perdait vite ses couleurs. Il chercha autour de lui et aperçut un chiffon qui sortait de la poche revolver de Stokes. Il le tira d'un coup sec et en fit une compresse improvisée qu'il appuya sur la blessure. Julia gémit de douleur.

— Julia, dit-il, il faut que j'arrête l'hémorragie.

D'une main il ôta sa cravate et la lui passa autour de l'épaule. Puis il fit un nœud pour maintenir la compresse en place. Il ramassa sa radio.

— Allô, dispatching. Officier touché, immeuble locatif de La Brea Park, parking dernier sous-sol, croisement La Brea-Santa Monica. Demandons ambulance tout de suite ! Suspect arrêté.

Il repassa sur la fréquence tactique.

— Edgar, Edgewood, dit-il, on est au parking du dernier sous-sol. Brasher est blessée. Stokes est maîtrisé. Je répète : Brasher est blessée.

— Hé, mec ! cria Stokes. C'est pas moi qu'ai fait ça…

— La ferme, Stokes. La fer-me !

Bosch glissa sa veste sous la tête de Brasher. Elle serrait les dents de douleur. Ses lèvres étaient presque blanches.

— L'ambulance arrive, Julia, dit-il. Accroche-toi.

Il ôta l'arme de la main gauche de Julia et la posa par terre, loin de Stokes. Puis il lui prit la main et la tint dans les siennes.

— Qu'est-ce qui s'est passé ? dit-il. Mais qu'est-ce qui s'est passé, nom de Dieu ?

Encore une fois, elle ouvrit la bouche, et la referma. Bosch entendit qu'on descendait la rampe en courant. Un instant plus tard, Edgar et Edgewood les avaient rejoints.

— Julia ! hurla Edgewood. Oh, putain !

Sans la moindre hésitation, il fit un pas en avant et décocha un coup de pied particulièrement vicieux dans le flanc de Stokes.

— Espèce de fumier !

— Non ! hurla Bosch. Arrière ! Laisse-le tranquille ! (Puis, à Edgar :) Emmène-le et ramène l'ambulance !

Comme si elles n'attendaient que ce signal, des sirènes se firent entendre dans le lointain. Edgar et Edgewood repartirent vers la rampe au pas de course.

Bosch se retourna vers Brasher. Elle avait déjà le teint d'une morte. Bosch ne comprenait pas. Elle n'était blessée qu'à l'épaule. Il la palpa mais ne trouva aucune autre blessure.

— Allez, Julia, dit-il, on tient bon. Tu vas y arriver.

Elle ouvrit de nouveau la bouche, et tenta de parler.

— Il… a attrapé… il a cherché…

— Chut. Chuuuut ! Ne parle pas. Reste en vie, Julia !

Une seconde plus tard, des lueurs rouges ricochaient sur les murs et l'ambulance s'arrêtait à côté d'eux. Une voiture de patrouille pila derrière elle.

Arrivé à leur hauteur, le premier ambulancier posa une main sur l'épaule de Bosch. Il reculait déjà lorsque Brasher lui attrapa brusquement l'avant-bras et l'attira vers elle. Elle n'avait presque plus de voix.

— Harry, dit-elle, ce n'était pas… ne les laisse pas…

L'ambulancier lui mit un masque à oxygène sur la figure et ses mots s'y perdirent.

Deux policiers en tenue se portèrent à leur rencontre. Bosch les reconnut : c'étaient les amis avec qui Julia avait discuté l'autre soir devant le commissariat.

— On vous l'emmène, dirent-ils.

Bosch aida Stokes à se remettre debout.

— Non, dit-il, c'est moi qui m'en occupe.

— Inspecteur, il faut que vous restiez ici pour l'évaluation.

Ils avaient raison. L'équipe d'évaluation du tir allait bientôt débarquer et Bosch serait le principal témoin interrogé. Mais il n'allait pas confier Stokes à des gens en qui il n'avait pas une confiance absolue.

Il poussa Stokes le long de la rampe, vers la lumière.

— Stokes, dit-il, je vais te coller dans une pièce, et tu ne parleras qu'à moi. M'as-tu bien compris?

— J'ai bien compris, mais empêchez-les de me faire du mal.

Lorsqu'ils retrouvèrent la lumière, Bosch vit Edgar.

— Où est ta voiture?

— Toujours à la station de lavage.

— Va la chercher. On emmène Stokes au commissariat.

— Harry, on peut pas quitter une scène de...

— Tu as vu ce qu'a fait Edgewood, non? Il faut absolument foutre ce merdeux en sûreté.

Edgar partit vers la station de lavage en courant.

EDGAR et Bosch poussèrent Stokes à travers le poste, vers les salles d'interrogatoire. Ils le collèrent dans la 3 et le menottèrent à l'anneau en acier vissé à la table.

— On revient tout de suite, dit Bosch.

Ils quittèrent la pièce et la fermèrent à clef. Une fois dans le bureau des Homicides, Bosch jeta un coup d'œil à Edgar.

— Harry, demanda celui-ci. Qu'est-ce qui s'est passé?

— Écoute... je vais à la salle d'interrogatoire et je questionne Stokes sur Arthur Delacroix, histoire de voir ce que je peux en tirer avant que l'Évaluation ne débarque en force pour me le piquer. Tu essaies de les faire patienter quand ils arrivent?

— D'accord.

Bosch gagna le couloir du fond. Il s'apprêtait à entrer dans la salle d'interrogatoire numéro 3 lorsqu'il s'aperçut qu'il n'avait pas repris son magnétophone à l'inspectrice Bradley, de la police des polices. Comme il tenait à enregistrer la séance, il entra dans la pièce voisine, où se trouvait l'équipement vidéo. Il alluma la caméra et le magnéto d'appoint et regagna la salle numéro 3.

Il s'assit en face de Stokes et eut l'impression que la vie avait quitté les yeux du jeune homme. Stokes savait très bien que, dès qu'il se mélange à l'eau, le sang de flic attire tous les requins de la police. Nombreux étaient les suspects qui se faisaient tirer dessus en essayant de s'évader d'une salle identique à celle-là. Enfin… c'était ce qu'on racontait aux journalistes.

— Tu te calmes et tu ne fais pas de conneries, d'accord? lui lança Bosch. Si j'avais voulu te dérouiller, je l'aurais fait dans le garage. Je vais te proposer un marché. Tu te rappelles le petit coup de pied que tu as reçu dans les côtes là-bas? On fait un échange. Tu oublies l'incident et tu encaisses comme un homme et moi, j'oublie la merde que tu m'as balancée dans la gueule.

Stokes acquiesça d'un signe de tête.

— Sauf que ça ne va rien changer, dit-il à Bosch. Ils vont quand même dire que c'est moi qui lui ai tiré dessus et que…

— Peut-être, mais moi, je sais que ce n'est pas vrai. Je vais leur dire exactement ce que j'ai vu.

— Bon, dit Stokes dans un murmure.

— Donc, commençons par le commencement. Pourquoi t'es-tu mis à courir?

— Parce que c'est la vie, mec. Je suis un condamné et toi, t'es un flic. Alors, je cours.

— Parle-moi d'Arthur Delacroix.

Le trouble se lut dans les yeux de Stokes.

— Quoi? De qui ça?

— D'Arthur Delacroix. Ton pote de skate.

— Putain, mec, mais c'était…

— Il y a très longtemps, je sais. C'est pour ça que je te demande.

— Artie? Quoi Artie? Il y a longtemps qu'il a disparu.

— Parle-moi de lui. Dis-moi quand il a disparu.

Stokes baissa les yeux sur ses menottes.

— Ça remonte à loin. J'arrive pas à me rappeler.

— Essaie. Pourquoi a-t-il disparu?

— Je sais pas, moi. Il aurait pas pu supporter plus longtemps.

— Il te l'a dit?

— Non. Un jour, il était plus là. Et je ne l'ai plus jamais revu.

— Tu as dit qu'il avait filé parce qu'il ne pouvait plus supporter quelque chose. Il avait des ennuis à la maison ?

Stokes éclata de rire.

— Comme si des ennuis, personne n'en avait !

— Est-ce qu'il était maltraité… physiquement, chez lui ?

— Et qui ne l'était pas ? Mon père… il aurait préféré me flinguer plutôt que de me parler. J'avais à peine douze ans quand il m'a blessé avec une boîte de bière qu'il m'avait jetée à travers la pièce. Juste parce que j'avais bouffé un taco qu'il s'était réservé. C'est pour ça qu'ils ont fini par lui retirer ma garde.

— Tout ça, c'est vraiment honteux, mais c'est d'Arthur Delacroix qu'on parle. Il te disait que son père le frappait ?

— Il avait pas besoin. Ses bleus, je les voyais.

— Parce qu'il faisait du skate. Il tombait souvent.

— Artie était bien trop bon pour se faire mal.

Quelqu'un cogna à la porte et une voix étouffée leur parvint.

— Inspecteur Bosch. Ici, le lieutenant Gilmore, de l'Évaluation. Ouvrez.

Stokes recula brusquement, une peur panique dans les yeux.

— Non ! Ne les laissez pas me…

Bosch saisit Stokes par le col et le tira vers lui.

— Écoute-moi, c'est important. Es-tu en train de me dire qu'Arthur ne t'a jamais avoué que son père le battait ?

— Mec, tu me protèges et je te dis tout ce que tu veux.

— Je veux que tu me dises la vérité, bordel !

La porte s'ouvrit. Ils avaient trouvé une clef dans le tiroir du bureau de la réception.

— Bien, lança Gilmore, on arrête ça, et tout de suite. Bosch, qu'est-ce que vous foutez ?

— Il te l'a dit ou il te l'a pas dit ? répéta Bosch.

— Sortez-moi ce type d'ici ! hurla Gilmore à son collègue.

L'inspecteur arracha Stokes à son siège et l'éjecta de la pièce en le soulevant à moitié. Les menottes de Bosch restèrent sur la table. Il sentit un poids horrible lui écraser la poitrine en comprenant que tout cela n'avait été qu'une impasse. Stokes n'avait rien apporté au dossier. Julia s'était fait abattre pour rien.

Il leva enfin la tête pour regarder Gilmore, qui avait fermé la porte et s'était tourné vers lui.

— Bon et maintenant, vous me dites : qu'est-ce que vous fabriquez, Bosch ?

— BIEN, on recommence, dit Gilmore. Dites-moi ce qu'a fait l'officier Brasher.

Bosch regarda derrière lui. On lui avait assigné la chaise des suspects. Il se trouvait en face du miroir – la vitre sans tain derrière laquelle, il en était sûr, se tenaient au moins une demi-douzaine de personnes, dont probablement le chef adjoint Irving.

— Brasher s'est tiré dessus je ne sais pas trop comment, dit-il. Elle me tournait le dos.

— Alors, comment pouvez-vous être sûr qu'elle s'est tiré dessus ?

— Parce qu'à ce moment-là il n'y avait qu'elle, moi et Stokes. Or je ne lui ai pas tiré dessus et Stokes non plus. C'est elle qui s'est tiré dessus.

— En luttant avec Stokes.

— Non, il n'y avait pas lutte quand le coup de feu est parti. Je ne sais pas ce qui s'est passé avant que j'arrive, mais au moment où le coup de feu est parti, Stokes avait les deux mains à plat sur le mur et il tournait le dos à l'officier Brasher. Elle lui appuyait la main dans le dos pour l'immobiliser. Je l'ai vue reculer et baisser la main. Je n'ai pas vu son arme, mais j'ai entendu la détonation et j'ai vu un éclair de lumière devant elle. Elle s'est affaissée aussitôt.

Gilmore tapota bruyamment son crayon sur la table.

— Ça va vous bousiller votre enregistrement, lui fit remarquer Bosch. Ah, mais qu'est-ce que je dis ? Vous autres n'enregistrez jamais rien, pas vrai ?

— T'occupe. Et après, qu'est-ce qui s'est passé ?

— J'ai commencé à m'approcher d'eux en avançant vers le mur. Stokes s'est retourné pour voir ce qui était arrivé. L'officier Brasher était toujours à terre. Elle a levé le bras pour mettre Stokes en joue avec son arme.

— Mais elle n'a pas tiré, n'est-ce pas ?

— Non. J'ai hurlé à Stokes : « On ne bouge plus ! » Il n'a plus bougé et elle n'a pas tiré. Je suis entré dans le périmètre d'action et j'ai cloué Stokes au sol. Puis je l'ai menotté. J'ai demandé des renforts par radio et j'ai essayé de soigner la blessure de l'officier Brasher du mieux que je pouvais.

— Moi, ce que je ne comprends pas, c'est pourquoi elle se serait flinguée.

— Je ne sais pas.

— Bon... acceptons votre version pour l'instant. Imaginons qu'elle ait effectivement été en train de rengainer son arme – ce qui serait allé à l'encontre du règlement, mais admettons... Donc, elle rengaine pour pouvoir menotter le type. Elle a son étui à la hanche droite et la balle lui est entrée dans l'épaule gauche. Comment ça s'explique, hein?

Bosch repensa au moment où, quelques soirs auparavant, Brasher lui avait posé des questions sur la cicatrice qu'il avait à l'épaule gauche. Il sentit la pièce se resserrer, se refermer sur lui.

— Je ne sais pas, répéta-t-il.

— Vous dites que Stokes vous a jeté du nettoyant à la figure.

— C'est exact.

— Et que ça vous a aveuglé un instant.

— Exact.

Gilmore se leva et arpenta le petit espace derrière sa chaise.

— Combien de temps s'est-il écoulé entre le moment où vous avez été aveuglé et celui où, arrivé dans le garage, vous auriez censément vu l'officier Brasher se tirer une balle dans le corps?

Bosch réfléchit un instant.

— Eh bien... j'ai attrapé un tuyau d'eau pour me laver les yeux et après, j'ai repris la poursuite. Disons pas plus de cinq minutes. Mais pas beaucoup moins non plus.

— Vous n'avez donc pas vu la lutte qui s'est menée pour atteindre l'arme de Brasher avant que le coup ne parte. C'est bien ça?

Bosch comprenait parfaitement le petit manège sémantique auquel se livrait Gilmore.

— Cessez de jouer avec les mots, lieutenant, lui lança-t-il. Il n'y a pas eu de lutte. Je n'ai pas vu de lutte parce qu'il n'y en a pas eu. S'il y en avait eu une, je l'aurais vue. Suis-je assez clair?

Gilmore ne réagit pas. Il continua de faire les cent pas.

— Écoutez, reprit Bosch, pourquoi vous ne testez pas Stokes

pour voir s'il a des restes de poudre sur lui? Examinez ses mains et sa combinaison. Vous savez que vous ne trouverez rien. Ça aurait l'avantage de clore le débat assez vite.

Gilmore hocha la tête.

— Vous savez, inspecteur, dit-il, j'aimerais beaucoup pouvoir le faire. Sauf que, dans le cas qui nous occupe, vous avez enfreint le règlement. Vous avez pris sur vous d'extraire Stokes de la scène de crime et de le ramener ici. La continuité a été rompue, vous comprenez? Il aurait très bien pu se laver, se changer, je ne sais pas, moi.

Bosch s'était préparé à ces remarques.

— Pour moi, il y avait danger, lui répliqua-t-il. Mon coéquipier vous le dira lui aussi. Et Stokes également. Stokes que je n'ai jamais lâché des yeux jusqu'à ce que vous débarquiez ici!

— Cela ne change rien au fait que, pour vous, votre affaire avait plus d'importance que notre enquête pour déterminer comment un officier de police avait été abattu, c'est ça?

Bosch commençait à comprendre ce que Gilmore était en train de fabriquer. Pour lui et la police de Los Angeles, il était essentiel d'annoncer que Brasher avait été touchée alors qu'elle luttait pour rester en possession de son arme. Vue sous cet angle, sa conduite devenait héroïque. Il n'y avait rien de tel qu'un policier abattu dans l'accomplissement de son devoir – surtout une femme, et qui débutait dans la carrière – pour rappeler à tout un chacun combien étaient nobles les forces de police et le travail qu'elles effectuaient.

L'autre hypothèse – déclarer que Brasher s'était tiré dessus accidentellement, sinon pire – ne ferait que mettre la police dans l'embarras. Embarras qui viendrait s'ajouter à la longue liste de ses fiascos en matière de relations publiques.

Bosch était un témoin oculaire assermenté. Pour arriver à la conclusion qu'il souhaitait, Gilmore se devait de lui faire modifier son histoire et, s'il n'y parvenait pas, d'essayer d'en infléchir le sens.

Pour Bosch, l'histoire devenait démente.

— Minute, minute, dit-il en réussissant à se contenir assez pour ne pas insulter un supérieur. Si vous essayez de faire croire que je mentirais en affirmant que Stokes n'a pas tiré sur l'officier Brasher, cela afin de pouvoir le garder dans mon affaire, vous n'avez plus tous vos esprits!

— Inspecteur Bosch, lui renvoya Gilmore, j'essaie seulement d'explorer toutes les possibilités. C'est mon travail.

— Eh bien, sachez que ces possibilités, vous pouvez les explorer sans moi.

Il se leva et se dirigea vers la porte.

— Où allez-vous?

— Pour moi, cet entretien est terminé.

Il ouvrit la porte et se retourna vers Gilmore.

— Écoutez-moi, lieutenant. Votre théorie, c'est de la merde. Stokes ne me sert à rien dans cette affaire. À rien du tout. Julia a été blessée pour rien.

— Sauf que ça, vous ne le saviez pas avant d'amener Stokes ici, n'est-ce pas?

Bosch se retourna pour franchir le seuil et s'écrasa presque dans Irving. Le chef adjoint se tenait droit comme un « i » de l'autre côté de la porte.

— Vous voulez bien revenir un instant dans cette pièce, inspecteur? dit calmement Irving. S'il vous plaît?

Bosch recula. Irving le suivit à l'intérieur.

— Lieutenant, lança Irving à Gilmore, vous voulez bien nous faire un peu de place? Et je ne veux plus personne de l'autre côté, ajouta-t-il en montrant la vitre sans tain.

— Oui, chef, dit Gilmore en quittant la pièce.

— Reprenez votre chaise, inspecteur Bosch.

Bosch se rassit en face de la vitre. Irving resta debout.

— Nous dirons donc que le tir a été accidentel, reprit Irving. L'officier Brasher a appréhendé le suspect, et c'est en rengainant son arme qu'elle a fait partir le coup par inadvertance.

— C'est ce qu'elle dit? demanda Bosch.

L'espace d'un instant, Irving parut décontenancé, puis il hocha la tête.

— Pour ce que j'en sais, il n'y a qu'à vous qu'elle ait parlé et elle n'a rien dit de précis sur le tir.

— Et donc… point final? demanda Bosch.

Les images de ce qu'il avait vu dans le garage lui revenaient au ralenti. Il y avait quelque chose qui clochait.

Irving s'éclaircit la gorge.

— Je ne vais pas en débattre avec vous, inspecteur. La décision a été prise.

— Par vous.

— Oui, par moi.

— Et Stokes?

— Ça sera au procureur de voir. Il peut l'accuser au titre de la loi sur les meurtres commis pendant l'exécution d'un délit. Car c'est bien sa fuite qui a conduit au tir.

— Minute, minute, dit Bosch en se levant de sa chaise. La loi sur les *meurtres* commis pendant l'exécution d'un délit?

— Quoi? Le lieutenant Gilmore ne vous a pas dit?

Bosch se laissa retomber sur sa chaise.

— La balle a frappé un os de son épaule et semble avoir ricoché dans son corps. Elle lui a traversé la poitrine et transpercé le cœur. Brasher était déjà morte lorsqu'elle est arrivée à l'hôpital.

Bosch baissa la tête. Pris de vertige, il crut tomber de sa chaise et respira fort jusqu'à ce que ça passe. Au bout d'un moment, il entendit Irving lui parler dans les ténèbres de son esprit.

— Inspecteur, dit celui-ci, il y a des officiers de police qui semblent toujours s'attirer des ennuis. Sans arrêt. Tout le temps. Et malheureusement, vous en faites partie.

Bosch acquiesça sans même s'en rendre compte. Il repensa à l'instant où l'infirmier avait posé le masque à oxygène sur la bouche de Julia alors même qu'elle était en train de parler.

Ne les laisse pas...

Ne les laisse pas quoi?

Il commençait à faire des rapprochements et à comprendre ce qu'elle avait voulu lui dire.

— Inspecteur, reprit Irving, j'aimerais que vous pensiez à prendre votre retraite. Et vite.

Bosch ne releva pas la tête et garda le silence. Au bout d'un moment, il entendit la porte s'ouvrir, puis se refermer.

En accord avec les souhaits de sa famille qui désirait qu'elle soit enterrée selon sa religion, Julia fut inhumée dès le lendemain après-midi au cimetière de Hollywood Memorial Park. Comme elle se déroulait à peine un peu plus de vingt-quatre heures après le décès, la cérémonie n'attira pas les foules. Et l'enterrement d'un flic qui s'est tué en rengainant son arme n'est pas non plus fait pour réactiver la mystique policière.

Pendant toute la cérémonie, Bosch songea encore et encore aux photos de requins à la gueule grande ouverte et de volcans crachant leur lave en fusion posées sur la cheminée de Julia. Il se demanda si elle avait enfin satisfait la personne à laquelle elle se croyait obligée de donner toutes ces preuves.

Dans l'océan d'uniformes bleus qui entouraient le cercueil argenté se trouvait une bande de gris. Les avocats. Le père de Julia et une forte délégation de son cabinet. Au deuxième rang, derrière le père de Julia, Bosch aperçut l'homme dont il avait vu la photo sur le dessus de la cheminée du bungalow de Venice. L'homme qui l'avait poussée dans cette voie.

Mais il savait aussi que les gens choisissent leur propre chemin. Tout le monde a sa cage pour être à l'abri des requins, et ceux qui en ouvrent la porte et s'aventurent dehors le font à leurs risques et périls.

Sept camarades de promotion de Julia Brasher, choisis pour le salut au drapeau, pointèrent leurs fusils vers le soleil qui disparaissait à l'horizon et tirèrent trois salves de balles à blanc. Les douilles en laiton de leurs projectiles tracèrent des arcs dans la lumière avant de retomber dans l'herbe comme des larmes.

Bosch s'approcha lentement de la tombe en croisant des gens qui s'en allaient déjà. Il remarqua une Latina aux cheveux gris argent. Il lui fallut un petit moment pour la reconnaître.

— Docteur Hinojos, dit-il enfin.

— Comment allez-vous, inspecteur Bosch?

— Bien, dit-il. Et vous, comment ça va à l'atelier de réparations psychologiques?

Elle sourit.

— Pas trop mal.

Bosch était en congé pour stress lorsqu'il l'avait connue. Au fil de séances auxquelles il prenait part deux fois par semaine, il lui avait révélé des choses qu'il n'avait jamais dites à personne ni avant ni depuis. Et il ne lui avait plus jamais reparlé depuis qu'il avait repris son travail. Jusqu'à maintenant.

— Vous connaissiez Julia Brasher ? lui demanda-t-il.

— Non, pas vraiment, répondit-elle. En tant que chef de service, j'ai étudié sa demande de poste et le compte rendu de son entretien d'embauche. Et j'ai donné mon accord. Je me suis laissé dire que vous étiez proche d'elle. Et que vous étiez là quand ça s'est passé.

Il acquiesça d'un signe de tête.

— C'est ma signature qui lui a donné son insigne de policier. Si j'ai loupé quelque chose, je veux le savoir. S'il y avait des signes, nous aurions dû les voir.

Bosch hocha la tête et regarda l'herbe qui les séparait.

— Ne vous inquiétez pas, des signes que j'aurais dû voir, il y en avait. Mais, moi non plus, je ne les ai pas compris.

— Alors j'ai raison, dit-elle. Il y a quelque chose d'autre.

— Ce n'était rien de bien évident. Seulement qu'elle vivait un peu trop au bord de l'abîme. Elle prenait des risques. Elle essayait de prouver quelque chose. J'ai une cicatrice à l'épaule… une blessure par balle. Elle voulait savoir comment je m'étais fait tirer dessus et je lui ai répondu que j'avais eu de la chance d'être touché à cet endroit-là parce qu'il n'y avait que de l'os. Et là… c'est au même endroit qu'elle s'est tiré dessus. Sauf qu'avec elle… ça a ricoché. Elle ne s'y attendait pas.

Le Dr Hinojos hocha la tête et attendit.

— Je n'arrête pas de me repasser la séquence dans la tête. Elle a braqué le suspect avec son arme. Et je crois que si je n'avais pas été là pour crier, elle l'aurait peut-être abattu. Une fois qu'il aurait été par terre, elle lui aurait serré les mains autour de son arme et aurait tiré dans le plafond ou dans une voiture. Mais peu importe : ça n'aurait pas eu beaucoup d'importance du moment qu'il se retrouvait mort avec de la paraffine sur les mains et qu'elle pouvait affirmer qu'il avait essayé de lui piquer son arme.

— Qu'est-ce que vous êtes en train de me dire, Harry ? Qu'elle s'est tiré dessus pour pouvoir le tuer et passer pour quelqu'un d'héroïque ?

— Je ne sais pas. Elle parlait de la nécessité d'avoir des héros. Surtout maintenant. Elle disait espérer avoir la chance de compter parmi eux un jour. Mais je crois que dans tout ça il y avait autre chose. C'est comme si cette cicatrice, elle la voulait. Comme si elle voulait en faire l'expérience.

— Et elle était prête à tuer pour y arriver?

— Je ne sais pas. Il faut croire qu'on ne connaît jamais vraiment les gens, n'est-ce pas?

— Non, c'est vrai. Tout le monde a ses secrets.

Elle s'avança vers lui et lui serra le bras.

— Accrochez-vous, Harry.

Il s'approcha de la tombe tandis qu'Hinojos s'éloignait. Il prit une poignée de terre sur le tas à côté de la tombe, avança vers le trou et regarda au fond. Lentement, il leva sa main en l'air et laissa la terre glisser entre ses doigts.

— La cité des ossements, murmura-t-il.

En quittant le cimetière, Bosch s'arrêta à l'endroit où les cadets avaient tiré les salves d'adieu. En passant son pied dans l'herbe, il chercha par terre jusqu'au moment où il vit un éclat métallique et se pencha pour ramasser une douille. Il la regarda un instant puis la fit tomber dans la poche de sa veste. Chaque fois qu'il assistait à l'enterrement d'un flic, il en gardait une. Il en avait un plein bocal chez lui.

9

LE mobile home de Samuel Delacroix donna l'impression de trembler d'un bout à l'autre lorsque Edgar frappa à la porte à 10 h 45 ce jeudi matin-là. Edgar attendit quelques secondes, puis recommença à taper, cette fois en criant « Police! ».

Ils attendirent. Bosch était nerveux, parce qu'il savait que toute l'enquête dépendait des quelques heures qu'ils allaient passer avec ce type. Après avoir fouillé son domicile, il leur faudrait prendre une décision : arrêter ou ne pas arrêter Delacroix pour le meurtre de son fils.

Un peu plus tôt, au cours d'une réunion avec le lieutenant Billets, il avait été décidé que le moment était venu de parler à Sam Delacroix. C'était le père de la victime, et le suspect numéro un. Les quelques indices disponibles pointaient tous dans sa direction. Ils avaient donc obtenu un mandat de perquisition pour le mobile home.

La porte s'ouvrit.

— Quoi? lança une voix d'homme.

Edgar montra son badge.

— Monsieur Delacroix? Police.

L'homme n'avait plus rien d'un soldat aryen. Il avait une tête de poivrot et portait un vieux short et un tee-shirt marron maculé de taches indélébiles sous les bras.

— De quoi s'agit-il?

— Nous avons un mandat de perquisition, répondit Bosch. Pouvons-nous entrer?

— Va bien falloir, non? fit Delacroix.

Bosch fut aussitôt assailli par une odeur de bourbon et une puanteur de pipi de chat. Les deux inspecteurs examinèrent brièvement ce qu'ils voyaient dans la faible lumière du mobile home. À droite de la porte se trouvait la salle de séjour. Lambrissée de panneaux de bois, elle était équipée d'un canapé et d'une table basse dont le vernis couleur bois avait sauté ici et là et laissait voir l'aggloméré en dessous.

— Monsieur Delacroix, asseyez-vous donc.

Delacroix se dirigea vers le canapé.

— Nous sommes venus vous parler de votre fils, dit Bosch.

Delacroix le dévisagea un long instant.

— Arthur, dit-il enfin.

— Oui. Nous l'avons retrouvé.

Delacroix se détourna et donna l'impression de quitter les lieux en se remémorant de lointains souvenirs. Et ses yeux dirent qu'il savait. Bosch le vit tout de suite.

— Ça n'a pas l'air de vous émouvoir beaucoup, enchaîna-t-il. Pour un père qui n'a pas revu son fils depuis vingt ans!

— C'est sans doute parce que je sais qu'il est mort.

Bosch l'étudia longuement. Cela ne collait avec aucun des scénarios qu'il avait envisagés. Il eut l'impression que Delacroix attendait leur visite – peut-être même depuis des années.

— Vous pouvez m'arrêter tout de suite, continua Delacroix.

— Vous savez comment ça s'est passé?

— Bien sûr que oui. C'est moi qui l'ai fait.

Bosch faillit jurer tout haut. Le suspect venait presque d'avouer avant qu'ils lui aient lu ses droits, dont celui de ne pas faire de déclarations qui l'incriminaient.

— Monsieur Delacroix, dit-il, nous allons terminer cet entretien dans l'instant. Je vais vous lire vos droits.

Delacroix agita la main comme si tout cela lui était égal.

— Jerry? Tu n'as pas un magnéto? demanda Bosch. Je n'ai pas repris le mien à la nana de la police des polices.

— Euh, si... dans la voiture. Mais je ne sais pas trop pour les piles.

— Bon, alors prends des notes.

Bosch sortit une de ses cartes de visite professionnelles. Il y avait fait imprimer le texte des droits Miranda au dos, avec une ligne où apposer sa signature. Il les lut à Delacroix et lui demanda s'il les comprenait. Delacroix acquiesça d'un signe de tête.

— C'est bien un oui, n'est-ce pas?

— Oui, c'est un oui.

— Si vous voulez bien signer sous ce que je viens de vous lire...

Il lui tendit sa carte et un stylo. Dès que Delacroix eut signé, il replaça la carte dans son étui.

— Bon, monsieur Delacroix, reprit-il, si vous voulez bien répéter ce que vous nous avez dit il y a quelques minutes...

Delacroix haussa les épaules comme si c'était vraiment sans importance.

— J'ai tué mon fils. Arthur, dit-il. Je l'ai tué. Je savais que vous finiriez par vous pointer. Vous avez mis longtemps.

Delacroix enfouit son visage dans ses mains et se mit à pleurer.

Bosch se tourna vers Edgar et haussa les sourcils. Son coéquipier lui fit signe qu'ils avaient gagné. Ils en avaient plus qu'il n'en fallait pour pouvoir passer à l'étape suivante – l'interrogatoire dans une salle du commissariat.

— Monsieur Delacroix, dit Bosch, où est votre chat?

Les yeux humides, Delacroix le regarda entre ses doigts.

— Pas loin. Probablement en train de dormir dans le lit. Pourquoi?

— Nous allons appeler la fourrière pour qu'ils viennent le

chercher et s'occuper de lui. Il va falloir que vous veniez avec nous. Nous allons vous mettre en état d'arrestation.

— Mme Kresky s'en occupera. Elle habite à côté.

— C'est impossible, fit Bosch. Nous allons devoir mettre les scellés jusqu'à ce que nous puissions fouiller votre maison de fond en comble.

— Et qu'est-ce que vous comptez y trouver? s'écria Delacroix en se mettant vraiment en colère. Je vous ai dit ce que vous vouliez savoir. J'ai tué mon fils. C'était un accident. J'ai dû le frapper trop fort. Je…

— Bon, on trouvera une solution pour le chat plus tard, dit Bosch. Levez-vous, monsieur Delacroix, nous allons vous menotter.

Ils le conduisirent dehors, Edgar passant devant tandis que Bosch fermait la marche.

— Il y a une clef? demanda celui-ci.

— Là, sur le plan de travail de la cuisine, répondit Delacroix.

Bosch entra de nouveau dans la pièce et y prit la clef du suspect. Puis il commença à ouvrir les buffets de la kitchenette et trouva enfin la nourriture pour chat. Il en ouvrit une boîte et en versa le contenu dans une assiette en carton, sous la table. Puis il quitta le mobile home et referma la porte à clef.

ARRIVÉ au bureau, Harry appela le procureur pour l'avertir qu'il avait été procédé à une arrestation dans une affaire de meurtre et qu'on était en train de transcrire des aveux. Puis il composa le numéro de la police des polices et demanda Carol Bradley.

— Bosch à l'appareil, Hollywood Division. Où est mon magnéto?

— C'est moi qui l'ai. Je voulais vérifier la continuité de l'enregistrement.

— Vous n'aviez qu'à ouvrir le magnéto et sortir la bande. Il était inutile de le prendre.

— Inspecteur, lui renvoya-t-elle, il y a des fois où on en a besoin pour authentifier l'enregistrement.

— Mais pourquoi vous me faites ça? Vous savez très bien qui est à l'origine de la fuite! Pourquoi perdez-vous votre temps comme ça?

— Je ne peux rien laisser au hasard, inspecteur, dit-elle.

Bosch se demanda s'il avait loupé une marche – ou si on parlait de tout à fait autre chose. Puis il décida qu'il ne pouvait pas se payer le luxe de s'en inquiéter. Il ne fallait pas dévier les yeux de la cible. Son affaire à lui.

— Sachez que j'ai failli rater des aveux aujourd'hui parce que je n'avais pas mon magnéto !

— Je vous le fais parvenir tout de suite par le courrier interne.

— Merci. Salut.

Il raccrocha, pile à l'instant où Edgar se pointait à la table avec trois tasses. Ils emportèrent leurs cafés dans la salle d'interrogatoire numéro 3, où se trouvait Delacroix.

Bosch entra dans la salle vidéo voisine, fit le point avec la caméra braquée sur le prisonnier, mit en marche la caméra et un magnéto de secours. Tout était prêt. Il repassa dans la salle d'interrogatoire pour finir d'emballer l'affaire.

BOSCH donna les noms des trois personnes présentes dans la salle, ainsi que l'heure et la date de l'interrogatoire, puis il posa un formulaire de renonciation aux droits constitutionnels sur la table et informa Delacroix qu'il avait l'intention de lui relire encore une fois les droits en question. Lorsqu'il en eut fini, il lui demanda de signer le formulaire et poussa ce dernier de côté. Puis il avala une gorgée de café et attaqua.

— Monsieur Delacroix, dit-il, un peu plus tôt dans la journée vous avez exprimé le désir de nous parler de ce qui est arrivé à votre fils Arthur en 1980. Le souhaitez-vous encore ?

— Oui.

— Avez-vous causé la mort de votre fils, Arthur Delacroix ?

— Oui, je l'ai tué. Je n'en avais pas l'intention, mais je l'ai tué.

— Quand cela s'est-il produit ?

— En mai, je crois. En mai 1980, enfin… je pense.

— Où votre fils a-t-il été tué ?

— Dans la maison où nous vivions à cette époque. Dans sa chambre.

— Vous l'avez frappé ?

— Oui.

— Où ?

— Partout, sans doute.

— Y compris à la tête ?

— Oui.

— Vous l'avez frappé à coups de poing ou avec quelque chose ?

— Les deux. À coups de poing et avec quelque chose. Je ne sais plus quoi.

— Nous pourrons y revenir plus tard, monsieur Delacroix. Quand est-ce arrivé ? À quelle heure ?

— Ça s'est produit le matin. Sheila, c'est ma fille… était déjà partie à l'école. C'est tout ce que je me rappelle… Sheila était déjà partie.

— Et votre femme, la mère du petit ?

— Oh ! elle, ça faisait longtemps qu'elle n'était plus là. Je ne lui ai plus jamais reparlé depuis le jour où elle est partie.

— Et votre fille ? Quand lui avez-vous parlé pour la dernière fois ?

Delacroix se détourna de Bosch.

— On ne se parle pas.

— Vous ne lui avez pas parlé cette semaine ?

Delacroix leva la tête et le regarda d'un air étonné.

— Cette semaine ? Non. Pourquoi voulez-vous…

— Revenons-en à votre fils, Arthur. Vous souvenez-vous de l'objet avec lequel vous l'avez frappé le jour de sa mort ?

— Je crois que c'était avec une petite batte de base-ball qu'il avait dans sa chambre. Un souvenir acheté à un match des Dodgers.

Bosch hocha la tête.

— Pourquoi l'avez-vous frappé ?

— Euh… je me rappelle plus bien. Je devais être saoul et j'ai… (Une fois de plus les larmes lui montèrent brusquement aux yeux.) Il… il aurait dû être à l'école. Et il n'y était pas allé. Je me suis mis en colère. Cette école coûtait cher, plus cher que ce que je pouvais payer. J'ai commencé à le frapper… Trop fort sans doute.

— Et c'est à ce moment-là qu'il est mort ?

Delacroix acquiesça d'un signe de tête.

— Oui. Oui.

On frappa doucement à la porte. Bosch fit signe à Edgar, qui se leva pour aller ouvrir. Il enchaîna.

— Et après, qu'avez-vous fait ? Après la mort d'Arthur ?

— Je l'ai emmené derrière, jusqu'au garage en bas. Personne ne m'a vu. Je l'ai mis dans le coffre de ma voiture. Puis je suis remonté à sa chambre, j'ai nettoyé et j'ai mis des habits à lui dans un sac.

— Quel genre de sac ?

— Son sac d'école. Son sac à dos.

— Quels habits y avez-vous mis ?

— Je ne me rappelle plus.

— Qu'avez-vous fait après y avoir mis ces habits ?

— Je l'ai mis dans le coffre. Et j'ai fermé le coffre.

— Quel genre de voiture était-ce ?

— Une Impala 72.

— Vous l'avez encore ?

— Je l'ai bousillée. Ma première arrestation pour conduite en état d'ivresse.

— Bon, revenons à ce qui nous occupe. Vous avez donc le cadavre de votre fils dans le coffre de votre voiture. Quand vous en êtes-vous débarrassé ?

— Le soir même. Tard. Quand il n'est pas revenu de l'école ce jour-là, Sheila et moi avons commencé à le chercher. On est allés partout où il faisait du skate.

— Et pendant tout ce temps-là, le cadavre d'Arthur se trouvait dans le coffre de la voiture que vous conduisiez ?

— C'est ça. Vous voyez, je ne voulais pas que Sheila sache ce que j'avais fait. Je la protégeais.

— Je comprends. Êtes-vous allé à la police pour faire une demande de recherche de personne disparue ?

— Non. Je suis passé au commissariat de Wilshire et j'ai parlé à un flic. Il m'a dit qu'Arthur avait dû fuguer et qu'il reviendrait. C'était une histoire de quelques jours. Alors, j'ai pas fait de demande de recherche.

Recouper diverses versions est toujours bon. Sheila Delacroix lui avait bien dit qu'elle et son père s'étaient rendus au commissariat de police en voiture, le soir où Arthur n'était pas revenu. C'était son père qui était entré au commissariat pendant qu'elle attendait dans la voiture. Mais Bosch n'avait pas trouvé trace d'une quelconque déclaration où l'on aurait signalé la disparition du gamin.

Le détail semblait coller avec le reste et permettrait de valider les aveux.

— Quand avez-vous sorti le corps de votre fils du coffre de la voiture?

— Plus tard. Quand Sheila s'est endormie, j'ai repris la voiture et j'ai cherché un endroit où je pourrais le cacher.

— Où ça?

— Dans les collines. Du côté de Laurel Canyon.

— Vous pourriez préciser? Dans quelle rue?

— Wonderland.

— Donc, vous êtes en train de nous dire que vous étiez saoul quand vous avez caché le corps.

— J'étais saoul, oui. Vous croyez pas que ça valait mieux?

Bosch sentit la première menace de danger. Delacroix lui offrait certes des aveux complets, mais certains des éléments recueillis pouvaient mettre à mal le dossier. Que Delacroix ait bu expliquait que le corps ait été enterré à la va-vite sur la colline, puis recouvert à la hâte de terre et d'aiguilles de pin. Mais Bosch se rappelait aussi le mal qu'il avait eu à grimper et imaginait difficilement un type saoul faire la même chose en portant ou en tirant derrière lui le cadavre de son propre fils.

— Tout ce dont je me souviens, reprit Delacroix sans qu'on l'ait sollicité, c'est que ça m'a pris un sacré bout de temps. J'y ai passé pratiquement toute la nuit. Et je me rappelle l'avoir serré très fort contre moi avant de le mettre dans le trou.

— Ce trou dans lequel vous avez mis votre fils... il avait quelle profondeur?

— Il n'était pas très profond. Une cinquantaine de centimètres au maximum.

— Et le sac à dos?

— Euh... lui aussi, je l'ai mis dedans. Dans le trou. Mais j'en suis pas sûr.

— Bon. Vous rappelez-vous autre chose sur cet endroit? C'était en pente? Boueux?

— Je ne me rappelle plus, dit Delacroix.

— Et le skate de votre fils? demanda Bosch. Qu'en avez-vous fait?

— Vous savez, je ne me rappelle pas vraiment.

— Bon, dit Bosch, nous allons faire une pause, dont je vais profiter pour aller m'entretenir avec mon collègue. Je veux que vous repensiez à tout ce que nous venons de dire. À l'endroit où vous avez enterré votre fils. Je veux que vous creusiez dans vos souvenirs. Et que vous repensiez à la planche à roulettes.

— OK. J'essaierai.

Bosch se leva, gagna tout de suite la salle de visionnage et en ouvrit la porte. Edgar s'y tenait en compagnie d'un autre homme qui se détourna de la vitre et tendit la main à Bosch. Il ne semblait pas avoir beaucoup plus de trente ans. Il avait les cheveux noirs tirés en arrière et la peau très blanche. Et un grand sourire sur la figure.

— Bonjour, dit-il. George Portugal. Je suis l'adjoint au procureur. On dirait que l'affaire est intéressante.

— De plus en plus, oui.

— Écoutez, avec ce que je viens de voir depuis dix minutes, vous n'avez pas de souci à vous faire. C'est une affaire réglée.

À 16 heures, Edgar et Bosch conduisirent Samuel Delacroix à Parker Center afin qu'il y fût inculpé du meurtre de son fils. En présence de Portugal, ils avaient encore interrogé Delacroix sans que cela leur apportât grand-chose de neuf.

Portugal n'en avait pas moins quitté la pièce en étant sûr et certain de son affaire. Bosch, lui, avait des doutes. Depuis toujours, il se méfiait des aveux spontanés. Pour lui, les remords authentiques étaient rares. Pour lui, tous les dossiers ressemblaient à une maison en construction. Dès qu'il y avait aveux, c'était là-dessus qu'on montait l'édifice. Et il suffisait que le ciment ne soit pas gâché correctement pour que tout dégringole à la première secousse. En conduisant Delacroix à Parker Center, Bosch ne pouvait s'empêcher de penser qu'il y avait des fissures invisibles dans ces aveux. Et que le tremblement de terre n'était pas loin.

L'affaire était en train de quitter le domaine de l'enquête policière pour entrer dans la sphère judiciaire. La plupart du temps, Bosch se sentait soulagé lorsque le moment était venu d'emmener un meurtrier au dépôt ; cette fois-ci pourtant, ce n'était pas le cas, et il ne savait pas trop pourquoi. C'est vrai, il n'y avait guère lieu de se réjouir alors que le coût du succès était si considérable. Nicholas Trent et Julia Brasher étaient morts. Dans l'édifice qu'il avait construit autour de cette affaire, il y aurait toujours des pièces abritant des fantômes.

— Vous allez parler à ma fille ? demanda Delacroix.

Bosch jeta un coup d'œil dans le rétroviseur.

— Oui, dit-il, on va lui annoncer la nouvelle.

— C'est obligatoire ? Il faut vraiment que vous l'entraîniez là-dedans ?

— Nous n'avons pas le choix, monsieur Delacroix. Il s'agit de son frère et de son père. Nous tenons à le lui dire avant qu'elle l'apprenne par la télé.

Il vit Delacroix acquiescer de la tête.

— Vous pourriez lui dire quelque chose de ma part ?

— Quoi, monsieur Delacroix ?

— Dites-lui juste que je lui demande pardon pour tout.

— Vous lui demandez pardon pour tout. C'est compris.

Edgar se tourna sur son siège.

— Vous demandez pardon ! s'exclama-t-il. Au bout de vingt ans, moi, ça me paraît un peu tard, vous ne trouvez pas ?

— Vous ne savez pas de quoi vous parlez ! s'écria Delacroix en colère. Ça fait vingt ans que je pleure.

— Ben voyons ! Mais monsieur n'a quand même pas pleuré au point de faire quoi que ce soit avant notre arrivée. Pas assez pour se livrer aux autorités, sortir son enfant de son trou et lui faire un enterrement digne de ce nom ! Parce que tout ce qu'on a maintenant, c'est des os, vous savez ? Des os !

SHEILA DELACROIX ouvrit la porte de la maison où elle et son frère avaient vécu, mais où elle seule avait grandi. Elle portait un caleçon noir et un long tee-shirt. Elle ouvrit grands les yeux en reconnaissant les deux inspecteurs.

— Mais… je ne vous attendais pas…

— Sheila, dit Bosch, nous avons réussi à identifier les restes humains retrouvés dans Laurel Canyon. Ce sont bien ceux de votre frère Arthur. Nous sommes désolés de devoir vous l'annoncer. Pouvons-nous entrer quelques minutes ?

— Je vous en prie, dit-elle en leur montrant la salle de séjour.

Edgar et Bosch avaient arrêté la manière dont l'entrevue devait se dérouler. Sheila Delacroix allait devenir un élément essentiel du dossier. Il fallait absolument qu'elle leur dise ce qu'elle avait vécu en grandissant chez son père.

— Euh, reprit Bosch, ce n'est pas tout. Tout à l'heure, en fin de journée, votre père s'est vu inculpé du meurtre d'Arthur.

— Oh! mon Dieu!

Elle se pencha et posa ses coudes sur ses genoux. Puis elle serra les poings et les appuya sur sa bouche.

— Il est en détention à Parker Center. Il sera officiellement mis en examen demain et pourra demander sa libération sous caution.

— Il y a sûrement une erreur. Mon père n'aurait jamais pu faire une chose pareille.

— En fait, lui répondit doucement Edgar, il a avoué.

Quand elle se redressa, Bosch découvrit de la surprise dans ses yeux. Et il en fut très étonné. Pour lui, elle devait nourrir des soupçons sur son père depuis toujours.

— Il nous a dit l'avoir frappé avec une batte de base-ball parce qu'il avait manqué l'école, reprit Bosch. D'après lui, ce serait un accident.

Elle le regarda droit dans les yeux en essayant d'enregistrer ce qu'il venait de lui dire.

— Puis il a mis le corps de votre frère dans le coffre de sa voiture. Il nous a dit que lorsque vous tourniez en voiture pour retrouver votre frère ce soir-là, Arthur était déjà dans le coffre.

Elle ferma les yeux.

— Après, bien plus tard, enchaîna Edgar, pendant que vous dormiez, il est ressorti en douce et a gagné les collines pour se débarrasser du cadavre.

Elle commença à secouer la tête.

— Non, non, il n'a pas pu…

— Avez-vous jamais vu votre père frapper Arthur? lui demanda Bosch.

Elle le regarda et parut sortir de sa stupeur.

— Non, jamais, dit-elle.

— Vous en êtes sûre?

Elle hocha la tête.

— Ça n'allait jamais plus loin qu'une tape sur les fesses.

Bosch jeta un coup d'œil à Edgar, puis regarda de nouveau la jeune femme qui s'était encore une fois penchée en avant.

— Sheila, dit-il, je sais que c'est de votre père que nous sommes en train de parler. Mais c'est aussi de votre frère. Il n'a quand même pas eu beaucoup de chance dans la vie, vous ne trouvez pas?

Il attendit. Au bout d'un long moment, elle finit par hocher la tête, mais ne la releva pas.

— Nous avons les aveux de votre père et beaucoup d'autres preuves. Les ossements d'Arthur nous disent toute une histoire, Sheila. Il y a des blessures. Beaucoup, beaucoup de blessures. Et tout au long de sa vie.

Elle acquiesça d'un signe.

— Nous avons besoin d'une autre voix. De quelqu'un qui nous dise ce que ça devait être pour Arthur de grandir dans cette maison.

Sheila se redressa et écrasa ses larmes en travers de ses joues avec les paumes de ses mains.

— Tout ce que je peux vous dire, c'est que je ne l'ai jamais vu frapper mon frère. Pas une seule fois.

Elle essuya d'autres larmes et se pinça l'arête du nez dans l'espoir de les endiguer.

— C'est incroyable, reprit-elle. Je… je voulais seulement savoir si c'était Arthur qui était enterré là-haut. Et maintenant…

Elle n'acheva pas sa phrase.

— Sheila, dit Edgar. Si ce n'est pas lui qui l'a tué, pourquoi voulez-vous que votre père ait avoué?

Elle secoua énergiquement la tête et parut soudain très agitée.

— Pourquoi nous aurait-il demandé de vous dire qu'il vous demandait pardon?

— Je n'en sais rien, moi! s'écria-t-elle. Il boit.

— Sheila, êtes-vous prête à nous aider?

— Je ne peux pas, répondit-elle en se détournant.

BOSCH arrêta la voiture devant le caniveau et coupa vite le moteur. Il était seul, son coéquipier étant rentré chez lui. Il appuya sur le bouton d'ouverture du coffre. Il avait décidé de s'en remettre à son intuition et de revenir à l'endroit même où tout avait commencé. Dans le coffre était posé un mannequin qu'il avait emprunté au labo. Il arrivait qu'on se serve de mannequins pour procéder à une reconstitution. Jesper et Bosch l'avaient lesté jusqu'à ce qu'il fasse 35 kg, poids auquel Golliher était arrivé en se fondant sur la taille des ossements et les photos de l'enfant.

Bosch posa sa lampe, attrapa le mannequin par les avant-bras et l'installa sur son épaule gauche. Il recula d'un pas pour assurer son équilibre et tendit de nouveau le bras pour reprendre sa lampe dans le coffre. Il l'alluma et se dirigea vers la colline.

Il se mit à grimper, mais s'aperçut tout de suite qu'il avait besoin de ses deux mains pour s'agripper aux branches des arbres afin de monter. Il glissa sa lampe dans une de ses poches.

Il se cassa deux fois la figure en moins de cinq minutes et se retrouva complètement épuisé avant d'avoir fait 10 mètres.

Sur les quelque 6 mètres qui suivirent, il tira le mannequin derrière lui. Il avançait plus lentement, mais avec moins de difficultés qu'en le portant. En outre, c'était de cette façon que Delacroix leur avait dit avoir procédé.

Après avoir marqué un arrêt, Bosch parcourut les 10 derniers mètres et arriva au terre-plein horizontal, où il finit de tirer le mannequin dans la clairière sous les acacias. Il tomba à genoux.

Il ne voyait vraiment pas comment Delacroix aurait pu y parvenir. Au moment où ce dernier prétendait avoir accompli cet exploit, il avait sans doute dix ans de moins que Bosch maintenant, mais celui-ci était en bonne forme pour un homme de son âge. Et il n'était pas ivre.

Bosch avait certes réussi à tirer le corps jusqu'à l'endroit où il avait été enterré, mais tout lui disait que Delacroix leur avait menti. Il ne s'y était pas pris comme cela. Soit il n'avait pas monté le corps sur la colline, soit il s'était fait aider. Sans parler d'une troisième possibilité : Arthur Delacroix avait grimpé la colline sur ses deux pieds.

Il ressortit la lampe de sa poche et attrapa une lanière cousue dans le dos du mannequin. Puis il entama sa descente, lentement et précautionneusement.

Bosch atteignit le bas de la colline sans tomber. Arrivé au trottoir, il vit le Dr Guyot et sa chienne non loin de sa voiture. Calamity était en laisse. Bosch gagna vite la malle arrière, y jeta le mannequin et claqua le hayon. Guyot s'approcha.

— Inspecteur Bosch, dit-il.

— Qu'est-ce qu'il y a, docteur ?

— L'officier de police qui est venu ici le premier soir, la jeune femme… C'est bien elle qui est morte, n'est-ce pas ?

— Oui, c'est elle.

L'air sincèrement triste, Guyot hocha la tête.

— C'est drôle comme les situations peuvent évoluer, dit-il. De vraies réactions en chaîne. Tenez, M. Trent en face. Puis cet officier. Tout ça parce qu'un chien a trouvé un os. Alors qu'il n'y a rien de plus naturel…

Bosch ne put qu'acquiescer.

— C'est dommage que je lui aie ôté sa laisse, dit-il. Vraiment dommage.

— Je ne sais pas, docteur, répondit Bosch. À penser comme ça, on ne pourrait plus jamais sortir de chez soi.

Ils se regardèrent et hochèrent la tête simultanément.

— À la télé, j'ai vu un flash. La police aurait arrêté quelqu'un. J'allais regarder ça à 23 heures.

Bosch se retourna vers la voiture.

— Ne croyez pas tout ce que vous voyez à la télé, dit-il.

Le téléphone sonna alors qu'il finissait de regarder la première séance d'aveux de Samuel Delacroix. C'était Billets.

— Je croyais que vous alliez me rappeler, dit-elle.

— Je commence à me demander si c'est vraiment lui qui a tué le gamin. J'ai l'impression qu'il manigance quelque chose, mais je ne sais pas quoi.

— Que veux-tu dire par là ?

— Je suis retourné sur les lieux du crime. Avec un mannequin du labo. 35 kg. Je suis arrivé à le monter jusqu'en haut, mais ç'a été l'enfer. Et je n'avais rien bu, alors que d'après ses aveux il était saoul. Et je connaissais le chemin. Pas Delacroix. De fait, je ne crois pas qu'il aurait pu y arriver. En tout cas, pas tout seul.

— Tu penses qu'il s'est fait aider ? Par sa fille ?

— Il est possible qu'il ait eu de l'aide, mais il se peut aussi qu'il ne soit jamais monté là-haut. Je ne sais pas. On a parlé à la fille ce soir, mais elle refuse de le dénoncer. Elle refuse de parler. Ce qui donne à penser qu'ils étaient peut-être dans le coup tous les deux. Mais alors, pourquoi nous aurait-elle donné de quoi identifier les ossements si c'était le cas ? Ça n'a pas de sens.

— Allons, Harry, reprit Billets, il y a autre chose qui te ronge. Ce n'est pas possible que ça se résume à l'impression qu'il n'a pas pu faire le coup. Pour la fille, moi, ça ne m'étonne pas qu'elle ait passé le coup de fil pour identifier les ossements. C'est bien à la télé qu'elle en a entendu parler, non ? Elle s'est peut-être dit qu'elle pourrait coller le meurtre sur le dos de Trent ?

Bosch n'arrivait pas à croire que Sheila ait appelé la police si elle était impliquée dans la mort de son frère.

— Je ne sais pas, dit-il. Pour moi, y a quelque chose qui cloche.

— Bon... qu'est-ce que tu vas faire ?

— Je suis en train de tout repasser en revue.

— L'inculpation officielle est pour demain.

— Je sais. Mais j'ai déjà repéré une contradiction.

— Laquelle ?

— Delacroix affirme avoir tué Arthur le matin, après s'être aperçu qu'il n'était pas allé à l'école. Et la première fois que nous avons interrogé la fille, elle a déclaré qu'Arthur n'était jamais revenu de l'école. Ça n'est pas du tout pareil.

— C'est vraiment pas grand-chose, tu sais ? dit Billets. Il ne faut quand même pas oublier que ça remonte à vingt ans et que le type est un poivrot. Tu vas vérifier aux archives de l'école ?

— Demain.

— Vous avez trouvé quelque chose en fouillant chez le père ?

— On ne l'a pas encore fait. On y va demain.

Parler du mobile home lui remit brusquement le chat de Delacroix en mémoire.

— Merde ! s'écria-t-il. J'ai oublié son chat. Delacroix a un chat. Et je lui avais promis de demander à un voisin de s'en occuper.

— Bon, je te laisse. Mais n'oublie pas : à cheval donné on ne regarde pas la bride. Tu vois ce que je veux dire ?

— Je crois, oui.

Ils raccrochèrent, Bosch se remettant aussitôt à visionner la séance d'aveux. Et encore plus vite à arrêter la bande : l'histoire du chat le tarabustait. Il fallait qu'il s'en occupe.

En approchant du mobile home, Bosch s'aperçut que les fenêtres étaient éclairées. Or, ils avaient tout éteint en repartant avec Delacroix douze heures plus tôt. Il sortit son arme de son étui et s'approcha de la porte. Le bouton ne lui résista pas.

La salle de séjour était vide. Il entra et balaya la pièce des yeux. Personne. Par la cuisine, il regarda jusqu'à la chambre au fond du couloir. La porte en était entrouverte. Il ne vit personne, mais entendit des coups sourds, comme si quelqu'un refermait des tiroirs. Il s'avança dans la cuisine. Il n'était plus qu'à 2 mètres de la porte de la chambre lorsque celle-ci s'ouvrit soudain.

Sheila Delacroix poussa un hurlement en le voyant.

— Mais qu'est-ce que vous faites ici ? s'écria-t-elle.

Bosch rengaina son arme.

— J'allais vous poser la même question.

— C'est la maison de mon père. J'ai la clef.

— Et ?...

— Je... je me faisais du souci pour son chat. Je le cherchais.

— Je vous ai entendue ouvrir et fermer des tiroirs. Le chat aime se cacher dans des tiroirs ?

Sheila Delacroix secoua la tête.

— Je me posais des questions sur mon père, dit-elle. J'étais là, j'en ai profité pour jeter un coup d'œil à droite et à gauche.

— Et votre voiture ? Où est-elle ?

— Je l'ai garée devant le bureau.

— Et vous vous apprêtiez à ramener le chat en laisse ?

— Non, j'allais le porter. Pourquoi me demandez-vous tout ça ?

Bosch voyait bien qu'elle mentait. Il décida de la surprendre.

— Sheila, écoutez-moi. Si vous êtes de quelque manière que ce soit impliquée dans ce qui est arrivé à votre frère, c'est le moment ou jamais de me le dire et de chercher un arrangement.

— Mais qu'est-ce que vous racontez ?

— Avez-vous aidé votre père ce soir-là ? L'avez-vous aidé à transporter votre frère et à l'enterrer sur la colline ?

— Ah, mon Dieu, mon Dieu ! Ce n'est pas vrai ! Qu'est-ce que vous ?...

Bosch attendit un moment qu'elle se calme.

— Je pense que vous ne me dites pas la vérité sur ce qui est en train de se passer ici même, reprit-il.

— Suis-je en état d'arrestation, inspecteur ?

— Non, Sheila, vous n'êtes pas en état d'arrestation.

— Alors, je m'en vais.

Elle se dirigea vers la porte d'un pas décidé.

— Et le chat ? lui demanda-t-il.

Elle ne s'arrêta pas et disparut dans la nuit. Il l'entendit lui répondre de dehors :

— Vous n'avez qu'à vous en occuper !

Il franchit la porte à son tour, s'adossa au chambranle et respira un peu de l'air propre du dehors. Il pensa à Sheila et à ce qu'elle avait pu faire dans la caravane. Au bout d'un moment, il consulta sa montre. Il était plus de minuit et il se sentait fatigué. Il n'en décida pas moins de rester pour chercher ce qu'elle-même avait pu chercher.

Il sentit quelque chose lui frôler la jambe, baissa les yeux et vit un chat noir qui se frottait contre lui. Il le repoussa doucement du pied. Les chats ne l'avaient jamais beaucoup intéressé.

— Reste ici, dit-il. Je vais te chercher à bouffer dans la voiture.

10

LES audiences de la chambre des mises en accusation ressemblaient toujours à un zoo. En entrant dans la salle à 8 h 50 ce vendredi-là, Bosch commença par chercher Sheila Delacroix dans le public, mais ne la vit pas. Puis il chercha Edgar et le procureur Portugal, sans plus de succès.

Il franchit le portillon, ôta son badge et le montra au greffier. Puis il se dirigea vers la table du procureur. Une femme y était assise qu'il ne connaissait pas. Ce devait être la responsable des mises en accusation assignée à cette chambre. Bosch lui montra son badge.

— Pourriez-vous me dire si George Portugal a l'intention d'assister à la mise en examen de Samuel Delacroix? C'est un dossier de jeudi.

— Oui, répondit-elle sans lever la tête, il va descendre. Je viens de lui parler. Il va falloir attendre une bonne heure.

— Je peux vous emprunter votre téléphone?

— Jusqu'à l'arrivée du juge, pas plus.

Bosch lui prit l'appareil, appela le bureau du procureur et demanda à parler à Portugal.

— Bosch, dit-il. Ça vous dérangerait que je monte? Il faut absolument qu'on parle.

— Je reste ici jusqu'à ce qu'on m'appelle pour les mises en accusation.

— Je vous retrouve dans cinq minutes.

En sortant, Bosch informa le greffier que si un inspecteur du nom d'Edgar se présentait, il fallait absolument le faire monter au bureau du procureur.

Lorsqu'il entra dans le bureau de Portugal, Edgar s'y trouvait déjà. Bosch s'assit sur l'autre siège et ouvrit sa mallette pour en sortir un cahier du *Los Angeles Times* plié en deux.

— Qu'est-ce qui se passe? demanda Portugal, impatient.

Bosch déplia son journal.

— Ce qui se passe, c'est que nous n'avons pas inculpé le bon type et qu'il vaudrait mieux arranger ça avant qu'il soit mis en accusation.

— Oh! non, s'écria Portugal. Vous êtes en train de nous bousiller un bon coup.

— Ça m'est égal. Si ce n'est pas lui le coupable, ce n'est pas lui. Il n'y a pas à en sortir.

— Sauf qu'il a avoué. Et plusieurs fois.

— Écoutez, dit Edgar à Portugal. Laissez Harry vous dire ce qu'il a à vous dire, d'accord?

Bosch leur raconta comment il avait emporté son mannequin jusqu'à Wonderland Avenue et tenté de reproduire les gestes qu'avait dû faire Delacroix pour hisser le cadavre de son fils sur cette colline particulièrement pentue.

— J'y suis arrivé, mais difficilement, dit-il. Et je n'avais rien bu alors que, de son propre aveu, Delacroix était saoul. Sans compter que moi, je savais où j'allais. Je savais que le terrain redevenait plat en haut. Pas lui.

— C'est sans importance, tout ça.

— Non. Personne n'a tiré le corps du gamin sur la colline. L'enfant était vivant quand il est arrivé en haut. Et c'est là-haut que quelqu'un l'a tué.

— Folles hypothèses que tout ça, inspecteur Bosch.

— Je n'ai pas fini. Il y a autre chose. En rentrant chez moi hier soir, je me suis rappelé le chat de Delacroix. Je suis donc retourné au caravaning.

Il entendit Edgar qui soupirait fort et sut tout de suite quel était le problème : il l'avait laissé en dehors du coup. Bosch aurait dû le mettre au courant avant Portugal, mais il n'en avait pas eu le temps.

— Je voulais juste aller donner à bouffer au chat, reprit-il. Mais quand je suis arrivé, j'ai trouvé quelqu'un dans la baraque. La fille de Delacroix. Elle fouillait dans les tiroirs.

— Sheila ? fit Edgar. Qu'est-ce qu'elle foutait là ?

— Elle n'a pas voulu me le dire. Elle m'a déclaré ne rien chercher de particulier. Mais moi, après son départ, je suis resté. Et j'ai trouvé des trucs.

Il brandit son journal.

— Voici le cahier *Métropole* de dimanche dernier, dit-il. Il y a un gros article sur l'affaire. Si quelqu'un voulait se lancer dans de faux aveux, il y avait pas mal de choses utiles dans cet article.

— Oh ! allons, inspecteur ! Delacroix nous a donné bien plus que la simple description du lieu du crime. Il nous a dit comment il avait procédé, comment il avait baladé le corps dans le coffre de sa voiture…

— Rien de plus facile à inventer. Allez donc prouver le contraire ! Il n'y avait pas de témoins. La voiture, personne ne la retrouvera parce qu'elle a été ratatinée dans une casse de la Valley. Tout ce qu'on a, c'est sa version des faits. Et il n'y a que la scène de crime qui puisse fournir des éléments de preuve où son récit peut être mis en doute. Or tout ce qu'il nous a raconté se trouvait dans cet article.

— Bon, d'accord, dit Portugal. Il a eu la possibilité de faire de fausses déclarations. Mais pourquoi l'aurait-il voulu ? C'est de son propre fils qu'il s'agit. Pourquoi voudriez-vous qu'il s'accuse du meurtre de son fils si ce n'est pas lui qui l'a tué ?

— À cause de ça.

Bosch glissa la main dans la poche intérieure de sa veste et en extirpa une enveloppe qu'il posa sur le bureau.

De l'enveloppe, Portugal sortit un tas de photos Polaroid et se mit à les regarder.

— Ah, mon Dieu ! s'écria-t-il aussitôt. C'est elle ? La fille ?

Il passa vite le reste des photos en revue et les posa sur le bureau. Edgar se leva et les regarda à son tour. Ses mâchoires se serrèrent, mais il garda le silence.

Les photos étaient anciennes. Il y en avait quatorze en tout, la constante étant la présence d'une fillette nue sur chacune. Dès qu'il les avait vues, Bosch avait compris que la fillette n'était autre que Sheila Delacroix.

— Hier, c'était une affaire réglée, dit Portugal, et aujourd'hui, ça repart dans tous les sens. Je suppose que vous allez me donner votre théorie sur tout ça, inspecteur Bosch ?

— Il faut commencer par imaginer la famille, dit celui-ci. La mère est faible. Trop jeune pour se marier et avoir des enfants. Son fils est un enfant difficile. Elle comprend où va sa vie et décide d'arrêter les frais. Elle prend ses cliques et ses claques et disparaît, ce qui laisse Sheila dans l'obligation de s'occuper du petit frère et de se débrouiller avec le père.

Bosch jeta un coup d'œil à Portugal puis à Edgar.

— Sa vie est bien évidemment un enfer, mais que peut-elle y faire ? Accuser sa mère, son père et son frère, oui, mais à qui s'en prendre vraiment ? Sa mère n'est plus là et son père est un grand costaud. Et il contrôle tout. Ça ne lui laisse plus qu'Arthur.

— Je ne vous suis pas vraiment, inspecteur, dit Portugal.

— Vous ne comprenez donc pas ? Les ossements ? Tous les traumatismes ? On avait pigé de travers. Ce n'était pas le père qui le maltraitait. C'était elle. Sheila.

— Et donc, fit Portugal, elle aurait tué le gamin et, vingt ans plus tard, elle nous aurait appelés pour nous donner une des clefs de l'enquête.

— Non. Je ne dis pas qu'elle l'a tué. Mais je dis que son père pensait qu'elle l'avait fait. Depuis le jour où Arthur a disparu, il n'a pas cessé de le penser. Et il savait très bien pourquoi. (Une fois encore, Bosch brandit l'enveloppe.) Pendant toutes ces années, il s'est senti coupable de la mort de son fils, pensant que ce qu'il avait infligé à sa fille en était l'origine. Et un jour, voilà que les ossements refont surface. Il apprend la nouvelle dans le journal et fait le rapprochement. Nous nous pointons chez lui, nous n'avons pas fait un mètre qu'il commence à avouer.

Portugal écarta les mains.

— Et pourquoi donc?

Bosch n'arrêtait pas d'y penser depuis qu'il avait vu les clichés.

— Pour se racheter.

— Oh! allons!

— Je ne plaisante pas. Il commence à être vieux et se sent brisé. Quand on a plus de choses derrière soi que devant, il vient souvent un moment où on repense à ce qu'on a fait dans sa vie. Où on essaie de se rattraper. N'oublions pas que, dans sa tête, c'est à cause de ce qu'il a fait à sa fille que celle-ci a tué son fils. Il est prêt à tout endosser.

— Et il se trompe sur sa fille, mais bien sûr ne s'en doute pas.

— Exactement.

Portugal repoussa son fauteuil d'un coup de pied. Le meuble à roulettes alla cogner contre le mur derrière son bureau.

— J'ai un type que je peux faire mettre en taule les yeux bandés et vous venez me demander de le relâcher?

Bosch acquiesça.

— Si c'est une erreur, vous pourrez toujours le réinculper, précisa-t-il. Mais si j'ai raison, il va plaider coupable. Et le type qui a vraiment tué Arthur peut dormir sur ses deux oreilles. Il y a deux choses qu'on peut faire... pour être sûrs. Il doit déjà être en cellule. On descend, on lui dit que c'est Sheila qui nous a donné l'identité du gamin et on lui demande s'il cherche à la couvrir. Et on lui propose de passer au détecteur de mensonges. S'il ment, il refusera.

Portugal réfléchit, puis prit sa décision.

— Bon, d'accord. Allez-y. Je laisse tomber les charges. Pour l'instant.

EDGAR et Bosch gagnèrent les ascenseurs et attendirent en silence après qu'Edgar eut appuyé sur le bouton d'appel.

— Harry, qu'est-ce qu'il avait ton portable, hier soir ? Il était cassé ?

Bosch hocha la tête.

— Non, je voulais juste... je n'étais pas trop sûr de ce que je pensais et je voulais vérifier ces trucs tout seul avant de te faire signe. Et je sais que c'est le jeudi soir que tu as ton gamin. Je suis vraiment tombé des nues quand j'ai trouvé Sheila au mobile home.

— Et quand tu as commencé à fouiller, hein ? Tu n'aurais pas pu m'appeler ? Mon fils dormait déjà à ce moment-là.

— Oui, je sais. J'aurais dû.

Edgar hocha la tête et tout fut dit.

— Tu sais que ta petite théorie nous ramène à la case départ ?

— Il va falloir repartir de zéro et tout réexaminer.

PAR une de ses assistantes, Edgar et Bosch apprirent que Sheila Delacroix travaillait temporairement à l'extérieur, dans un bureau de production du Westside où elle dirigeait le casting d'un pilote de télévision intitulé *Les Boucleurs*.

Le hangar en brique était divisé en deux étages de bureaux. Des écriteaux portant l'inscription CASTING et barrés de flèches indiquaient la direction à suivre. En suivant les flèches, Edgar et Bosch arrivèrent dans une grande pièce, meublée de chaises sur lesquelles étaient assis des hommes vêtus de vieux costumes. Certains portaient même des feutres et des impers. Ils gagnèrent le bureau du fond, où une jeune femme scrutait des listes de noms. Des tas de photos encombraient la pièce.

— Nous voulons voir Sheila Delacroix, lui lança Bosch.

— Et vous vous appelez ?

— Inspecteurs Bosch et Edgar.

Elle sourit.

Bosch sortit son badge et le lui montra.

— Vous êtes bons, vous alors ! fit-elle.

— Nous ne sommes pas acteurs, répondit Bosch. Nous sommes de vrais flics. Vous voulez bien lui dire que nous avons besoin de la voir tout de suite ? S'il vous plaît ?

Elle continua de sourire.

Bosch regarda Edgar et lui montra la porte d'un signe de tête. Ils passèrent chacun d'un côté du bureau.

— Mais hé! Elle est en train de faire passer une audition! Vous n'avez pas le droit de...

Bosch entra dans une petite pièce où, assise à un bureau, Sheila Delacroix observait un homme installé dans un fauteuil pliant au milieu de la salle. Il lisait un script.

— T'en as la preuve sous le nez, espèce d'andouille! criait-il. T'as laissé traîner ton ADN partout! Bon, maintenant, tu te lèves et tu vas te mettre contre le...

— Bon, bon, lui lança Sheila. Arrêtez-vous là, Frank.

Elle dévisagea Bosch et Edgar.

— Qu'est-ce que ça signifie?

— Il faut qu'on vous parle, Sheila, dit Bosch. Tout de suite.

Elle jeta son stylo sur le bureau et se passa les mains dans les cheveux.

— Frank? J'ai besoin de m'absenter quelques minutes. Je suis vraiment désolée. Ça marchait vraiment super. Vous pouvez m'attendre quelques minutes? Je vous promets de vous reprendre dès que j'en aurai fini avec ces messieurs.

Frank se leva et lui décocha un sourire radieux.

— Pas de problème, Sheila. J'attendrai dehors.

— Eh bien! s'exclama-t-elle après qu'il eut refermé la porte. Avec une entrée pareille, vous devriez faire du cinéma!

Elle tenta de sourire, mais cela ne prit pas.

Bosch s'approcha du bureau et resta debout. Edgar, lui, s'adossa à la porte. Ils avaient décidé que ce serait Bosch qui la cuisinerait.

— L'émission pour laquelle j'effectue ce casting a pour personnages principaux deux inspecteurs. On les appelle « les boucleurs » parce qu'ils arrivent toujours à boucler les affaires que personne n'a réussi à terminer. Ça ne doit pas trop exister dans la réalité, n'est-ce pas?

— Personne n'est parfait, lui renvoya Bosch. Même de loin.

— Qu'est-ce qui peut avoir une telle importance pour que vous débarquiez ici et m'embarrassiez comme ça?

— Deux ou trois choses. Je me suis dit que vous aimeriez peut-être savoir que j'ai trouvé ce que vous cherchiez hier soir et que votre père a été libéré il y a environ une heure.

— Mais... il a avoué! Vous ne m'avez pas dit qu'il...

— Peut-être, mais il est revenu sur ses aveux ce matin. Juste avant, on lui avait annoncé qu'on allait le faire passer au détecteur de mensonges, et que c'était vous qui nous aviez appelés pour nous donner le tuyau qui nous a permis d'identifier votre frère.

Elle secoua la tête.

— Je ne comprends pas.

— Je crois que si, Sheila. Votre père pense que c'est vous qui avez tué votre frère. C'est vous qui le frappiez tout le temps, c'est vous qui l'avez expédié à l'hôpital. Quand Arthur a disparu, votre père s'est dit que vous étiez peut-être allée jusqu'au bout, que vous l'aviez tué et que vous aviez caché son corps.

Elle posa les coudes sur le bureau et enfouit son visage dans ses mains.

— Ce qui fait que, lorsque nous nous sommes pointés, enchaîna Bosch, il a avoué tout de suite. Il était prêt à endosser la responsabilité du meurtre pour se faire pardonner ce qu'il vous avait fait subir... Pour ceci, Sheila.

Bosch glissa la main dans la poche de sa veste et en sortit l'enveloppe contenant les photos. Puis il la jeta sur le bureau. Elle n'ouvrit pas l'enveloppe. Ce n'était pas nécessaire.

— Alors... qu'est-ce que vous dites de cette audition-là, Sheila?

— Vous êtes... vous... Vous vous immiscez dans la vie des gens? Dans leurs secrets, je veux dire, dans... tout?

— On « boucle » les dossiers, Sheila. Écoutez-moi. Vous étiez une victime. Une fillette. Et lui, c'était votre père. Il était fort et il dirigeait tout. Il n'y a pas de honte à avoir été une victime. Quel que soit le poids de votre passé, le moment est venu de vous en débarrasser. De nous dire ce qui est arrivé. Nous sommes revenus à la case départ et nous avons besoin de votre aide.

Sheila baissa la tête.

— Je savais qu'Arthur allait partir, dit-elle lentement, et je n'ai rien fait pour l'arrêter. Quand je suis rentrée de l'école ce jour-là... Il était à la maison. Dans sa chambre. La porte de sa chambre était entrouverte et j'ai jeté un œil. Il était en train d'enfourner des affaires dans son sac. Des habits, des trucs comme ça. Je savais ce qu'il était en train de faire. Je… je suis allée dans ma chambre et j'ai fermé la porte. Je voulais qu'il s'en aille. Pour moi, c'était lui la cause de tous mes malheurs.

Elle leva le visage et regarda Bosch, les yeux mouillés.

— J'aurais pu l'arrêter, mais je ne l'ai pas fait. C'est avec ça que j'ai dû vivre pendant toutes ces années. Maintenant que je sais ce qui lui est arrivé…

— Merci beaucoup, Sheila, dit Bosch doucement. Nous allons vous laisser.

Il se retournait déjà pour partir lorsqu'il l'entendit rire et regarda en arrière. Elle secouait la tête.

— Quoi? demanda-t-il.

— Rien. C'est juste que je dois rester assise à écouter des gens qui essaient de parler et de faire tout comme vous. Et que maintenant, je sais que personne n'y arrivera, de près comme de loin. Personne n'en sera capable.

— Ça, c'est le show-biz, dit Bosch.

À 14 HEURES ce vendredi-là, Bosch et Edgar regagnèrent leur table au bureau des Homicides. Ils n'avaient pas ouvert la bouche pendant le trajet. L'affaire durait depuis dix jours et ils n'étaient pas plus près de trouver l'assassin d'Arthur Delacroix qu'ils ne l'avaient été pendant les vingt années durant lesquelles les ossements de l'enfant étaient restés enterrés sur la colline au-dessus de Wonderland Avenue.

Comme d'habitude, une pile de messages attendait Bosch à son bureau. Il y avait aussi une enveloppe de courrier interne. Il l'ouvrit et en sortit son magnétophone, qu'il glissa dans la poche de sa veste.

Il feuilleta ses messages. L'un d'eux provenait du service juridique de la morgue et informait Bosch que les restes d'Arthur Delacroix avaient été rendus à ses proches aux fins d'inhumation, laquelle aurait lieu le dimanche suivant. Bosch le mit de côté.

Il tomba ensuite sur un message qui le fit tout de suite réfléchir. Une sorte de picotement lui descendait du haut du crâne jusqu'en bas de la nuque. Arrivée à 10 h 35, la note émanait d'un certain Bollenbach, lieutenant au Centre des opérations. Au « COP », on décidait des mutations et autres transferts de personnel.

Bosch repensa à ce qu'Irving lui avait dit trois jours plus tôt dans la salle d'interrogatoire. Le message lui parut clair : il allait se faire virer de Hollywood. Et son nouveau job serait probablement du genre thérapie par la route : nommé loin de chez lui, il devrait faire d'immenses trajets en voiture pour se rendre à son travail et en revenir. Cette punition était souvent infligée par l'administration lorsqu'elle voulait signifier à un flic qu'il valait mieux songer à rendre son badge et à faire autre chose.

Bosch décida de ne pas rappeler tout de suite, ni même d'en parler à Edgar. Ce qui importait le plus à ses yeux, c'était son boulot, la mission qu'on lui avait confiée. Il savait que sans elle il était perdu.

Il revint à ses messages. Le dernier de la pile – c'est-à-dire le plus ancien – émanait d'Antoine Jesper, au labo. Il avait appelé à 10 heures.

— Faut que je descende en ville, dit Bosch à Edgar. Je n'ai pas rendu le mannequin que j'avais dans mon coffre hier soir. Jesper a besoin qu'on le lui rapporte.

Il décrocha son téléphone et appela Jesper.

— Le mannequin est sain et sauf, lui dit-il.

— C'est cool. Mais ce n'est pas pour ça que j'ai appelé. Je voulais juste vous dire que j'étais en mesure d'affiner mon rapport sur le skate. Je disais qu'on pouvait situer sa date de fabrication entre février 1978 et juin 1986. C'est bien ça ?

— Oui.

— Bon, eh bien, je peux diviser tout ça par plus de la moitié. Cette planche a été faite entre 1978 et 1980. Intervalle de deux ans. Je ne sais pas si ça vous apporte quelque chose, mais...

— Comment avez-vous fait pour réduire autant l'intervalle ? Je lis ici que ce modèle a continué d'être fabriqué jusqu'en1986.

— C'est vrai. Mais votre planche est datée. 1980. J'ai enlevé les *trucks*... vous savez bien : les roues. J'avais un peu de temps et je voulais voir s'il y avait des marques de fabrique quelque part. Il n'y en avait pas. Mais je me suis aperçu que quelqu'un avait gravé la date dans le bois. Sous la planche, c'était recouvert par l'assemblage des *trucks*.

— Vous voulez dire... au moment où la planche a été fabriquée ?

— Non, je crois que c'était la façon dont le premier propriétaire de la planche l'avait marquée secrètement. Au cas où quelqu'un la lui aurait piquée. Les planches Boney, pendant un temps, il n'y avait rien de mieux. C'est pour ça que le gamin qui avait cette planche a enlevé les *trucks* d'origine et a gravé cette date sous la planche : 1980 A.D.

Bosch décocha un coup d'œil à Edgar. Celui-ci téléphonait en couvrant l'écouteur de sa main. Coup de fil personnel.

— A.D.? demanda-t-il.

— Oui, vous savez bien, *anno domini*. C'est du latin…

— Non, ça veut dire Arthur Delacroix. La victime. Ne bougez pas, Antoine. J'arrive tout de suite.

UN sentiment d'urgence tenaillait Bosch. Il savait que les transferts s'effectuaient en général à la fin d'une période de paie. Et il y en avait deux par mois – une qui commençait le 1er et l'autre le 15. S'ils avaient décidé de le transférer tout de suite, cela ne lui laissait plus que quatre jours pour régler l'affaire. Et il voulait la boucler lui-même.

Son portable sonna. C'était Edgar.

— Qu'est-ce que tu fous, Harry?

— Je te l'ai dit. Il faut que je passe au labo.

— Bon, écoute, Harry. Billets te cherche et euh… il y a des rumeurs selon lesquelles tu serais transféré ailleurs.

— Jamais entendu parler de ça.

— Dis, tu vas quand même me dire ce qui se passe si jamais y a du nouveau, non? Ça fait longtemps qu'on bosse ensemble.

— Tu seras le premier averti, Jerry.

Dès qu'il fut arrivé à Parker Center, Jesper le conduisit dans une salle de laboratoire, où la planche à roulettes était posée sur une table d'examen. Il alluma un lampadaire installé près du skate et éteignit le plafonnier. Puis il braqua une loupe sur la planche et invita Bosch à regarder. La lumière rasante créait des ombres dans les dessins du bois et permettait de voir très clairement l'inscription : 1980 A.D.

— Bon, dit Bosch, il va falloir que je l'emporte.

— Moi, j'ai fini, dit Jesper. Elle est à vous.

À 16 h 30, Bosch entra dans le commissariat par la porte de

derrière, avec le skate dans un carton. Il longeait rapidement le couloir vers la salle des inspecteurs lorsque Mankiewicz sortit du poste de garde.

— Hé, Harry!

Bosch leva la tête, mais continua d'avancer.

— Qu'est-ce qu'il y a?

— J'ai appris pour ton transfert. Tu vas nous manquer.

La nouvelle s'était vite répandue. Bosch serra son carton sous le bras droit, leva la main gauche, paume tournée vers le bas, et fit comme s'il balayait la surface d'un océan imaginaire. C'était le geste qu'on réservait aux chauffeurs des véhicules de patrouille quand on les croisait dans la rue. Il signifiait « bon vent, frangin ».

Edgar avait posé un grand morceau de carton sur son bureau et y avait dessiné quelque chose qui évoquait un thermomètre. De fait, il s'agissait d'un croquis de Wonderland Avenue, et le rond-point qui en marquait l'extrémité ressemblait à un réceptacle à mercure. De la voie qu'il avait dessinée partaient diverses lignes figurant les maisons, des noms y étant inscrits au marqueur vert, bleu et noir. Un X rouge signalait l'endroit où les ossements avaient été retrouvés.

Bosch regarda le croquis sans rien dire.

— On aurait dû faire ça tout de suite, lança Edgar.

— Comment ça marche?

— Les noms en vert sont ceux des gens qui habitaient Wonderland Avenue en 1980 et qui sont partis quelque temps après. Les noms en bleu, ceux de tous les gens qui sont venus après 1980, mais qui sont aussi repartis depuis. Les noms en noir, ceux des habitants actuels. Lorsqu'il n'y a qu'un nom en noir, comme celui de Guyot ici, cela signifie que le type est là depuis le début.

Bosch hocha la tête. Il n'y avait que deux noms en noir : Guyot et un certain Al Hutter.

— Qu'est-ce que tu as dans ta boîte? lui demanda Edgar.

— Le skate. Jesper a trouvé quelque chose.

Il lui montra la date et les initiales gravées dans le bois.

— Va falloir rouvrir le dossier Trent, dit-il. Peut-être même étudier ton hypothèse : celle d'un Trent emménageant dans le quartier parce qu'il y avait enterré le gamin.

— Putain, Harry! Je rigolais, moi! Enfin... presque.

— Maintenant ce n'est plus une plaisanterie...

Bosch regarda à l'autre bout de la salle et aperçut Billets debout dans son bureau. Elle lui faisait signe d'approcher.

— Billets me demande, dit-il.

Il traversa la salle et gagna le bureau du lieutenant.

— Harry, dit-elle, tu as reçu un avis de mutation du COP. Il faut que tu appelles le lieutenant Bollenbach de toute urgence.

— D'accord. Tu lui as demandé où j'allais ?

— Non, Harry. Tout ça me fout bien trop en colère.

Bosch sourit.

— Ça te fout trop en colère ?

— Parfaitement. Je n'ai aucune envie de te perdre. Surtout pas à cause des griefs à la con qu'on pourrait avoir contre toi tout en haut de la hiérarchie.

— Merci, dit-il. Et si on l'appelait en mettant le haut-parleur ? Histoire de régler ça au plus vite...

— Tu es sûr ?

— Pas de problème. Appelle-le.

Elle appuya sur la touche haut-parleur et appela le bureau de Bollenbach. Il décrocha tout de suite.

— Lieutenant Bollenbach ? Lieutenant Billets à l'appareil. J'ai l'inspecteur Bosch dans mon bureau.

— Très bien, lieutenant. Donnez-moi juste le temps de trouver l'ordre écrit.

Il y eut un bruit de pages qu'on tournait, puis Bollenbach s'éclaircit la gorge.

— Inspecteur Hiero... Hiero...

— Hieronymus, dit Bosch. Ça rime avec *anonymous*.

— Bon... Hieronymus. Inspecteur Hieronymus Bosch, vous avez reçu l'ordre de vous présenter à la brigade des Vols et Homicides à 8 heures du matin, le 15 janvier. C'est tout. L'ordre est-il clair ?

Bosch en resta pantois. Passer à la brigade des Vols et Homicides était une promotion. Plus de dix ans auparavant, c'était de cette même brigade qu'on l'avait rétrogradé à Hollywood. Il regarda Billets qui, elle aussi, était surprise.

— Vous avez bien dit la brigade des Vols et Homicides ?

— Oui, inspecteur. Vous êtes nommé à la brigade des Vols et Homicides. L'ordre est-il assez clair?

— Et quelle sera ma mission?

— Ça, il faudra le demander à votre nouveau patron, le 15 au matin. C'est tout ce que j'ai pour vous, inspecteur Bosch.

Il raccrocha, le haut-parleur ne laissant plus entendre que la tonalité. Bosch regarda Billets.

— Tu crois que c'est une blague?

— Si c'en est une, elle est plutôt bonne. Félicitations, Harry!

— Mais… il y a trois jours, Irving me disait d'arrêter.

— C'est peut-être parce qu'il préfère t'avoir près de lui pour te surveiller. Harry, il va falloir faire gaffe. D'un autre côté, nous savons tous les deux que c'est là que tu devrais être. Tu vas nous manquer, Harry. Tu faisais de l'excellent boulot.

Bosch la remercia d'un signe de tête en souriant.

— Tu ne vas pas le croire, dit-il, mais on est repartis sur Trent. À cause du skate. Le labo a trouvé quelque chose qui établit un lien entre les deux.

Billets l'écouta attentivement lorsqu'il lui expliqua son intention d'établir ce qui serait, en gros, un profil complet du décorateur de théâtre maintenant décédé.

— Bon, lui lança-t-elle lorsqu'il en eut terminé. Je vous retire tous les deux de la rotation. Vous coller une autre affaire alors que tu vas passer aux Vols et Homicides n'aurait pas grand sens. Bref, vous travaillez sur Trent, mais tenez-moi au courant. Vous avez quatre jours, Harry. Il ne faut pas me laisser ce dossier sur les bras en partant.

Bosch acquiesça et quitta le bureau du lieutenant. Il savait que tout le monde avait les yeux braqués sur lui lorsqu'il regagna sa place. Il ne laissa rien voir et s'assit à son bureau.

— Alors? lui souffla enfin Edgar. Où on t'a collé?

— À la brigade des Vols et Homicides.

— À la brigade des Vols et Homicides!

Il avait presque crié. Tout le monde allait le savoir dans la salle. Bosch se sentit rougir. Tous les regards allaient se tourner vers lui.

— Putain! reprit Edgar. D'abord, c'est Kiz et maintenant, c'est toi? Et moi, je suis quoi? Du pipi de chat?

11

I L avait mis *Kind of blue* sur la chaîne. Une bouteille de bière dans la main, il se renversa en arrière dans sa chaise longue à dossier inclinable et ferma les yeux. Déroutante, la journée mettait fin à une semaine qui ne l'était pas moins. Pour l'heure, il ne désirait plus qu'une chose : que la musique coule en lui et le nettoie. Il se sentait au seuil de quelque chose de nouveau. Il était sur le point d'entamer une nouvelle phase de sa vie, une phase qui, en plus, était claire-ment définie. Les dangers y seraient plus importants, comme les enjeux, mais aussi les récompenses. Cela le fit sourire maintenant qu'il se savait à l'abri des regards.

Le téléphone sonna. Il se redressa d'un bond et décrocha.

— Inspecteur Bosch ? Chef adjoint Irving à l'appareil.

— Oui ?

— Vous avez bien reçu votre ordre de transfert ?

— Oui.

— Bien. Je voulais juste vous dire que j'ai pris la décision de vous faire réintégrer la brigade des Vols et Homicides. Après notre dernier entretien, j'ai décidé de vous donner une dernière chance. Ce transfert n'est rien d'autre. Vous serez sous ma surveillance directe.

— À quel poste ?

Au bout d'un long silence, Irving reprit la parole.

— Vous allez retrouver votre ancien boulot. Section spéciale Homicides. Un poste s'est libéré aujourd'hui même, lorsque l'ins-pecteur Thornton a rendu son badge.

Bosch était ravi, mais ne voulait rien en laisser entendre à Irving. Comme s'il avait deviné ses pensées, celui-ci ajouta :

— Inspecteur Bosch… il se peut que vous ayez l'impression d'être tombé dans une fosse à purin et d'en ressortir en sentant la rose. Ne vous imaginez pas ça. Ne vous faites surtout pas d'idées. Et gare aux erreurs. Est-ce assez clair ?

— Comme de l'eau de roche.

Irving raccrocha sans un mot de plus. Bosch se rassit dans sa chaise longue et sentit quelque chose de dur lui rentrer dans les reins.

Ce n'était pas son arme, qu'il avait déjà enlevée. Il glissa la main dans sa poche et tomba sur son minicassette.

Il s'aperçut alors qu'il n'avait jamais entendu tout l'interrogatoire de Trent parce qu'à ce moment-là il fouillait d'autres endroits de la maison et se trouvait hors de portée d'oreille. Il mit l'appareil en marche.

Mais rien dans l'interrogatoire, y compris dans la partie qu'il n'avait pas entendue, ne fit naître en lui la moindre idée nouvelle. Il rembobina la bande et décida de la repasser. À la deuxième tentative, il repéra soudain quelque chose qui l'excita si fort qu'il eut l'impression d'avoir de la fièvre. Il rembobina la bande à toute allure et repassa l'échange entre Edgar et Trent qui avait attiré son attention. Il se rappela s'être alors trouvé dans le couloir de chez Trent et avoir effectivement entendu ce dialogue. Mais le sens lui en avait échappé jusqu'à présent.

« — Ça vous plaisait de regarder les enfants jouer sur cette colline, monsieur Trent ?

» — Je ne pouvais pas les voir quand ils montaient dans les bois. De temps en temps, quand j'étais en voiture ou que je promenais le chien – à l'époque où il vivait encore –, je les voyais y grimper. Il y avait la fille d'en face. Les Foster à côté. Tous les gamins du quartier. »

Bosch éteignit l'appareil et retourna à son téléphone. Edgar répondit à la première sonnerie. Bosch devina qu'il ne dormait pas. Il n'était que 9 heures du soir.

— Dis, tu n'as rien emporté chez toi ?

— Comme quoi ?

— L'annuaire inversé.

— Non, Harry, il est au bureau. Qu'est-ce qu'il y a ?

— Je ne sais pas. Tu te rappelles quand tu faisais ton croquis… il n'y avait pas de Foster dans Wonderland ?

— Foster… Tu veux dire comme patronyme ?

— C'est ça.

— Euh…, non, il n'y avait pas de Foster. Pourquoi… Qu'est-ce qui se passe ?

— Je te rappelle.

Bosch emporta le téléphone et le posa sur la table de la salle à manger, à côté de sa mallette. Il en sortit le dossier de l'affaire. Puis il feuilleta rapidement les pages, jusqu'à celle où l'on trouvait la liste des habitants actuels de Wonderland Avenue, avec leurs adresses et leurs numéros de téléphone. Il n'y avait pas de Foster. Il décrocha le téléphone et composa un numéro. Au bout de quatre sonneries, une voix connue lui répondit.

— Docteur Guyot, inspecteur Bosch à l'appareil. Je suis un peu pressé et j'ai quelques questions à vous poser sur le quartier.

— Eh bien… allez-y.

— Remontons aux années 1980. Y a-t-il jamais eu un couple ou une famille du nom de Foster dans la rue à cette époque ?

Le silence se fit pendant que Guyot réfléchissait à la question.

— Non, je ne crois pas. Ce nom ne me dit rien.

— Bien. Mais pourriez-vous me dire s'il y avait une famille d'accueil[1] ?

— Ah oui, dit Guyot. Les Blaylock. Des gens très bien. Ils ont accueilli beaucoup d'enfants au fil des années.

— Vous rappelez-vous leurs prénoms ?

— Don et Audrey.

— Quand ont-ils quitté le quartier ?

— Cela doit remonter à au moins dix ans.

— Une idée de l'endroit où ils auraient pu aller ? Habitent-ils toujours dans le coin ?

— J'essaye de me souvenir, reprit le docteur.

— Prenez votre temps, docteur.

— Oh ! vous savez quoi, inspecteur ? dit enfin Guyot. Noël. J'ai une boîte où je garde toutes les cartes de vœux que je reçois. Audrey m'envoie encore une carte tous les ans.

— Allez chercher votre boîte, docteur. J'attendrai.

Guyot mit plusieurs minutes avant de reprendre le téléphone.

— Bon, inspecteur Bosch, dit le médecin. Je l'ai.

Guyot lui donna l'adresse et Bosch laissa presque échapper un grand soupir. Don et Audrey Blaylock n'avaient pas déménagé en Alaska ou filé à l'autre bout du monde. On pouvait se rendre en voiture à l'endroit où ils habitaient maintenant. Bosch remercia Guyot et raccrocha.

1. *Foster* en anglais signifie « élever ». *Foster home*, « famille d'accueil » ou « adoptive ».

Ce samedi matin-là, Bosch était assis dans sa voiture et observait une petite maison à charpente en bois située près de la grande artère de Lone Pine, à trois heures de route au nord de Los Angeles, au pied de la sierra Nevada. Ses os lui faisaient mal tant il avait froid après avoir passé la nuit à conduire, puis à tenter de dormir dans sa voiture.

À 9 heures, Bosch vit un homme, la soixantaine, vêtu d'un gilet en duvet, sortir prendre le journal. Il le ramassa et rentra.

Bosch mit le moteur en route et alla se garer dans l'allée des Blaylock. L'homme qu'il avait vu un peu plus tôt lui ouvrit la porte avant même qu'il ait eu le temps de frapper.

— Monsieur Blaylock?

— Oui, c'est moi.

Bosch lui montra son badge et une pièce d'identité.

— Est-ce que je pourrais vous parler quelques minutes? À vous et à votre femme. C'est pour une affaire sur laquelle j'enquête.

— Vous êtes seul?

— Oui.

— Depuis combien de temps êtes-vous là?

Bosch sourit.

— Depuis 4 heures du matin environ. Je suis arrivé trop tard pour trouver une chambre.

— Entrez. Il y a du café en route.

Blaylock lui montra un ensemble de sièges disposés autour d'un canapé près de la cheminée.

— Je vais chercher ma femme et le café, dit-il.

Bosch allait s'asseoir lorsqu'il remarqua les photos encadrées et accrochées au mur derrière le canapé. Il s'approcha. Il n'y vit que des enfants et des adolescents. De toutes races. C'étaient tous les enfants que les Blaylock avaient accueillis chez eux.

Bientôt, Blaylock revint avec une grande tasse de café fumant. Une femme au visage aimable l'avait suivi dans la pièce.

— Je vous présente ma femme, Audrey. Comment voulez-vous votre café? Noir? Tous les flics que j'ai connus le prenaient noir.

— Noir, dit Bosch. Vous avez connu beaucoup de flics?

— Oui, quand j'étais à L.A. J'ai fait trente ans chez les pompiers, jusqu'en 1992. J'étais commandant de poste.

— De quoi voulez-vous nous parler ? demanda Audrey, qui avait l'air irritée par les bavardages de son mari.

— J'enquête sur un homicide qui a eu lieu dans Laurel Canyon. Dans votre ancien quartier, en fait. Nous essayons de retrouver les gens qui y habitaient en 1980.

— Pourquoi à cette époque ?

— Parce que c'est à cette date-là que l'homicide a eu lieu. Le corps de la victime n'a été retrouvé qu'il y a une quinzaine de jours. On l'avait enterré dans les bois. Sur la colline.

Bosch scruta leurs visages. Ils n'exprimaient rien d'autre que le choc.

— Ah, mon Dieu ! s'écria Audrey. Et c'était le cadavre de qui ?

— D'un garçon de douze ans. Il s'appelait Arthur Delacroix. Ce nom vous dit-il quelque chose ?

Ils cherchèrent dans leurs souvenirs, puis ils se regardèrent et confirmèrent le résultat en secouant la tête.

— Non, répondit Don Blaylock, ça ne me dit rien.

— Où habitait-il ? demanda Audrey. Parce que je ne pense pas que ç'ait été dans le quartier.

— Non, il habitait dans Miracle Mile.

— Mais c'est affreux ! s'exclama Audrey. Que pouvons-nous vous dire ?

— Nous essayons de mettre sur pied une espèce de profil de la rue… de Wonderland Avenue à cette époque-là. Des voisins m'ont dit que vous dirigiez un foyer… c'est bien ça ?

— Oh, oui ! s'exclama-t-elle. Don et moi avons accueilli des enfants chez nous pendant vingt-cinq ans.

— Je vous admire. Combien d'enfants avez-vous accueillis ?

— Difficile de faire le compte. On en gardait certains pendant des années, et d'autres quelques semaines seulement. Ça dépendait pour beaucoup des humeurs du tribunal pour enfants. Je dis toujours que pour travailler dans l'accueil à l'enfance, il faut avoir un cœur gros comme ça et le cuir très épais.

— Une fois on a compté, dit Blaylock. On a eu un total de trente-huit enfants à la maison. Mais, de manière plus réaliste, disons que nous en avons élevé dix-sept. Ceux qui sont restés chez nous assez longtemps pour que ça ait un impact.

— Je me demandais si vous ne pourriez pas me dire quels enfants vous aviez chez vous en 1980.

— Pourquoi? L'un d'entre eux serait impliqué dans l'affaire? demanda Audrey.

— Je ne sais pas, madame. C'est comme je vous ai dit : nous tentons d'établir un profil du quartier. Nous avons besoin de savoir qui y habitait. Après, on verra. Vous avez sans doute une trace de qui est passé chez vous et pendant combien de temps?

— Oui, mais nous n'avons pas ça ici, répondit Blaylock. Ces documents-là se trouvent dans un garde-meuble à Los Angeles. Mais si! Nous avons une liste de tous les enfants que nous avons aidés. Simplement, elle n'est pas par année. On l'a faite pour les anniversaires, pour garder le contact. Ça pourrait vous aider?

— Oui, beaucoup, dit Bosch.

Blaylock quitta la pièce et revint avec un classeur vert d'écolier. Il le posa sur la table basse et en sortit une liste de noms écrite à la main. Bosch commença à la parcourir. Il en était à peine aux deux tiers lorsqu'il posa le doigt sur un nom.

— Celui-ci, dit-il. Vous voulez bien m'en parler? Johnny Stokes.

BOSCH prit deux pages de notes sur Johnny Stokes. Envoyé chez les Blaylock par le Bureau d'aide à l'enfance, Stokes y était arrivé en janvier 1980 et en était reparti au mois de juillet suivant, lorsqu'on l'avait arrêté pour le vol d'une voiture. Sa période de redressement effectuée, le juge l'avait renvoyé chez ses parents.

— Parfois, les circonstances ne nous permettaient pas de leur porter secours. John a fait partie de ces malheureux.

Bosch ne put qu'acquiescer.

— Vous pensez qu'il a tué cet enfant? Pendant qu'il était chez nous?

Rien qu'à voir son visage, Bosch comprit qu'en lui disant la vérité il détruirait tout ce qu'elle s'était construit comme idée du bien qu'ils avaient fait.

— Je n'en sais vraiment rien, dit-il. Tout ce que je sais, c'est qu'il connaissait le gamin qui s'est fait tuer. Il y a quelques objets que j'aimerais vous montrer. Si ça ne vous gêne pas… Ils sont dans ma voiture.

Il s'excusa et se rendit à son véhicule. Son portable sonna au moment où il refermait le coffre. C'était Edgar.

— Où es-tu, Harry? lui demanda celui-ci.

— Je suis monté à Lone Pine. Et toi, où es-tu?

— Au bureau des Homicides. Je croyais que tu…

— Écoute… je te rappelle dans une heure. En attendant, tu lances un avis de recherche pour Stokes.

— Mais pourquoi?

— Parce que c'est lui. C'est lui qui a tué Arthur.

— Mais merde, Harry!

— Je te rappelle d'ici une heure. Tu lances l'avis de recherche.

Revenu dans la maison, il posa son carton par terre et ouvrit sa mallette sur ses genoux. Il y prit l'enveloppe contenant les photos de famille empruntées à Sheila Delacroix.

— Regardez l'enfant qui apparaît sur ces photos et dites-moi si vous le reconnaissez… s'il est jamais venu chez vous. Avec Johnny ou avec quelqu'un d'autre.

Il les regarda examiner les photos, puis se les échanger. Dès qu'ils eurent fini, tous deux hochèrent la tête et les lui rendirent.

— Non, dit Don Blaylock, je ne le reconnais pas.

— Très bien, fit Bosch en remettant les clichés dans l'enveloppe. Puis il ouvrit le carton et en sortit le skate.

— C'était à John, dit Audrey.

— Vous êtes sûre?

— Oui, je le reconnais. Il l'a laissé chez nous quand on nous l'a enlevé. J'ai appelé chez lui, mais il n'est jamais venu le chercher.

— Comment savez-vous que c'était à lui?

— Je m'en souviens, c'est tout. Je n'aimais pas la tête de mort avec les tibias. Et ça, je me le rappelle très bien.

— Et où était passée cette planche?

— Nous l'avons vendue. Lorsque Don a pris sa retraite et que nous avons décidé de venir nous installer ici, nous avons vendu tous nos fonds de cave et de grenier.

— Vous rappelez-vous à qui vous avez vendu cette planche?

— Oui, à notre voisin, M. Trent.

— Quand?

— Dans le courant de l'été 1992. Juste après avoir vendu la

maison. M. Trent nous a acheté la moitié de ce que nous avions mis en vente. Il en avait besoin pour son boulot. Il réalisait des décors de cinéma.

Bosch griffonna quelques notes dans son carnet.

— Johnny Stokes vous a-t-il jamais dit comment il avait eu cette planche? demanda Bosch.

— Il m'a dit qu'il l'avait gagnée dans un concours à l'école, répondit Audrey.

— À l'école des Brethren?

— C'est ça. C'est là qu'il allait.

Bosch hocha la tête. Il ferma son carnet, le glissa dans sa poche et se leva pour prendre congé.

BOSCH se gara devant le *Lone Pine Diner*. Il mourait de faim, mais savait qu'il devait absolument parler à Edgar avant de faire quoi que ce soit. Il sortit son portable et l'appela. La première sonnerie n'avait pas fini de retentir lorsque Edgar décrocha.

— C'est moi, dit Bosch. Tu as lancé l'avis de recherche?

— Oui, c'est fait. Mais c'est quand même un peu dur à faire quand on ne sait rien… *collègue*.

C'était la dernière affaire sur laquelle ils travaillaient ensemble, et Bosch se sentait mal de devoir mettre un point final à leurs relations de cette manière. Il savait que c'était sa faute. Il lui avait coupé l'herbe sous le pied pour des raisons dont il n'était même pas tout à fait sûr.

— Tu as raison, dit-il. J'ai merdé. Je voulais juste aller de l'avant et c'est ça qui m'a poussé à rouler toute la nuit.

— Mais j'y serais allé avec toi!

— Je sais, dit-il en mentant. Je n'y ai pas pensé.

— Bon, et si tu reprenais du début, pour que je comprenne.

Bosch passa dix minutes à le mettre au courant.

— Donc, d'après toi, lorsque le gamin s'est sauvé, il est allé voir Stokes, qui l'a emmené sur la colline pour le tuer?

— En gros, oui.

— Mais pourquoi?

— C'est ce qu'on va lui demander. Mais j'ai ma petite idée.

— Quoi? Pour lui piquer son skate?

— Toi et moi avons vu des gens tuer pour moins que ça, et nous ne savons pas s'il avait l'intention de l'assassiner. N'oublions pas que la tombe n'était pas profonde et qu'elle avait été creusée à la main. Donc, rien de prémédité.

— Tu sais quoi, Harry? On n'a pas arrêté de pédaler dans la semoule dans cette histoire. Un gamin de treize ans qui en tue un autre de douze pour un putain de jouet? Stokes était mineur quand ça s'est passé. Tu parles comme on va le poursuivre en justice maintenant!

Bosch savait qu'Edgar avait raison. Même s'ils arrivaient à soutirer des aveux à Stokes, il y avait toutes les chances pour que celui-ci s'en tire sans encombre.

— J'aurais dû la laisser l'abattre, marmonna Bosch.

— Qu'est-ce que tu dis, Harry?

— Rien. Je vais bouffer un morceau et je reprends la route. Tu seras là?

— Oui, oui, je ne bouge pas. Je t'avertis s'il y a du neuf.

Bosch raccrocha et s'aperçut soudain qu'à l'idée de l'impunité de Stokes, il avait perdu son bel appétit.

12

B OSCH sortait à peine du passage tortueux et passablement traître de l'autoroute appelé « les vrilles de la vigne » lorsque son portable sonna. C'était Edgar.

— Harry. On a logé Stokes. Il squatte à l'*Usher*.

L'*Usher* était un hôtel des années 1930 situé à une rue de Hollywood Boulevard. Pendant des décennies entières, il avait servi d'asile de nuit, jusqu'à ce que la rénovation du boulevard finisse par l'atteindre. Mais le projet avait été remis à plus tard par les urbanistes municipaux.

En attendant de renaître, les treize étages de chambres étaient occupés par des squatters. Il n'y avait ni eau ni électricité, mais cela n'empêchait personne de se servir des toilettes et l'endroit puait comme un cloaque à ciel ouvert. Les chambres n'avaient ni portes ni mobilier. On y roulait des tapis pour dormir. Aller y enquêter tenait du cauchemar.

— Comment sait-on qu'il est là ? demanda Bosch.

— Les Stups, qui cherchaient des trucs dans l'hôtel, ont entendu dire qu'il squatte tout en haut, au treizième étage. Faut avoir drôlement la trouille de quelque chose pour aller se planquer là-haut quand il n'y a plus un seul ascenseur qui marche !

— Bon, d'accord. C'est quoi le plan ?

— On entre en force. Quatre équipes de la patrouille, moi et les mecs des Stups. On attaque en bas et on monte dans les étages.

— Quand ?

— On va en causer après l'appel et on y va. On ne pourra pas t'attendre, Harry. Faut attraper ce type avant qu'il mette les bouts.

Bosch se demanda un instant si la hâte d'Edgar était légitime ou si celui-ci cherchait seulement à se venger d'avoir été tenu à l'écart à divers moments de l'enquête.

— Je sais, finit-il par dire. Je te retrouve là-bas.

Il écrasa le champignon. C'était samedi, il n'y avait pas beaucoup de monde sur la route. À peine arrivé dans Highland, il vit l'*Usher* se dresser quelques rues plus au sud. Bosch n'avait pas de radio sur lui et avait oublié de demander à Edgar où se trouverait le poste de commandement de l'opération. Il appela le poste de garde. Ce fut Mankiewicz qui répondit.

— Mank, où se trouve le PC de l'opération sur l'*Usher* ?

— Sur le parking de l'église de Hollywood Presbyterian.

— OK. Merci.

Deux minutes plus tard, Bosch entrait dans le parking de l'église. Il y trouva cinq voitures de la brigade, plus une des Stups et une comme la sienne. Toutes étaient garées près de l'église pour qu'on ne pût pas les voir des fenêtres de l'*Usher*.

Deux officiers attendaient dans une voiture de patrouille. Bosch se gara, puis se dirigea vers la vitre du chauffeur.

— Où sont-ils ? demanda-t-il.

— Au douzième étage, lui répondit le chauffeur. Toujours rien pour l'instant.

Il y avait deux départs d'escaliers, un à chaque extrémité du bâtiment. Bosch s'engagea dans l'un d'eux. Les portes des couloirs avaient été arrachées, ainsi que les numéros d'étage, et il ne sut bientôt plus à quel étage il se trouvait.

Arrivé au neuvième ou au dixième, il s'arrêta pour reprendre son souffle. Il tendit l'oreille, mais n'entendit aucun bruit. Les équipes devaient se trouver au dernier étage. Il se demanda si on ne leur avait pas fourni un tuyau crevé sur Stokes ou si le suspect avait réussi à filer.

Une minute plus tard, il posa le pied sur le dernier palier. Il était au treizième. Puis il entendit des cris dans le couloir.

— Là! Là, là!

— Non, pas ça, Stokes! Les mains en…

Soudain, deux violentes détonations retentirent et allèrent se perdre en échos dans les couloirs. Bosch sortit son arme et courut à la porte. Il passait la tête de l'autre côté lorsqu'il entendit deux autres déflagrations et recula.

De nouveau, il regarda dans le couloir. Edgar était en position de tir, derrière deux officiers en tenue. Tous lui tournaient le dos et braquaient leurs armes sur une des portes ouvertes.

— C'est bon! lança une voix. La pièce est sûre.

Dans le couloir tout le monde leva son arme et s'approcha de l'embrasure de la porte.

— LAPD[1] derrière! cria Bosch.

Il longea le couloir en vitesse. Il s'apprêtait à entrer dans la chambre à son tour lorsqu'il dut reculer pour laisser passer un policier en tenue qui en ressortait. Celui-ci avait pris sa radio.

— Allô, Central… Envoyez une ambulance au 41, Highland Avenue, treizième étage. Suspect touché, blessures par balle.

Bosch entra dans la chambre et jeta un coup d'œil derrière lui. Le flic à la radio n'était autre qu'Edgewood, le coéquipier de Julia. Leurs regards se croisèrent un bref instant, puis Edgewood disparut dans l'ombre du couloir. Bosch se retourna pour regarder la pièce.

Stokes était assis dans une penderie sans portes. Adossé au mur du fond, il avait posé les mains sur ses genoux, l'une d'elles serrée sur un petit calibre .25 de poche. Il portait un jean noir et un tee-shirt sans manches couvert de sang. Blessures à la poitrine et sous l'œil

1. Los Angeles Police Department.

gauche, où les balles étaient entrées. Il avait les yeux ouverts, mais à l'évidence il était mort.

Edgar s'accroupit devant lui, sans le toucher. Bosch se tourna pour embrasser la pièce. «Trois flics en tenue, Edgar et un policier en civil, un type des Stups», pensa-t-il. Deux des flics examinaient deux impacts de balle dans le plâtre.

— On ne touche à rien! aboya Bosch. Tout le monde dehors et on attend l'équipe d'Évaluation des tirs. Qui a tiré?

— Edgewood, répondit le type des Stups. Ce mec nous attendait dans la penderie et on a…

— Je ne veux pas entendre votre histoire. Vous la gardez pour l'Évaluation. Allez me chercher Edgewood, redescendez au rez-de-chaussée et attendez.

Les flics sortirent de la pièce à regret, n'y laissant que Bosch et Edgar. Celui-ci se leva et s'approcha de la fenêtre. Bosch, lui, s'accroupit près du corps.

Il examina l'arme que Stokes tenait encore dans la main. Il songea que les experts de l'Évaluation y trouveraient un numéro de série brûlé à l'acide.

Puis il repensa aux déflagrations qu'il avait entendues alors qu'il était encore sur le palier. Deux fois deux. Il lui était difficile d'arriver à une conclusion en se référant à sa mémoire, surtout à cause de l'endroit où il se trouvait à ce moment-là. Mais il lui semblait bien que les deux premières déflagrations avaient été nettement plus fortes que les deux autres. Si c'était le cas, cela signifiait que Stokes avait fait feu avec son pistolet à bouchon après qu'Edgewood avait tiré deux fois avec son arme de service. Stokes aurait donc tiré deux fois sur Edgewood après avoir été touché à la figure et à la poitrine… ces blessures paraissant immédiatement fatales?

— Qu'est-ce que tu en penses? lui demanda Edgar qui s'était planté derrière lui.

— Ce que j'en pense n'a guère d'importance. Il est mort. L'affaire est entre les mains de l'Évaluation.

— Non, collègue, elle est close. On n'aurait pas dû trop s'inquiéter de savoir si le procureur allait poursuivre ou pas.

Bosch acquiesça d'un signe de tête.

— Faut croire que non, dit-il.

— C'était notre dernière affaire ensemble, Harry. On s'en sort bien.

— Oui. Après l'appel ce matin, tu as parlé du procureur et fait savoir à tout le monde que c'était un meurtre d'enfant ?

Au bout d'un long moment, Edgar lui répondit :

— Possible que j'aie dit quelque chose dans ce sens.

— Est-ce que tu leur as dit aussi qu'on avait pas mal « pédalé dans la semoule », pour reprendre ton expression de ce matin ? Est-ce que tu leur aurais dit que le procureur ne se donnerait sans doute même pas la peine de poursuivre ?

— Oui, ce n'est pas impossible que j'aie dit un truc pareil. Pourquoi ?

Bosch ne répondit pas. Il se releva et se dirigea vers la porte.

— Tu tiens le fort jusqu'à l'arrivée de l'Évaluation ?

— Où vas-tu, Harry ? lui demanda Edgar.

Bosch sortit de la pièce sans rien dire.

Les survivants de ce qui avait jadis constitué une famille se tenaient chacun à un sommet du petit triangle au centre duquel s'ouvrait la fosse. Samuel Delacroix s'était planté d'un côté du cercueil, son ex-épouse en face de lui. Sheila Delacroix, elle, avait pris place à une extrémité du cercueil, le prêtre lui faisant face à l'autre bout. La mère et la fille avaient ouvert chacune un parapluie noir pour se protéger du léger crachin. Le père n'en avait pas et aucune des deux femmes ne fit mine de l'abriter.

Bosch observait la scène de loin, à l'abri d'un chêne. Dieu sait pourquoi, il trouvait approprié que l'enfant soit enterré sur une colline sous la pluie. Il avait appelé le bureau du légiste pour savoir quelle entreprise de pompes funèbres était chargée de l'enterrement et avait été dirigé sur le cimetière de Forest Lawn. Il avait alors appris que c'était la mère d'Arthur qui avait réclamé les ossements et organisé la cérémonie.

Bosch remarqua que les membres de la famille ne se regardaient pas. Dès que le cercueil eut été descendu dans la fosse et que le prêtre eut fait le dernier signe de croix, Sheila se détourna pour redescendre vers l'allée. Elle avait constamment ignoré la présence de ses parents.

Samuel la suivit aussitôt. Dès qu'elle s'en aperçut, Sheila allongea le pas. Elle parvint à rejoindre sa voiture et à démarrer avant que son père ait pu la rattraper.

Bosch se retourna vers le lieu de l'inhumation. Le prêtre l'avait déjà quitté. Seule Sally Waters était restée près de la tombe. Bosch la regarda prier en silence, puis s'approcher des deux dernières voitures garées au bord de l'allée en contrebas. Bosch choisit un endroit où la croiser et s'y dirigea. Lorsqu'il arriva près d'elle, elle le regarda calmement.

— Pourquoi avez-vous réclamé les ossements? lui demanda-t-il.

— Je me doutais que personne d'autre ne le ferait.

Ils arrivèrent sur la route. Bosch avait garé sa voiture devant la sienne.

— Au revoir, inspecteur, dit Sally Waters.

Elle passa entre les deux véhicules et gagna sa portière.

— J'ai quelque chose pour vous, lui dit-il.

— Quoi?

Il débloqua sa malle arrière. Elle referma son parapluie, le jeta dans sa voiture et s'approcha.

— Un jour, quelqu'un m'a dit qu'on ne cherchait jamais qu'une chose dans la vie. La rédemption.

— La rédemption pour quoi?

— Pour tout. Nous voulons tous être pardonnés.

Il ouvrit son coffre, en sortit une boîte en carton et la lui tendit.

— Prenez bien soin de ces enfants, dit-il.

Elle ne prit pas la boîte mais en souleva le couvercle pour regarder à l'intérieur. Des tas d'enveloppes s'y empilaient. Plus quelques photos en vrac. Dont celle du petit Kosovar au regard creux. Elle plongea la main dans la boîte.

— D'où viennent ces enfants? demanda-t-elle.

— Ça n'a pas d'importance. Il faut que quelqu'un s'en occupe.

Elle acquiesça d'un signe de tête, remit précautionneusement le couvercle sur la boîte et emporta cette dernière jusqu'à sa voiture. Elle la posa sur sa banquette arrière. Elle paraissait sur le point de dire quelque chose, mais y renonça. Elle remonta dans sa voiture et démarra. Bosch la regarda partir.

C'ÉTAIT dimanche soir, tard. Il avait décidé d'aller débarrasser son bureau quand il n'y aurait personne pour le voir. Il devait encore une journée de travail au commissariat de Hollywood Division, et il voulait que tout fût rangé dès le début de son service afin de terminer celui-ci par un gueuleton de trois heures chez *Musso et Frank*. Il se contenterait de dire au revoir à deux ou trois personnes qui comptaient pour lui, et il aurait filé par la porte de derrière avant même qu'on s'en aperçût. Il ne voyait pas d'autre manière de procéder.

Il avait déjà rempli un carton lorsqu'il tomba sur son bocal de douilles. Il n'y avait toujours pas déposé celle qu'il avait ramassée à l'enterrement de Julia. Celle-là, il l'avait posée sur une étagère chez lui. À côté de la photo du requin qu'il avait décidé de garder afin de ne jamais oublier les dangers qu'on court à sortir de sa cage de sécurité. Le père de Julia l'avait autorisé à la conserver. Il déposa soigneusement le bocal dans un coin du second carton.

Le tiroir était presque entièrement débarrassé lorsqu'il tomba sur une feuille de papier pliée en deux. Il l'ouvrit et y trouva un message : « Où es-tu, gros dur? »

IL le regarda longtemps. Il repensa à tout ce qui s'était passé depuis que, treize jours plus tôt, il avait arrêté sa voiture dans Wonderland Avenue. Puis il songea à ce qu'il faisait et à l'endroit où il allait. Et aussi à Trent, à Stokes et, plus que tout, à Arthur Delacroix et à Julia Brasher. À ce que disait Golliher en examinant des ossements de victimes vieux de plusieurs milliers d'années. Enfin il eut la réponse à la question écrite sur la feuille de papier.

— Nulle part, dit-il tout haut.

Il replia la feuille et la glissa dans le carton. Puis il regarda ses mains et contempla les cicatrices qu'il avait aux phalanges. Il songea à toutes les blessures invisibles qu'il s'était faites en se battant contre des murs impalpables.

Il savait depuis toujours que sans son travail, sans son badge et sans sa mission, il serait perdu. Il sentit à cet instant que perdu, il pouvait aussi l'être *avec*. De fait, il se pouvait même qu'il le soit *à cause* de ça. Et que ce soit ce dont il croyait avoir le plus besoin qui lui fasse éprouver le sentiment de la futilité des choses.

Soudain il prit une décision.

Il glissa sa main dans sa poche revolver et en sortit l'étui de son badge. Il retira la carte d'identification derrière le plastique et dégagea la plaque. Il passa ensuite son pouce sur les lettres du mot INSPECTEUR imprimées en relief. Il eut le sentiment d'effleurer les cicatrices sur ses phalanges.

Il posa son badge et sa carte d'identification dans le tiroir. Puis il sortit son arme de son étui, la regarda longuement et la remit, elle aussi, dans le tiroir. Et il le ferma à clef.

Il traversa la salle pour gagner le bureau de Billets. La porte n'était pas verrouillée. Il posa la clef de son tiroir de bureau et celle de sa voiture de fonction sur son sous-main. Il était sûr qu'elle serait intriguée en ne le voyant pas le lendemain matin et qu'elle irait voir dans son bureau. Alors elle comprendrait qu'il ne reviendrait plus. Ni au commissariat de Hollywood Division ni aux Vols et Homicides. Il rendait son badge. Il passait en Code 7. Il en avait terminé.

En retraversant la salle des inspecteurs, Bosch regarda autour de lui et sentit que quelque chose prenait définitivement fin en lui. Mais il n'hésita pas. Il attrapa les deux cartons posés sur son bureau et les porta dans le couloir. Il passa devant la réception et ouvrit la porte d'entrée d'un grand coup de reins. Puis il appela l'officier assis derrière le comptoir.

— Dites, lança-t-il, vous pourriez me rendre service et m'appeler un taxi ?

— Tout de suite. Sauf qu'avec le temps qu'il fait, ça risque d'être long. Si vous voulez attendre à l'inté…

Déjà la porte s'était refermée. Bosch n'entendit pas le reste de la phrase. Il gagna le bord du trottoir. L'air était froid et humide. Il n'y avait pas la moindre trace de lune derrière la couverture nuageuse. Il serra les cartons contre sa poitrine et se mit à attendre sous la pluie.

MICHAEL CONNELLY

Adolescent, Michael Connelly fut témoin d'une fusillade meurtrière. Est-ce là l'origine de sa fascination pour le crime ? Né en 1956, il grandit en dévorant des romans policiers et, sitôt diplômé d'une école de journalisme, il se spécialise dans les affaires criminelles. Dix ans durant, en particulier pour le *Los Angeles Time*, il écume les commissariats et les tribunaux, réunissant une impressionnante documentation. Car il veut être écrivain et « trouver la manière de faire de la fiction plus forte que la réalité ». En 1992, enfin, il crée son héros fétiche, l'inspecteur Harry Bosch, dans *les Égouts de Los Angeles*. Ce roman remporte un tel succès que Connelly se trouve d'emblée labellisé « nouveau maître du roman noir américain ». S'il vit aujourd'hui en Floride avec sa famille, il reste fidèle dans ses écrits à Los Angeles, la ville la plus propice, selon lui, à l'étude de la noirceur de l'âme humaine.

Le texte intégral des ouvrages présentés
dans « Sélection du Livre »
a été publié par les éditeurs suivants :

XO Éditions

L'OR SOUS LA NEIGE
Nicolas Vanier

Éditions Albin Michel

LA NUIT EST MON ROYAUME
Mary Higgins Clark

Éditions Albin Michel

LA GRANDE ÎLE
Christian Signol

Éditions du Seuil

WONDERLAND AVENUE
Michael Connelly

Crédits photographiques : CORBIS/Archives du Canada : 7 (en haut), 8-9, 10;
OPALE/John Foley : 185; PHOTONICA/Gary Isaacs : 7 (2e milieu), 186-187, 188;
OPALE/Basso Cannarsa : 347; HOAQUI/Philippe Roy : 7 (3e milieu), 348-349, 350;
AFP/Diarmid Courreges-PIG : 439; GETTY IMAGES/Stone/Lesley Robson-Foster : 7
(en bas), 440-441, 442; Melissa Hayden : 591.

Édité le 23 mars 2005.
Impression et reliure : GGP Media GmbH, Pößneck, Allemagne.
Dépôt légal en France : avril 2005.
Dépôt légal en Belgique : d-2005-0621-62.